CONTOS COMPLETOS DE LIMA BARRETO

LIMA BARRETO

Contos completos

Organização e introdução
Lilia Moritz Schwarcz

9ª reimpressão

Copyright © 2010 by Lilia Moritz Schwarcz
Caricatura de Lima Barreto © Coleção Guita e José Mindlin.
Reprodução Lúcia Loeb.

Grafia atualizada segundo o Acordo Ortográfico da Língua Portuguesa de 1990, que entrou em vigor no Brasil em 2009.

Capa
Jeff Fisher

Preparação
Célia Euvaldo

Revisão
Angela das Neves
Márcia Moura
Ana Maria Barbosa

Pesquisa e notas
Lilia Moritz Schwarcz e Lúcia Garcia

Transcrição dos manuscritos
Marcelly Pedra Rezende

Agradecimentos
Luiz Antonio de Souza (Biblioteca Acadêmica Lúcio de Mendonça, Academia Brasileira de Letras)
Vera Faillace (Seção de manuscritos, FBN)

Dados Internacionais de Catalogação na Publicação (CIP)
(Câmara Brasileira do Livro, SP, Brasil)

Barreto, Lima, 1881-1922.
Contos completos / Lima Barreto ; organização e introdução Lilia Moritz Schwarcz. — São Paulo : Companhia das Letras, 2010.

ISBN 978-85-359-1755-0

1. Contos brasileiros I. Schwarcz, Lilia Moritz. II. Título.

10-09893   CDD-869.93

Índice para catálogo sistemático:
1. Contos : Literatura brasileira 869.93

Todos os direitos desta edição reservados à
EDITORA SCHWARCZ S.A.
Rua Bandeira Paulista 702 cj. 32
04532-002 — São Paulo — SP
Telefone: (11) 3707-3500
www.companhiadasletras.com.br
www.blogdacompanhia.com.br
facebook.com/companhiadasletras
instagram.com/companhiadasletras
twitter.com/cialetras

Sumário

13 NOTA SOBRE O TEXTO

15 Introdução — *Lima Barreto: termômetro nervoso de uma frágil República*
Lilia Moritz Schwarcz

55 AMPLIUS!

PARTE I — CONTOS PUBLICADOS, CONFORME SELEÇÃO DO AUTOR, COMO APÊNDICE DA 1ª EDIÇÃO DA OBRA *TRISTE FIM DE POLICARPO QUARESMA*, 1915

63 A nova Califórnia
71 O homem que sabia javanês
80 Um e outro
89 Um especialista
98 O filho da Gabriela
109 Miss Edith e seu tio
121 Como o "homem" chegou

PARTE II — CONTOS PUBLICADOS, CONFORME SELEÇÃO DO AUTOR, NA OBRA *HISTÓRIAS E SONHOS*, 1ª EDIÇÃO, 1920 — ÚLTIMO LIVRO PUBLICADO EM VIDA POR LIMA BARRETO

141 O moleque
152 Harakashy e as escolas de Java
162 Congresso Pan-Planetário
166 Cló
177 Hussein Ben-Áli Al-Bálec e Miqueias Habacuc
188 *Agaricus auditae*
198 Adélia
202 O feiticeiro e o deputado
207 Uma noite no Lírico
212 Um músico extraordinário
218 A biblioteca
226 Lívia
230 Mágoa que rala
246 Clara dos Anjos
256 Uma vagabunda
260 A barganha
267 Uma conversa vulgar
272 Sua Excelência
275 A matemática não falha

PARTE III — CONTOS PUBLICADOS EM *OUTRAS HISTÓRIAS*, QUE INTEGRAM A 2ª EDIÇÃO DE *HISTÓRIAS E SONHOS*, 1951

285 Por que não se matava
290 Ele e suas ideias
294 Numa e a ninfa
300 Uma conversa
302 A cartomante
304 O cemitério
306 Na janela
309 Despesa filantrópica
312 O caçador doméstico

315 Uma academia da roça
319 A mulher do Anacleto
321 Dentes negros e cabelos azuis
329 A doença do Antunes
334 A indústria da caridade
337 Casa de poetas (Comédia em um ato)
347 Os negros (Esboço de uma peça)

PARTE IV — CONTOS ARGELINOS QUE INTEGRAM A 2ª EDIÇÃO DE *HISTÓRIAS E SONHOS*, 1951

355 S. A. I. Jan-Ghothe
358 El-Kazenadji
361 O juramento
363 A firmeza de Al-Bandeirah
365 O desconto
367 A solidariedade de Al-Bandeirah
369 O reconhecimento
371 O oráculo
373 A chegada
375 Um candidato
377 Um bom diretor
380 Os quatro filhos d'Aymon
383 A consulta
385 Que rua é esta?
387 Abertura do Congresso
390 Medidas de Sua Excelência
393 Uma anedota
395 A nova glória
397 Era preciso...
399 Faustino I
401 O rico mendigo
403 Projeto de lei
405 Firmeza política
407 Cincinato, o romano
409 O ideal

411 A fraude eleitoral
413 As teorias do dr. Caruru
416 O anel de Perdicas
418 O congraçamento
420 Nós! Hein?
422 Um debate acadêmico
424 Coisas parlamentares
426 Os Kalogheras
428 Conservou o fez
430 Arte de governar
432 O destino do Chaves
435 Uma opinião de peso
438 O poderoso dr. Matamorros
441 Um fiscal de jogo
443 Boa medida
445 Falar inglês
449 Manifestações políticas
451 Na avenida
453 Rocha, o guerreiro
454 Um do povo
456 Hóspede ilustre
458 Interesse público

PARTE V — CONTOS QUE INTEGRAM A 4ª EDIÇÃO DA OBRA *VIDA E MORTE DE M. J. GONZAGA DE SÁ*, 1949

463 O falso dom Henrique v
472 Três gênios da secretaria
477 Manel Capineiro
480 Milagre de Natal
486 Foi buscar lã...
492 Um que vendeu a sua alma
495 Carta de um defunto rico
499 A sombra do Romariz
502 Quase ela deu o "sim"; mas...
507 O tal negócio de "prestações"

510 O meu Carnaval
513 Lourenço, o Magnífico
521 Fim de um sonho
524 Eficiência militar (Historieta chinesa)
527 O jornalista
532 O único assassinato de Cazuza
537 O número da sepultura
546 O pecado

PARTE VI — OUTROS CONTOS (TEXTOS MANUSCRITOS COMPLETOS E INCOMPLETOS E CLASSIFICADOS COMO TAL)

551 Esta minha letra...
556 Apologética do Feio (Bilhete à baronesa de Melrosado)
560 A nova classe de cirurgiões
563 Babá
566 O peso da ciência
567 Mambembes
569 Meditações na janela
570 História de um soldado velho
572 O paladino
574 O diplomata dos símios
576 O general
578 A vingança (História de Carnaval)
580 O profeta e o bloco
583 Conversas
584 As fachadas
586 O jardim dos Caiporas
589 O domingo
590 O escravo
592 Os pedaços
593 Os subidas
594 Os subidas [2ª tira]
596 No tronco
597 O velho códice
599 A vida fluminense

600 O soneto
602 Opiniões do Gomensoro
604 A nota
607 A nota. A Caixa de Conversão
610 A conferência do dr. Assis Brasil
615 Dr. Fonseca
619 Dr. Pio Macieira
630 Maniápolis
632 O *restaurant* e os galeões do México
635 A ave estranha
636 A ave estranha [2ª versão]
638 O traidor
643 O 1º atestado
648 Lulu, mas não da Pomerânia
649 Bordejos
652 O povoamento do solo e a simplificação da linguagem
654 Um fato gravíssimo
656 Uma loteria com que sonho
658 Dr. Laranjinha
660 [Conto sem título]
663 Manoel de Oliveira

667 OBRAS DE LIMA BARRETO
669 CRONOLOGIA
673 NOTAS
709 BIBLIOGRAFIA
711 SOBRE O AUTOR
711 SOBRE A ORGANIZADORA

A única crítica que me aborrece é a do silêncio.
Implico solenemente com a crítica.
"Amplius!"

Tudo vai do molho; tudo vai da aparência.
"A nota"

Nota sobre o texto

Sendo as fontes dos textos aqui publicados bastante precárias, foi necessário fazer ajustes, correções e atualizações ortográficas. Parte dos contos provém de edições antigas, que contêm muitos erros de grafia, de concordância, de pontuação, e outra parte de manuscritos, muitas vezes ilegíveis e incompletos. Aqui observou-se o bom-senso: correções foram feitas quando não havia dúvida da intenção do autor nem risco de alterar o conteúdo, visando sempre a fluência da leitura. Optou-se por manter certos termos de idiomas estrangeiros que hoje têm seu correspondente em português da maneira como foram grafados pelo autor — como *chauffeur, restaurant, cocotte, football* —, já que revelam o momento em que foram importados por nossa cultura. No caso dos manuscritos, transcritos por Lúcia Garcia, as correções foram menos rígidas; tratando-se estes de primeiros esboços, não faria sentido se preocupar com seu acabamento.

Muitos dos trechos retirados desses manuscritos estavam incompletos ou ilegíveis. Em alguns casos, quando a correção não era evidente, utilizamos o [sic]. Os trechos ilegíveis foram marcados com o símbolo □.

Introdução — Lima Barreto: termômetro nervoso de uma frágil República

Lilia Moritz Schwarcz

Esta edição reúne o conjunto completo de contos produzidos por Lima Barreto até hoje conhecidos que podem ser encontrados nos acervos públicos nacionais. Fazem parte desta obra: os contos publicados pelo autor em vida; os que ganharam espaço em edições póstumas, publicados sem o aval do escritor; e os deixados sob a forma de manuscritos, completos ou não, guardados em tiras de papel no acervo da Biblioteca Nacional do Rio de Janeiro, muitos deles inéditos. Foram incluídas também notas explicativas sobre o estabelecimento do texto, acerca de termos, expressões locais e personagens utilizados e introduzidos por Lima Barreto. Sem ser exaustivas, elas pretendem atualizar a leitura e dar aos contos outras compreensões, já que o autor fazia um uso alargado de referências de seu tempo e de anotações de cunho pessoal.[1]

Na obra de Lima Barreto, as separações canônicas entre ficção e não ficção, realidade e imaginação, são muitas vezes fugidias, e tal perfil fica ainda mais claro no caso dos "contos" de Lima Barreto, que na obra do autor misturam-se ao que hoje conhecemos como crônicas. Por outro lado, ainda em vida, o autor foi criticado ou considerado pouco "criativo", uma vez que estabelecia constantes paralelos com o momento em que viveu ou com sua biografia. O fato é que dentro da produção literária desse escritor, com frequência apresentada pela crítica como "realista", a biografia fermenta a literatura e vice-versa.² A experiência pessoal do artista não se separa da sua produção literária. Nesse caso, a literatura ganha um caráter evidentemente biográfico e, de modo declarado, o escritor não se desloca da ficção; na verdade, a invade com todas as contradições próprias desse tipo de empreendimento criativo. Ele punha na boca de seus personagens críticas ao funcionarismo, à mania nacional de se fazer passar por doutor ou aos protecionismos de toda ordem. Já na vida real, foi o emprego como amanuense na Secretaria da Guerra que garantiu seu sustento, assim como o da família; tentou várias maneiras de fazer parte dos círculos intelectuais e de suas instituições diletas — sempre sem sucesso; e, quando pôde, lançou mão da sua rede de relações pessoais. Aí está, pois, uma literatura de oposição ou por oposição que, ao produzir a ficção, cria, ao mesmo tempo, o artista a partir da noção de não pertencimento e de exclusão.

O Rio de Janeiro de Lima Barreto também seria "outro": em vez da corte, tão descrita pelos colegas de geração, o escritor selecionaria o "subúrbio carioca". Se o autor se acostumara a transitar por toda a cidade, já sua geografia simbólica elegeria um cenário ficcional particular. Por contraposição aos monumentos, ruas alargadas, praças vistosas e renovadas, edifícios cada vez mais altos, a imagem do subúrbio aparece como um resumo da desorganização: misturas arquitetônicas, espaços pouco aproveitados, ruas estreitas, lazeres considerados pouco civilizados, casas térreas, personagens exóticos e pequenos animais vagando pelas ruas. Por fim, sua literatura surgia na contramão do modelo da Academia Brasileira de Letras, instituição da qual durante certo tempo acalentou o desejo de fazer parte. Acusado de praticar erros gramaticais em suas edições baratas e sem cuidado, alegou sempre, em seu favor, afastar-se propositadamente do formalismo, dando à sua literatura uma oralidade aproximada ao espetáculo por ele observado nas ruas que percorria diariamente.

Não é o caso de apostar se esses são recursos contextuais ou marcas intencionais de uma produção literária. Mais importante é assinalar o resultado: temos diante de nós uma personalidade complexa, ambivalente, que batalha pela autonomia de sua escrita mas se sente inadaptada e incapacitada de realizar tal propósito, por conta de sua origem social e étnica ou seu desempenho em sociedade (tema frequente em suas crônicas, romances, diários e contos). A literatura parece ser, assim, refúgio e igualmente muralha; local onde o escritor busca inserir-se na sociedade, mas também de constatação de certa impotência social. Da mesma maneira, Lima Barreto oscilaria, dramaticamente, entre se ajustar aos cânones vigentes e desafiá-los; entre tomar parte dos círculos literários oficiais e criticá-los. Pensados nesses termos, literatura, jornalismo, intervenção social e política compõem um mesmo modelo, que parece ter sido cuidadosamente criado pelo autor, para quem escrever significava atuar e apresentar-se socialmente. Não poucas vezes, Lima Barreto comparou sua literatura a "uma mulher pública", que se exibe. Mesmo assim, jamais conseguiu abrir mão de tal exposição pessoal, sobretudo se lembrarmos uma série de *romans à clef* de sua autoria, como *Recordações do escrivão Isaías Caminha* (1909) — o jovem que descobre que é negro apenas quando chega à cidade grande; *Triste fim de Policarpo Quaresma* (1915) — o funcionário, nesse caso, do Arsenal da Guerra, que adere à República e ao nacionalismo para depois ver frustrado o seu projeto; *Vida e morte de M. J. Gonzaga de Sá* (1919) — o cidadão ambulante que defende valores humanitários e o direito dos oprimidos; e ainda *Cemitério dos vivos*, romance incompleto em que não só a identificação é evidente, como descrições inteiras são retiradas de seu *Diário do hospício*.[3]

Conectado ao jornalismo de seu tempo, Lima Barreto, por conta da crítica que realizava ao formalismo literário, e quase à sua revelia, foi apontado pelos modernistas paulistanos como um de seus pares. Contribuíram para tal o vínculo explícito com o contexto político e social e sua visão ácida e crítica da sociedade; ou ainda sua opção deliberada pela oralidade. No entanto, melhor do que entender Lima Barreto como um escritor que carregava um projeto intencional é dar a ele seu próprio tempo e verificar de que maneira o autor agenciava suas fraquezas, ambiguidades, impossibilidades ou mesmo opções culturais. Seu mundo era repleto de contradições de todo tipo: crítico do racismo científico, temia pelos efeitos que a bebida teria sobre seu organismo ou pelas manifestações de loucura já presentes em seu pai; adversário confesso da escrita marcada pelo rigor e métrica formais, tentou sem sucesso entrar na Academia, não se furtando a recorrer a redes de apadrinhamento para tal objetivo; defensor da vanguarda literária russa, do anarquismo e da autonomia política do escritor, era contrário a grandes modernizações urbanas e culturais; espécie de arauto da negritude (muito antes do sucesso do culturalismo ou dos movimentos sociais), negava a importância da música de origem africana ou de costumes que, em seu entender, afastavam essa população das benesses do progresso.

Assim, mais que um modelo de doma fácil ou uma vítima passiva de seu contexto, a obra e a trajetória de Lima Barreto permitem enxergar ambivalências da modernidade brasileira, tão claras nesse autor/personagem que perambulava (literal e metaforicamente) entre o subúrbio e o centro da então capital do país. Lima Barreto, já em seu tempo, não só ganhou certa visibilidade, como batalhou por ela, a despeito da recorrência, em seus textos, dos sinais de baixa estima e das acusações de discriminação. São notáveis o número de cartas trocadas com intelectuais da corte e de províncias afastadas; a quantidade de obras de sua autoria enviada a colegas de profissão no Rio de Janeiro e em outros estados; o esforço pessoal para publicar seus contos, romances e crônicas; ou o material recolhido pelo escritor, que nunca descurou de sua própria fortuna crítica.[4] Expectativas Lima Barreto tinha, e as revelava na correspondência passiva, nos seus diários e nos movimentos que fez em direção às diferentes instituições de consagração — em especial com relação à Academia Brasileira de Letras — ou a possíveis editores. É fato que ele não foi o único escritor a ver malograda sua intenção de entrar na Casa dos Imortais. Mas a condição social, origem e cor foram em parte responsáveis por um certo boicote velado que acabou por dissuadir o escritor de continuar tentando sua filiação a esse ou a outros centros científicos e literários da época. Isso sem esquecer o boicote da Academia aos "grupos boêmios", dos quais Lima Barreto participava e pelos quais era reconhecido. Muito se discute sobre o papel da Academia para um certo aburguesamento entre os escritores e sobre as tentativas de Machado de Assis para controlar o "comportamento" de seus integrantes. Fato ou ficção e fofoca, o importante é que Lima Barreto acumulava motivos para ver-se impedido de tomar parte na instituição.

Tendo em mente as inúmeras dificuldades e impedimentos que um escritor negro, pobre e do subúrbio experimentou para vingar nesse mercado nascente das letras nacionais, vale a pena perceber as ambivalências desse autor, que atuou em muitos sentidos e de maneiras variadas. Construiu sua literatura como uma espécie de voz isolada do subúrbio; transformou-se em algoz do feminismo nascente (a despeito de criar personagens comoventes entre mães, amantes, empregadas e feiticeiras); destacou-se como interlocutor crítico das teorias científicas ou arauto desconfiado da modernidade; fez-se escritor negro numa sociedade dada a todo tipo de jogo social no sentido de camuflar e não evidenciar a cor; esse conceito que cumpre o papel de eufemismo de raça no Brasil.[5]

O período histórico é também particularmente candente. De um lado, o fim da escravidão, em maio de 1888, embutia a promessa de igualdade presente e futura. De outro, com o projeto republicano, que vingaria em novembro de

1889, inaugurava-se um novo momento que anunciava uma política liberal e a utopia do livre-arbítrio; prática bastante desconhecida nesse país tão marcado pela longevidade do trabalho compulsório. No entanto, se é fato que o novo regime introduzia promessas, até então inexistentes, de promoção e inclusão social, a realidade logo se mostrou adversa. O começo da República deu lugar não a um processo democrático, mas a uma sucessão de estados de sítio e de medidas de cunho autoritário. Além do mais, diante da espinhosa, problemática e urgente questão dos egressos da escravidão, a resposta terminou sendo, quando não ambígua, na maioria das vezes excludente. Afinal, se a escravidão acabara de ser abolida, o trabalho livre ainda não ganhara uma forma mais definida ou um enquadramento salarial. Por fim, se a violência da escravidão era agora desautorizada legal e oficialmente, permanecia um certo rebaixamento em relação ao trabalho manual, ainda associado ao trabalho cativo. Criava-se, assim, uma espécie de interregno, caracterizado pela falta de regras claras, mas também por excesso de arranjos de ordem pessoal. Isto é, destacavam-se os manejos pessoais e pouco ortodoxos no estabelecimento das condições da mão de obra, agora assalariada. Não se cumpriram, pois, as promessas de incorporação da população negra e escrava, assim como não se regulamentavam publicamente os contratos de trabalho e serviços. Ao contrário, reforçavam-se as relações clientelísticas, expandiam-se os laços de compadrio.[6]

Passados os primeiros anos da República, parte considerável da intelectualidade experimentava uma sensação de desengano diante desse governo que mantinha sua feição acentuadamente oligárquica e elitista. Embora as posições sociais não se encontrassem mais previamente determinadas, como nos tempos da realeza, ou estabelecidas pelo regime escravocrata, a realidade pouco mudara. Durante a monarquia, garantira-se a centralização política e administrativa por meio da figura forte do rei e pelo controle rígido de certos estabelecimentos culturais e políticos diretamente conectados ao Estado.[7] No entanto, a experiência profunda e disseminada da escravidão trouxe para o imaginário local a certeza de que as posições sociais eram dadas de modo quase natural e que o trabalho manual, por exemplo, era tarefa dos cativos.[8] De toda maneira, no contexto da Jovem República, as oportunidades de mobilidade social oferecidas aos negros e mulatos instruídos da capital federal foram sendo postergadas.[9] Se, de um lado, pareciam existir novas possibilidades de mobilidade social, de outro entraves foram sendo dispostos, apoiados num discurso científico determinista de grande penetração.

Afinal, nesse mesmo contexto, discursos científicos raciais são introduzidos no país com muita força e impacto, escapando do terreno jurídico da escravidão e ganhando, agora, o espaço certeiro, e pretensamente objetivo, da naturalização biológica. Durante o Império, a questão da raça não fora tematizada diretamente, uma vez que a escravidão grassava em todo o território e permanecia como dado incontornável. Segundo Sérgio Buarque de Holanda, a instituição escravocrata foi a grande contradição da monarquia e a abolição de maio de 1888 levou ao desfecho republicano de novembro de 1889.[10] É no período republicano, entretanto, que a desigualdade social apareceria como tema não da agenda cidadã, mas da biologia evolutiva das populações, assim como seria devidamente explicada pela ciência determinista da época. Esta investiria em questões variadas, como loucura, criminalidade, prostituição e degeneração, procurando "sanear" o que considerava ser descontrole ou desequilíbrio social.

Não por coincidência, a literatura de Lima Barreto se caracteriza por um claro "ressentimento", dando vazão a temas como cor e exclusão, corporalidade e discriminação, divisões sociais e hipocrisias científicas. Ressentimento remete a sensação de indignidade social e, não por acaso, o escritor abandonaria sua *performance* de dândi dos anos de juventude para assumir uma *persona* dilacerada, de pária social.[11] Além do mais, sua definição como escritor negro perpassará a obra como um todo. Cada personagem tem sua cor detidamente definida, temas de exclusão social farão parte do dia a dia, frustrações e decepções estarão na lógica que constitui as narrativas. A modernidade era para poucos, assim como as promessas de igualdade; Lima Barreto pareceu sempre temer tomar a dianteira do projeto republicano ou denunciá-lo, e muitas vezes oscilou entre essas duas atitudes. *Medo* é palavra frequente em seus escritos: medo do retorno da escravidão, medo de falhar com sua literatura ("Ah, literatura ou me mata ou me dá o que peço dela"[12]), medo das dívidas que acumulava, da bebida e da sina do alcoolismo que circundava a família, medo da ciência e da modernidade.[13]

QUEM CONTA UM CONTO AUMENTA UM PONTO

Mas, se essas características fazem parte da obra de Lima Barreto de modo geral, elas ficam ainda mais evidentes nos contos. É certo que temos aí material literário, mas não por acaso os contos exponenciem também um diálogo entre a história do país e a vida pessoal de Lima Barreto. Neles, vemos surgir personagens da política portando outros nomes mas facilmente reconhecíveis; referências a costumes da elite da corte, prontamente ironizados; alfinetadas nas teorias raciais; ironias dirigidas às práticas da polícia ou a outras instituições do Estado; alusões a hábitos da população local (alguns poucos elogiados, a maioria não); ou mesmo passagens inteiras acerca dos subúrbios do Rio de Janeiro. Lima Barreto explora bem os diversos tipos do cenário carioca: malandros, ingênuos, espertos, empresários, boêmios, beberrões, mulheres de vida fácil, mães que são arrimos de família ou meninas que descobrem as mazelas do amor. Uma galeria de personagens parece conviver com a literatura consagrada de Machado de Assis, autor que descreveu um período um pouco anterior ao de Lima Barreto, assim como selecionou um Rio de Janeiro de certa maneira diferente; tanto em sua geografia (afetiva, real e simbólica) como em sua vida e cotidiano.

Por conta dessa ponte entre o dia a dia e a ficção, resolvemos introduzir nesta edição uma série de notas explicativas acompanhando os contos. O objetivo é esclarecer termos e expressões de época, personagens, locais e topônimos citados por Lima Barreto, bem como costumes e situações políticas e sociais, facilitando, mas não limitando, a leitura e a compreensão dos mesmos.[14] Outro elemento da maior importância é a análise dos nomes dos personagens homenageados por Lima Barreto em muitas aberturas dos contos. Se é difícil identificar a totalidade dos nomes constantes das dedicatórias, daqueles reconhecíveis destaca-se um conjunto sobretudo afetivo; aí estão amigos, alguns deles também escritores, profissionais liberais e poucos políticos estimados. Entre os eleitos figuram Bastos Tigre, Arnaldo Damasceno dos Santos, Ranulfo Prata, Andrade Muricy, Pereira da Silva; só para ficarmos com alguns nomes mais conhecidos dessa confraria paralela de Lima Barreto. Por outro lado, cruzando-se tal tipo de fonte com as cartas deixadas pelo autor, percebe-se como ele desenvolvia intensa atividade de veiculação de sua obra e da de seus colegas: enviava livros, recolhia resenhas acerca de sua produção literária, pedia opiniões sobre os contos que publicava nos jornais, além de dar publicidade ao trabalho dos amigos. Criava, assim, um circuito literário alternativo, paralelo ao grupo da ABL ou em contraste com este. Temos, portanto, a partir desse pequeno detalhe — a dedicatória — um quadro das relações de Lima, que se movia também na base da dialética entre "próximos e distantes": aqueles com quem o escritor compactuava e os "outros", que estranhava e muitas vezes desdenhava.

Esse é apenas um exemplo de como a história pessoal de Lima Barreto, na maior parte das ocasiões, inunda a narrativa. A biografia não serve para explicar de modo mecânico a literatura, mas desconsiderá-la muitas vezes leva à fetichização do texto, ou à construção da figura de gênio romântico, deslocado de seu contexto. No caso de Lima Barreto, a atitude de separação de sua história é quase um equívoco, pois significa abrir mão do próprio fundamento dessa literatura.[15] Não que os contos representem um "reflexo" fácil de seu período. Ao contrário, mais do que um "produto", a literatura sempre "produz" a realidade sobre a qual se debruça: descreve e molda. Nas palavras de Roberto Schwarz, a literatura contempla de maneira crítica o movimento da sociedade; "decanta a experiência nacional".[16]

Esse olhar agudo sobre a problemática local, essa visada contemporânea — a comédia do progresso, a força do familismo, as falácias da modernidade — é parte constitutiva do imaginário de Lima Barreto expresso nos contos. Primeiro autor brasileiro a se reconhecer e definir como literato negro, Lima apresentou, à sua maneira, as ambivalências do momento em que viveu. Guardou na memória da infância o dia da abolição e, ainda menino, viu surgir o novo regime e as promessas de "novos tempos"; no entanto, é com rara lucidez que anota como o projeto republicano fracassava rapidamente, gerando decepção e uma certa nostalgia. E ele não seria o único. Muitos intelectuais e ativistas legaram relatos "saudosos" dos tempos da monarquia ou descobriram no imperador deposto qualidades democráticas até então pouco encontradas.

Se essa situação traria uma forte dose de ressentimento para toda uma geração que se filiou à República e confiou em suas bandeiras de igualdade, o que dizer desses intelectuais negros que sofriam com o duplo impedimento, da cidadania e da cor? Enquanto o momento político acenava com a promessa da integração social, já a ciência determinista e evolutiva da época anunciava o oposto: "os homens não nascem e não são iguais", dizia o médico da Escola Baiana de Medicina, Nina Rodrigues.[17] Nesse contexto, determinismos de toda ordem — sobretudo o racial e o geográfico — tornavam-se grande moda no Brasil, e de alguma maneira anulavam ou desfaziam os ganhos obtidos com a República. Cientistas como Nina Rodrigues, Sílvio Romero, João Batista Lacerda[18] e tantos outros, encastelados em suas instituições (como as faculdades de direito, de medicina, os museus de etnografia e os institutos históricos e geográficos), transformavam a igualdade em balela, e encontravam no cruzamento racial e na mestiçagem o nosso maior e mais profundo infortúnio.[19]

No entanto, enquanto as diferentes raças carregavam, segundo essas teorias, seus próprios problemas e hierarquias naturais — manifestas na divisão do mundo entre grupos superiores e inferiores —, pior era o destino das populações negras e mestiçadas, cujo caminho futuro significava (a seguirem-se tais modelos científicos) a perversão e a degeneração. Esse é o momento da aplicação de políticas eugênicas e da transformação do médico num verdadeiro "missionário nacional", capaz de cuidar das almas e da saúde.[20] Era preciso "consertar" a sociedade, o que implicava "lidar e sanear raças". Entendida como uma cruzada, a atividade médica passa a ser considerada prioritária para a nação; e seus profissionais são convertidos em pontas de lança de uma modernidade pautada em moldes europeus e, crescentemente, norte-americanos. Diante do diagnóstico de que essa era uma sociedade fadada ao fracasso, passavam a acreditar no poder de intervenção da ciência; ou melhor, na concepção de que a população local poderia ser manipulada como um "laboratório", onde se poderia prever a entrada ou o desaparecimento de determinados tipos, raças, etnias, grupos e sangues. Portanto, e em nome da eugenia, certas alianças começavam a ser priorizadas, enquanto eram outras francamente proibidas. Se, por um lado, se incentivava a prática da educação física, por outro a prostituição e demais hábitos tidos como "perversos sexualmente" eram proibidos. Isso sem esquecer a condenação de costumes entendidos como sinal de degeneração: embriaguez, o uso de tatuagens ou os estados de alienação mental e de epilepsia. Informados pelos modelos de Cesare Lombroso e outros teóricos da antropologia criminal italiana, cientistas e políticos brasileiros condenavam tudo que pudesse ser considerado como estigma e marca de cruzamento, assim como atuavam no sentido de se adiantar e impedir a manifestação da loucura, da doença, ou mesmo da criminalidade.[21] A grande utopia de época era agora outra: seria possível tomar medidas preventivas para evitar o ato do criminoso, antes mesmo de ele pensar em cometer o crime?

Nesse cenário, ser mestiço ou negro significava um obstáculo forte a cercear a utopia republicana da igualdade e da cidadania, e, ainda mais, de autonomia intelectual. Aí está expresso, pois, o dilema de determinados intelectuais negros (pouquíssimos por sinal) que tentavam combater o racismo científico mas esbarravam no conceito determinista de raça e em suas consequências sempre negativas. Autores como Manuel Querino, José do Patrocínio ou Lima Barreto, raros nesse contexto em que "apagar a cor" era medida cautelosa e necessária, acabaram por viver em permanente dilema, conflito e contradição entre a projetada inclusão e a realidade da exclusão social. No conto "O traidor", incluído nesta coletânea, no verso do manuscrito o escritor faz uma série de elucubrações acerca da sua vida e comenta suas lembranças de infância, após a abolição:

> Era bom saber se a alegria que trouxe à cidade a lei da abolição foi geral pelo país. Havia de ser, porque já tinha entrado na convivência de todos a sua injustiça originária. Quando eu fui para o colégio, um colégio público, à rua do Rezende, a alegria entre a criançada era grande. Nós não sabíamos o alcance da lei, mas a alegria ambiente nos tinha tomado. A professora, d. Tereza Pimentel do Amaral, uma senhora muito inteligente, creio que nos explicou a significação da coisa; mas com aquele feitio mental de crianças, só uma coisa me ficou: livre! livre! Julgava que podíamos fazer tudo que quiséssemos; que dali em diante não havia mais limitação aos progressistas da nossa fantasia. Mas como estamos ainda longe disso! Como ainda nos enleamos nas teias dos preceitos, das regras e das leis! [...] São boas essas recordações; elas têm um perfume de saudade e fazem com que sintamos a eternidade do tempo. O tempo inflexível, o tempo que, como o moço é irmão da Morte, vai matando aspirações, tirando perempções, trazendo desalento, e só nos deixa na alma essa saudade do passado, às vezes composto de fúteis acontecimentos, mas que é bom sempre relembrar. Quanta ambição ele não mata. Primeiro são os sonhos de posição, os meus saudosos; ele corre e, aos poucos, a gente vai descendo de ministro a amanuense; depois são os de Amor — oh! como se desce nestes! [...] Viagens, obras, satisfações, glórias, tudo se esvai, e esbate com ele. A gente julga que vai sair Shakespeare e sai Mal das Vinhas; mas tenazmente ficamos a viver, esperando, esperando... O quê? O imprevisto, o que pode acontecer amanhã ou depois; quem sabe se a sorte grande, ou um tesouro descoberto no quintal?[22]

Por outro lado, não poucas vezes o escritor tentava se diferenciar de seu grupo de origem, declarando uma situação educacional e formação ímpares, lembrando de seus feitos como escritor, jornalista ou ativista social. Há, pois, um movimento de aproximação e distanciamento importante a anotar; uma espécie de identidade partida.[23] Essa literatura militante tinha por base lugar e posição específicos, e aparecia nas situações mais inesperadas. No conto "Um especialista", um pai (branco) descobre que dormira com a filha de sua amante negra; em "O moleque", Lima Barreto narra a história de uma mãe negra que castiga o próprio filho ao julgar, enganosamente, que este havia roubado uma fantasia de Carnaval; em "Cló", bem no final o personagem canta um lascivo e agressivo "Mi compra ioiô". Isso sem descurar do conto intitulado "O pecado", quando são Pedro, tendo despertado "risonho e de bom humor", primeiro julga ter cometido um equívoco ao condenar um fiel bondoso e caridoso; depois, ao descobrir que ele era negro, corrige logo a situação: "Esquecia-me... Houve engano. É! Foi bom você falar. Essa alma é a de um negro. Vai pro purgatório".

O ressentimento de Lima Barreto nada tem a ver, portanto, com uma nostalgia romântica de fundo mais difuso, própria de intelectuais de finais de século. No caso dele, há uma consciência social que perscruta toda a obra: não poucas vezes conclui pela existência de uma repartição desigual da sorte, avalia a injustiça dos privilegiados e aquilo que considera ser uma profunda indignidade social. Na obra do escritor, essa sensação de desterro intelectual parte de uma vivência pessoal profunda, cravada no destino familiar e íntimo, mas ganha respaldo numa avaliação crítica da política e economia da época. Talvez seja por isso que a ascensão social é tratada em sua obra não só como aspiração, mas, sobretudo, como uma impossibilidade.[24]

Por não ser reconhecido como membro da Academia Brasileira de Letras, para a qual se candidatou três vezes (desistindo na última); por não ser convidado a participar dos grupos boêmios letrados que se reuniam nas confeitarias do Rio de Janeiro; ou ainda por ter seu acesso vetado a centros como a Academia dos Novos (1911) ou a Sociedade dos Homens de Letras (1914), onde nem a posição de bibliotecário lhe foi conferida, não lhe faltaram exemplos práticos a fundamentar sua desconfiança para com a elite local. No caso de Lima Barreto, nomear constantemente a sua cor, bem como a de seus personagens, representava, a um só tempo, uma regra de integração e uma forma de distinção e agenciamento.

Há um grande número de contos que se referem direta ou secundariamente ao problema da cor e do preconceito, assim como, em todos eles, o autor mostra sua identificação com os pobres e humildes, contrapostos ao lustro fácil dos mais bem aquinhoados. No tocante a "Manoel de Oliveira",[25] que relata as histórias do negro que cuidava da horta junto ao manicômio em que viveram Lima e sua família, o escritor recolhe as lembranças do jardineiro que se orgulhava sempre da sua África e se dizia cabinda: "Muitos outros fatos se passaram entre nós dessa natureza, e, agora, que o desalento me invade, não posso relembrar essa figura original de negro, sem considerar que o que faz o encanto da vida, mais do que

qualquer outra coisa, é a candura dos simples e a resignação dos humildes...".
No conto incompleto intitulado "O domingo", mais uma vez Lima Barreto interrompe a ficção e faz uma digressão sobre o povo:

> Era enfim o povo, o povo variegado da minha terra. As napolitanas baixas com seus vestidos de roda, e suas africanas, as portuguesas coradas e fortes, caboclas, mulatas e pretas — era tudo sim preto, às vezes todos exemplares em bando, às vezes separados, que a viagem de bonde me deu a ver.
> E muito me fez meditar o seu semblante alegre, a sua força prolífica, atestada pela cauda de filhos que arrastavam, a sua despreocupação nas anemias que havia, em nada significando a preocupação de seu verdadeiro estado — e tudo isso muito me obrigou a pensar sobre o destino daquela gente.

Negro em meio a uma elite intelectual branca; pobre, num contexto social com aspirações e ares de riqueza; morador do subúrbio cercado por pares da corte e ainda contando com uma clara dificuldade afetiva, expressa nas obras e nos documentos, Lima Barreto fez de seu corpo expressão de uma condição. Mais ainda, apresentou-se a partir desse repertório de diferenças. Por sinal, o conjunto da obra traz a construção de uma identidade combalida, em que o corpo parece ser o limite. Do dândi das ruas centrais do Rio ao maltrapilho dos últimos anos de vida, Lima Barreto engendrou uma retórica do corpo, em sua vida e obra. Os personagens são cuidadosamente caracterizados, detalhes de sua constituição física, roupas e adereços são anotados. Em "A matemática não falha", por exemplo, o escritor descreve detidamente um major conhecido no cenário carioca:

> Vital foi há anos uma figura popular do Rio de Janeiro. Todos devem lembrar-se de um pretinho muito baixo, miúdo, feio, com feições de pequeno símio, malares salientes, lábios moles, sempre úmidos de saliva, babados mesmo, que era visto passar pelas ruas principais, fardado de major honorário, com uma banda obsoleta na cintura, um espadagão antediluviano, de colarinho extremamente justo e botas cambaias... Hão de se lembrar, por força! Pois essa figura pouco marcial era o major José Carlos Vital.

Feiura parecia vincular-se ao tom da pele ou à condição social, e um bom exemplo é a descrição de Numa fazendo a corte a Gilberta, no conto "Numa e a ninfa": "Fez a corte, não deixava a moça, trazia-lhe mimos, encheu as tias (Coquinho era viúvo) de presentes; mas a moça parecia não atinar com os desejos daquele bacharelinho baço, pequenino, feio e tão roceiramente vestido".

Na verdade, "ser ou não ser feio" era mesmo uma questão séria para Lima Barreto, com inúmeras conotações (sociais, raciais, geográficas), presente em vários de seus contos. O momento mais inspirado é "Apologética do Feio", quando, claramente, o escritor refere-se a si próprio e ironiza:

> V. Ex.ª é capaz de apontar uma definição, um traço; uma característica em suma que possa servir de base a uma "Teoria positiva do Feio"? Não o é, eu aposto; e não o é por dois motivos:
>
> 1º Porque o Feio é indefinível.
>
> 2º Porque o Feio é pessoal; depende de uma série de circunstâncias a que não são estranhos o ponto de vista, o lugar geográfico, a influência do meio e até o momento histórico.
>
> Outras fossem as circunstâncias mesológicas, étnicas, psicológicas e físicas e V. Ex.ª não me teria recusado a honra daquela valsa.
>
> Se até hoje nem sequer conseguiram os imbecis traçar uma linha neutra, uma linha divisória, um biombo sobre o qual se pudesse com segurança declarar que todos aqueles que se encontram além são Belos; todos aqueles que se encontram aquém são Feios! Daí a nossa superioridade: um campo de ação mais vasto [...]

Lima Barreto muitas vezes se autodescreveria como nesse conto, e a partir dos mais ínfimos sinais: na sua ficha de inscrição como candidato à ABL ou no seu registro de entrada no manicômio não lhe escapam indícios constituidores de sua formação e construção como *persona*: ora mais positiva, ora mais negativa. O fato é que a posição de "escritor negro" condiciona sua percepção da realidade. Só um negro, carregando a experiência sensível que essa situação traz, se preocuparia tanto em descrever cores, costumes, sempre de modo contrastivo.

O subúrbio também sugeria outra maneira de usar e apresentar o corpo — uma fronteira simbólica e social — dada pelos costumes, pelas roupas, pelas cores, pelos personagens. No conto "O moleque", que começa com longa descrição dessa parte da cidade, temos um retrato tocante da literatura de Lima e de seu vínculo com uma experiência que difere da modernidade carioca:

É um subúrbio de gente pobre, e o bonde que lá leva atravessa umas ruas de largura desigual, que, não se sabe por quê, ora são muito estreitas, ora muito largas, bordadas de casas e casitas sem que nelas se depare um jardinzinho mais tratado ou se lobrigue, aos fundos, uma horta mais viçosa. Há, porém, robustas e velhas mangueiras que protestam contra aquele abandono da terra. Fogem para lá, sobretudo para seus morros e escuros arredores, aqueles que ainda querem cultivar a Divindade como seus avós. Nas suas redondezas, é o lugar das macumbas, das práticas de feitiçaria com que a teologia da polícia implica, pois não pode admitir nas nossas almas depósitos de crenças ancestrais. O espiritismo se mistura a eles e a sua difusão é pasmosa. A Igreja católica unicamente não satisfaz o nosso povo humilde. É quase abstrata para ele, teórica. Da divindade, não dá, apesar das imagens, de água benta e outros objetos do seu culto, nenhum sinal palpável, tangível de que ela está presente. O padre, para o grosso do povo, não se comunica no mal com ela; mas o médium, o feiticeiro, o macumbeiro, se não a recebem nos seus transes, recebem, entretanto, almas e espíritos que, por já não serem mais da terra, estão mais perto de Deus e participam um pouco da sua eterna e imensa sabedoria.

[...] O curioso [...] é o amálgama de tantas crenças desencontradas a que preside a Igreja católica com os seus santos e beatos. A feitiçaria, o espiritismo, a cartomancia e a hagiologia católica se baralham naquelas práticas, de modo que faz parecer que de tal baralhamento de sentimentos religiosos possa vir nascer uma grande religião, como nasceram de semelhantes misturas as maiores religiões históricas.

Na confusão do seu pensamento religioso, nas necessidades presentes de sua pobreza, nos seus embates morais e dos familiares, cada uma dessas crenças atende a uma solicitação de cada uma daquelas almas, e a cada instante de suas necessidades.

O outro lado do espelho era tomado pela elegante avenida Central, que substituíra a mística da rua do Ouvidor com seus novos edifícios e sua elite de "colarinhos engomados". Na nota que acompanha o verso do conto manuscrito intitulado "O traidor", Lima destila sua verve contra o Teatro Municipal, àquela altura recém-inaugurado:

O Teatro Municipal é inviável. A razão é simples. É muito grande e luxuoso [...] Armaram um teatro cheio de mármores, de complicações francesas, um teatro que exige casaca, altas toaletes, e quem com ele levantar a arte dramática, apelando para o povo do Rio de Janeiro. Não se tratava bem de povo que sempre entra nessas coisas como Pilates no Credo. Eternamente ele viveu longe desses; não tem mesmo notícia deles, e, se a tem, despreza-os totalmente.

O autor constrói, assim, uma literatura que se pretende negra, suburbana e pobre. Numa época em que mais se exaltava a abolição do que se lembrava do "passado" escravocrata, num contexto em que o próprio Hino da República, feito apenas dois anos após a libertação dos escravos, dizia "nós nem cremos que escravos *outrora* tenha havido em tão nobre país", Lima Barreto fazia questão de trazer o tema para o presente. Basta tomar o conto incompleto intitulado "O escravo" para notar uma abordagem e posicionamento totalmente distintos:

Desde que o negreiro o deixara pelas praias próximas do Rio, nunca mais os seus olhos se viram frente a frente com a natureza. Desembarcado no barracão, espécie de mercado de escravos de 1ª mão onde fora adquirido, muito molecote ainda, pela família onde se criara. E, aos poucos, ao crescer, sobre sua viagem se aumentavam perguntas.

Forçava a memória. Voltava-se todo aos seus primeiros anos; e o esforço era vão. As reminiscências que lhe ficaram chegavam à consciência nevoentas, nubladas, confusas. Não sabia donde provinha.

Um dia, não sabia por quê, amanheceu entre uma porção de gente, negros como ele muitos, outros mais claros, que pareciam mandar. Andavam de sol a sol, quase sem descanso. Às vezes davam-lhe um punhado de farinha. A que horas? Quem lhe dava, não sabia bem.

E a memória só lhe trazia isso. Da viagem por mar, nada, nada. Parecia-lhe agora que viera acorrentado dentro de barricas, não sabia bem como fora.

Procurava reforçar as suas recordações, indagando dos mais velhos coisas de sua terra.

— De que nação é?
— Cabinda d'água doce.
— Lá também há bois, gatos; é quase como aqui. Lá há casas de pedra?
— Não; são de palha. No porto, sim, há.
— E padre há?
— Não, não... há sim, mas não como os daqui.

E não se contentava com as informações do pai Mathias, procurava indagar da sinhá-moça, que achava notícias de matéria. Guiava-o numa interrogação.

É possível dizer que o processo brasileiro de inícios do século levava, de maneira geral, à absoluta e generalizada frustração com as promessas mal cumpridas. No entanto, para aqueles que sofriam na pele as decorrências do debate tenso sobre processos diferenciados e segmentários de assimilação, o tema era menos de ordem filosófica e mais da agenda cotidiana e da ordem da urgência. É por isso que intelectuais negros como Lima Barreto experimentaram a situação de forma ainda mais vigorosa. Embarcaram, num primeiro momento, na crença da existência de processos universais de civilização (que incluiriam a todos) e acabaram descobrindo como o discurso do racismo científico e político surgia, nesse mesmo contexto, revigorado e mais operante do que nunca.[26] Em "Opiniões do Gomensoro", por exemplo, o autor revela sua identificação com os negros e suas realizações, assim como ironiza o receituário científico determinista da época: "A capacidade mental dos negros é discutida a priori e a dos brancos, a posteriori".[27]

Assim, se alguns intelectuais brasileiros, negros ou mulatos, não tomaram sua cor como problema ou tema, se outros buscaram apagar sua origem e não tratar da espinhosa questão diretamente, poucos assumiram para si o lugar incômodo da dissonância. Era a partir de detalhes, dessa dissonância, diferença, que se acumulavam a cada conto que Lima Barreto construía sua literatura e, concomitantemente, sua *persona*. Na propriedade que chamou de "Vila Quilombo", em Todos os Santos, bairro do subúrbio central quase perdido entre o Méier e o Engenho de Dentro; nos diários pretensamente íntimos mas cheios de referências a leitores que funcionavam como confessores; na correspondência ativa com intelectuais que, como ele, não faziam parte das rodas literárias centrais; na crítica à mania de doutor mas que também se revelava como projeto e ambição pessoal; na vontade de se converter em escritor ou de desfazer de seus pares de profissão; na sua dificuldade em se institucionalizar, da maneira que fosse; ou nos contos que denunciavam o preconceito ao mesmo tempo que demonstravam temor do que poderia ser entendido como degeneração pessoal ou do grupo de origem... eis um personagem que se constrói por contraposição, pela diferença.[28] No entanto, o outro lado do espelho insistia em oferecer a mesma imagem ou, ao menos, desenhos semelhantes de inserção social.

ALGUMAS NOTAS SOBRE A BIOGRAFIA DE LIMA BARRETO[29]

Lima Barreto nasceu no Rio de Janeiro no dia 13 de maio de 1881 e morreu na mesma cidade em 1º de novembro de 1922. Era filho de um tipógrafo da Imprensa Nacional que, segundo registros documentais, já aspirava a projeções sociais distantes das convenções raciais e de cor de sua época. João Henriques trabalhava no jornal *A Reforma* e na *Tribuna Liberal*, órgãos do Partido Liberal favoráveis a algumas reformas políticas e institucionais na monarquia. Ambos os periódicos eram igualmente a favor da abolição controlada da escravidão. O fato é que tais simpatias políticas — a monarquia constitucional e a causa abolicionista — custariam caro ao pai de Lima, sobretudo em tempos de República. Isso sem esquecer os contatos que criaria nesse mesmo momento. Foi nesses jornais que conheceu o visconde de Ouro Preto, que se transformou em seu "compadre", ajudando-o a conseguir um cargo na Imprensa Nacional, local onde fez carreira: em vinte anos de trabalho passaria de tipógrafo de primeira classe a chefe de turma, e finalmente mestre de composição.[30] Também por lá, acalentou o sonho de virar *doutor*: estudava francês e possuía uma cultura humanística acima da média, quando comparado aos operários de sua convivência. Chegou inclusive a traduzir o *Manual do aprendiz compositor*, de Jules Claye, livro que durante certo tempo foi adotado pelos que se iniciavam no ofício. João Henriques jamais escondeu suas preferências monarquistas. Manteve-se trabalhando na *Tribuna* e fazendo propaganda da realeza até que o órgão foi fechado. Nessa época, já pai de família, esteve à beira da miséria, assim como perdeu a mania de doutor; frustração do pai que estará tão presente também no filho, o qual em muitos contos ironiza ou aborda melancolicamente a valorização do título no Brasil. Em "Miss Edith e seu tio", um personagem comenta desta maneira a condição de seu marido: "Irene caíra do seu ideal de doutor até aceitar um burocrata, sem saltos, suavemente; e consolava-se interiormente com essa degradação do seu sonho matrimonial, sentindo que o seu namorado era tão ilustrado como muitos doutores e tinha razoáveis vencimentos".

O regime político podia até ser novo, no entanto a situação de aperto financeiro dos Lima Barreto era velha. As origens da família datavam da época do eito e das senzalas, e sua cor acastanhada lembrava a miscigenação, mas também a África ou o processo de apadrinhamento dos sinhôs-moços, os ioiôs, das casas aburguesadas da cidade do Rio. Os sobrenomes eram resultado desse processo:

Lima Barreto por parte de pai; Pereira Carvalho pelo lado materno. Foi inclusive na propriedade dos Carvalho que João Henriques conheceu Amália Augusta, que também recebera uma educação diferenciada, como agregada da casa. Descendente direta de avó escrava e africana, formou-se professora de primeiras letras. Foi ela que iniciou o filho mais velho nos estudos.

Aí encontramos um exemplo da família extensa brasileira, que contempla filhos naturais, de criação e agregados; modelo que permite prever uma formação diferenciada para todos os seus membros, mas também o estabelecimento de laços de parentesco, submissão e fidelidade. Lima perdeu a mãe tuberculosa no final de seus seis anos de idade e cogitou suicídio, depois de ser acusado de roubo, injustamente, aos sete. Em seu *Diário íntimo* comenta o que chama de "mania de suicídio", e afirma ter atentado contra a sua vida também aos onze ou doze anos.[31] Mesmo tomando em conta o fato de esse ser um relato escrito a posteriori, com todas as armadilhas que a memória traz, é possível notar como, numa tentativa de encontrar continuidade no passado, o escritor vai construindo um modelo de literatura marcado pelas ideias de frustração, revolta e ressentimento. Lamentou sempre que pôde (nas crônicas, ou nos contos e romances alusivos) a falta da presença materna e a responsabilidade precoce que assumiu com os irmãos menores, ainda mais diante dos futuros problemas mentais do pai. Nas memórias que deixou, a situação familiar foi invariavelmente descrita como um "acidente": mãe precocemente morta, irmãos inconstantes, pai alcoólatra e depois um psicótico sem retorno.

O começo dessa triste história paterna data do próprio início da República. Pressionado pelo novo regime, por conta de suas ligações de compadrio com Ouro Preto e em função de suas simpatias políticas e monarquistas, João Henriques de Lima Barreto logo perderia seu emprego de mestre de composição na Imprensa Nacional. Seu filho, que nascera sete anos antes da Abolição, em um mesmo 13 de maio, jamais apagaria a lembrança daquele que considerou ser "um grande ato benevolente da princesa Isabel". Crítico a qualquer sistema de governo, algoz da escravidão, guardou uma atitude de respeito para com a Lei Áurea e sua protagonista. Não há como esquecer, também, que o medo do retorno à escravidão por parte sensível da população de libertos fez com que muitos deles nutrissem simpatias pelo antigo regime e engrossassem as fileiras da Guarda Negra, que, chefiada por José do Patrocínio, dizia-se leal à realeza e contrária à República.

No caso de Lima Barreto, tais simpatias monarquistas, a princípio mais afetivas do que evidentemente políticas, seriam ampliadas por conta da demissão e do destino trágico do pai. João Henriques seria um dos primeiros "desempregados da monarquia" e, para poder sobreviver, em março de 1890 acabaria por aceitar um trabalho, mal remunerado, como almoxarife de um asilo de loucos, nas Colônias de Alienados da ilha do Governador. Mais uma vez, contava com a interferência de um segundo protetor — o ministro do Interior Cesário Alvim, seu conhecido dos tempos em que trabalhava no jornal *A Reforma*. Se a verba era pouca, pelo menos havia a garantia de moradia. Como se vê, o futuro escritor conheceria desde jovem a força do clientelismo e do "favor" na constituição das relações sociais.

João Henriques decidiu, porém, não levar os filhos, Afonso e Evangelina, de mudança para a ilha, a fim de não atrapalhar seus estudos. Graças à intervenção do visconde do Ouro Preto, seu padrinho, Afonso foi matriculado no Liceu Popular Niteroiense, uma escola de elite, considerada das melhores naquela época. Nascia, então, mais um dos temas constantes da produção literária de Lima Barreto. De um lado, as ligações com o visconde não seriam tão promissoras como esperava, uma vez que, com o tempo, o protetor deixaria de ajudar o afilhado. De outro, sentiria na pele (e nas notas que não logrou obter) a existência do racismo e do profundo abismo social vigente nesses primeiros momentos da República. Vivia constrangido diante dos colegas mais abonados — Guilherme Guinle, Miguel Calmon, Eugênio Gudin —, que usavam "polainas brancas e se vestiam no Raunier".[32]

Cursou o Liceu Popular até 1894, completando o curso secundário e parte do suplementar. Tinha como meta a engenharia, e chegou a frequentar a Escola Politécnica do largo de São Francisco, mas parece que sua condição social, a rigidez dos professores, o ambiente tacanho e avesso aos alunos que não faziam parte das elites locais o lançariam a outras profissões, pouco prestigiosas e financeiramente menos compensadoras. Foi também nesse momento, mais precisamente em 1902, que a loucura entrou na casa dos Barreto. A doença tomou conta do pai, obrigando-o a aposentar-se do ofício e a deixar a morada na ilha do Governador em que vivia com a família. Já o filho mais velho, então com 21 anos na época, teve que abandonar a escola para cuidar do sustento dos demais. Seria dele a inteira responsabilidade com o dia a dia de Afonso Henriques (desde então, ausente de tudo e de todos), da companheira dele, dos irmãos naturais e dos postiços, e do preto velho Manoel de Oliveira (o mesmo do conto), a essa altura considerado um agregado da casa.

Consegue seu ganha-pão com um posto modesto no serviço público, sendo nomeado em concurso de 1903 como amanuense da Secretaria da Guerra. A atividade seria constantemente descrita, nas obras futuras de nosso autor, com grandes doses de crítica e soberba. Perdia com ela o sonho de ser doutor, título que funcionava no Brasil como o *don* de Espanha e carregava o mesmo efeito simbólico para seu orgulhoso proprietário. No conto "Uma noite no Lírico" vemos o escritor transvestir-se na pele de seu personagem, que, desajeitado, tem que se submeter à ditadura do traje e da condição social:

> Via correrem-se-lhes os reposteiros, e os cavaleiros bem encasacados, juntarem os pés, curvarem ligeiramente o corpo, apertarem ou mesmo beijarem a mão das damas que se mantinham eretas, encostadas a uma das cadeiras, de costas para a sala, com o leque em uma das mãos caídas ao longo do corpo. Quantas vezes não tive ímpetos de ali mesmo, com risco de parecer doido ao polícia vizinho, imitar aquele cavalheiro?
>
> Quase tomava notas, desenhava esquemas da postura, das maneiras, das mesuras do elegante senhor...
>
> Havia naquilo tudo, na singular concordância dos olhares e gestos, dos ademanes e posturas dos interlocutores, uma relação oculta, uma vaga harmonia, uma deliciosa equivalência que mais do que o espetáculo do palco, me interessavam e seduziam. E tal era o ascendente que tudo isso tinha sobre o meu espírito que, ao chegar em casa, antes de deitar, quase repetia, com o meu velho chapéu de feltro, diante do meu espelho ordinário, as performances do cavalheiro.
>
> Quando cheguei ao quinto ano do curso e os meus destinos me impuseram, resolvi habilitar-me com uma casaca e uma assinatura de cadeira do Lírico. Fiz consignações e toda a espécie de agiotagem com os meus vencimentos de funcionário público e para lá fui.
>
> Nas primeiras representações, pouco familiarizado com aquele mundo, não tive grandes satisfações; mas, por fim, habituei-me.
>
> As criadas não se fazem em instantes duquesas? Eu me fiz logo homem na sociedade.

Mas o fato é que Lima Barreto não se "fez homem na sociedade" e, ao contrário, acabou por se habituar à carreira de amanuense: um escriturário de repartição pública que manualmente (e daí vem o nome) registra documentos ou os copia. Além do mais, alugou uma casa no subúrbio, em Todos os Santos, na rua Boa Vista, no topo de uma ladeira, que logo ficou conhecida na vizinhança como "a casa do louco". Mesmo assim, o escritor especializou-se em ironizar a pasmaceira que reinava no funcionarismo, criticou a carreira, sendo que ele próprio se valeu do tempo ocioso para dedicar-se à literatura; essa, sim, considerada aspiração legítima. No conto "Projeto de lei", dá um jeito de introduzir, por meio da fala de um político qualquer, sua repriminda à profissão que mais se parece com um cabide de empregos: "Meus senhores. A pátria está em perigo; o Tesouro está exausto; os recursos da Nação estão esgotados. Urge que tomemos providências, a fim de evitar a bancarrota. O que mais pesa no nosso orçamento são os funcionários públicos. É preciso acabar com essa chaga que corrói o organismo do país. Eles podem muito bem ir plantar batatas". Já em "Três gênios da secretaria" faz um verdadeiro "manifesto às avessas" da profissão:

> Logo no primeiro dia em que funcionei na secretaria, senti bem que todos nós nascemos para empregado público. Foi a reflexão que fiz, ao me julgar tão em mim, quando, após a posse e o compromisso ou juramento, sentei-me perfeitamente à vontade na mesa que me determinaram. Nada houve que fosse surpresa, nem tive o mínimo acanhamento. Eu tinha vinte e um para vinte e dois anos; e nela me abanquei como se de há muito já o fizesse. Tão depressa foi a minha adaptação que me julguei nascido para ofício de auxiliar o Estado, com a minha reduzida gramática e o meu péssimo cursivo, na sua missão de regular a marcha e a atividade da nação.
> Com familiaridade e convicção, manuseava os livros — grandes montões de papel espesso e capas de couro, que estavam destinados a durar tanto quanto as pirâmides do Egito. [...]
> Puseram-me também a copiar ofícios e a minha letra tão má e o meu desleixo tão meu, muito papel fizeram-me gastar, sem que isso redundasse em grande perturbação no desenrolar das coisas governamentais.
> Mas, como dizia, todos nós nascemos para funcionário público. Aquela placidez do ofício, sem atritos, nem desconjuntamentos violentos; aquele deslizar macio durante cinco horas por dia; aquela mediania de posição e fortuna, garantindo inabalavelmente uma vida medíocre — tudo isso vai muito bem com as nossas vistas e os nossos temperamentos. Os dias no emprego do Estado nada têm de imprevisto,

não pedem qualquer espécie de esforço a mais, para viver o dia seguinte. Tudo corre calma e suavemente, sem colisões, nem sobressaltos, escrevendo-se os mesmos papéis e avisos, os mesmos decretos e portarias, da mesma maneira, durante todo o ano, exceto os dias feriados, santificados e os de ponto facultativo, invenção das melhores da nossa República. De resto, tudo nele é sossego e quietude. O corpo fica em cômodo jeito; o espírito aquieta-se, não tem efervescências nem angústias; as praxes estão fixas e as fórmulas já sabidas.

Mas, a despeito de tantas censuras de ordem financeira e mesmo moral, Lima Barreto manteve-se no emprego. O escritor guardaria, inclusive, certa moderação enquanto vinculado ao Estado. Dizia dever "lealdade", por conta de sua ocupação, e só com a aposentadoria se sentiria mais livre das amarras institucionais. E mais uma vez ganha destaque o traço ambivalente de nosso autor: desfaz da profissão, mas tem como modelo de aspiração um posto mais elevado e socialmente valorizado. Se ri dos "doutores", é neles que se projeta ou gostaria de encontrar afirmação. Ora sua literatura surge como denúncia, ora como desabafo envergonhado, ou certeza de discriminação. Por vezes o escritor se revelava um tanto autoindulgente, em outras ocasiões deixa passar uma sensação de superioridade em relação ao subúrbio, à família, aos pobres e negros, que considerava analfabetos. Um bom exemplo refere-se a um momento particular, mas muito significativo, quando Lima se queixa do fato de ter passado em segundo lugar no concurso de amanuense na Secretaria da Guerra: "O meu concurso. Lá o fiz. Fui de prova em prova num crescendo medonho [...] como eu sei, hein! E o nomeado foi o Milanês! Com certeza, o bom-bocado não é para quem o faz e sim para quem o come".[33]

Completava o sustento com o trabalho esporádico nos grandes jornais do Rio de Janeiro, e mais sistemático nos pequenos periódicos que surgiam nesse momento. Curiosamente, é a partir deste tipo de imprensa que acaba por se converter numa voz pública destacada, tendo atuado como colaborador em publicações como *ABC*, *O Suburbano*, *A Lanterna*, *O Tagarela*, *O Malho*, *Almanak d'A Noite*, *Argos*, *Voz do Trabalhador*, *Careta*, *Gazeta da Tarde* e *Correio da Noite*. Tratava-se de uma literatura, em sua maior parte, "nanica", mas que foi conferindo a Lima Barreto posição de mais visibilidade. Crítico contumaz das teorias raciais, manifestou-se, nesses órgãos, contra a campanha da vacina em 1904,[34] e acusou o arbítrio das medidas eugênicas autoritárias que marcaram a Primeira

República brasileira, ou a prática política de modo geral. Lima Barreto utilizou-se da nova indústria editorial, apesar de a princípio concentrar-se nas pequenas iniciativas. O importante é que o autor cruzava oportunidades, não se limitando à grande literatura, mas investindo, de maneira regular, na atividade de cronista da cidade. E o escritor daria às suas crônicas um tom claramente político e de crítica social; assim como foi construindo, passo a passo, sua imagem de maldito e de voz destoante.

Ao mesmo tempo, os paradoxos que experimentava eram de tal ordem que parecia complicado a Lima Barreto manter-se sempre crítico às teorias sociais que legitimaram biologicamente as teorias raciais. Era também difícil desacreditar, num primeiro momento, as promessas de igualdade, a despeito de ele desconfiar de sua real eficácia. Por essa razão Lima Barreto foi, em vida, um poço de contradições. Ao criticar a ideia da inferioridade racial, entendia que se igualaria aos "homens de letras"; grupo do qual acreditava fazer parte, por mérito e atuação. No entanto, por mais que tentasse, não lograva sucesso nessa área, e talvez por isso mesmo, nos contos, tenha destilado tanta verve contra a Academia. Além do mais, permaneceu angustiado entre o reconhecimento daquela que julgava ser a superioridade intelectual artística europeia — na ópera, na cena teatral ou em outras manifestações literárias — e a verdadeira irritação que demonstrava diante das expressões musicais e festivas dos negros nas ruas do Rio de Janeiro. Por outro lado, embora valorizasse os grandes avatares da "cultura europeia", opôs-se frontalmente a tudo que considerava "estrangeirado" — os edifícios ou a prática do futebol.

Foi por conta de tantas ambiguidades que praguejou contra os batuques e requebros, os quais julgava indignos e bárbaros, lamentando que os negros se dedicassem a rituais "degenerados", só explicáveis em virtude do longo sistema escravocrata. Por fim, e por causa de tais ambivalências, é que procurou desconsiderar sambistas e carnavalescos populares, em sua maioria negros ou mestiços, assim como, de maneira oposta, entenderia os cânones literários franceses como ganhos não só dos brancos instruídos e cultivados, mas da própria "civilização"; da qual ele próprio achava fazer parte.[35]

Todo esse ambiente daria ossatura à literatura de Lima Barreto. Datam de 1904 os primeiros rascunhos, ainda sob a forma de conto, de *Clara dos Anjos*, obra em que o autor expressava sua revolta contra a discriminação da mulher negra, pobre e do subúrbio. Mas o livro tardaria a chegar ao público e parece ter sido escrito junto com outros. É de 1905 o primeiro prefácio a *Recordações do escrivão Isaías Caminha*, que, segundo Francisco de Assis Barbosa, começa a ser escrito nesse mesmo contexto. O livro parece inaugurar esse modelo autobiográfico de escrita, uma vez que o literato se espelha na alma de seu personagem, o jovem mulato provinciano que pretendia ser doutor no Rio de Janeiro e descobre o preconceito.

Em 8 de outubro de 1906, Lima Barreto termina o prefácio a *Vida e morte de M. J. Gonzaga de Sá*, livro que dá vazão ao humanismo do escritor e dialoga com sua "mania itinerante": personagem e literato vagam pelo Rio de Janeiro. Por outro lado, no ano seguinte, publicaria do primeiro ao quarto (e último) número da revista *Floreal*, fundada por ele, que pretendia se apresentar como porta-voz dessa nova geração. Logo em 1911, começaria a trabalhar nos originais de *Triste fim de Policarpo Quaresma*, esse "quixote da alma nacional", conforme definição de Oliveira Lima. Ainda nesse ano, participa do movimento pela criação da Academia dos Novos, patrocinada pelo jornal *A Imprensa*. Em 1912, trabalha nos dois fascículos das *Aventuras do dr. Bogoloff*, cujo personagem principal é um revolucionário russo frustrado que se dá bem pelo simples fato de ser estrangeiro. Como vimos, *Isaías Caminha* só seria editado em 1909, *Policarpo Quaresma*, apenas em 1915, e *Gonzaga de Sá*, em 1919; temos nesses romances a insistência — por vários ângulos — na figura do herói fracassado, muitas vezes ressentido ou frustrado.

Lima Barreto é, assim, um termômetro febril desse contexto dado a oscilações de toda ordem. É também um bom parâmetro para refletir sobre a especificidade desses intelectuais, bastante raros no Brasil, que faziam da negritude e do distanciamento social e geográfico elementos fundamentais na sua autodefinição como escritores e pensadores, assim como jamais deixavam de apontar o componente corrosivo que o pensamento racial carregava; sobretudo com relação às noções de justiça, igualdade e cidadania.[36] Se, em seu *Diário íntimo*,[37] Lima condenava a ciência da época, na sua vida tratou de lidar, como pôde, com as conclusões deterministas desse receituário político, científico e social autoritário. A trajetória pessoal comportava-se como destino, ou sina, para comprovar as afirmações científicas que tanto, e com tanta coerência, ele negou. Seu corpo afirmava, na contramão, aquilo que a ciência determinava e ele criticava: com o hábito de beber que acabara de adquirir, logo apresentaria os primeiros sinais de loucura, mesmo que passageira e motivada pela bebedeira.

Sua primeira internação ocorreu em 1914, e o relatório médico descrevia uma triste figura: "um indivíduo de boa estatura, compleição forte, apresentando estigmas de degeneração física. Dentes maus; língua com acentuados tremores fibrilares, assim como nas extremidades digitais". Acusava "insônias, com alucinações visuais e auditivas".³⁸

Entre agosto de 1914 e fevereiro de 1920, Lima Barreto gozaria de uma série de licenças médicas para tratamento de saúde,³⁹ incluindo passagens pelo hospício; experiência que resultaria nas anotações para os primeiros capítulos da obra incompleta *O cemitério dos vivos*: livro formalmente de ficção mas totalmente pautado nos registros que Lima fez para o *Diário do hospício*.⁴⁰ Nesse meio-tempo, manifesta-se um claro e gradativo processo de insulamento conforme expressão crítica literária de Arnoni Prado.⁴¹ Apesar de publicar, em 1915, *Triste fim de Policarpo Quaresma*, essa que seria considerada sua obra-prima, o autor, como seu personagem, parecia cada vez mais injuriado com as promessas de igualdade da República, ou com os desatinos da Reforma Pereira Passos, que, em nome do progresso, afastava os pobres do centro da cidade para a transformar num cartão-postal. Em 1917, *Numa e a ninfa* (publicado como conto no jornal *Gazeta da Tarde* de 3 de junho de 1911) recebe a forma de livro e apresenta uma crítica veemente ao sistema político brasileiro e às falsidades que iam da esfera privada à pública. No mesmo ano, Lima Barreto envia ao editor Jacinto Ribeiro dos Santos os originais de *Os bruzundangas*: nova crítica ao sistema e a seus políticos. Nessa época, porém, o escritor refugiava-se em sua ironia e fechava-se em seu mundo. Ainda em 1917, entrega a Rui Barbosa sua candidatura à ABL, que não é nem sequer considerada. O abismo entre a sua literatura e aquela que ele julgava ser uma literatura acadêmica, afastada do cotidiano e das tensões do dia a dia, torna-se ainda mais expressivo, e a escrita de Lima, mais áspera.

Na mesma proporção em que se isola em sua casa no pequeno bairro de Todos os Santos, na Zona Norte, sua consciência de ser pobre, negro e discriminado radicaliza-se. É nesse contexto que se evidencia, de maneira particularmente clara, a sua concepção de "rebelde da literatura" e sua opção por uma literatura moral.⁴² Em 1918, Lima Barreto é aposentado definitivamente do serviço público; o laudo mencionava "invalidez" e consolidava o diagnóstico das várias internações. A partir de então, e apesar de ver seu parco salário encolher, sente-se desobrigado de suas funções e dedica-se com mais afinco à literatura. Também tornaria as críticas aos políticos e ao Estado ainda mais cáusticas, agora que estava aposentado e, portanto, sem compromissos oficiais com o emprego público.

Em dezembro de 1920, concorre ao prêmio literário da Academia Brasileira de Letras, inscrevendo a obra *Gonzaga de Sá*, que receberia menção honrosa. No mesmo mês, chega às livrarias o volume de contos *Histórias e sonhos*, e Lima Barreto entrega ao editor e amigo G. Schettino os originais de *Marginália*, reunindo artigos e crônicas já publicados na imprensa periódica.[43] Em abril de 1921, realiza viagem à cidade de Mirassol, no estado de São Paulo, onde o médico, amigo e escritor Ranulfo Prata buscou, sem grande sucesso, sua "regeneração clínica". Nesse meio-tempo, também faria nova tentativa de entrar na Academia Brasileira de Letras, e, a cada vez que se via preterido, tornava mais ásperas e satíricas as oposições que dirigia à instituição e ao modelo que por lá se praticava.

A doença força a reclusão de Lima na casa da família, a "Vila Quilombo", em Todos os Santos. A ironia mais uma vez se casava com a *persona* até porque, nesse momento, ele dizia estar escrevendo uma história da escravidão, da qual restam, nos diários, apenas registros esparsos e sem continuidade. Contudo, já afastado do emprego, continuava, sempre que podia, sua peregrinação pelo Rio de Janeiro, quando recolhia detalhes do cotidiano da cidade, assim como facetas do subúrbio carioca. Dedicava-se a observar diferentes imagens da cidade, e em especial a anotar o percurso que fazia diariamente da sua casa até a avenida Central, agora o nervo da vida social, em substituição à rua do Ouvidor, que conheceu seus dias de glória durante o Império.[44]

Nesse ínterim, não só as manifestações da loucura do pai se tornariam mais frequentes, como as próprias crises do escritor apareceriam quase que corriqueiramente. E Lima Barreto passaria a percorrer de maneira errante as ruas do Rio de Janeiro, muitas vezes embriagado, e cada vez mais maltrapilho. O dândi dos primeiros momentos, o "mulato elegante", que, conforme relatos da época, se vestia com primor, transformava-se aos poucos num personagem incômodo da capital federal, mais e mais deprimido, alcoolizado e descaracterizado. Em agosto de 1921, entrega ao editor os originais de *Bagatelas*, no qual reúne boa parte de sua produção na imprensa, ou seja, tudo que publicou de 1918 a 1922; período em que evidencia, com rara visão crítica, os problemas do país e do mundo do pós-guerra.[45] Em dezembro de 1921, inicia a segunda versão de *Clara dos Anjos*, terminando em janeiro do ano seguinte o romance: esse que, segundo ele, deveria ser uma espécie de *Germinal* negro mas tropical.[46] Por fim, os originais de *Feiras e mafuás* são depositados em 1922; mas também não ganhariam publicação imediata.[47]

Em 10 de julho de 1921, apresentou-se mais uma vez para concorrer à vaga de Paulo Barreto (João do Rio) na Academia Brasileira de Letras. No entanto, no dia 28 de setembro do mesmo ano retirou a candidatura "por motivos inteiramente particulares e íntimos". Lima Barreto parecia cansado e abria mão, definitivamente, da sua meta de se transformar em escritor reconhecido ou ao menos oficial. Afinal, e como vimos, essa não era a primeira vez que tentava tomar parte da instituição. Em 21 de agosto de 1917, declarara-se candidato à ABL, em carta dirigida a Rui Barbosa. Pleiteava a vaga de Sousa Bandeira, mas sua inscrição não foi nem sequer considerada. Em 24 de fevereiro de 1919, reinscreve-se como candidato à Academia; agora à vaga de Emílio de Menezes. Obtém dois votos no primeiro e no segundo escrutínio e tem apenas um voto no terceiro e no quarto, perdendo novamente a posição.[48] A partir de então, Lima não pararia de produzir artigos e crônicas — ou de mexer em seus livros —, mas começou a desistir dos títulos e colocações de maior visibilidade.

Mesmo assim parecia ter pressa e urgência.[49] Nesse meio-tempo, sua condição física é agravada pelo reumatismo, pelo álcool e por outros padecimentos. Lima Barreto morre em 1º de novembro de 1922, vitimado por um colapso cardíaco, resultado do excesso de bebida. Em seus braços seria encontrado um exemplar da *Revue des Deux Mondes*, publicação dileta e que estivera lendo pouco antes de falecer.[50] Ele, que nunca havia saído do Brasil, e apenas em duas breves ocasiões se ausentara do Rio de Janeiro, dominava o francês, continuava ligado ao que ocorria no exterior e era leitor assíduo de livros e revistas do estrangeiro. Até parece que a literatura, mais uma vez, teria a capacidade de fazer dele um cidadão emancipado do mundo.[51] Talvez nela encontrasse exemplos de mobilidade social, outras sociedades menos marcadas pelo cativeiro, ou até mesmo casos de países cujas práticas discriminatórias eram de alguma maneira assemelhadas.

O fato é que o escritor sempre foi leitor voraz; um autodidata. Sua numerosa biblioteca particular, a Limana, fora inventariada por ele próprio em 1917, em mais um exemplo da intenção de deixar conhecer a sua "intimidade bibliográfica". Na relação dos livros que compunham a Limana[52] estão não só exemplares da obra de Machado de Assis e de outros autores da literatura nacional,[53] como referências aos grandes pensadores ocidentais — entre eles, Rousseau, Durkheim, Espinosa, Spencer, Bouglé —, além de uma quantidade expressiva de obras das literaturas russa e francesa, de representantes da literatura anarquista, ou mesmo títulos de teóricos do racismo científico, como Letourneau (*La psychologie ethnique*), Topinard (*L'anthropologie*) e Huxley (*L'évolution et l'origine des espèces*).

Paradoxalmente, apenas dois dias após o falecimento de Lima Barreto morreria seu pai, João Henriques de Lima Barreto. Ambos estão sepultados no cemitério de São João Batista, localizado no bairro de Botafogo, onde o escritor sempre manifestou o desejo de ver "descansar seus restos mortais"; a despeito de em vida ter denunciado como, até na morte, a elite carioca encontrava-se protegida e apartada. Dizia, em seu *Diário do hospício*, que Botafogo era território "limite e inimigo", mas mesmo assim era por lá que pretendia deixar guardada sua posteridade. Nessa derradeira demonstração de ambivalência, mais uma vez vida e obra se espelham. No conto "Carta de um defunto rico" (publicado originalmente na revista *ABC* de 22 de janeiro de 1921), Lima Barreto menciona o local que anos depois receberia os seus restos mortais e os de seu pai. O autor narra a história de um falecido abonado que descreve postumamente sua vida, assim como desfaz da família e dos colegas:

> "Meus caros amigos e parentes. Cá estou no carneiro nº 7..., da 3ª quadra, à direita, como vocês devem saber, porque me puseram nele. Este cemitério de São João Batista da Lagoa não é dos piores. Para os vivos, é grave e solene, com o seu severo fundo de escuro e padrasto granítico. A escassa verdura verde-negra das montanhas de roda não diminuiu em nada a imponência da antiguidade da rocha dominante nelas. Há certa grandeza melancólica nisto tudo; mora neste pequeno vale uma tristeza teimosa que nem o Sol glorioso espanta... Tenho, apesar do que se possa supor em contrário, uma grande satisfação; não estou mais preso ao meu corpo. Ele está no aludido buraco, unicamente a fim de que vocês tenham um marco, um sinal palpável para as suas recordações; mas anda em toda a parte.
> Consegui afinal, como desejava o poeta, elevar-me bem longe dos miasmas mórbidos, purificar-me no ar superior — e bebo, como um puro e divino licor, o fogo claro que enche os límpidos espaços.

Deixar que suas obras se desenrolassem em ambiente pós-morte parece ter sido vocação de Lima Barreto, mas também de Machado de Assis. Entretanto, no caso de nosso autor, e fazendo uso da expressão do Conselheiro Aires, famoso personagem de Machado, "as coisas só são previsíveis quando já aconteceram". Se o janota dos primeiros tempos imaginava deixar seus restos mortais em tal endereço, jamais idealizou aproximar seu futuro das imagens legadas pelas teorias raciais deterministas da época. Não era, porém, "a raça" que "degenerava", mas os próprios limites dados pela situação política e social discriminatória. Pai e filho foram sepultados na mesma campa, onde há uma singela e simples inscrição: "Lima Barreto e seu pai".

UMA OBRA EM CONTOS

Os livros de Lima Barreto tardariam a ser conhecidos por um público mais amplo. Apenas em 1956, sob a direção de Francisco de Assis Barbosa e com a colaboração de Antônio Houaiss e M. Cavalcanti Proença, é que toda a sua obra seria finalmente publicada, em dezessete volumes. Assis Barbosa foi também o primeiro autor a realizar uma biografia mais compreensiva do escritor, a qual é ainda referência. A partir de então, os romances, crônicas, artigos, diários e contos de Lima Barreto passariam a ser recuperados e também divulgados em circuitos mais abrangentes, assim como receberam críticas e estudos, muitas vezes de menor qualidade, e em diferentes momentos e circunstâncias. Ele, que tanto queria ver sua produção lida e criticada, pouco sucesso conheceu em vida. Quem sabe a obra estivesse muito próxima a seu contexto; quem sabe a ironia incomodasse ou a denúncia pagasse seu preço. Quem sabe a obra, em seu conjunto, fosse mesmo desigual. Não há como ter certeza, mas o fato é que o autor custeou a publicação de seus próprios livros, que seriam editados em versões baratas e com muitos erros, e em seus diários e correspondência privada sempre lamentou a parca evidência literária que experimentou.

Lima Barreto, mesmo não tendo sido reconhecido em sua época, foi não só um literato, mas um intérprete — incômodo até — de seu tempo. Entre tantas obras, seu livro *Triste fim de Policarpo Quaresma* representa, ainda hoje, uma denúncia contundente do processo de exclusão vivenciado durante a jovem República brasileira; um documento de época a demonstrar como a utopia deu lugar ao ressentimento, e principalmente à frustração. Frustração pessoal, é certo, mas também de toda uma geração. A abolição suspendera o trabalho escravo, mas gerara um progresso diverso do modelo burguês ocidental; ou melhor, dera ensejo a uma certa reacomodação interna de estruturas persistentes e anteriores, como as obrigações pessoais, o familismo e o paternalismo.[54] Em *Clara dos Anjos* (que saiu em 1920, em forma de conto, na primeira edição de *Histórias e sonhos*, e como romance é concluído em 1922 mas só publicado em 1948) encontramos a condenação vigorosa ao racismo renitente existente na sociedade brasileira e uma visão pioneira acerca do preconceito que paira, especificamente, sobre a mulata. Em *Numa e a ninfa* (conto e livro) o escritor escancara a prática dos políticos que teriam aberto mão de qualquer idealismo, sendo movidos apenas por interesses práticos, materiais e imediatos.

Por sinal, os contos condensam um pouco de tudo. Por vezes, neles encontramos versões resumidas do que seriam futuros livros; ou pequenas drágeas de temas insistentemente retomados no conjunto da obra: a violência dos métodos eugênicos, o estado de policiamento, a falsidade de uma elite adepta de modas estrangeiras, o artificialismo de nossa literatura, a fragilidade dos políticos e das instituições; os grandes processos de isolamento vivenciados pela população pobre e nomeadamente negra, e, ainda mais, essa "República que não foi".[55]

E não por coincidência se percebe um crescente interesse pela obra de Lima Barreto, hoje reconhecido como um pioneiro do romance social no Brasil, e sua vasta produção literária — sobretudo em proporção ao número reduzido de anos que ele viveu — ganha cada vez mais evidência. Por outro lado, nesse contexto em que a questão da inclusão social e racial anda na pauta do dia em nosso país, o autor tornou-se ainda mais atual. Sua biografia não só mostra um perverso e silencioso preconceito existente no Brasil, como permite problematizar uma noção mais idealizada de mestiçagem. Lima Barreto representa em si um caso singular a testemunhar a ambivalência experimentada aqui pelas populações negras. De um lado, sua formação educacional possibilita entender como se davam processos sociais particulares de inclusão e ascensão social. De outro, o desenlace de sua vida faz duvidar desses modelos todos. Aí temos um caso radical e dramático de infortúnio e fracasso; se não na literatura, ao menos na vida pessoal.

Toda essa trajetória, bastante tortuosa, pode ser acompanhada, comparada e expandida a partir da leitura dos contos de Lima Barreto. Adepto da escrita coloquial, criticava o que definia como "literatura de brindes de sobremesa", assim como não continha sua ironia contra o "coelhonetismo" — numa referência a Coelho Neto e ao que considerava modelos meramente "contemplativos e estilizantes". Por essas e por outras é que Lima seria pouco incorporado a seus pares, apesar de já no final de sua vida ter sido cortejado por Monteiro Lobato (que o convidou a escrever na *Revista do Brasil*)[56] e pelos modernistas paulistanos, como atesta, por exemplo, Sergio Milliet:

Lembro-me da grande admiração que tinha por Lima Barreto o grupo paulista de 22. Alguns entre nós, como Alcântara Machado, andavam obcecados. O que mais nos espantava então era o estilo direto, a precisão descritiva da frase, a atitude antiliterária, a limpeza de sua prosa, objetivos que os modernistas também visavam. Mas admirávamos por outro lado sua irreverência fria, a quase crueldade científica com que analisava uma personagem, a ironia mordaz, a agudeza que revelava na marcação dos caracteres.[57]

Lima Barreto não teria, porém, tempo para melhor apreciar esse seu pequeno sucesso entre os literatos da nova geração. Especialmente se pensarmos "na vida" de seus contos, os quais, em boa parte, tardaram a ser publicados ou lidos pelo grande público.

Nos contos, tanto as ambivalências como as perplexidades diante desse novo momento surgem de maneira ainda mais forte, e sem tantos subterfúgios, assim como o tom de denúncia se torna evidentemente elevado. Lá estão os preconceitos, as falcatruas, os bovarismos, a imoralidade, a falta de ética, a opressão, a miséria; e todos esses substantivos, no interior da obra, parecem eximir o escritor. Esse tipo de concepção aparecia resumido no artigo "Amplius!", publicado originalmente no primeiro número da revista criada por Lima Barreto, a *Floreal*, em 25 de outubro de 1907; depois em *A Época*, em 18 de fevereiro de 1916; e incorporado como introdução da coletânea de contos *Histórias e sonhos* (de 1920). Tal qual um manifesto, o artigo traz o que parecem ser as novas regras do jogo:

> [...] o nosso dever de escritores sinceros e honestos é deixar de lado todas as velhas regras, toda a disciplina exterior dos gêneros, e aproveitar de cada um deles o que puder e procurar, conforme a inspiração própria, para tentar reformar certas usanças, sugerir dúvidas, levantar julgamentos adormecidos, difundir as nossas grandes e altas emoções em face do mundo e do sofrimento dos homens, para soldar, ligar a humanidade em uma maior, em que caibam todas, pela revelação das almas individuais e do que elas têm em comum e dependente entre si.
>
> A literatura do nosso tempo vem sendo isso nas suas maiores manifestações, e possa ela realizar, pela virtude da forma, não mais a tal beleza perfeita da falecida Grécia, que já foi realizada; não mais a exaltação do amor que nunca esteve a perecer; mas a comunhão dos homens de todas as raças e classes, fazendo que todos se compreendam, na infinita dor de serem homens [...]

> Não desejamos mais uma literatura contemplativa, o que raramente ela foi; não é mais uma literatura plástica que queremos, a encontrar beleza em deuses para sempre mortos [...]
>
> Não é isso que os nossos dias pedem; mas uma literatura militante para maior glória da nossa espécie na Terra e mesmo no Céu.

Tal tipo de manifesto já havia sido ensaiado em 1907, na apresentação da revista *Floreal*, quando o autor anunciava que com essa sua nova publicação combateria "os mandarinatos literários e o formalismo de regras de toda sorte"; obstáculos cujo objetivo era limitar a entrada dos jovens no cenário da literatura nacional.[58] Mas Lima Barreto voltaria à carga com esse artigo, plataforma em que propõe o fim dos formalismos, o tributo à oralidade e a uma literatura de cunho social; sempre por contraposição. De um lado (o da literatura dele), estariam atributos como: sinceridade, honestidade, inspiração própria, sugerir dúvidas, levantar julgamentos adormecidos, difundir emoções, falar do sofrimento humano e da humanidade; enfim, produzir uma escrita afinada com "os novos tempos", uma literatura em comunhão com os homens e por isso militante. Do outro (pois todos os substantivos aparecem de maneira dicotômica), as velhas regras, a disciplina de gêneros, a exaltação de um amor que nunca se perdeu e de uma beleza perfeita e falecida grega, o culto à beleza de deuses mortos; isto é, uma literatura contemplativa e apenas plástica. O texto, muito citado por Lima Barreto, e incluído por ele em três locais diferentes, parece mesmo "manifesto de geração", estaca de novos tempos. Assim como Sílvio Romero, que em 1870 escreveu uma espécie de documento de geração no qual afirmava que tudo que vinha antes estava morto (o positivismo, o romantismo, o subjetivismo), enxotado por "um bando de ideias novas", também o escritor pretendeu, com seu ensaio, apagar qualquer marca do que considerava ser "passado". O jurista da Escola de Recife, como espectador de sua própria época, andava com as lentes um pouco desajustadas e, se o contexto intelectual revelava alterações importantes, elas não seriam assim tão radicais.[59] Essa era sobretudo a consciência de seu grupo, e é possível dizer que intelectuais, em seus próprios períodos, tendem a assinalar demais as mudanças, em detrimento das continuidades.

Mas também Lima Barreto se fazia arauto de um novo momento e exagerava nas tintas. É fato que, nesse período, críticas aos excessos de regras e formalismos partiam de todos os lados. No entanto, é discutível a dicotomia cartesiana criada por Barreto: oralidade nem sempre é sinônimo de popularidade e é difícil imaginar uma literatura que não seja social, ou destituída de convenções literárias. É certo que o papel da Academia como representante máxima da literatura nacional estava sendo contestado, sobretudo a partir da repercussão da Semana de 22, mas nem por isso se pode diagnosticar que por lá existiriam exclusivamente "modelos contemplativos e plásticos" de escrita. Mas tudo estava mesmo mudando, e os contos de Lima Barreto vêm ao encontro dessa época em que começavam a ser suspensos, ou ao menos nuançados, gêneros e modelos. Lima Barreto morreria em 1922 sem conhecer os "garotos" da Semana de Arte Moderna, mas "Amplius!" bem que poderia ter sido lido nas escadarias do Teatro Municipal de São Paulo, e não faria feio naquele ambiente.

E todos os contos de Lima Barreto guardam esse tipo de construção. O conjunto é dos mais homogêneos, sem ser repetitivo. Aí estão referências, sempre bem-humoradas, sobre o Brasil da República Velha, muitas vezes irônicas e na maior parte dos casos opinativas; retratos do Rio de Janeiro (visto de perto e de longe); crônicas sensíveis dos costumes cariocas, observados por quem sabia percorrer as ruas e perscrutar as ruas e seus passantes. O autor denunciava, e com constância, o florianismo, a política fraca de Rodrigues Alves, o hermismo e a militarização, o autoritarismo, intolerância que era manifestada não só na política, mas também nos demais campos de atuação e do saber. No divertido conto/crônica intitulado "Os subidas", a figura do presidente aparece desta maneira:

> As subidas que porventura se têm na vida [...] não são mais obra do trabalho, nem do mérito, elas estão mesmo centradas nos nomes das famílias; ele subirá, diria uma cigana, porque sua família mora numa calçada alta e assim é a família dos subidas.
>
> E hoje quando me perguntam por que é sr. Rodrigues Alves, presidente, eu direi desalentado: é porque ele mora no palácio do Catete.

Não por coincidência, o político e escritor Rui Barbosa parecia sinonimizar todos os males do país, expressos no tom do jargão oficial, excessivamente pomposo e discursivo; na política titubeante e na postura pretensamente aristocrática. Ele reunia tudo que Lima denunciava na área da política e da literatura e surgia, na obra do escritor, como uma espécie de *anti*-Lima Barreto: o porte altivo, a atitude elitista, a escrita discursiva, o corpo avantajado, o sucesso na política e na literatura.[60] Em oposição a esse modelo que Lima considerava alienado e formalista estariam a arte popular e até mesmo os anarquistas, de quem se aproximara nos últimos anos atuando na imprensa tida como libertária na época e apoiando as greves operárias.[61]

Outro grande tema da obra em contos de Lima Barreto seria o cotidiano da "cidade moderna". Essa é a época da "Regeneração", da reforma do engenheiro paulista Pereira Passos, de 1903, também conhecida como "Bota-Abaixo" e que seria continuada nas administrações de Paulo de Frontin e Carlos Sampaio. A ideia era transformar o Rio de Janeiro — então capital federal — numa verdadeira cidade europeia; uma Paris dos trópicos. Para tanto, a pobreza foi expulsa, os traçados urbanos modificados e as antigas edificações demolidas. O modelo de modernidade era francês, do Barão Haussmann, e a cidade cresceria, do mesmo modo que os novos hábitos dessa urbe *art nouveau*, agora repleta, segundo ele, de dândis e melindrosas. O dinheiro que afluía do café permitia a entrada de uma série de produtos importados, que iam dos automóveis aos chapéus, tecidos, meias, sorvetes e toda sorte de supérfluos que se convertiam prontamente em ícones de riqueza e ostentação. Defensor de um nacionalismo tupiniquim, como seu personagem ficcional Policarpo Quaresma, o escritor denunciou sempre que pôde a Reforma Pereira Passos, assim como se mostrou avesso às vogas que vinham do estrangeiro, como os edifícios — os *skyscrapers* — ou mesmo o futebol.[62] Se o modelo geral, ao menos num primeiro momento, foi amplamente elogiado, já Lima assumiu para si o lugar de voz discordante. A ideia de acomodar a cidade aos padrões de civilização almejados pela elite da época, copiando e traduzindo o modelo urbanístico das cidades europeias, parecia totalmente inadequada para Lima Barreto. Assim, a despeito de muitas vezes mencionar os grandes edifícios provenientes dessa reforma — como a Biblioteca Nacional ou o Teatro Municipal —, e revelar sua "intimidade" com eles e com suas benesses, nosso escritor sempre que pôde se manifestou contrariamente aos "novos hábitos", os quais considerava importados e fora do lugar.

Mas Lima Barreto não foi só um "contista crítico de costumes". Ele deixou uma obra ficcional repleta de valores humanitários e de tipos tão insólitos quanto comoventes: uma verdadeira galeria de personagens. Pobres ou ricos, damas ou mulheres da vida, todos são únicos em seus corpos, cores, atitudes. O conto "Ele e suas ideias" ilumina um dos muitos tipos carismáticos criados pelo escritor:

> Conheci-o no tempo em que trabalhava na *Fon-Fon*. Era um homem pequeno, ma-

gro, com um reduzido *cavagnac*, bem tratado; mas a sua tragédia íntima e interior só a vim conhecer perfeitamente mais tarde. Não foram precisos muitos dias, mas foram precisos alguns.

Andávamos por esse tempo na febre dos melhoramentos, das construções; e, a todo o momento, ele lembrava a este ou aquele jornal uma ideia.

Um dia, era uma avenida; outro dia, era uma ponte, um jardim; e, de tal modo, a mania de ter ideias o tomou, que não se limitava a deixá-las pelos jornais. Ia além. Procurava em ministros, fazia requerimentos aos corpos legislativos, propondo tais e tais medidas.

Era um pingar de ideias diário, constante e teimoso.

É de crer que, após o almoço, ele dissesse à mulher: "Filha, hoje tenho quatro ideias", e saísse contente a procurar redações, deputados, proprietários, ministros, chefes de serviço, escorrendo ideias.

Prostitutas, feiticeiros, moleques de entrega, parceiros, nobres empobrecidos, políticos sem caráter, mulheres aproveitadoras ou vítimas de sua condição representam apenas poucos exemplos de uma verdadeira cartografia *à la* Barreto.

COLETANDO CONTOS: ALGUNS CRITÉRIOS

Se os romances de Lima Barreto têm merecido edições cuidadosas, assim como as crônicas, que em 2004 foram coletadas por Beatriz Resende e Rachel Valença em oportuna e completa edição, o mesmo não se pode afirmar com relação aos contos, cuja história das edições muitas vezes se parece com um jogo de quebra-cabeças em que certas narrativas desaparecem ou tendem a ser republicadas sem justificativa ou critérios claros. Por isso, achamos por bem seguir algumas pistas deixadas pelo próprio autor, com o objetivo de manter a coerência dessa que é, também, uma obra sob a forma de contos. Ou seja, a tarefa de recolher o material a partir da bibliografia secundária existente — seguindo os periódicos nos quais Lima Barreto colaborava, as obras que o autor organizou e que publicou em vida e com organização do autor, ou mesmo os manuscritos depositados na Biblioteca Nacional — foi norteada por alguns critérios.

Nesta edição os textos serão apresentados seguindo a ordem em que foram publicados nas edições originais. Respeitamos, em primeiro lugar, a eleição feita pelo próprio escritor, e só depois introduzimos obras que surgiram em edições tardias ou restaram inéditas. Respeitamos, ainda, a ordem em que os contos foram apresentados originalmente nos livros, uma vez que a intenção foi recuperar, o máximo possível, a organização intentada por Lima Barreto.

Na *primeira parte* apresentamos os contos que constituem o apêndice da 1ª edição da obra *Triste fim de Policarpo Quaresma*, lançada em 1915, no Rio de Janeiro, pela Tipografia Revista dos Tribunais. Um conjunto de dezenove contos foi selecionado por Lima Barreto para aquela edição. O romance *Triste fim de Policarpo Quaresma* foi levado a público pela primeira vez em folhetins — publicados entre agosto e outubro de 1911, na edição da tarde do *Jornal do Commercio* do Rio de Janeiro. Em 1915, também no Rio de Janeiro, a obra foi impressa sob a forma de livro, em edição organizada e paga pelo autor. Foi essa, também, a primeira ocasião em que o escritor resolveu publicar seus contos, mesmo que sob a forma de apêndice ao romance, sobre o qual guardava grandes pretensões.

Na *segunda parte* o leitor encontrará o conjunto de contos publicados, conforme seleção de Lima Barreto, na 1ª edição da obra *Histórias e sonhos*, que apareceu, como sabemos, em fins de 1920, numa pequena edição da Livraria Schettino. Foi esse o último livro publicado em vida por Lima Barreto e também a única coleção de contos organizada expressamente pelo autor. A importância dessa obra para a presente coletânea é das maiores, uma vez que recorremos tanto à 1ª edição (de 1920, publicada dois anos antes da morte do escritor) como à 2ª edição (1951) e à 3ª edição (1956), seja para a transcrição e cotejo dos textos, seja para a elaboração das notas explicativas que acompanham o volume. A 3ª edição de *Histórias e sonhos* (São Paulo: Brasiliense, 1956) foi prefaciada por Lucia Miguel Pereira, que é autora da nota prévia à 1ª edição da mesma obra; é essa nota que transcrevemos a seguir:

> Trata-se de edição modesta, mal impressa, maculada de numerosos erros de revisão, o que se pode avaliar pelas palavras introdutórias da errata, adiante transcritas: Durante a impressão deste livro, por motivos totalmente íntimos, foram atormentadas as condições de vida, tanto da do autor como da do seu amigo que se encarregou da revisão das respectivas provas. Não foi possível, por isso, que o primeiro seguisse esse trabalho enfadonho, como era do seu dever, e que o segundo pusesse toda a sua atenção na ingrata tarefa a que se havia imposto com a máxima boa vontade. Dessa forma a modesta obra saiu impressa cheia de gatos, alguns, insigni-

ficantes, capazes de serem imediatamente corrigidos pelos leitores de boa-fé, como sejam a troca de a por o e vice-versa, a omissão de certas palavras, algumas faltas na pontuação, etc.; entretanto há outros descuidos mais graves que precisam ser indicados e emendados. Como são, relativamente, muitos, a errata que se segue sai um pouco longa. O editor e o autor pedem ao leitor mil desculpas por esse defeito do livro que, embora pequeno, os acabrunha imensamente; mas são obrigados a fazê-lo no próprio interesse do leitor.[63]

As três edições, embora apresentem título semelhante, possuem sensíveis diferenças. A 1ª edição (1920), por exemplo, inclui os contos "Sua Excelência" e "A matemática não falha", textos que figurariam, mais tarde, em *Os bruzundangas* e em *Bagatelas*, respectivamente, livros editados postumamente. A 2ª edição de *Histórias e sonhos* (1951) suprimiu os contos acima referidos na primeira parte em que reproduz o conteúdo da edição original, acrescentando, porém, duas partes novas, "Outras histórias" e "Contos argelinos", constituídas por textos avulsos até então não reunidos em livro. A 3ª edição (1956) seguiu o mesmo critério da 2ª, eliminando, contudo, alguns dos contos que constituíam originalmente as partes "Outras histórias" e "Contos argelinos", sob a justificativa de manter a uniformidade dos volumes que compunham a obra completa de Lima Barreto, lançados naquela ocasião pela editora Brasiliense. Já o presente volume oferece a totalidade dos contos reunidos nas três edições de *Histórias e sonhos* aqui citadas.

Assim, para que se possa entender melhor o procedimento que orientou esta edição, é importante explicitar que a *terceira parte* deste livro reúne somente os textos publicados sob o título "Outras histórias", congregados pela primeira vez em livro na 2ª edição de *Histórias e sonhos* (1951). Optamos, ainda, por introduzir os contos na ordem em que foram publicados na referida edição.

A *quarta parte* desta coletânea reúne os textos publicados sob o título "Contos argelinos", cujo conjunto apareceu em livro, pela primeira vez, na 2ª edição de *Histórias e sonhos*. Os contos são apresentados na ordem em que apareceram em 1951, e constituem uma unidade própria e muito particular, já que formada exclusivamente por contos satíricos acerca da política brasileira nos tempos do marechal Hermes da Fonseca, com suas bandalheiras e favoritismos propositadamente destacados por Lima Barreto. O escritor denunciaria a ditadura militar, o estado de sítio imperante, a carestia econômica e as rebeliões populares que estouravam nesse momento; tudo devidamente alterado e com nomes camuflados.

A *quinta parte* deste volume é composta dos contos presentes no apêndice da 4ª edição da obra *Vida e morte de M. J. Gonzaga de Sá*, lançada em 1949. São dezoito contos publicados por Lima Barreto em jornais e revistas da época, reunidos postumamente por Francisco de Assis Barbosa. Para o presente volume, consultamos não só a edição de 1949, como também os periódicos em que os textos foram publicados originalmente: *ABC, Era Nova, Careta, Revista Souza Cruz, O Malho, Brás Cubas, A Primavera* e *América Brasileira*. Diversos exemplares do periódico *A Gazeta da Tarde*, do Rio de Janeiro, também foram consultados para o cotejo de outros contos que integram este volume, conforme será possível observar nas notas explicativas que acompanham os contos aqui reunidos.

Pode-se dizer, desse modo, que a terceira, a quarta e a quinta parte do presente volume reúnem os contos cuja publicação, em livro, se deu após a morte de Lima Barreto. É importante que o leitor atente para essa especificidade, com o objetivo de distinguir os contos que Lima Barreto teve clara intenção de levar a público daqueles que ele não publicou em vida. Não há como explicar, com rigor, os motivos que fizeram o literato deixar inédita uma parte significativa de sua produção. De um lado, a verba pessoal parecia escassa, e várias vezes Lima Barreto reclamou da falta de recursos e da necessidade que tinha de publicar seus romances e contos, só lhe sobrando a saída de usar sua própria e minguada renda. Destaque-se a introdução de Lucia Miguel Pereira, citada acima, que anota "os gatos" que restaram em edições anteriores, resultado de empreitadas mal concluídas e marcadas pela falta de apoio financeiro ou mesmo intelectual.

Finalmente, a *sexta parte* desta coletânea reúne textos originais escritos por Lima Barreto — vários inéditos —,[64] que se encontram sob a guarda da Divisão de Manuscritos da Fundação Biblioteca Nacional, a qual adquiriu por um valor aproximado de Cr$ 45 000,00[65] a coleção de manuscritos do autor na ocasião em que Rubens Borba de Morais dirigia a instituição.[66] Esses textos foram especialmente transcritos para esta edição. Trata-se de coleção extensa, formada por artigos, contos, crônicas, documentos pessoais e anotações, que mesmo assim está a merecer maior investigação. Transcrevemos os documentos classificados como contos, mesmo sabendo que em alguns casos temos antes crônicas do que textos de ficção. Mesmo assim, privilegiamos o registro do autor e a possibilidade de tornar públicos documentos de difícil acesso, bem como seguimos critérios do próprio literato, que muitas vezes, nas seleções que fez, misturou esses gêneros.

Os manuscritos encontram-se, em boa parte, sob a forma de tiras — algumas frágeis. Elas podem ser pautadas ou não, mas, em sua maioria, foram produzidas a partir do recorte longitudinal feito pelo escritor nas folhas timbradas do Ministério dos Negócios da Guerra. Os papéis pautados e de gramatura mais robusta estão divididos em duas tiras.[67] Note-se que, muitas vezes, Lima Barreto recortava o timbre impresso na margem superior da folha, quem sabe numa tentativa de esconder o fato de que escrevia contos e romances durante o expediente. Em outros casos, Lima Barreto utiliza apenas o verso dos papéis timbrados do Ministério que, em sua integridade física, preservam ofícios e outros textos administrativos, de rotina, redigidos na ocasião em que o escritor servia na instituição. Esses papéis, um dia oficiais, transformavam-se em rascunho onde deslanchava a pena arguta do escritor carioca. Não por coincidência, no texto intitulado "A matemática não falha", Lima comenta: aí está o "emprego público que exerci, na Secretaria da Guerra, durante quinze anos". E em outro trecho: "Nunca o amei [o emprego], jamais o prezei". O literato escrevia durante sua jornada de trabalho: anotava pequenos fatos ou ficava, simplesmente, a imaginar. Muitas vezes incompletos, esses contos guardam, porém, o sabor de uma "literatura em processo", assim como repisam temas das histórias consagradas de nosso autor. Particularmente sensíveis são as histórias que envolvem a população negra, sempre sujeita a sinais de preconceito e discriminação. Igualmente emocionantes são as alusões aos sofrimentos privados de Lima Barreto, expressos nesses contos sob a forma de notas, que trazem referências a casos de doença, loucura e fracasso. Não poucas vezes, o jornalista escritor menciona os "descalabros" da República e seus "descaminhos".

O leitor tem nas mãos, pois, uma coletânea que traz a integralidade e a coerência de uma obra que muito se valeu do formato "contos": condensados, diretos, certeiros, neles se resumem muitas das aspirações e frustrações do escritor. Por meio deles vemos o autor inserir-se em seu contexto: ele ironiza, opina, critica, lamenta e se manifesta a todo momento. Espécie de consciência crítica de seu tempo, Lima Barreto incomodava-se, porém, e sobremaneira, com a perspectiva do anonimato. Se procurava se distinguir da sociedade que descrevia ou ficcionava, ele nunca deixou de tê-la como imagem e espelho, mesmo que para invertê-la e encontrar para si o lugar do descompasso, da dissonância.[68] Conforme desabafava em seu "Amplius!": "A única crítica que me aborrece é a do silêncio".

Amplius![69]

> *Amplius! Amplius!*
> *Sim; sempre mais longe*

Como me parecesse necessário um prefácio para essa coletânea de contos e fantasias de várias épocas e coisas de minha vida, julguei-me no direito de republicar, à testa dela, as linhas que se seguem, com o título acima, editadas poucos meses depois do aparecimento do meu livro *Triste fim de Policarpo Quaresma*.

Apareceram em um jornal de grande circulação da cidade do Rio de Janeiro, *A Época*,[70] e eu tive com elas o intuito de esclarecer o que poderia haver de obscuro em certas passagens dos meus humildes trabalhos. Trata-se agora de contos e coisas parecidas, mais do que nunca elas me parecem necessárias à boa inteligência do que a minha mão inábil quis dizer e não soube; e eu as transcrevo aqui, na suposição de que não são demais.

Ei-las como saíram em setembro de 1916:

Tendo publicado há poucos meses um livro, poderá parecer a alguns leitores que estas linhas se destinam a responder críticas feitas à minha humilde obra. Não há tal. Já não sou mais menino e, desde que me meti nessas coisas de letras, foi com toda a decisão, sinceridade e firme desejo de ir até ao fim.

Quem, como eu, logo ao nascer, está exposto à crítica fácil de toda gente, entra logo na vida, se quer viver, disposto a não se incomodar com ela.

A única crítica que me aborrece é a do silêncio, mas esta é determinada pelos invejosos impotentes que foram chamados a coisas de letras, para enriquecerem e imperarem. Deus os perdoe, pois afirma Carlyle[71] que *"men of letters are a perpetual priesthood"*.

De resto, todos os críticos só tiveram gabos para a minha modesta novela; e, se não fora alguns me serem quase desconhecidos, temeria que fossem inimigos disfarçados que conspirassem para me matar de vaidade.

A razão destas linhas é outra, muito outra, e eu explico já.

A emoção do recebimento de uma carta anônima só me foi dado experimentar ultimamente. Muitas dessas coisas banais da vida têm-me chegado assim tardiamente e algumas, pouco corriqueiras, antes do tempo normal aos outros.

A carta era anônima, mas absolutamente não era injuriosa.

Vinha escrita em linda letra e eu tenho pena em não acreditá-la feminina, pois se fosse meteria uma inveja doida aos galantes dos cinemas e maxixes da moda, linda gente feita de pedacinhos de mulheres feias.

Não tive portanto a emoção da carta anônima, pois a missiva era cortês, fazendo, sobre o meu *Policarpo*, reparos sagazes e originais.

Simpatizei tanto com o escrito que não pude furtar-me ao desejo de responder, de qualquer forma que pudesse, ao desconhecido autor.

É o que pretendo fazer aqui.

Apesar de toda a inteligência que ressuma das palavras que a epístola contém, não me parece que o autor estivesse, em certos quarteirões, muito fora das modas de ver da nossa retórica usual.

Percebi que tem de estilo a noção corrente entre leigos e... literatos, isto é, uma forma excepcional de escrever, rica de vocábulos, cheia de ênfase e arrebiques, e não como se o deve entender com o único critério justo e seguro: uma maneira permanente de dizer, de se exprimir o escritor, de acordo com o que quer comunicar e transmitir.

Como não tocasse de frente em tal questão, deixo de parte semelhante ponto e reservo uma resposta mais ampla, detalhada para qualquer crítico ulterior. Veremos, então, se Descartes tem ou não estilo; e se Bossuet[72] é ou não um estilo.

O que, porém, me faz contestar o meu amável correspondente anônimo, é a sua insistência em me falar na Grécia, na Hélade sagrada etc., etc.

Implico solenemente com a Grécia, ou melhor: implico solenemente com os nossos cloróticos gregos da Barra da Corda e pançudos helenos da praia do Flamengo (vide banhos e mar).

Sainte-Beuve[73] disse algures que, de cinquenta em cinquenta anos, fazíamos da Grécia uma ideia nova. Tinha razão.

Ainda há bem pouco o senhor Teodoro Reinach, que deve entender bem dessas coisas de Grécia, vinha dizer que Safo não era nada disso que nós dela pensamos; que era assim como Mme. Sevigné.[74] Devia-se interpretar a sua linguagem misturada de fogo, no dizer de Plutarco, como uma pura exaltação da mulher. A poesia sáfica seria, em relação à mulher, o que o diálogo de Platão é em relação ao homem. Houve escândalo.

Não é este o único detalhe, entre muitos, para mostrar de que maneira podem variar as nossas ideias sobre a velha Grécia.

Creio que, pela mesma época em que o senhor T. Reinach lia, na sessão das cinco Academias reunidas, o resultado das suas investigações sobre Safo, se representou na Ópera, de Paris, um drama lírico de Saint-Säens — *Djanira*.[75] Sabem os leitores como vinham vestidos os personagens? Sabem? Com o que nós chamamos nas casas das nossas famílias pobres — colchas de retalhos. Li isto em um folhetim do senhor P. Lalo, no *Temps*.

Esta modificação no trajar tradicional dos heróis gregos, pois se tratava deles no drama, obedecia a injunções das últimas descobertas arqueológicas. O meu simpático missivista pode ver por aí como a sua Grécia é, para nós, instável.

Em matéria de escultura grega, podia eu, com o muito pouco que sei sobre ela, epilogar bastantemente. É suficiente lembrar que era regra admitida pelos artistas da Renascença que, de acordo com os preceitos gregos, as obras esculturais não podiam ser pintadas.

É que eles tinham visto os mármores gregos lavados pelas chuvas; entretanto, hoje, segundo Max Collignon,[76] está admitido que as frisas do Partenon eram coloridas.

A nossa Grécia varia muito e o que nos resta dela são ossos descarnados, insuficientes talvez para recompô-la como foi em vida, e totalmente incapazes para nos mostrar ela viva, a sua alma, as ideias que a animavam, os sonhos que queria ver realizados na Terra, segundo os seus pensamentos religiosos.

Atermo-nos a eles, assim variável e fugidia, é impedir que realizemos o nosso ideal, aquele que está na nossa consciência, vivo no fundo de nós mesmos, para procurar a beleza em uma carcaça cujos ossos já se fazem pó.

Ela não nos pode mais falar, talvez nem mesmo balbuciar, e o que nos tinha a dar já nos deu e vive em nós inconscientemente.

Como se vê, o meu correspondente está preso a ideias mortas; e, em matéria de novela, por certas notações que faz, à minha, se não está jungida a um pensamento morto, deixou-se prender por uma generalização que a experiência do gênero não legitima.

Estranha o meu inesperado correspondente que o meu modesto livro fuja à questão de amor; não seja ela o eixo do livro. Mas, caro senhor, essa questão nunca foi primordial no romance.

Nem os antigos, nem os modernos. Nem nos franceses, nem nos espanhóis. Se o senhor me cita *Dáfnis e Cloé*, eu cito o *Satiricon*; se o senhor me cita a *Princesse de Clèves*, eu lhe apresento *Lazarillo de Tormes*.[77]

Nos grandes mestres modernos, Balzac, Tolstói, Turguêniev, Dostoiévski, quase sempre o amor é levado para o segundo plano; e essa sua generalização de que o primordial do romance, e seu característico, por assim dizer, é tratar de uma aventura de amor, é tão verdadeira e necessária como aquela regra das três unidades, em matéria de drama e tragédia, de que os críticos antigos faziam tanta questão, citando Aristóteles, que nunca a tinha estabelecido.

Parece-me que o nosso dever de escritores sinceros e honestos é deixar de lado todas as velhas regras, toda a disciplina exterior dos gêneros, e aproveitar de cada um deles o que puder e procurar, conforme a inspiração própria, para tentar reformar certas usanças, sugerir dúvidas, levantar julgamentos adormecidos, difundir as nossas grandes e altas emoções em face do mundo e do sofrimento dos homens, para soldar, ligar a humanidade em uma maior, em que caibam todas, pela revelação das almas individuais e do que elas têm em comum e dependente entre si.

A literatura do nosso tempo vem sendo isso nas suas maiores manifestações, e possa ela realizar, pela virtude da forma, não mais a tal beleza perfeita da falecida Grécia, que já foi realizada; não mais a exaltação do amor que nunca esteve a perecer; mas a comunhão dos homens de todas as raças e classes, fazendo que todos se compreendam, na infinita dor de serem homens, e se entendam sob o açoite da vida, para maior glória e perfeição da humanidade.

É ideal dos nossos dias que é ainda beleza a palpitar nas suas mais altas manifestações espirituais; e não, como o meu correspondente pensa, o ressurgimento de concepções desaparecidas, de que só conhecemos poucas e raras manifestações exteriores, que só podem entorpecer a marcha da nossa triste humanidade para uma exata e mais perfeita compreensão dela mesma.

Não desejamos mais uma literatura contemplativa, o que raramente ela foi; não é mais uma literatura plástica que queremos, a encontrar beleza em deuses para sempre mortos, manequins atualmente, pois a alma que os animava já se evolou com a morte dos que os adoravam.

Não é isso que os nossos dias pedem; mas uma literatura militante para maior glória da nossa espécie na terra e mesmo no Céu.

O meu correspondente acusa-me também de empregar processos de jornalismo nos meus romances, principalmente no primeiro.

Poderia responder-lhe que, em geral, os chamados processos do jornalismo vieram do romance; mas mesmo que, nos meus, se dê o contrário, não lhes vejo mal algum, desde que eles contribuam por menos que seja para comunicar o que observo; desde que possam concorrer para diminuir os motivos de desinteligência entre os homens que me cercam.

Se conseguirem isso, por pouco que seja, dou-me por satisfeito, pois todos os meios são bons quando o fim é alto; e já Brunetière[78] me disse que o era, ao sonhar em esforçar-me, na medida das minhas forças, para fazer entrar no patrimônio comum do espírito dos meus contemporâneos, consolidando pela virtude da forma tudo o que interessa o uso da vida, a direção da conduta e o problema do nosso destino.

E, como ele queria, assim como querem todos os mestres, eu tento também executar esse ideal em uma língua inteligível a todos, para que todos possam chegar facilmente à compreensão daquilo a que cheguei através de tantas angústias. No mundo, não há certezas, nem mesmo em geometria; e, se alguma há, é aquela que está nos Evangelhos: amai-vos uns aos outros.

Para atingir tão alto escopo, tudo serve; e, como são Francisco Xavier, todos nós, que andamos em missão entre hindus, separados em castas hostis, entre malaios ferozes e pérfidos, entre japoneses que se guerreiam feudalmente; todos nós, dizia eu, só devemos ter a divisa do Santo: "Amplius! Amplius!". Sim; sempre mais longe!

PARTE I
CONTOS PUBLICADOS, CONFORME SELEÇÃO DO
AUTOR, COMO APÊNDICE DA 1ª EDIÇÃO DA OBRA
TRISTE FIM DE POLICARPO QUARESMA, 1915

A nova Califórnia[79]

I

Ninguém sabia donde viera aquele homem. O agente do Correio pudera apenas informar que acudia ao nome de Raimundo Flamel, pois assim era subscrita a correspondência que recebia. E era grande. Quase diariamente, o carteiro lá ia a um dos extremos da cidade, onde morava o desconhecido, sopesando um maço alentado de cartas vindas do mundo inteiro, grossas revistas em línguas arrevesadas, livros, pacotes...

Quando Fabrício, o pedreiro, voltou de um serviço em casa do novo habitante, todos na venda perguntaram-lhe que trabalho lhe tinha sido determinado.

— Vou fazer um forno, disse o preto, na sala de jantar.

Imaginem o espanto da pequena cidade de Tubiacanga, ao saber de tão extravagante construção: um forno na sala de jantar! E, pelos dias seguintes, Fabrício pôde contar que vira balões de vidro, facas sem corte, copos como os da farmácia — um rol de coisas esquisitas a se mostrarem pelas mesas e prateleiras como utensílios de uma bateria de cozinha em que o próprio diabo cozinhasse.

O alarme se fez na vila. Para uns, os mais adiantados, era um fabricante de moeda falsa; para outros, os crentes e simples, um tipo que tinha parte com o tinhoso.

Chico da Tirana, o carreiro, quando passava em frente da casa do homem misterioso, ao lado do carro a chiar, e olhava a chaminé da sala de jantar a fumegar, não deixava de persignar-se e rezar um "credo" em voz baixa; e, não fora a intervenção do farmacêutico, o subdelegado teria ido dar um cerco à casa daquele indivíduo suspeito, que inquietava a imaginação de toda uma população.

Tomando em consideração as informações de Fabrício, o boticário Bastos concluíra que o desconhecido devia ser um sábio, um grande químico, refugiado ali para mais sossegadamente levar avante os seus trabalhos científicos.

Homem formado e respeitado na cidade, vereador, médico também, porque o doutor Jerônimo não gostava de receitar e se fizera sócio da farmácia para mais em paz viver, a opinião de Bastos levou tranquilidade a todas as consciências e fez com que a população cercasse de uma silenciosa admiração à pessoa do grande químico, que viera habitar a cidade.

De tarde, se o viam a passear pela margem do Tubiacanga, sentando-se aqui e ali, olhando perdidamente as águas claras do riacho, cismando diante da penetrante melancolia do crespúsculo, todos se descobriam e não era raro que às "boas noites" acrescentassem "doutor". E tocava muito o coração daquela gente a profunda simpatia com que ele tratava as crianças, a maneira pela qual as contemplava, parecendo apiedar-se de que elas tivessem nascido para sofrer e morrer.

Na verdade, era de ver-se, sob a doçura suave da tarde, a bondade de Messias com que ele afagava aquelas crianças pretas, tão lisas de pele e tão tristes de modos, mergulhadas no seu cativeiro moral, e também as brancas, de pele baça, gretada e áspera, vivendo amparadas na necessária caquexia dos trópicos.

Por vezes, vinha-lhe vontade de pensar qual a razão de ter Bernardin de Saint-Pierre gasto toda a sua ternura com Paulo e Virgínia e esquecer-se dos escravos que os cercavam...

Em poucos dias a admiração pelo sábio era quase geral, e não o era unicamente porque havia alguém que não tinha em grande conta os méritos do novo habitante.

Capitão Pelino, mestre-escola e redator da *Gazeta de Tubiacanga*, órgão local e filiado ao partido situacionista, embirrava com o sábio. "Vocês hão de ver, dizia ele, quem é esse tipo... Um caloteiro, um aventureiro ou talvez um ladrão fugido do Rio."

A sua opinião em nada se baseava, ou antes, baseava-se no seu oculto despeito vendo na terra um rival para a fama de sábio de que gozava. Não que Pelino fosse químico, longe disso; mas era sábio, era gramático. Ninguém escrevia em Tubiacanga que não levasse bordoada do capitão Pelino, e mesmo quando se falava em algum homem notável lá no Rio, ele não deixava de dizer: "Não há dúvida! O homem tem talento, mas escreve: 'um outro', 'de resto'...". E contraía os lábios como se tivesse engolido alguma coisa amarga.

Toda a vila de Tubiacanga acostumou-se a respeitar o solene Pelino, que corrigia e emendava as maiores glórias nacionais. Um sábio...

Ao entardecer, depois de ler um pouco o Sotero, o Cândido de Figueiredo ou o Castro Lopes, e de ter passado mais uma vez a tintura nos cabelos, o velho mestre-escola saía vagarosamente de casa, muito abotoado no seu paletó de brim mineiro, e encaminhava-se para a botica do Bastos a dar dois dedos de prosa. Conversar é um modo de dizer, porque era Pelino avaro de palavras, limitando-se tão somente a ouvir. Quando, porém, dos lábios de alguém escapava a menor incorreção de linguagem, intervinha e emendava. "Eu asseguro, dizia o agente do Correio, que..." Por aí, o mestre-escola intervinha com mansuetude evangélica: "Não diga 'asseguro', senhor Bernardes; em português é garanto".

E a conversa continuava depois da emenda, para ser de novo interrompida por uma outra. Por essas e outras, houve muitos palestradores que se afastaram, mas Pelino, indiferente, seguro dos seus deveres, continuava o seu apostolado de vernaculismo. A chegada do sábio veio distraí-lo um pouco da sua missão. Todo o seu esforço voltava-se agora para combater aquele rival, que surgia tão inopinadamente.

Foram vãs as suas palavras e a sua eloquência: não só Raimundo Flamel pagava em dia as suas contas, como era generoso — pai da pobreza — e o farmacêutico vira numa revista de específicos seu nome citado como químico de valor.

II

Havia já anos que o químico vivia em Tubiacanga, quando, uma bela manhã, Bastos o viu entrar pela botica adentro. O prazer do farmacêutico foi imenso. O sábio não se dignara até aí visitar fosse quem fosse e, certo dia, quando o sacristão Orestes ousou penetrar em sua casa, pedindo-lhe uma esmola para a futura festa de Nossa Senhora da Conceição, foi com visível enfado que ele o recebeu e atendeu.

Vendo-o, Bastos saiu de detrás do balcão, correu a recebê-lo com a mais perfeita demonstração de quem sabia com quem tratava e foi quase em uma exclamação que disse:

— Doutor, seja bem-vindo.

O sábio pareceu não se surpreender nem com a demonstração de respeito do farmacêutico, nem com o tratamento universitário. Docemente, olhou um instante a armação cheia de medicamentos e respondeu:

— Desejava falar-lhe em particular, senhor Bastos.

O espanto do farmacêutico foi grande. Em que poderia ele ser útil ao homem, cujo nome corria mundo e de quem os jornais falavam com tão acendrado respeito? Seria dinheiro? Talvez... Um atraso no pagamento das rendas, quem sabe? E foi conduzindo o químico para o interior da casa, sob o olhar espantado do aprendiz que, por um momento, deixou a "mão" descansar no gral, onde macerava uma tisana qualquer.

Por fim, achou ao fundo, bem no fundo, o quartinho que lhe servia para exames médicos mais detidos ou para as pequenas operações, porque Bastos também operava. Sentaram-se e Flamel não tardou a expor:

— Como o senhor deve saber, dedico-me à química, tenho mesmo um nome respeitado no mundo sábio...

— Sei perfeitamente, doutor, mesmo tenho disso informado, aqui, aos meus amigos.

— Obrigado. Pois bem: fiz uma grande descoberta, extraordinária...

Envergonhado com o seu entusiasmo, o sábio fez uma pausa e depois continuou:

— Uma descoberta... Mas não me convém, por ora, comunicar ao mundo sábio, compreende?

— Perfeitamente.

— Por isso precisava de três pessoas conceituadas que fossem testemunhas de uma experiência dela e me dessem um atestado em forma, para resguardar a prioridade da minha invenção... O senhor sabe: há acontecimentos imprevistos e...

— Certamente! Não há dúvida!

— Imagine o senhor que se trata de fazer ouro...

— Como? O quê? fez Bastos, arregalando os olhos.

— Sim! Ouro! disse, com firmeza, Flamel.

— Como?

— O senhor saberá — disse o químico secamente. A questão do momento são as pessoas que devem assistir à experiência, não acha?

— Com certeza, é preciso que os seus direitos fiquem resguardados, porquanto...

— Uma delas, interrompeu o sábio, é o senhor; as outras duas, o senhor Bastos fará o favor de indicar-me.

O boticário esteve um instante a pensar, passando em revista os seus conhecimentos e, ao fim de uns três minutos, perguntou:

— O coronel Bentes lhe serve? Conhece?

— Não. O senhor sabe que não me dou com ninguém aqui.

— Posso garantir-lhe que é homem sério, rico e muito discreto.

— É religioso? Faço-lhe esta pergunta, acrescentou Flamel logo, porque temos que lidar com ossos de defunto e só estes servem...

— Qual! É quase ateu...

— Bem! Aceito. E o outro?

Bastos voltou a pensar e dessa vez demorou-se um pouco mais consultando a sua memória... Por fim, falou:

— Será o tenente Carvalhais, o coletor, conhece?

— Como já lhe disse...

— É verdade. É homem de confiança, sério, mas...

— Que é que tem?

— É maçom.

— Melhor.

— E quando é?

— Domingo. Domingo, os três irão lá em casa assistir à experiência e espero que não me recusarão as suas firmas para autenticar a minha descoberta.

— Está tratado.

Domingo, conforme prometeram, as três pessoas respeitáveis de Tubiacanga foram à casa de Flamel, e, dias depois, misteriosamente, ele desaparecia sem deixar vestígios ou explicação para o seu desaparecimento.

III

Tubiacanga era uma pequena cidade de três ou quatro mil habitantes, muito pacífica, em cuja estação, de onde em onde, os expressos davam a honra de parar. Há cinco anos não se registrava nela um furto ou roubo. As portas e janelas só eram usadas... porque o Rio as usava.

O único crime notado em seu pobre cadastro fora um assassinato por ocasião das eleições municipais; mas, atendendo que o assassino era do partido do governo, e a vítima da oposição, o acontecimento em nada alterou os hábitos da cidade, continuando ela a exportar o seu café e a mirar as suas casas baixas e acanhadas nas escassas águas do pequeno rio que a batizara.

Mas, qual não foi a surpresa dos seus habitantes quando se veio a verificar nela um dos mais repugnantes crimes de que se tem memória! Não se tratava de um esquartejamento ou parricídio; não era o assassinato de uma família inteira ou um assalto à coletoria; era coisa pior, sacrílega aos olhos de todas as religiões e consciências: violavam-se as sepulturas do "Sossego", do seu cemitério, do seu campo-santo.

Em começo, o coveiro julgou que fossem cães, mas, revistando bem o muro, não encontrou senão pequenos buracos. Fechou-os; foi inútil. No dia seguinte, um jazigo perpétuo arrombado e os ossos saqueados; no outro, um carneiro e uma sepultura rasa. Era gente ou demônio. O coveiro não quis mais continuar as pesquisas por sua conta, foi ao subdelegado e a notícia espalhou-se pela cidade.

A indignação na cidade tomou todas as feições e todas as vontades. A religião da morte precede todas e certamente será a última a morrer nas consciências. Contra a profanação, clamaram os seis presbiterianos do lugar — os bíblias, como lhes chama o povo; clamava o agrimensor Nicolau, antigo cadete, e positivista do rito Teixeira Mendes; clamava o major Camanho, presidente da loja Nova Esperança; clamavam o turco Miguel Abudala, negociante de armarinho, e o cético Belmiro, antigo estudante, que vivia ao deus-dará, bebericando parati nas tavernas. A própria filha do engenheiro residente da estrada de ferro, que vivia desdenhando aquele lugarejo, sem notar sequer os suspiros dos apaixonados locais, sempre esperando que o expresso trouxesse um príncipe a desposá-la —, a linda e desdenhosa Cora não pôde deixar de compartilhar da indignação e do horror que tal ato provocara em todos do lugarejo. Que tinha ela com o túmulo de antigos escravos e humildes roceiros? Em que podia interessar aos seus lindos olhos pardos o destino de tão humildes ossos? Porventura o furto deles perturbaria o seu sonho de fazer radiar a beleza de sua boca, dos seus olhos e do seu busto nas calçadas do Rio?

Decerto, não; mas era a Morte, a Morte implacável e onipotente, de que ela também se sentia escrava, e que não deixaria um dia de levar a sua linda caveirinha para a paz eterna do cemitério. Aí Cora queria os seus ossos sossegados, quietos e comodamente descansando num caixão bem feito e num túmulo seguro, depois de ter sido a sua carne encanto e prazer dos vermes...

O mais indignado, porém, era Pelino. O professor deitara artigo de fundo, imprecando, bramindo, gritando: "Na história do crime, dizia ele, já bastante rica de fatos repugnantes, como sejam: o esquartejamento de Maria de Macedo, o estrangulamento dos irmãos Fuoco, não se registra um que o seja tanto como o saque às sepulturas do 'Sossego'".

E a vila vivia em sobressalto. Nas faces não se lia mais paz; os negócios estavam paralisados; os namoros suspensos. Dias e dias por sobre as casas pairavam nuvens negras e, à noite, todos ouviam ruídos, gemidos, barulhos sobrenaturais... Parecia que os mortos pediam vingança...

O saque, porém, continuava. Toda noite eram duas, três sepulturas abertas e esvaziadas de seu fúnebre conteúdo. Toda a população resolveu ir em massa guardar os ossos dos seus maiores. Foram cedo, mas, em breve, cedendo à fadiga e ao sono, retirou-se um, depois outro e, pela madrugada, já não havia nenhum vigilante. Ainda nesse dia o coveiro verificou que duas sepulturas tinham sido abertas e os ossos levados para destino misterioso.

Organizaram então uma guarda. Dez homens decididos juraram perante o subdelegado vigiar durante a noite a mansão dos mortos.

Nada houve de anormal na primeira noite, na segunda e na terceira; mas, na quarta, quando os vigias já se dispunham a cochilar, um deles julgou lobrigar um vulto esgueirando-se por entre a quadra dos carneiros. Correram e conseguiram apanhar dois dos vampiros. A raiva e a indignação, até aí sopitadas no ânimo deles, não se contiveram mais e deram tanta bordoada nos macabros ladrões, que os deixaram estendidos como mortos.

A notícia correu logo de casa em casa e, quando, de manhã, se tratou de estabelecer a identidade dos dois malfeitores, foi diante da população inteira que foram neles reconhecidos o coletor Carvalhais e o coronel Bentes, rico fazendeiro e presidente da Câmara. Este último ainda vivia e, a perguntas repetidas que lhe fizeram, pôde dizer que juntava os ossos para fazer ouro e o companheiro que fugira era o farmacêutico.

Houve espanto e houve esperanças. Como fazer ouro com ossos? Seria possível? Mas aquele homem rico, respeitado, como desceria ao papel de ladrão de mortos se a coisa não fosse verdade!

Se fosse possível fazer, se daqueles míseros despojos fúnebres se pudesse fazer alguns contos de réis, como não seria bom para todos eles!

O carteiro, cujo velho sonho era a formatura do filho, viu logo ali meios de consegui-la. Castrioto, o escrivão do juiz de paz, que no ano passado conseguiu comprar uma casa, mas ainda não a pudera cercar, pensou no muro, que lhe devia proteger a horta e a criação. Pelos olhos do sitiante Marques, que andava desde anos atrapalhado para arranjar um pasto, pensou logo no prado verde do Costa, onde os seus bois engordariam e ganhariam forças...

Às necessidades de cada um, aqueles ossos que eram ouro viriam atender, satisfazer e felicitá-los; e aqueles dois ou três milhares de pessoas, homens, crianças, mulheres, moços e velhos, como se fossem uma só pessoa, correram à casa do farmacêutico.

A desinteligência não tardou a surgir; os mortos eram poucos e não bastavam para satisfazer a fome dos vivos. Houve facadas, tiros, cachações. Pelino esfaqueou o turco por causa de um fêmur e mesmo entre as famílias questões surgiram. Unicamente, o carteiro e o filho não brigaram. Andaram juntos e de acordo e houve uma vez que o pequeno, uma esperta criança de onze anos, até aconselhou ao pai: "Papai vamos aonde está mamãe; ela era tão gorda...".

De manhã, o cemitério tinha mais mortos do que aqueles que recebera em trinta anos de existência. Uma única pessoa lá não estivera, não matara nem profanara sepulturas: fora o bêbedo Belmiro.

Entrando numa venda, meio aberta, e nela não encontrando ninguém, enchera uma garrafa de parati e se deixara ficar a beber sentado à margem do Tubiacanga, vendo escorrer mansamente as suas águas sobre o áspero leito de granito — ambos, ele e o rio, indiferentes ao que já viram, mesmo à fuga do farmacêutico, com o seu Potosi e o seu segredo, sob o dossel eterno das estrelas.

O homem que sabia javanês[80]

Em uma confeitaria, certa vez, ao meu amigo Castro, contava eu as partidas que havia pregado às convicções e às respeitabilidades, para poder viver.

Houve mesmo, uma dada ocasião, quando estive em Manaus, em que fui obrigado a esconder a minha qualidade de bacharel, para mais confiança obter dos clientes, que afluíam ao meu escritório de feiticeiro e adivinho. Contava eu isso.

O meu amigo ouvia-me calado, embevecido, gostando daquele meu Gil Blas[81] vivido, até que, em uma pausa da conversa, ao esgotarmos os copos, observou a esmo:

— Tens levado uma vida bem engraçada, Castelo!

— Só assim se pode viver... Isto de uma ocupação única: sair de casa a certas horas, voltar a outras, aborrece, não achas? Não sei como me tenho aguentado lá, no consulado!

— Cansa-se; mas, não é disso que me admiro. O que me admira, é que tenhas corrido tantas aventuras aqui, neste Brasil imbecil e burocrático.

— Qual! Aqui mesmo, meu caro Castro, se podem arranjar belas páginas de vida. Imagina tu que eu já fui professor de javanês!

— Quando? Aqui, depois que voltaste do consulado?

— Não; antes. E, por sinal, fui nomeado cônsul por isso.

— Conta lá como foi. Bebes mais cerveja?
— Bebo.

Mandamos buscar mais outra garrafa, enchemos os copos, e continuei:

— Eu tinha chegado havia pouco ao Rio estava literalmente na miséria. Vivia fugido de casa de pensão em casa de pensão, sem saber onde e como ganhar dinheiro, quando li no *Jornal do Commercio*[82] o anúncio seguinte:

"Precisa-se de um professor de língua javanesa. Cartas etc."

Ora, disse cá comigo, está ali uma colocação que não terá muitos concorrentes; se eu capiscasse quatro palavras, ia apresentar-me. Saí do café e andei pelas ruas, sempre a imaginar-me professor de javanês, ganhando dinheiro, andando de bonde e sem encontros desagradáveis com os "cadáveres". Insensivelmente dirigi-me à Biblioteca Nacional.[83] Não sabia bem que livro iria pedir; mas, entrei, entreguei o chapéu ao porteiro, recebi a senha e subi. Na escada, acudiu-me pedir a *Grande encyclopédie*,[84] letra J, a fim de consultar o artigo relativo a Java e a língua javanesa. Dito e feito. Fiquei sabendo, ao fim de alguns minutos, que Java era uma grande ilha do arquipélago de Sonda, colônia holandesa, e o javanês, língua aglutinante do grupo malaio-polinésio, possuía uma literatura digna de nota e escrita em caracteres derivados do velho alfabeto hindu.

A *Enciclopédia* dava-me indicação de trabalhos sobre a tal língua malaia e não tive dúvidas em consultar um deles. Copiei o alfabeto, a sua pronunciação figurada e saí. Andei pelas ruas, perambulando e mastigando letras.

Na minha cabeça dançavam hieróglifos; de quando em quando consultava as minhas notas; entrava nos jardins e escrevia estes calungas na areia para guardá-los bem na memória e habituar a mão a escrevê-los.

À noite, quando pude entrar em casa sem ser visto, para evitar indiscretas perguntas do encarregado, ainda continuei no quarto a engolir o meu "a-b-c" malaio, e, com tanto afinco levei o propósito que, de manhã, o sabia perfeitamente.

Convenci-me que aquela era a língua mais fácil do mundo e saí; mas não tão cedo que não me encontrasse com o encarregado dos aluguéis dos cômodos:

— Senhor Castelo, quando salda a sua conta?

Respondi-lhe então eu, com a mais encantadora esperança:

— Breve... Espere um pouco... Tenha paciência... Vou ser nomeado professor de javanês, e...

Por aí o homem interrompeu-me:

— Que diabo vem a ser isso, senhor Castelo?

Gostei da diversão e ataquei o patriotismo do homem:

— É uma língua que se fala lá pelas bandas do Timor. Sabe onde é?

Oh! alma ingênua! O homem esqueceu-se da minha dívida e disse-me com aquele falar forte dos portugueses:

— Eu cá por mim, não sei bem; mas ouvi dizer que são umas terras que temos lá para os lados de Macau. E o senhor sabe isso, senhor Castelo?

Animado com esta saída feliz que me deu o javanês, voltei a procurar o anúncio. Lá estava ele. Resolvi animosamente propor-me ao professorado do idioma oceânico. Redigi a resposta, passei pelo *Jornal* e lá deixei a carta. Em seguida, voltei à biblioteca e continuei os meus estudos de javanês. Não fiz grandes progressos nesse dia, não sei se por julgar o alfabeto javanês o único saber necessário a um professor de língua malaia ou se por ter me empenhado mais na bibliografia e história literária do idioma que ia ensinar.

Ao cabo de dois dias, recebia eu uma carta para ir falar ao doutor Manuel Feliciano Soares Albernaz, barão de Jacuecanga, à rua Conde de Bonfim,[85] não me recordo bem que número. É preciso não te esqueceres que entrementes continuei estudando o meu malaio, isto é, o tal javanês. Além do alfabeto, fiquei sabendo o nome de alguns autores, também perguntar e responder "como está o senhor?" — e duas ou três regras de gramática, lastrado todo esse saber com vinte palavras do léxico.

Não imaginas as grandes dificuldades com que lutei, para arranjar os quatrocentos réis da viagem! É mais fácil — podes ficar certo — aprender o javanês... Fui a pé. Cheguei suadíssimo; e, com maternal carinho, as anosas mangueiras, que se perfilavam em alameda diante da casa do titular, me receberam, me acolheram e me reconfortaram. Em toda a minha vida, foi o único momento em que cheguei a sentir a simpatia da natureza...

Era uma casa enorme que parecia estar deserta; estava maltratada, mas não sei por que me veio pensar que nesse mau tratamento havia mais desleixo e cansaço de viver que mesmo pobreza. Devia haver anos que não era pintada. As paredes descascavam e os beirais do telhado, daquelas telhas vidradas de outros tempos, estavam desguarnecidos aqui e ali, como dentaduras decadentes ou malcuidadas.

Olhei um pouco o jardim e vi a pujança vingativa com que a tiririca e o carrapicho tinham expulsado os tinhorões e as begônias. Os crótons continuavam, porém, a viver com a sua folhagem de cores mortiças. Bati. Custaram-me a abrir. Veio, por fim, um antigo preto africano, cujas barbas e cabelo de algodão davam à sua fisionomia uma aguda impressão de velhice, doçura e sofrimento.

Na sala, havia uma galeria de retratos: arrogantes senhores de barba em colar se perfilavam enquadrados em imensas molduras douradas, e doces perfis de senhoras, em bandós, com grandes leques, pareciam querer subir aos ares, enfunadas pelos redondos vestidos à balão; mas, daquelas velhas coisas, sobre as quais a poeira punha mais antiguidade e respeito, a que gostei mais de ver foi um belo jarrão de porcelana da China ou da Índia, como se diz. Aquela pureza da louça, a sua fragilidade, a ingenuidade do desenho e aquele seu fosco brilho de luar, diziam-me a mim que aquele objeto tinha sido feito por mãos de criança, a sonhar, para encanto dos olhos fatigados dos velhos desiludidos...

Esperei um instante o dono da casa. Tardou um pouco. Um tanto trôpego, com o lenço de alcobaça na mão, tomando veneravelmente o simonte de antanho, foi cheio de respeito que o vi chegar. Tive vontade de ir-me embora. Mesmo se não fosse ele o discípulo, era sempre um crime mistificar aquele ancião, cuja velhice trazia à tona do meu pensamento alguma coisa de augusto, de sagrado. Hesitei, mas fiquei.

— Eu sou — avancei — o professor de javanês, que o senhor disse precisar.

— Sente-se, respondeu-me o velho. O senhor é daqui, do Rio?

— Não, sou de Canavieiras.

— Como? fez ele. Fale um pouco alto, que sou surdo.

— Sou de Canavieiras, na Bahia, insisti eu.

— Onde fez os seus estudos?

— Em São Salvador.

— E onde aprendeu o javanês? indagou ele, com aquela teimosia peculiar aos velhos.

Não contava com essa pergunta, mas imediatamente arquitetei uma mentira. Contei-lhe que meu pai era javanês. Tripulante de um navio mercante, viera ter à Bahia, estabelecera-se nas proximidades de Canavieiras como pescador, casara, prosperara e fora com ele que aprendi javanês.

— E ele acreditou? E o físico? perguntou meu amigo, que até então me ouvira calado.

— Não sou, objetei, lá muito diferente de um javanês. Estes meus cabelos corridos, duros e grossos e a minha pele basané podem dar-me muito bem o aspecto de um mestiço de malaio... Tu sabes bem que, entre nós, há de tudo: índios, malaios, taitianos, malgaches, guanches, até godos. É uma comparsaria de raças e tipos de fazer inveja ao mundo inteiro.

— Bem, fez o meu amigo, continua.

— O velho, emendei eu, ouviu-me atentamente, considerou demoradamente o meu físico, pareceu que me julgava de fato filho de malaio e perguntou-me com doçura:

— Então está disposto a ensinar-me javanês?

— A resposta saiu-me sem querer: — Pois não.

— O senhor há de ficar admirado, aduziu o barão de Jacuecanga, que eu, nesta idade, ainda queira aprender qualquer coisa, mas...

— Não tenho que admirar. Têm-se visto exemplos e exemplos muito fecundos...

— O que eu quero, meu caro senhor...

— Castelo, adiantei eu.

— O que eu quero, meu caro senhor Castelo, é cumprir um juramento de família. Não sei se o senhor sabe que eu sou neto do conselheiro Albernaz, aquele que acompanhou Pedro I, quando abdicou. Voltando de Londres, trouxe para aqui um livro em língua esquisita, a que tinha grande estimação. Fora um hindu ou siamês que lho dera, em Londres, em agradecimento a não sei que serviço prestado por meu avô. Ao morrer meu avô, chamou meu pai e lhe disse: "Filho, tenho este livro aqui, escrito em javanês. Disse-me quem mo deu que ele evita desgraças e traz felicidades para quem o tem. Eu não sei nada ao certo. Em todo o caso, guarda-o; mas, se queres que o fado que me deitou o sábio oriental se cumpra, faze com que teu filho o entenda, para que sempre a nossa raça seja feliz". Meu pai, continuou o velho barão, não acreditou muito na história; contudo, guardou o livro. Às portas da morte, ele mo deu e disse-me o que prometera ao pai. Em começo, pouco caso fiz da história do livro. Deitei-o a um canto e fabriquei minha vida. Cheguei até a esquecer-me dele; mas, de uns tempos a esta parte, tenho passado por tanto desgosto, tantas desgraças têm caído sobre a minha velhice que me lembrei do talismã da família. Tenho que o ler, que o compreender, se não quero que os meus últimos dias anunciem o desastre da minha posteridade; e, para entendê-lo, é claro que preciso entender o javanês. Eis aí.

Calou-se e notei que os olhos do velho se tinham orvalhado. Enxugou discretamente os olhos e perguntou-me se queria ver o tal livro. Respondi-lhe que sim. Chamou o criado, deu-lhe as instruções e explicou-me que perdera todos os filhos, sobrinhos, só lhe restando uma filha casada, cuja prole, porém, estava reduzida a um filho, débil de corpo e de saúde frágil e oscilante.

Veio o livro. Era um velho calhamaço, um in-quarto antigo,[86] encadernado em couro, impresso em grandes letras, em um papel amarelado e grosso. Faltava a folha do rosto e por isso não se podia ler a data da impressão. Tinha ainda umas páginas de prefácio, escritas em inglês, onde li que se tratava das histórias do príncipe Kulanga, escritor javanês de muito mérito.

Logo informei disso o velho barão que, não percebendo que eu tinha chegado aí pelo inglês, ficou tendo em alta consideração o meu saber malaio. Estive ainda folheando o cartapácio, à laia de quem sabe magistralmente aquela espécie de vasconço, até que afinal contratamos as condições de preço e de hora, comprometendo-me a fazer com que ele lesse o tal alfarrábio antes de um ano.

Dentro em pouco, dava a minha primeira lição, mas o velho não foi tão diligente quanto eu. Não conseguia aprender a distinguir e a escrever nem sequer quatro letras. Enfim, com metade do alfabeto levamos um mês e o senhor barão de Jacuecanga não ficou lá muito senhor da matéria: aprendia e desaprendia.

A filha e o genro (penso que até aí nada sabiam da história do livro) vieram a ter notícias do estudo do velho; não se incomodaram. Acharam graça e julgaram a coisa boa para distraí-lo.

Mas com o que tu vais ficar assombrado, meu caro Castro, é com a admiração que o genro ficou tendo pelo professor de javanês. Que coisa Única! Ele não se cansava de repetir: "É um assombro! Tão moço! Se eu soubesse isso, ah! onde estava!".

O marido de dona Maria da Glória (assim se chamava a filha do barão), era desembargador, homem relacionado e poderoso; mas não se pejava em mostrar diante de todo o mundo a sua admiração pelo meu javanês. Por outro lado, o barão estava contentíssimo. Ao fim de dois meses, desistira da aprendizagem e pedira-me que lhe traduzisse, um dia sim outro não, um trecho do livro encantado. Bastava entendê-lo, disse ele; nada se opunha que outrem o traduzisse e ele ouvisse. Assim evitava a fadiga do estudo e cumpria o encargo.

Sabes bem que até hoje nada sei de javanês, mas compus umas histórias bem tolas e impingi-as ao velhote como sendo do crônicon.[87] Como ele ouvia aquelas bobagens!...

Ficava estático, como se estivesse a ouvir palavras de um anjo. E eu crescia aos seus olhos!

Fez-me morar em sua casa, enchia-me de presentes, aumentava-me o ordenado. Passava, enfim, uma vida regalada.

Contribuiu muito para isso o fato de vir ele a receber uma herança de um seu parente esquecido que vivia em Portugal. O bom velho atribuiu a coisa ao meu javanês; e eu estive quase a crê-lo também.

Fui perdendo os remorsos; mas, em todo o caso, sempre tive medo que me aparecesse pela frente alguém que soubesse o tal patuá malaio. E esse meu temor foi grande, quando o doce barão me mandou com uma carta ao visconde de Caruru, para que me fizesse entrar na diplomacia. Fiz-lhe todas as objeções: a minha fealdade, a falta de elegância, o meu aspecto tagalo.[88] — "Qual! retrucava ele. Vá, menino; você sabe javanês!" Fui. Mandou-me o visconde para a Secretaria dos Estrangeiros com diversas recomendações. Foi um sucesso.

O diretor chamou os chefes de secção: "Vejam só, um homem que sabe javanês — que portento!".

Os chefes de secção levaram-me aos oficiais e amanuenses e houve um destes que me olhou mais com ódio do que com inveja ou admiração. E todos diziam: "Então sabe javanês? É difícil? Não há quem o saiba aqui!".

O tal amanuense, que me olhou com ódio, acudiu então: "É verdade, mas eu sei canaque. O senhor sabe?". Disse-lhe que não e fui à presença do ministro.

A alta autoridade levantou-se, pôs as mãos às cadeiras, concertou o *pince-nez* no nariz e perguntou: "Então, sabe javanês?". Respondi-lhe que sim; e, à sua pergunta onde o tinha aprendido, contei-lhe a história do tal pai javanês. "Bem, disse-me o ministro, o senhor não deve ir para a diplomacia; o seu físico não se presta... O bom seria um consulado na Ásia ou Oceania. Por ora, não há vaga, mas vou fazer uma reforma e o senhor entrará. De hoje em diante, porém, fica adido ao meu ministério e quero que, para ano, parta para Bâle, onde vai representar o Brasil no Congresso de Linguística. Estude, leia o Hovelacque,[89] o Max Müller,[90] e outros!"

Imagina tu que eu até aí nada sabia de javanês, mas estava empregado e iria representar o Brasil em um congresso de sábios.

O velho barão veio a morrer, passou o livro ao genro para que o fizesse chegar ao neto, quando tivesse a idade conveniente e fez-me uma deixa no testamento.

Pus-me com afã no estudo das línguas malaio-polinésicas; mas não havia meio!

Bem jantado, bem-vestido, bem dormido, não tinha energia necessária para fazer entrar na cachola aquelas coisas esquisitas. Comprei livros, assinei revistas: *Revue Anthropologique et Linguistique, Proceedings of the English-Oceanic Association, Archivo Glottologico Italiano*, o diabo, mas nada! E a minha fama crescia. Na rua, os informados apontavam-me, dizendo aos outros: "Lá vai o sujeito que sabe javanês". Nas livrarias, os gramáticos consultavam-me sobre a colocação dos pronomes no tal jargão das ilhas de Sonda. Recebia cartas dos eruditos do interior, os jornais citavam o meu saber e recusei aceitar uma turma de alunos sequiosos de entenderem o tal javanês. A convite da redação, escrevi, no *Jornal do Commercio* um artigo de quatro colunas sobre a literatura javanesa antiga e moderna...

— Como, se tu nada sabias? interrompeu-me o atento Castro.

— Muito simplesmente: primeiramente, descrevi a ilha de Java, com o auxílio de dicionários e umas poucas publicações de geografias, e depois citei a mais não poder.

— E nunca duvidaram? perguntou-me ainda o meu amigo.

— Nunca. Isto é, uma vez quase fico perdido. A polícia prendeu um sujeito, um marujo, um tipo bronzeado que só falava uma língua esquisita. Chamaram diversos intérpretes, ninguém o entendia. Fui também chamado, com todos os respeitos que a minha sabedoria merecia, naturalmente. Demorei-me em ir, mas fui afinal. O homem já estava solto, graças à intervenção do cônsul holandês, a quem ele se fez compreender com meia dúzia de palavras holandesas. E o tal marujo era javanês — uf!

Chegou, enfim, a época do congresso, e lá fui para a Europa. Que delícia! Assisti à inauguração e às sessões preparatórias. Inscreveram-me na secção do tupi-guarani e eu abalei para Paris. Antes, porém, fiz publicar no *Mensageiro de Bâle* o meu retrato, notas biográficas e bibliográficas. Quando voltei, o presidente pediu-me desculpas por me ter dado aquela secção; não conhecia os meus trabalhos e julgara que, por ser eu americano brasileiro, me estava naturalmente indicada a secção do tupi-guarani. Aceitei as explicações e até hoje ainda não pude escrever as minhas obras sobre o javanês, para lhe mandar, conforme prometi.

Acabado o congresso, fiz publicar extratos do artigo do *Mensageiro de Bâle*, em Berlim, em Turim e Paris, onde os leitores de minhas obras me ofereceram um banquete, presidido pelo senador Gorot. Custou-me toda essa brincadeira, inclusive o banquete que me foi oferecido, cerca de dez mil francos, quase toda a herança do crédulo e bom barão de Jacuecanga.

Não perdi meu tempo nem meu dinheiro. Passei a ser uma glória nacional e, ao saltar no cais Pharoux,[91] recebi uma ovação de todas as classes sociais e o presidente da República, dias depois, convidava-me para almoçar em sua companhia.

Dentro de seis meses fui despachado cônsul em Havana, onde estive seis anos e para onde voltarei, a fim de aperfeiçoar os meus estudos das línguas da Malaia, Melanésia e Polinésia.

— É fantástico, observou Castro, agarrando o copo de cerveja.
— Olha: se não fosse estar contente, sabes que ia ser?
— Que?
— Bacteriologista eminente. Vamos?
— Vamos.

Um e outro[92]

A Deodoro Leucht

Não havia motivo para que ela procurasse aquela ligação, não havia razão para que a mantivesse. O Freitas a enfarava um pouco, é verdade. Os seus hábitos quase conjugais; o modo de tratá-la como sua mulher; os rodeios de que se servia para aludir à vida das outras raparigas; as precauções que tomava para enganá-la; a sua linguagem sempre escoimada de termos de calão ou duvidosos; enfim, aquele ar burguês da vida que levava, aquela regularidade, aquele equilíbrio davam-lhe a impressão de estar cumprindo penas.

Isto era bem verdade, mas não a absolvia perante ela mesma de estar enganando o homem que lhe dava tudo, que educava sua filha, que a mantinha como senhora, com o "chauffeur" do automóvel em que passeava duas vezes ou mais por semana. Por que não procurava outro mais decente? A sua razão desejava bem isso; mas o seu instinto a tinha levado para ali.

A bem dizer, ela não gostava de homem, mas de homens; as exigências de sua imaginação, mais do que as de sua carne, eram para a poliandria. A vida a fizera assim e não havia de ser agora, ao roçar os cinquenta, que havia de corrigir-se. Ao lembrar-se de sua idade, olhou-se um pouco no espelho e viu que uma ruga teimosa começava a surgir no canto de um dos olhos. Era preciso massagem... Examinou-se melhor. Estava de corpinho. O colo era ainda opulento, unido; o pescoço repousava bem sobre ele e ambos, colo e pescoço, se ajustavam sem saliências nem depressões.

Teve satisfação de ser sua carne; teve orgulho mesmo. Há quanto tempo ela resistia aos estragos do tempo e ao desejo dos homens? Não estava moça, mas se sentia ainda apetitosa. Quantos a provaram? Ela não podia sequer avaliar o número aproximado. Passavam por sua lembrança numerosas fisionomias. Muitas ela não fixara bem na memória e surgiam-lhe na recordação como coisas vagas, sombras, pareciam espíritos. Lembrava-se às vezes de um gesto, às vezes de uma frase deste ou daquele sem se lembrar dos seus traços; recordava-se às vezes da roupa sem se recordar da pessoa. Era curioso que de certos que a conhecessem uma única noite e se foram para sempre, ela se lembrasse bem; e de outros que se demoraram, tivesse uma imagem apagada.

Os vestígios da sua primitiva educação religiosa e os moldes da honestidade comum subiram à sua consciência. Seria pecado aquela sua vida? Iria para o inferno? Viu um instante o seu inferno de estampa popular: as labaredas muito rubras, as almas mergulhadas nelas e os diabos, com uns garfos enormes, a obrigar os penitentes a sofrerem o suplício.

Haveria isso mesmo ou a morte seria...? A sombra da morte ofuscou-lhe o pensamento. Já não era tanto o inferno que lhe vinha aos olhos; era a morte só, o aniquilamento do seu corpo, da sua pessoa, o horror horrível da sepultura fria.

Isto lhe pareceu uma injustiça. Que as vagabundas comuns morressem, vá! Que as criadas morressem vá! Ela, porém, ela que tivera tantos amantes ricos; ela que causara rixas, suicídios e assassinatos, morrer, era uma iniquidade sem nome! Não era uma mulher comum, ela, a Lola, a Lola desejada por tantos homens; a Lola, amante do Freitas, que gastava mais de um conto de réis por mês nas coisas triviais da casa, não podia nem devia morrer. Houve então nela um assomo íntimo de revolta contra o destino implacável.

Agarrou a blusa, ia vesti-la, mas reparou que faltava um botão. Lembrou-se de pregá-lo, mas imediatamente lhe veio a invencível repugnância que sempre tivera pelo trabalho manual. Quis chamar a criada: mas seria demorar. Lançou mão de alfinetes.

Acabou de vestir-se, pôs o chapéu, e olhou um pouco os móveis. Eram caros, eram bons. Restava-lhe esse consolo: morreria, mas morreria no luxo, tendo nascido em uma cabana. Como eram diferentes os dois momentos! Ao nascer, até aos vinte e tantos anos, mal tinha onde descansar após as labutas domésticas.

Quando casada, o marido vinha suado dos trabalhos do campo e, mal lavados, deitavam-se. Como era diferente agora... Qual! Não seria capaz de suportá-lo mais... Como é que pôde?

Seguiu-se a emigração... Como foi que veio até ali, até aquela cumeada de que se orgulhava? Não apanhava bem o encadeamento. Apanhava alguns termos da série; como porém se ligaram, como se ajustaram para fazê-la subir de criada à amante opulenta do Freitas, não compreendia bem. Houve oscilações, houve desvios. Uma vez mesmo quase se viu embrulhada numa questão de furto; mas, após tantos anos, a ascensão, parecia-lhe gloriosa e retilínea. Deu os últimos toques no chapéu, consertou o cabelo na nuca, abriu o quarto e foi até à sala de jantar:

— Maria onde está a Mercedes? Perguntou.

Mercedes era sua filha, filha de sua união legal, que orçava pelos vinte e poucos anos. Nascera no Brasil, dois anos após a sua chegada, um antes de abandonar o marido. A criada correu logo a atender a patroa.

— Está no quintal conversando com Aida, patroa.

Maria era a sua copeira e Aida a lavadeira; no trem de sua casa, havia três criadas e ela, a antiga criada, gostava de lembrar-se do número das que tinha agora, para avaliar o progresso que fizeram na vida.

Não insistiu mais em perguntar pela filha e recomendou:

— Vou sair. Fecha bem a porta da rua... Toma cuidado com os ladrões.

Abotoou as luvas, consertou a fisionomia e pisou a calçada com um imponente ar de grande dama sob o seu caro chapéu de plumas brancas.

A rua dava-lhe mais força de fisionomia, mais consciência dela mesma. Como se sentia estar no seu reino, na região em que era rainha e imperatriz. O olhar cobiçoso dos homens e o de inveja das mulheres acabavam o sentimento de sua personalidade, exaltavam-no até. Dirigiu-se para a rua do Catete com o seu passo miúdo e sólido. Era manhã e, embora andássemos pelo meado do ano, o sol era forte como se já verão fosse. No caminho trocou cumprimentos com as raparigas pobres de uma casa de cômodos da vizinhança.

— Bom dia, madama.

— Bom dia.

E debaixo dos olhares maravilhados das pobres raparigas, ela continuou o seu caminho, arrepanhando a saia, satisfeita que nem uma duquesa, atravessando os seus domínios.

O *rendez-vous* era para uma hora; tinha tempo, portanto, de dar umas voltas à cidade. Precisava mesmo que o Freitas lhe desse uma quantia maior. Já lhe falara a respeito pela manhã, quando ele saiu e tinha como buscá-la ao escritório dele.

Tencionava comprar um mimo e oferecê-lo ao *chauffeur* do "seu" Pope, o seu último amor, o ente sobre-humano que ela via coado através da beleza daquele "carro" negro, arrogante, insolente, cortando a multidão das ruas orgulhoso como um Deus.

Na imaginação, ambos, *"chauffeur"* e "carro", não os podia separar um do outro; e a sua imagem dos dois era uma única de suprema beleza, tendo a seu dispor a força e a velocidade do vento.

Tomou o bonde. Não reparou nos companheiros de viagem; em nenhum, ela sentiu uma alma; em nenhum, ela sentiu um semelhante. Todo o seu pensamento era para o *"chauffeur"*, e o "carro". O automóvel, aquela magnífica máquina, que passava pelas ruas que nem um triunfador, era bem a beleza do homem que o guiava; e, quando ela o tinha nos braços, não era bem ele quem a abraçava, era a beleza daquela máquina que punha nela ebriedade, sonho e a alegria singular da velocidade. Não havia como aos sábados em que ela, recostada às almofadas amplas, percorria as ruas da cidade, concentrava os olhares e todos invejavam mais o carro que ela, a força que se continha nele e o arrojo que o *chauffeur* moderava. A vida de centenas de miseráveis, de tristes e mendicantes sujeitos que andavam a pé, estava ao dispor de uma simples e imperceptível volta no guidão; e o motorista, aquele motorista que ela beijava, que ela acariciava, era como uma divindade que dispusesse de humildes seres deste triste e desgraçado planeta.

Em tal instante, ela se sentia vingada do desdém com que a cobriam, e orgulhosa de sua vida.

Entre ambos, "carro" e *"chauffeur"*, ela estabelecia um laço necessário, não só entre as imagens respectivas como entre os objetos. O "carro" era como os membros do outro e os dois complementavam-se numa representação interna, maravilhosa de elegância, de beleza, de vida, de insolência, de orgulho e de força.[93]

O bonde continuava a andar. Vinha jogando pelas ruas em fora, tilintando, parando aqui e ali. Passavam carroças, passavam carros, passavam automóveis. O dele não passaria certamente. Era de *garage* e saía unicamente para certos e determinados fregueses que só passeavam à tarde ou escolhiam-no para a volta das duas, alta noite. O bonde chegou à praça da Glória.[94] Aquele trecho da cidade tem um ar de fotografia, como que houve nele uma preocupação de vista, de efeito em perspectiva; e agradava-lhe. O bonde corria agora ao lado do mar. A baía estava calma, os horizontes eram límpidos e os barcos a vapor quebravam a harmonia da paisagem.

A marinha pede sempre o barco a vela; ele como que nasceu do mar, é sua criação; o barco a vapor é um grosseiro engenho demasiado humano, sem relação com ela. A sua brutalidade é violenta. A Lola, porém, não se demorou em olhar o mar, nem o horizonte; a natureza lhe era completamente indiferente e não fez nenhuma reflexão sobre o trecho que a via passar. Considerou dessa vez os vizinhos. Todos lhe pareciam detestáveis. Tinha um ar de pouco dinheiro e regularidade sexual abominável. Que gente!

O bonde passou pela frente do Passeio Público[95] e o seu pensamento ficou-se num instante no chapéu que tencionava comprar. Ficar-lhe-ia bem? Seria mais belo que o da Lúcia, amante do Adão "Turco"? Saltava de uma probabilidade para outra, quando lhe veio desviar da preocupação a passagem de um automóvel. Pareceu ser ele, o *chauffeur*. Qual! Num "táxi"! Não era possível. Afugentou o pensamento e o bonde continuou. Enfrentou o "Theatro Municipal".[96] Olhou-lhe as colunas, os dourados, achou-o bonito, bonito como uma mulher cheia de atavios. Na Avenida, ajustou o passo, consertou a fisionomia, arrepanhou a saia com a mão esquerda e partiu ruas em fora com um ar de grande dama sob o enorme chapéu de plumas brancas.

Nas ocasiões em que precisava falar ao Freitas no escritório, ela tinha por hábito ficar num *restaurant* próximo e mandar chamá-lo por caixeiro. Assim ele lhe recomendava e assim ela fazia, convencida como estava de que as razões com que o Freitas lhe justificara esse procedimento eram sólidas e procedentes. Não ficava bem ao alto comércio de comissões e consignações que as damas fossem procurar os representantes dele nos respectivos escritórios; e, se bem que o Freitas fosse um simples caixa da Casa Antunes, Costa e Cia., uma visita como a dela poderia tirar de tão poderosa firma a fama de solidez e abalar-lhe o crédito na clientela.

A espanhola ficou, portanto, próxima e, enquanto esperava o amante, pediu uma limonada e olhou a rua. Naquela hora, a rua 1º de Março[97] tinha o seu pesado trânsito habitual de grandes carroções pejados de mercadorias. O movimento quase se cingia a homens; e se, de quando em quando, passava uma mulher, vinha num bando de estrangeiros, recentemente desembarcados.

Se passava um destes, Lola tinha um imperceptível sorriso de mofa. Que gente! Que magras! Onde é que foram descobrir aquela magreza de mulher? Tinha como certo que, na Inglaterra, não havia mulheres bonitas nem homens elegantes.

Num dado momento, alguém passou que lhe fez crispar a fisionomia. Era a Rita. Onde ia àquela hora? Não lhe foi dado ver bem o vestuário dela, mas viu o chapéu cuja *pleureuse* lhe pareceu mais cara que a do seu. Como é que arranjara aquilo? Como é que havia homens que dessem tal luxo a uma mulher daquelas? Uma mulata...

O seu desgosto sossegou com essa verificação e ficou possuída de um contentamento de vitória. A sociedade regular dera-lhe a arma infalível...

Freitas chegou afinal e, como convinha à sua posição e à majestade do alto comércio, veio em colete e sem chapéu. Os dois se encontraram muito casualmente, sem nenhum movimento, palavra, gesto, ou olhar de ternura.

— Não trouxeste Mercedes? Perguntou ele.

— Não... fazia muito sol...

O amante sentou-se e ela o examinou um momento. Não era bonito, muito menos simpático. Desde muito verificara isso, agora, porém, descobrira o máximo defeito de sua fisionomia. Estava no olhar, no olhar sempre o mesmo fixo, esbugalhado, sem mutações e variações de luz. Ele pediu cerveja, ela perguntou:

— Arranjaste?

Tratava-se de dinheiro e o seu orgulho de homem do comércio que sempre se julga rico ou às portas da riqueza, ficou um pouco ferido com a pergunta da amante:

— Não havia dificuldade... Era só vir ao escritório... Mais que fosse...

Lola suspeitava que não lhe fosse tão fácil assim, mas nada disse. Explorava habilmente aquela sua ostentação de dinheiro, farejava "qualquer coisa" e já tomara as suas precauções.

Veio a cerveja e ambos, na mesa do *restaurant*, fizeram um numeroso esforço para conversar. O amante fazia-lhe perguntas: "Vais à modista? Sais hoje à tarde?" — Ela respondia: "sim, não".

Passou de novo a Rita. Lola aproveitou o momento e disse:

— Lá vai aquela "negra".

— Quem?

— A Rita.

— A Ritinha?... Está agora com o "Louro" *croupier*, do "Emporium".

E em seguida acrescentou:

— Está muito bem.

— Pudera! Há homens muito porcos.

— Pois olha: acho-a bem bonita.

— Não precisavas dizer-me. E como os outros... ainda há quem se sacrifique por vocês.

Era seu hábito sempre procurar na conversa caminho para mostrar-se arrufada e dar a entender ao amante que ela se sacrificava vivendo com ele. Freitas não acreditava muito nesse sacrifício, mas não queria romper com ela, porque a sua ligação causava nas rodas de confeitarias, de pensões chics e jogo muito sucesso. Muito célebre e conhecida, com quase vinte anos de "vida ativa", o seu *collage* com a Lola que se não fora tão bela, fora sempre tentadora e provocante, punha a sua pessoa em foco e garantia-lhe um certo prestígio sobre as outras mulheres.

Vendo-a arrufada, o amante fingiu-se arrependido do que dissera, e vieram a despedir-se com palavras ternas.

Ela saiu contente com o dinheiro na carteira. Havia dito ao Freitas que se destinava a uma filha que estava na Espanha; mas a verdade era que mais da metade seria empregada na compra de um presente para o seu motorista amado. Subiu a rua do Ouvidor,[98] parando pelas montras das casas de joias. Que havia de ser? Um anel? Já lhe havia dado. Uma corrente? Também já lhe dera uma. Parou numa vitrine e viu uma cigarreira. Simpatizou com o objeto. Parecia caro e era ofuscante: ouro e pedrarias — uma coisa de mal gosto evidente. Achou-a maravilhosa, entrou e comprou-a sem discutir.

Encaminhou-se para o bonde cheia de satisfação. Aqueles presentes como que o prendiam mais a ela, como que o ligavam eternamente à sua carne e o faziam entrar no seu sangue.

A sua paixão pelo *chauffeur* durava havia 6 meses e encontravam-se pelas bandas da Candelária,[99] em uma casa discreta e limpa, bem frequentada, cheia de precauções para que os frequentadores não se vissem.

Faltava pouco para o encontro e ela aborrecia-se esperando o bonde conveniente. Havia mais impaciência nela que atraso no horário. O veículo chegou em boa hora e Lola tomou-o cheia de ardor e desejo. Havia uma semana que ela não se encontrava com o motorista. A última vez em que se avistaram, nada de mais íntimo lhe pudera dizer. Freitas, ao contrário do costume, passeava com ela; e só lhe fora dado vê-lo soberbo, todo de branco casquete, sentado à almofada, com o busto ereto, a guiar maravilhosamente o carro lustroso, brilhante, cuja niquelagem areada faiscava como prata nova.

Marcava-lhe aquele *rendez-vous* com muita saudade e vontade de vê-lo e agradecer-lhe a imaterial satisfação que a máquina lhe dava. Dentro daquele bonde vulgar, um instante, ela teve novamente diante dos olhos o automóvel orgulhoso, sentiu a sua trepidação, indício de sua força, e o viu deslizar, silencioso, severo, resoluto e insolente, pelas ruas em fora, dominado pela mão destra do *chauffeur* que ela amava.

Logo ao chegar, perguntou à dona da casa se o dr. José estava. Soube que chegara mais cedo e já fora para o quarto. Não se demorou muito conversando com a patota e correu aos aposentos.

De fato, José lá estava. Fosse calor, fosse vontade de ganhar tempo, o certo é que já havia tirado de cima de si o principal vestuário. Assim que a viu entrar, sem se erguer da cama, disse:

— Pensei que não viesses.

— O bonde custou muito a chegar, meu amor.

Descansou a bolsa, tirou o chapéu com ambas as mãos e foi direita à cama. Sentou-se na borda, cravou o olhar no rosto grosseiro e vulgar do motorista; e após um instante de contemplação, debruçou-se e beijou-o com volúpia, demoradamente.

O *chauffeur* não retribuiu a carícia, ele as julgava desnecessárias naquele instante. Nele, o amor não tinha prefácios, nem epílogos; o assunto ataca-se logo. Ela não o conhecia assim: resíduos da profissão e o sincero desejo daquele homem faziam-na carinhosa.

Sem beijá-lo, sentada, à borda da cama, esteve um momento a olhar enternecida a má e forte candidatura do *chauffeur*. José começava a impacientar-se com aquelas filigranas. Não compreendia tais rodeios que lhe pareciam ridículos.

— Despe-te!

Aquela impaciência agradava-lhe e ela quis saboreá-la mais. Levantou-se sem pressa, começou a desabotoar-se devagar, parou e disse com meiguice.

— Trago-te uma coisa.

— Que é? — Fez ele logo.

— Adivinha?

— Dize lá de uma vez.

Lola procurou a bolsa, abriu-a devagar e de lá retirou a cigarreira. Foi até o leito e entregou-a ao *chauffeur*. Os olhos do homem incendiaram-se de cupidez: e os da mulher, ao vê-lo satisfeito, ficaram úmidos de contentamento.

Continuou a despir-se e, enquanto isto, ele não deixava de apalpar, de abrir, e fechar a cigarreira que recebera. Descalçava os sapatos quando José lhe perguntou com a sua voz dura e imperiosa.

— Tens passeado muito no Pope?

— Deves saber que não. Não o tenho mandado buscar e tu sabes que só saio no teu.

— Não estou mais nele.

— Como?

— Saí da casa... ando agora num táxi.

Quando o *chauffeur* lhe disse isso, Lola quase desmaiou; a sensação que teve foi de receber uma pancada na cabeça.

Pois então, aquele Deus, aquele dominador, aquele supremo indivíduo descera a guiar um táxi, sujo, chacoalhante, mal pintado, desses que parecem feitos da folha de Flandres. Então ele? Então...

E aquela abundante beleza do automóvel de luxo que tão alto ela via nele, em um instante, em um segundo, de todo se esvaiu. Havia internamente, entre as duas imagens, um nexo que lhe parecia indissolúvel e o brusco perturbou-lhe completamente a representação mental e emocional daquele homem.

Não era mais o mesmo, não era o semideus, ele que estava ali presente; era outro ou antes que ele era degradado, mutilado, horrendamente mutilado.

Deitou-se a seu lado com muita repugnância e pela última vez.

Um especialista[100]

A Bastos Tigre[101]

Era hábito dos dois, todas as tardes, após o jantar, jogar uma partida de bilhar em cinquenta pontos, finda a qual iam, em pequenos passos, até ao largo da Carioca[102] tomar café e licores, e, na mesa do botequim, trocando confidências, ficarem esperando a hora dos teatros, enquanto que, dos charutos, fumaças azuladas espiralavam preguiçosamente pelo ar.

Em geral, eram as conquistas amorosas o tema da palestra; mas, às vezes, incidentemente, tratavam dos negócios, do estado da praça e da cotação das apólices.

Amor e dinheiro, eles juntavam bem e sabiamente.

O comendador era português, tinha seus cinquenta anos, e viera para o Rio aos vinte e quatro, tendo estado antes seis no Recife. O seu amigo, o coronel Carvalho, também era português, viera, porém, aos sete para o Brasil, havendo sido no interior, logo ao chegar, caixeiro de venda, feitor e administrador de fazenda, influência política; e, por fim, por ocasião da bolsa, especulara com propriedades, ficando daí em diante senhor de uma boa fortuna e da patente de coronel da Guarda Nacional. Era um plácido burguês, gordo, ventrudo, cheio de brilhantes, empregando a sua mole atividade na gerência de uma fábrica de fósforos. Viúvo, sem filhos, levava a vida de moço rico. Frequentava *cocottes*; conhecia as escusas casas de *rendez-vous*, onde era assíduo e considerado; o outro, o comendador, que era casado, deixando, porém, a mulher só no vasto casarão do Engenho Velho a se interessar pelos namoricos das filhas, tinha a mesma vida solta do seu amigo e compadre.

Gostava das mulheres de cor e as procurava com o afinco e ardor de um amador de raridades.

À noite, pelas praças mal iluminadas, andava catando-as, joeirando-as com olhos chispantes de lubricidade e, por vezes mesmo, se atrevia a seguir qualquer mais airosa pelas ruas de baixa prostituição.

— A mulata, dizia ele, é a canela, é o cravo, é a pimenta; é, enfim, a especiaria de requeime acre e capitoso que nós, os portugueses, desde Vasco da Gama, andamos a buscar, a procurar.

O coronel era justamente o contrário: só queria às estrangeiras; as francesas e italianas, bailarinas, cantoras ou simplesmente meretrizes eram o seu fraco.

Entretanto havia já quinze dias que não se encontravam no lugar aprazado, e a faltar era o comendador, a quem o coronel sabia bem por informações do seu guarda-livros.

Ao acabar a segunda semana dessa ausência imprevista, o coronel, maçado e saudoso, foi procurar o amigo na sua loja à rua dos Pescadores.[103] Lá o encontrou amável e de boa saúde. Explicaram-se; e entre eles ficou assentado que se veriam naquele dia, à tarde, na hora e lugar habituais.

Como sempre, jantaram fartamente e regiamente regaram o repasto com bons vinhos portugueses. Jogaram a partida de bilhar e depois, como encarrilhados, seguiram para o café de costume no largo da Carioca.

No princípio, conversaram sobre a questão das minas de Itaoca, vindo então à baila a inépcia e a desonestidade do governo; mas logo depois, o coronel, que "tinha a pulga atrás da orelha", indagou do companheiro o motivo de tão longa ausência.

— Oh! Não te conto! Foi um "achado", a coisa, disse o comendador, depois de chupar fortemente o charuto e soltar uma volumosa baforada; um petisco que encontrei... Uma mulata deliciosa, Chico! Só vendo o que é, disse a rematar, estalando os beiços.

— Como foi isso? inquiriu o coronel pressuroso. Como foi? Conta lá!

— Assim. A última vez que estivemos juntos, não te disse que no dia seguinte iria a bordo de um paquete buscar um amigo que chegava do Norte?

— Disseste-me. E daí?

— Ouve. Espera. Cos diabos isto não vai a matar! Pois bem, fui a bordo. O amigo não veio... Não era bem meu amigo... Relações comerciais... Em troca...

Por essa ocasião rolou um carro no calçamento. Travou em frente ao café e por ele adentro entrou uma gorda mulher, cheia de plumas e sedas, e para vê-la virou-se o comendador, que estava de costas, interrompendo a narração. Olhou-a e continuou depois:

— Como te dizia: não veio o homem, mas enquanto tomava cerveja com o comissário, vi atravessar a sala uma esplêndida mulata; e tu sabes que eu...

Deixou de fumar e com olhares canalhas sublinhou a frase magnificamente.

— De indagação em indagação, soube que viera com um alferes do Exército; e murmuravam a bordo que a Alice (era seu nome, soube também) aproveitara a companhia, somente para melhor mercar aqui os seus encantos. Fazer a vida... Propositalmente, me pareceu, eu me achava ali e não perdia vaza, como tu vais ver.

Dizendo isto, endireitou o corpo, alçou um tanto a cabeça, e seguiu narrando:

— Saltamos juntos, pois viemos juntos na mesma lancha — a que eu alugara. Compreendes? E, quando embarcamos num carro, no largo do Paço, para a pensão, já éramos conhecimentos velhos; assim pois...

— E o alferes?

— Que alferes?

— O alferes que vinha com a tua diva, filho? Já te esqueceste?

— Ah! Sim! Esse saltou na lancha do Ministério da Guerra e nunca mais o vi.

— Está direito. Continua lá a coisa.

— E... e... Onde é que estava? Hein?

— Ficaste: quando ao saltar, foram para a pensão.

— É isto! Fomos para a pensão Baldut, no Catete; e foi, pois, assim que me apossei de um lindo primor — uma maravilha, filho, que tem feito os meus encantos nestes quinze dias — com os raros intervalos em que me aborreço em casa, ou na loja, já se vê bem.

Repousou um pouco e, retomando logo após a palavra, assim foi dizendo:

— É uma coisa extraordinária! Uma maravilha! Nunca vi mulata igual. Como esta, filho, nem a que conheci em Pernambuco há uns vinte e sete anos! Qual! Nem de longe! Calcula que ela é alta, esguia, de bom corpo; cabelos negros corridos, bem corridos: olhos pardos. É bem fornida de carnes, roliça; nariz não muito afilado, mas bom! E que boca, Chico! Uma boca breve, pequena, com uns lábios roxos, bem quentes... Só vendo mesmo! Só! Não se descreve.

O comendador falara com um ardor desusado nele; acalorara-se e se entusiasmara deveras, a ponto de haver na sua fisionomia estranhas mutações. Por todo ele havia aspecto de um suíno, cheio de lascívia, inebriado de gozo. Os olhos arredondaram-se e diminuíram; os lábios se haviam apertado fortemente e impelidos pra diante se juntavam ao jeito de um focinho; o rosto destilava gordura; e, ajudado isto pelo seu físico, tudo nele era de um colossal suíno.

— O que pretendes fazer dela? Dize lá.

— É boa... Que pergunta! Prová-la, enfeitá-la, enfeitá-la e "lançá-la". E é pouco?

— Não! Acho até que te excedes. Vê lá, tu!

— Hein? Oh! Não! Tenho gasto pouco. Um conto e pouco... Uma miséria!

Acendeu o charuto e disse subitamente, ao olhar o relógio:

— Vou buscá-la de carro, porquanto vamos ao cassino, e tu me esperas lá, pois tenho um camarote.

— Até já.

Saindo o seu amigo, o coronel considerou um pouco, mandou vir água Apolináris,[104] bebeu e saiu também.

Eram oito horas da noite.

Defronte ao café, o casarão de uma ordem terceira ensombrava a praça parcamente iluminada pelos combustores de gás e por um foco elétrico ao centro. Das ruas que nela terminavam, delgados filetes de gente saíam e entravam constantemente. A praça era como um tanque a se encher e a se esvaziar equitativamente. Os bondes da Jardim semeavam pelos lados a branca luz de seus focos e, de onde em onde, um carro, um tílburi, a atravessava célere.

O coronel esteve algum tempo olhando o largo, preparou um novo charuto, acendeu-o, foi até à porta, mirou um e outro transeunte, olhou o céu recamado de estrelas, e, finalmente, devagar, partiu em direção à Lapa.

Quando entrou no cassino, ainda o espetáculo não havia começado.

Sentou-se a um banco no jardim, serviu-se de cerveja e entrou a pensar.

Aos poucos, vinham chegando os espectadores. Naquele instante entrava um. Via-se pelo acanhamento que era um estranho às usanças da casa. Esmerado no vestir, no calçar, não tinha em troca o desembaraço com que se anuncia o habitué. Moço, moreno, seria elegante se não fosse a estreiteza de seus movimentos. Era um visitante ocasional, recém-chegado, talvez, do interior, que procurava ali uma curiosidade, um prazer da cidade.

Em seguida, entrou um senhor barbado, de maçãs salientes, rosto redondo, acobreado. Trazia cartola, e pelo ar solene, pelo olhar desdenhoso que atirava em volta, descobria-se nele um legislador da Cadeia Velha, deputado, representante de algum estado do Norte, que, com certeza, há duas legislaturas influía poderosamente nos destinos do país com o seu resignado apoio. E assim, um a um, depois aos magotes, foram entrando os espectadores. Ao fim, na cauda, retardados, vieram os frequentadores assíduos — pessoas variegadas de profissão e moral que com frequência blasonavam saber os nomes das *cocottes*, a proveniência delas e as suas excentricidades libertinas. Entre os que entravam naquele momento, entrara também o comendador e o "achado".

A primeira parte do espetáculo correra quase friamente.

Todos, homens e mulheres, guardavam as maneiras convencionadas de se estar em público. Era cedo ainda.

Em meio, porém, da segunda, as atitudes mudaram. Na cena, uma delgadinha senhora (*chanteuse à diction* — no cartaz) berrava uma cançoneta francesa. Os espectadores, com batidos das bengalas nas mesas, no assoalho, e com a voz mais ou menos comprometida, estribilhavam-na doidamente. O espetáculo ia no auge. Da sala aos camarotes subia um estranho cheiro — um odor azedo de orgia.

Centenas de charutos e cigarros a fumegar enevoavam todo ambiente.

Desprendimentos do tabaco, emanações alcoólicas, e, a mais, uma fortíssima exalação de sensualidade e lubricidade, davam à sala o aspecto repugnante de uma vasta bodega.

Mais ou menos embriagado, cada um dos espectadores tinha para com a mulher com quem bebia gestos livres de alcova. Francesas, italianas, húngaras, espanholas, essas mulheres, de dentro das rendas, surgiam espectrais, apagadas, lívidas como moribundas. Entretanto, ou fosse o álcool ou o prestígio de peregrinas, tinham sobre aqueles homens um misterioso ascendente. À esquerda, na plateia, o majestoso deputado da entrada coçava despudoradamente a nuca da Dermalet, uma francesa; em frente o doutor Castrioto, lente de uma escola superior, babava-se todo a olhar as pernas da cantora em cena, enquanto em um camarote defronte, o juiz Siqueira apertava-se à Mercedes, uma bailarina espanhola, com o fogo de um recém-casado à noiva.

Um sopro de deboche percorria homem a homem.

Dessa forma o espetáculo desenvolvia-se no mais fervoroso entusiasmo e o coronel, no camarote, de soslaio, pusera-se a observar a mulata. Era bonita de fato e elegante também. Viera com um vestido creme de pintas pretas, que lhe assentava magnificamente.

O seu rosto harmonioso, enquadrado num magnífico chapéu de palha preta, saía firme do pescoço roliço que a blusa decotada deixava ver. Seus olhos curiosos, inquietos, voavam de um lado a outro e a tez de bronze novo cintilava à luz dos focos. Através do vestido se lhe adivinhavam as formas; e, por vezes, ao arfar, ela toda trepidava de volúpia...

O comendador pachorrentamente assistia ao espetáculo e, fora do costume, pouco conversou. O amigo pudicamente não insistiu no exame.

Quando saíram de permeio à multidão, acumulada no corredor da entrada, o coronel teve ocasião de verificar o efeito que fizera a companheira do amigo. Ficando mais atrás, pôde ir recolhendo os ditos e as observações que a passagem deles ia sugerindo a cada um.

Um rapazola dissera:

— Que "mulatão"!

Um outro refletiu:

— Esses portugueses são os demônios para descobrir boas mulatas. É faro.

Ao passarem os dois, alguém, a quem ele não viu, maliciosamente observou:

— Parecem pai e filha.

E essa reflexão de pequeno alcance na boca que a proferiu calou fundo no ânimo do coronel.

Os queixos eram iguais, as sobrancelhas, arqueadas, também; o ar, um não sei quê de ambos assemelhavam-se... Vagas semelhanças, concluiu o coronel ao sair à rua, quando uma baforada de brisa marinha lhe acariciou o rosto afogueado.

Já o carro rolava rápido pela rua quieta — quietude agora perturbada pelas vozes esquentadas dos espectadores saídos e pelas falsas risadas de suas companheiras — quando o comendador, levantando-se no estrado da carruagem, ordenou ao cocheiro que parasse no hotel, antes de tocar para a pensão. A sala sombria e pobre do hotel tinha sempre por aquela hora uma aparência brilhante. A agitação que ia nela; as sedas roçagantes e os chapéus vistosos das mulheres; a profusão de luzes, o irisado das plumas, os perfumes requintados que voavam pelo ambiente transmudavam-na de sua habitual fisionomia pacata e remediada.

As pequenas mesas, pejadas de pratos e garrafas, estavam todas elas ocupadas. Em cada, uma ou duas mulheres sentavam-se, seguidas de um ou dois cavalheiros. Sílabas breves do francês, sons guturais do espanhol, dulçorosas terminações italianas, chocavam-se, brigavam.

Do português nada se ouvia, parecia que se escondera de vergonha.

Alice, o comendador e o coronel sentaram-se a uma mesa redonda em frente à entrada. A ceia foi lauta e abundante. À sobremesa, os três convivas repentinamente animados puseram-se a conversar com calor. A mulata não gostara do Rio; preferia o Recife. Lá sim! O céu era outro; as comidas tinham outro sabor, melhor e mais quente. Quem não se recordaria sempre de uma frigideira de camarões com maturins ou de um bom feijão com leite de coco?

Depois, mesmo a cidade era mais bonita; as pontes, os rios, o teatro, as igrejas.

E os bairros então? A Madalena, Olinda... No Rio, ela concordava, havia mais povo, mais dinheiro; mas Recife era outra coisa, era tudo...

— Você tem razão, disse o comendador; Recife é bonito, e muito mais...

— O senhor, já esteve lá?

— Seis anos; filha, seis anos; e levantou a mão esquerda à altura dos olhos, correu-a pela testa, contornou com ela a cabeça, descansou-a afinal na perna e acrescentou: comecei lá minha carreira comercial e tenho muitas saudades. Onde você morava?

— Ultimamente à rua da Penha, mas nasci na de João de Barro, perto do hospital de Santa Águeda.

— Morei lá também, disse ele distraído.

— Criei-me pelas bandas de Olinda, continuou Alice, e por morte de minha mãe vim para a casa do doutor Hildebrando, colocada pelo juiz...

— Há muito que tua mãe morreu? indagou o coronel.

— Há oito anos quase, respondeu ela.

— Há muito tempo, refletiu o coronel; e logo perguntou: que idade tens?

— Vinte e seis anos, fez ela. Fiquei órfã aos dezoito. Durante esses oito anos tenho rolado por esse mundo de Cristo e comido o pão que o diabo amassou. Passando de mão em mão, ora nesta, ora naquela, a minha vida tem sido um tormento. Até hoje só tenho conhecido três homens que me dessem alguma coisa; os outros Deus me livre deles! — só querem meu corpo e o meu trabalho. Nada me davam, espancavam-me, maltratavam-me. Uma vez, quando vivia com um sargento do Regimento de Polícia, ele chegou em casa embriagado, tendo jogado e perdido tudo, queria obrigar-me a lhe dar trinta mil-réis, fosse como fosse.

Quando lhe disse que não tinha e o dinheiro das roupas que eu lavava só chegava naquele mês para pagar a casa, ele fez um escarcéu. Descompôs-me. Ofendeu-me. Por fim, cheio de fúria agarrou-me pelo pescoço, esbofeteou-me, deitou-me em terra, deixando-me sem fala e a tratar-me no hospital. Um outro — um malvado em cujas mãos não sei como fui cair — certa vez, altercamos, e deu-me uma facada do lado esquerdo, da qual ainda tenho sinal!

Ah! Tem sido um tormento... Bem me dizia minha mãe: toma cuidado, minha filha, toma cuidado. Esses homens só querem nosso corpo por segundos, depois vão-se e nos deixam um filho nos quartos, quando não nos roubam como fez teu pai comigo...

— Como?... Como foi isso? interrogou admirado o coronel.

— Não sei bem como foi, retrucou ela. Minha mãe me contava que ela era honesta; que vivia na Cidade do Cabo com seus pais, de cuja companhia fora seduzida por um caixeiro português que lá aparecera e com quem veio para o Recife. Nasci deles e dois meses ou mais depois do meu nascimento, meu pai foi ao Cabo liquidar a herança (um sítio, uma vaca, um cavalo) que coubera à minha mãe por morte de seus pais.

Vindo de receber a herança, partiu dias depois para aqui e nunca mais ela soube notícias dele, nem do dinheiro, que, vendido o herdado, lhe ficara dos meus avós.

— Como se chamava teu pai? indagou o comendador com estranho entono.

— Não me lembro bem; era Mota ou Costa... Não sei... Mas o que é isso? disse ela de repente, olhando o comendador. Que tem o senhor?

— Nada... Nada... retrucou o comendador experimentando um sorriso. Você não se lembra das feições desse homem? interrogou ele.

— Não me lembro, não. Que interesse! Quem sabe que o senhor não é meu pai? gracejou ela.

O gracejo caiu de chofre naqueles dois espíritos tensos, como uma ducha frigidíssima. O coronel olhava o comendador que tinha as faces em brasa; este, àquele; por fim depois de alguns segundos o coronel querendo dar uma saída à situação, simulou rir-se e perguntou:

— Você nunca mais soube alguma coisa... qualquer coisa? Hein?

— Nada... Que me lembre, nada... Ah! Espere... Foi... É. Sim! Seis meses antes da morte de minha mãe, ouvi dizer em casa, não sei por quem, que ele estava no Rio implicado num caso de moeda falsa. É o que me lembro, disse ela.

— O quê? Quando foi isso? indagou pressuroso o comendador.

A mulata, que ainda não se havia bem apercebido do estado do comendador, respondeu ingenuamente: — Mamãe morreu em setembro de 1893, por ocasião da revolta... Ouvi contar essa história em fevereiro. É isso.

O comendador não perdera uma sílaba; e, com a boca meio aberta, parecia querê-las engolir uma a uma; com as faces congestionadas e os olhos esbugalhados, a sua fisionomia estava horrível.

O coronel e a mulata, extáticos, estuporados, entreolhavam-se.

Durante um segundo nada se lhes antolhava fazer. Ficaram como idiotas; em breve, porém, o comendador, num supremo esforço, disse com voz sumida:

— Meu Deus! É minha filha!

O filho da Gabriela[105]

A Antonio Noronha Santos[106]

Chaque progrès, au fond, est un avortement,
Mais l'échec même sert...

Guyau[107]

Absolutamente não pode continuar assim... Já passa... É todo o dia! Arre!
— Mas é meu filho, minh'ama.
— E que tem isso? Os filhos de vocês agora têm tanto luxo. Antigamente, criavam-se à toa; hoje, é um deus nos acuda; exigem cuidados, têm moléstias... Fique sabendo: não pode ir amanhã!
— Ele vai melhorando, dona Laura; e o doutor disse que não deixasse de levá-lo lá, amanhã...
— Não pode, não pode, já lhe disse! O conselheiro precisa chegar cedo à escola; há exames e tem que almoçar cedo... Não vai, não senhora! A gente tem criados pra quê? Não vai, não!
— Vou, e vou sim!... Que bobagem!... Quer matar o pequeno, não é? Pois sim... Está-se "ninando"...
— O que é que você disse, hein?
— É isso mesmo: vou e vou!
— Atrevida.
— Atrevida é você, sua... Pensa que não sei...
Em seguida as duas mulheres se puseram caladas durante um instante: a patroa — uma alta senhora, ainda moça, de uma beleza suave e marmórea — com os lábios finos muito descorados e entreabertos, deixando ver os dentes ape-

rolados, muito iguais, cerrados de cólera; a criada agitada, transformada, com faiscações desusadas nos olhos pardos e tristes. A patroa não se demorou assim muito tempo. Violentamente contraída naquele segundo a sua fisionomia repentinamente se abriu num choro convulsivo.

A injúria da criada, decepções matrimoniais, amarguras do seu ideal amoroso, fatalidades de temperamento, todo aquele obscuro drama de sua alma, feito de uma porção de coisas que não chegava bem a colher, mas nas malhas das quais se sentia presa e sacudida, subiu-lhe de repente à consciência, e ela chorou.

Na sua simplicidade popular, a criada também se pôs a chorar, enternecida pelo sofrimento que ela mesma provocara na ama.

E ambas, pelo fim dessa transfiguração inopinada, entreolharam-se surpreendidas, pensando que se acabavam de conhecer naquele instante, tendo até ali vagas notícias uma da outra, como se vivessem longe, tão longe, que só agora haviam distinguido bem nitidamente o tom de voz próprio a cada uma delas.

No entendimento peculiar de uma e de outra, sentiram-se irmãs na desoladora mesquinhez da nossa natureza e iguais, como frágeis consequências de um misterioso encadear de acontecimentos, cuja ligação e fim lhes escapavam completamente, inteiramente...

A dona da casa, à cabeceira da mesa de jantar, manteve-se silenciosa, correndo, de quando em quando, o olhar ainda úmido pelas ramagens do atoalhado, indo, às vezes, com ele até à bandeira da porta defronte, donde pendia a gaiola do canário, que se sacudia na prisão niquelada.

De pé, a criada avançou algumas palavras. Desculpou-se inábil e despediu-se humilde.

— Deixe-se disso, Gabriela, disse dona Laura. Já passou tudo; eu não guardo rancor; fique! Leve o pequeno amanhã... Que vai você fazer por esse mundo afora?

— Não senhora... Não posso... É que...

E de um hausto falou com tremuras na voz:

— Não posso, não minh'ama; vou-me embora!

Durante um mês, Gabriela andou de bairro em bairro, à procura de aluguel. Pedia lessem-lhe anúncios, corria, seguindo as indicações, a casas de gente de toda a espécie. Sabe cozinhar? perguntavam. — Sim, senhora, o trivial. — Bem e lavar? Serve de ama? — Sim, senhora; mas se fizer uma coisa, não quero fazer outra. — Então, não me serve, concluía a dona da casa. É um luxo... Depois queixam-se que não têm onde se empreguem...

Procurava outras casas; mas nesta já estavam servidas, naquela o salário era pequeno e naquela outra queriam que dormisse em casa e não trouxesse o filho.

A criança, durante esse mês, viveu relegada a um canto da casa de uma conhecida da mãe. Um pobre quarto de estalagem, úmido que nem uma masmorra. De manhã, via a mãe sair; à tarde, quase à boca da noite, via-a entrar desconfortada. Pelo dia em fora, ficava num abandono de enternecer. A hóspede, de longe em longe, olhava-o cheia de raiva. Se chorava aplicava-lhe palmadas e gritava colérica: "Arre diabo! A vagabunda de tua mãe anda saracoteando... Cala a boca, demônio! Quem te fez, que te ature...".

Aos poucos, a criança torrou-se de medo; nada pedia, sofria fome, sede, calado. Enlanguescia a olhos vistos e sua mãe, na caça de aluguel, não tinha tempo para levá-lo ao doutor do posto médico. Baço, amarelado, tinha as pernas que nem palitos e o ventre como o de um batráquio. A mãe notava-lhe o enfraquecimento, os progressos da moléstia e desesperava, não sabendo que alvitre tomar. Um dia pelos outros, chegava em casa semiembriagada, escorraçando o filho e trazendo algum dinheiro. Não confessava a ninguém a origem dele; em outros mal entrava, beijava muito o pequeno, abraçava-o. E assim corria a cidade. Numa destas correrias passou pela porta do conselheiro, que era o marido de dona Laura. Estava no portão, a lavadeira, parou e falou-lhe; nisto, viu aparecer a sua antiga patroa numa janela lateral. "— Bom dia minh'ama", — "Bom dia, Gabriela. Entre." Entrou. A esposa do conselheiro perguntou-lhe se já tinha emprego; respondeu-lhe que não. "Pois olha, disse-lhe a senhora, eu ainda não arranjei cozinheira, se tu queres..."

Gabriela quis recusar, mas dona Laura insistiu.

Entre elas, parecia que havia agora certo acordo íntimo, um quê de mútua proteção e simpatia. Uma tarde em que dona Laura voltava da cidade, o filho da Gabriela, que estava no portão, correu imediatamente para a moça e disse-lhe, estendendo a mão: "a bênção". Havia tanta tristeza no seu gesto, tanta simpatia e sofrimento, que aquela alta senhora não lhe pôde negar a esmola de um afago, de uma carícia sincera. Nesse dia, a cozinheira notou que ela estava triste e, no dia seguinte, não foi sem surpresa que Gabriela se ouviu chamar.

— O Gabriela!

— Minh'ama.
— Vem cá.
Gabriela concertou-se um pouco e correu à sala de jantar, onde estava a ama.
— Já batizaste o teu pequeno? perguntou-lhe ela ao entrar.
— Ainda não.
— Por quê? Com quatro anos!
— Por quê? Porque ainda não houve ocasião...
— Já tens padrinhos?
— Não, senhora.
— Bem; eu e o conselheiro vamos batizá-lo. Aceitas?

Gabriela não sabia como responder, balbuciou alguns agradecimentos e voltou ao fogão com lágrimas nos olhos.

O conselheiro condescendeu e cuidadosamente começou a procurar um nome adequado. Pensou em Huáscar, Ataliba, Guatemozim; consultou dicionários, procurou nomes históricos, afinal resolveu-se por "Horácio", sem saber por quê.

Assim se chamou e cresceu. Conquanto tivesse recebido um tratamento médico regular e a sua vida na casa do conselheiro fosse relativamente confortável, o pequeno Horácio não perdeu nem a reserva nem o enfezado dos seus primeiros anos de vida. À proporção que crescia, os traços se desenhavam, alguns finos: o corte da testa, límpida e reta; o olhar doce e triste, como o da mãe, onde havia, porém, alguma coisa a mais — um fulgor, certas expressões particulares, principalmente quando calado e concentrado. Não obstante, era feio, embora simpático e bom de ver.

Pelos seis anos, mostrava-se taciturno, reservado e tímido, olhando interrogativamente as pessoas e coisas, sem articular uma pergunta. Lá vinha um dia, porém, que o Horácio rompia numa alegria ruidosa; punha-se a correr, a brincar, a cantarolar, pela casa toda, indo do quintal para as salas, satisfeito, contente, sem motivo e sem causa.

A madrinha espantava-se com esses bruscos saltos de humor, queria entendê-los, explicá-los e começou por se interessar pelos seus trejeitos. Um dia, vendo o afilhado a cantar, a brincar, muito contente, depois de uma porção de horas de silêncio e calma, correu ao piano e acompanhou-lhe a cantiga, depois, emendou com uma ária qualquer. O menino calou-se, sentou-se no chão e pôs-se a olhar, com olhos tranquilos e calmos, a madrinha, inteiramente delido nos sons que saíam dos seus dedos. E quando o piano parou, ele ainda ficou algum tempo esquecido naquela postura, com o olhar perdido numa cisma sem fim. A atitude imaterial do menino tocou a madrinha, que o tomou ao colo, abraçando-o e beijando-o, num afluxo de ternura, a que não eram estranhos os desastres de sua vida sentimental.

Pouco depois a mãe lhe morria. Até então vivia numa semidomesticidade. Daí em diante, porém, entrou completamente na família do conselheiro Calaça. Isso, entretanto, não lhe retirou a taciturnidade e a reserva; ao contrário, fechou-se em si e nunca mais teve crises de alegria.

Com sua mãe ainda tinha abandonos de amizade, efusões de carícias e abraços. Morta que ela foi, não encontrou naquele mundo tão diferente, pessoa a quem se pudesse abandonar completamente, embora pela madrinha continuasse a manter uma respeitosa e distante amizade, raramente aproximada por uma carícia, por um afago.

Ia para o colégio calado, taciturno, quase carrancudo, e, se, pelo recreio, o contágio obrigava-o a entregar-se à alegria e aos folguedos, bem cedo se arrependia, encolhia-se e sentava-se, vexado, a um canto. Voltava do colégio como fora, sem brincar pelas ruas, sem traquinadas, severo e insensível. Tendo uma vez brigado com um colega, a professora o repreendeu severamente, mas o conselheiro, seu padrinho, ao saber do caso, disse com rispidez: "Não continue, hein? O senhor não pode brigar — está ouvindo?".

E era assim sempre o seu padrinho, duro, desdenhoso, severo em demasia com o pequeno, de quem não gostava, suportando-o unicamente em atenção à mulher — maluquices da Laura, dizia ele. Por vontade dele, tinha-o posto logo num asilo de menores, ao morrer-lhe a mãe; mas a madrinha não quis e chegou até a conseguir que o marido o colocasse num estabelecimento oficial de instrução secundária, quando acabou com brilho o curso primário.

Não foi sem resistência que ele acedeu, mas os rogos da mulher, que agora juntava à afeição pelo pequeno uma secreta esperança no seu talento, tanto fizeram que o conselheiro se empenhou e obteve.

Em começo, aquela adoção fora um simples capricho de dona Laura; mas, com o tempo, os seus sentimentos pelo menino foram ganhando importância e ficando profundos, embora exteriormente o tratasse com um pouco de cerimônia.

Havia nela mais medo da opinião, das sentenças do conselheiro, do que mesmo necessidade de disfarçar o que realmente sentia, e pensava.

Quem a conheceu solteira, muito bonita, não a julgaria capaz de tal afeição; mas, casada, sem filhos, não encontrando no casamento nada que sonhara, nem mesmo o marido, sentiu o vazio da existência, a inanidade dos seus sonhos, o pouco alcance da nossa vontade; e, por uma reviravolta muito comum, começou a compreender confusamente todas as vidas e almas, a compadecer-se e a amar tudo, sem amar bem coisa alguma. Era uma parada de sentimento e a corrente que se acumulara nela, perdendo-se do seu leito natural, extravasara e inundara tudo.

Tinha um amante e já tivera outros, mas não era bem a parte mística do amor que procurara neles. Essa, ela tinha certeza que jamais podia encontrar; era a parte dos sentidos tão exuberantes e exaltados depois das suas contrariedades morais.

Pelo tempo em que o seu afilhado entrara para o colégio secundário, o amante rompera com ela; e isto a fazia sofrer, tinha medo de não possuir mais beleza suficiente para arranjar um outro como "aquele". E a esse desastre sentimental não foi estranha a energia dos seus rogos junto ao marido para admissão do Horácio no estabelecimento oficial.

O conselheiro, homem de mais de sessenta anos, continuava superiormente frio, egoísta e fechado, sonhando sempre uma posição mais alta ou que julgava mais alta. Casara-se por necessidade decorativa. Um homem de sua posição não podia continuar viúvo; atiraram-lhe aquela menina pelos olhos, ela o aceitou por ambição e ele por conveniência. No mais, lia os jornais, o câmbio especialmente, e, de manhã, passava os olhos nas apostilas de sua cadeira — apostilas por ele organizadas, há quase trinta anos, quando dera as suas primeiras lições, moço, de vinte e cinco anos, genial nas aprovações e nos prêmios.

Horácio, toda a manhã, ao sair para o colégio, lá avistava o padrinho atarraxado na cadeira de balanço a ler atentamente o jornal: "A bênção, meu padrinho!" — "Deus te abençoe", dizia ele, sem menear a cabeça do espaldar e no mesmo tom de voz com que pediria os chinelos à criada.

Em geral, a madrinha estava deitada ainda e o menino saía para o ambiente ingrato da escola, sem um adeus, sem dar um beijo, sem ter quem lhe reparasse familiarmente o paletó. Lá ia. A viagem de bonde, ele a fazia humilde, espremido a um canto do veículo, medroso que seu paletó roçasse as sedas de uma rechonchuda senhora ou que seus livros tocassem nas calças de um esquelético capitão de uma milícia qualquer. Pelo caminho, arquitetava fantasias; seu espírito divagava sem nexo. À passagem de um oficial a cavalo, imaginava-se na guerra, feito general, voltando vencedor, vitorioso de ingleses, de alemães, de americanos e entrando pela rua do Ouvidor aclamado como nunca se fora aqui. Na sua cabeça ainda infantil, em que a fraqueza de afetos próximos concentrava o pensamento, a imaginação palpitava, tinha uma grande atividade, criando toda a espécie de fantasmagorias que lhe apareciam como fatos possíveis, virtuais.

Eram-lhe as horas de aula um bem triste momento. Não que fosse vadio, estudava o seu bocado, mas o espetáculo do saber, por um lado grandioso e apoteótico, pela boca dos professores, chegava-lhe tisnado e um quê desarticulado. Não conseguia ligar bem umas coisas às outras, além do que, tudo aquilo lhe aparecia solene, carrancudo e feroz. Um teorema tinha o ar autoritário de um régulo selvagem; e aquela gramática cheia de regrinhas, de exceções, uma coisa cabalística, caprichosa e sem aplicação útil.

O mundo parecia-lhe uma coisa dura, cheia de arestas cortantes, governado por uma porção de regrinhas de três linhas, cujo segredo e aplicação estavam entregues a uma casta de senhores, tratáveis uns, secos outros, mas todos velhos e indiferentes.

Aos seus exames ninguém assistia, nem por eles alguém se interessava; contudo, foi sempre regularmente aprovado. Quando voltava do colégio, procurava a madrinha e contava-lhe o que se dera nas aulas. Narrava-lhe pequenas particularidades do dia, as notas que obtivera e as travessuras dos colegas.

Uma tarde, quando isso ia fazer, encontrou dona Laura atendendo a uma visita. Vendo-o entrar e falar à dona da casa, tomando-lhe a bênção a senhora estranha perguntou: "Quem é este pequeno?" — "É meu afilhado", disse-lhe dona Laura. "Teu afilhado? Ah! sim! É o filho da Gabriela..."

Horácio ainda esteve um instante calado, estatelado e depois chorou nervosamente.

Quando se retirou observou a visita à madrinha:

— Você está criando mal esta criança. Faz-lhe muitos mimos, está lhe dando nervos...

— Não faz mal. Podem levá-lo longe.

E assim corria a vida do menino em casa do conselheiro.

Um domingo ou outro, só ou com um companheiro, vagava pelas praias, pelos bondes ou pelos jardins. O Jardim Botânico[108] era-lhe preferido. Ele e o seu constante amigo Salvador sentavam-se a um banco, conversavam sobre os estudos comuns, maldiziam este ou aquele professor. Por fim, a conversa vinha a enfraquecer; os dois se calavam instantes. Horácio deixava-se penetrar pela flutuante poesia das coisas, das árvores, dos céus, das nuvens; acariciava com o olhar as angustiadas colunas das montanhas, simpatizava com o arremesso dos pincaros, depois deixava-se ficar, ao chilreio do passaredo, cismando vazio, sem que a cisma lhe fizesse ver coisa definida, palpável pela inteligência. Ao fim, sentia-se como que liquefeito, vaporizado nas coisas era como se perdesse o feitio humano e se integrasse naquele verde-escuro da mata ou naquela mancha faiscante de prata que a água a correr deixava na encosta da montanha. Com que volúpia, em tais momentos, ele se via dissolvido na natureza, em estado de fragmentos, em átomos, sem sofrimento, sem pensamento, sem dor! Depois de ter ido ao indefinido, apavorava-se com o aniquilamento e voltava a si, aos seus desejos, às suas preocupações com pressa e medo.

— Salvador, de que gostas mais, do inglês ou francês?
— Eu do francês; e tu?
— Do inglês.
— Por quê?
— Porque pouca gente o sabe.

A confidência saía-lhe a contragosto, era dita sem querer. Temeu que o amigo o supusesse vaidoso. Não era bem esse sentimento que o animava; era uma vontade de distinção, de reforçar a sua individualidade, que ele sentia muito diminuída pelas circunstâncias ambientes. O amigo não entrava na natureza do seu sentimento e despreocupadamente perguntou:

— Horácio, já assististe uma festa de São João?
— Nunca.
— Queres assistir uma?
— Quero, onde?
— Na ilha, em casa de meu tio.

Pela época, a madrinha consentiu. Era um espetáculo novo; era um outro mundo que se abria aos seus olhos. Aquelas longas curvas das praias, que perspectivas novas não abriam em seu espírito! Ele se ia todo nas cristas brancas das ondas e nos largos horizontes que descortinava.

Em chegando a noite, afastou-se da sala. Não entendia aqueles folguedos, aquele dançar sôfrego, sem pausa, sem alegria, como se fosse um castigo. Sentado a um banco do lado de fora, pôs-se a apreciar a noite, isolado, oculto, fugido, solitário, que se sentia ser no ruído da vida. Do seu canto escuro, via tudo mergulhado numa vaga semiluz. No céu negro, a luz pálida das estrelas; na cidade defronte, o revérbero da iluminação; luz, na fogueira votiva, nos balões ao alto, nos foguetes que espoucavam, nos fogaréus das proximidades e das distâncias — luzes contínuas, instantâneas, pálidas, fortes; e todas no conjunto pareciam representar um esforço enorme para espancar as trevas daquela noite de mistérios.

No seio daquela bruma iluminada, as formas das árvores boiavam como espectros; o murmúrio do mar tinha alguma coisa de penalizado diante do esforço dos homens e dos astros para clarear as trevas. Havia naquele instante, em todas as almas, um louco desejo de decifrar o mistério que nos cerca; e as fantasias trabalhavam para idear meios que nos fizessem comunicar com o Ignorado, com o Invisível. Pelos cantos sombrios da chácara pessoas deslizavam. Iam ao poço ver a sombra — sinal de que viveriam o ano; iam disputar galhos de arruda ao diabo; pelas janelas, deixavam copos com ovos partidos para que o sereno, no dia seguinte, trouxesse as mensagens do Futuro.

O menino, sentindo-se arrastado por aquele frêmito de augúrio e feitiçaria, percebeu bem como vivia envolvido, mergulhado, no indistinto, no indecifrável; e uma onda de pavor, imensa e aterradora, cobriu-lhe o sentimento.

Dolorosos foram os dias que se seguiram. O espírito sacolejou-lhe o corpo violentamente. Com afinco estudava, lia os compêndios; mas não compreendia, nada retinha. O seu entendimento como que vazava. Voltava, lia, lia e lia e, em seguida, virava as folhas sofregamente, nervosamente, como se quisesse descobrir debaixo delas um outro mundo cheio de bondade e satisfação. Horas havia que ele desejava abandonar aqueles livros, aquela lenta aquisição de noções e ideias, reduzir-se e anular-se; horas havia, porém, que um desejo ardente lhe vinha de saturar-se de saber, de absorver todo o conjunto das ciências e das artes. Ia de um sentimento para outro; e foi vã a agitação. Não encontrava solução, saída; a desordem das ideias e a incoerência das sensações não lhe podiam dar uma e cavavam-lhe a saúde. Tornou-se mais flébil, fatigava-se facilmente. Amanhecia cansado de dormir e dormia cansado de estar em vigília. Vivia irritado, raivoso, não sabia contra quem.

Certa manhã, ao entrar na sala de jantar, deu com o padrinho a ler os jornais, segundo o seu hábito querido.

— Horácio, você passe na casa do Guedes e traga-me a roupa que mandei consertar.

— Mande outra pessoa buscar.

— O quê?

— Não trago.

— Ingrato! Era de esperar...

E o menino ficou admirado diante de si mesmo, daquela saída de sua habitual timidez.

Não sabia onde tinha ido buscar aquele desaforo imerecido, aquela tola má-criação; saiu-lhe como uma coisa soprada por outro e que ele unicamente pronunciasse.

A madrinha interveio, aplainou as dificuldades; e, com a agilidade de espírito peculiar ao sexo, compreendeu o estado d'alma do rapaz. Reconstituiu-o com os gestos, com os olhares, com as meias palavras, que percebera em tempos diversos e cuja significação lhe escapara no momento, mas que aquele ato, desusadamente brusco e violento, aclarava por completo. Viu-lhe o sofrimento de viver à parte, a transplantação violenta, a falta de simpatia, o princípio de ruptura que existia em sua alma, e que o fazia passar aos extremos das sensações e dos atos.

Disse-lhe coisas doces, ralhou-o, aconselhou-o, acenou-lhe com a fortuna, a glória e o nome.

Foi Horácio para o colégio abatido, preso de um estranho sentimento de repulsa, de nojo por si mesmo. Fora ingrato, de fato; era um monstro. Os padrinhos lhe tinham dado tudo, educado, instruído. Fora sem querer, fora sem pensar; e sentia bem que a sua reflexão não entrara em nada naquela resposta que dera ao padrinho. Em todo o caso, as palavras foram suas, foram ditas com sua voz e a sua boca, e se lhe nasceram do íntimo sem a colaboração da inteligência, devia acusar-se de ser fundamentalmente mau...

Pela segunda aula, pediu licença. Sentia-se doente, doía-lhe a cabeça e parecia que lhe passavam um archote fumegante pelo rosto.

— Já, Horácio? perguntou-lhe a madrinha, vendo-o entrar.

— Estou doente.

E dirigiu-se para o quarto. A madrinha seguiu-o. Chegado que foi, atirou-se à cama, ainda meio vestido.

— Que é que você tem, meu filho?

— Dores de cabeça... um calor...

A madrinha tomou-lhe o pulso, assentou as costas da mão na testa e disse-lhe ainda algumas palavras de consolação: que aquilo não era nada; que o padrinho não lhe tinha rancor; que sossegasse.

O rapaz, deitado, com os olhos semicerrados, parecia não ouvir; voltava-se de um lado para outro; passava a mão pelo rosto, arquejava e debatia-se. Um instante pareceu sossegar; ergueu-se sobre o travesseiro e chegou a mão aos olhos, no gesto de quem quer avistar alguma coisa ao longe. A estranheza do gesto assustou a madrinha.

— Horácio!... Horácio!...
— Estou dividido... Não sai sangue...
— Horácio, Horácio, meu filho!
— Faz sol... Que sol!... Queima... Árvores enormes... Elefantes...
— Horácio, que é isso? Olha; é tua madrinha!
— Homens negros... fogueiras... Um se estorce... Chi! Que coisa!... O meu pedaço dança...
— Horácio! Genoveva, traga água de flor... Depressa, um médico... Vá chamar, Genoveva!
— Já não é o mesmo... é outro... lugar, mudou... uma casinha branca... carros de bois... nozes... figos... lenços...
— Acalma-te, meu filho!
— Ué! Chi! Os dois brigam...

Daí em diante a prostração tomou-o inteiramente. As últimas palavras não saíam perfeitamente articuladas. Pareceu sossegar. O médico entrou, tomou a temperatura, examinou-o e disse com a máxima segurança:

— Não se assuste, minha senhora. É delírio febril, simplesmente. Dê-lhe o purgante, depois as cápsulas, que, em breve, estará bom.

Miss Edith e seu tio[109]

A pensão familiar "Boa Vista" ocupava uma grande casa da praia do Flamengo, muito feia de fachada, com dois pavimentos, possuindo bons quartos, uns nascidos com o prédio e outros que a adaptação ao seu novo destino fizera surgir com a divisão de antigas salas e a amputação de outros aposentos.

Tinha boas paredes de sólida alvenaria de tijolos e pequenas janelas de portadas de granito e linha reta, que olhavam para o mar e para uma rua lateral, à esquerda.

A construção devia datar de cerca de sessenta anos atrás e, nos seus bons tempos, certamente possuiria, como complemento, uma chácara que se estendia para o lado direito e para os fundos, chácara desaparecida, em cujo chão se erguem atualmente prédios modernos, muito pelintras e enfezados, ao lado da velha, forte e pesadona edificação dos outros tempos.

Os aposentos e corredores da obsoleta moradia tinham uma luz especial, uma quase penumbra, esse toque de sombra do interior das velhas casas, no seio da qual flutuam sugestões e lembranças.

O prédio sofrera acréscimos e mutilações. Da antiga chácara, das mangueiras que a "viração" todas as tardes penteava a alta cabeleira verde, das jaqueiras, de ramos desorientados, das jabuticabeiras, dos sapotizeiros tristes, só restava um tamarineiro no fundo do exíguo quintal, para abrigar nos posmerídios de canícula, sob os ramos que caíam lentamente como lágrimas, algum hóspede sedentário e amoroso da sombra maternal das grandes árvores.

O grande salão da frente — a sala de honra das recepções e bailes — estava dividido em fatias de quartos e dele só ficara, para lembrar o seu antigo e nobre mister, um corredor acanhado, onde os hóspedes se reuniam, após o jantar, conversando sentados em cadeiras de vime, ignobilmente mercenárias.

Dirigia a pensão Mme. Barbosa, uma respeitável viúva de seus cinquenta anos, um tanto gorda e atochada, amável como todas as donas de casas de hóspedes e ainda bem conservada, se bem que houvesse sido mãe muitas vezes, tendo até em sua companhia uma filha solteira, de vinte e poucos anos por aí, Mlle. Irene, que teimava em ficar noiva, de onde em onde, de um dos hóspedes de sua progenitora.

Mlle. Irene, ou melhor: Dona Irene escolhia com muito cuidado os noivos. Procurava-os sempre entre os estudantes que residiam na pensão, e, entre estes, aqueles que estivessem nos últimos anos do curso, para que o noivado não se prolongasse e o noivo não deixasse de pagar a mensalidade à sua mãe.

Isto não impedia, entretanto, que o insucesso viesse coroar os seus esforços. Já fora noiva de um estudante de direito, de um outro de medicina, de um de engenharia e descera até um de dentista sem, contudo, ser levada à presença do pretor por qualquer deles.

Voltara-se agora para os empregados públicos e toda a gente na pensão esperava o seu próximo enlace com o senhor Magalhães, escriturário da alfândega, hóspede também da "Boa Vista", moço muito estimado pelos chefes, não só pela assiduidade ao emprego como pela competência em coisas de sua burocracia aduaneira e outras mais distantes.

Irene caíra do seu ideal de doutor até aceitar um burocrata, sem saltos, suavemente; e consolava-se interiormente com essa degradação do seu sonho matrimonial, sentindo que o seu namorado era tão ilustrado como muitos doutores e tinha razoáveis vencimentos.

Na mesa, quando a conversa se generalizava, ela via com orgulho Magalhães discutir gramática com o doutor Benevente, um moço formado que escrevia nos jornais, levá-lo à parede e explicar-lhe tropos de Camões.

E não era só nesse ponto que o seu próximo noivo demonstrava ser forte; ele o era também em Matemática, como provava questionando com um estudante da Politécnica sobre geometria e com o doutorando Alves altercava sobre a eficácia da vacina,[110] dando a entender que conhecia alguma coisa de medicina.

Não era, pois, por esse lado do saber que lhe vinha a ponta de descontentamento. De resto, em que pode interessar a uma noiva o saber do noivo?

Aborrecia-lhe um pouco a pequenez do Magalhães, verdadeiramente ridícula e, ainda por cima, o seu canhestrismo de maneiras e vestuário.

Não que ela fosse muito alta, como se pode supor; porém, algo mais do que ele, era Irene fina de talhe, longa de pescoço, ao contrário do futuro noivo que, grosso de corpo e curto de pescoço, ainda parecia mais baixo.

Naquela manhã, quando já se ia em meio dos preparativos do almoço, o tímpano elétrico anunciou estrepitosamente um visitante.

Mme. Barbosa, que superintendia na cozinha o preparo da primeira refeição dos seus hóspedes, àquele apelo da campainha elétrica, de lá mesmo gritou à Angélica:

— Vá ver quem está, Angélica!

Essa Angélica era o braço direito da patroa. Cozinheira, copeira, arrumadeira e lavadeira, exercia alternativamente cada um dos ofícios, quando não dois e mais a um só tempo. Muito nova, viera para a casa de Mme. Barbosa ao tempo em que esta não era ainda dona de pensão; e, em companhia dela, ia envelhecendo sem revoltas, nem desgostos ou maiores desejos.

Confidente da patroa e, tendo visto crianças todos os seus filhos, partilhando as alegrias e agruras da casa, recebendo por isso festas e palavras doces de todos, não se julgava bem uma criada, mas uma parenta pobre, a quem as mais ricas haviam recolhido e posto a coberto dos azares da vida inexorável.

Cultivava por Mme. Barbosa uma gratidão ilimitada e procurava com o seu auxílio humilde minorar as dificuldades da protetora.

Tinha guardado uma ingenuidade e uma simplicidade de criança que, de modo algum, diminuíam a atividade pouco metódica e interesseira dos seus quarenta e tantos anos.

Se faltava a cozinheira, lá estava ela na cozinha; se bruscamente se despedia a lavadeira, lá ia para o tanque; se não havia cozinheira e copeiro, Angélica fazia o serviço de uma e de outro; e sempre alegre, sempre agradecida à Mme. Barbosa, dona Sinhá, como ela chamava e gostava de chamar, não sei por que irreprimível manifestação de ternura e intimidade.

A preta andava lá pelo primeiro andar na faina de arrumar os quartos dos hóspedes mais madrugadores e não ouviu nem o tinir do tímpano, nem a ordem da patroa. Não tardou que a campainha soasse outra vez e desta, imperiosa e autoritária, forte e rude, dando a entender que falava por ela a própria alma impaciente e voluntariosa da pessoa que a tocava.

Sentiu a dona da pensão que o estúpido aparelho lhe queria dizer qualquer coisa importante e não mais esperou a mansa Angélica. Foi em pessoa ver quem batia. Quando atravessou o "salão", reparou um instante na arrumação e ainda ajeitou a palmeirita que, no seu pote de faiança, se esforçava por embelezar a mesa do centro e fazer gracioso todo o aposento.

Prontificou-se em abrir a porta envidraçada e logo encontrou um casal de aparência estrangeira. Sem mais preâmbulos, o cavalheiro foi dizendo com voz breve e de comando:

— Mim quer quarto.

Percebeu Mme. Barbosa que lidava com ingleses e, com essa descoberta, muito se alegrou porque, como todos nós, ela tinha também a imprecisa e parva admiração que os ingleses, com a sua arrogância e língua pouco compreendida, souberam nos inspirar. De resto, os ingleses têm fama de dispor de muito dinheiro e ganham duzentos, trezentos, quinhentos mil-réis por mês, todos nós logo os supomos dispondo dos milhões dos Rothschild.

Mme. Barbosa alegrou-se, portanto, com a distinção social de tais hóspedes e com a perspectiva dos extraordinários lucros, que certamente lhe daria a riqueza deles. Apressou-se em ir pessoalmente mostrar a tão nobres personagens os cômodos que havia vagos.

Subiram ao primeiro andar e a dona da pensão apresentou com os maiores gabos um amplo quarto com vista para a entrada da baía — um rasgão na tela mutável do oceano infinito.

— Creio que servirá este. Aqui morou o doutor Elesbão, deputado por Sergipe. Conhecem?

— Oh, não, fez o inglês, secamente.

— Mando pôr uma cama de casal...

Ia continuando Mme. Barbosa, quando o cidadão britânico interrompeu-a, como se estivesse zangado:

— Oh! Mim não é casada. Miss aqui, meu sobrinha.

A miss por aí baixou os olhos cheios de candura e inocência; Mme. Barbosa arrependeu-se da culpa que não tinha, e desculpou-se:

— Perdoe-me... Não sabia...

E ajuntou logo:

— Então querem dois quartos?

A companheira do inglês, até aí muda, respondeu com calor pouco britânico:

— Oh! sim, senhora!

Mme. Barbosa prontificou-se:

— Tenho, além deste quarto, um outro.

— *Where*? perguntou o inglês.

— Como? fez a proprietária.

— Onde? traduziu miss.

— Ali.

E Mme. Barbosa indicou uma porta quase fronteira à do aposento que mostrara em primeiro lugar. Os olhos do inglês fuzilaram bruscamente de alegria e, nos de miss, houve um relâmpago de satisfação. A um tempo, exclamaram:

— Muito bom!

— *All right*!

Examinaram com pressa os aposentos e já se dispunham a descer quando, no patamar da escada, se encontraram com a Angélica. A preta olhou-os demorada e fixamente, com espanto e respeito; parou extática, como em face de uma visão radiante. À luz mortiça da claraboia empoeirada, ela viu, naqueles cabelos louros, naqueles olhos azuis, de um azul tão doce e imaterial, santos, gênios, alguma coisa de oratório, de igreja, da mitologia de suas crenças híbridas e ainda selvagens.

Ao fim de instantes de muda contemplação, continuou o seu caminho, carregando baldes, jarros, moringues, inebriada na visão, enquanto a sua patroa e os ingleses iniciaram a descida, durante a qual não se cansou Mme. Barbosa de elogiar o sossego e o respeito que havia na sua casa. Mister dizia — *yes*; e miss também — *yes*.

Prometeram mandar as malas no dia seguinte e a dona da pensão, tão comovida e honrada com a futura presença de tão soberbos hóspedes, que nem lhes falou no pagamento adiantado ou fiança.

Na porta da rua, ainda madame se deixou ficar embevecida, contemplando os ingleses. Viu-os entrar no bonde; admirou-lhes o império verdadeiramente britânico com que ordenaram a parada do veículo e a segurança com que se colocaram nele; e só depois de perdê-los de vista foi que leu o cartão que o cavalheiro lhe dera:

— George T. Mac. Nabs — C. E.

Radiante, certa da prosperidade de sua pensão, antevendo a sua futura riqueza e descanso dos seus velhos dias, dona Sinhá, no carinhoso tratamento da Angélica, penetrou pelo interior do casarão adentro com um demorado sorriso nos lábios e uma grande satisfação no olhar.

Quando chegou a hora do almoço, logo que os hóspedes se reuniram na sala de jantar, Mme. Barbosa procurou um pretexto para anunciar aos seus comensais a boa-nova, a notícia maravilhosamente feliz da vinda de dois ingleses para a sua casa de pensão.

Olhando a sala, escolhera a mesa que destinaria ao tio e sobrinha. Ficaria a um canto, bem junto à última janela, que dava para a rua, ao lado, e à primeira que se voltava para o quintal. Era o lugar mais fresco da sala e também o mais cômodo, por ficar bem distante das outras mesas. E, pensando nessa homenagem aos seus novos fregueses, de pé na sala, encostada à imensa étagère, foi que Mme. Barbosa recomendou ao copeiro em voz alta:

— Pedro, amanhã reserve a "mesa das janelas" para os novos hóspedes.

A sala de jantar da pensão "Boa Vista" tinha a clássica mesa de centro e outras pequenas ao redor. Forrada de papel cor-de-rosa com ramagens, era decorada com umas velhas e empoeiradas oleogravuras, representando peças de caça, mortas, entre as quais um coelho que teimava em voltar o ventre encardido para fora do quadro, dando aos fregueses de Mme. Barbosa sugestões de festins luculescos. Havia também algumas de frutas e um espelho oval. Era dos poucos compartimentos da casa que não sofrera alteração o mais bem iluminado. Tinha três janelas que davam para a rua, à esquerda, e duas outras, com uma porta ao centro, que miravam o quintal, além das comunicações interiores.

Ouvindo tão imprevista recomendação, os hóspedes todos dirigiram o olhar para ela, cheios de estranheza, como querendo perguntar quem eram os hóspedes merecedores de tão excessiva homenagem; mas a pergunta que estava em todos os olhos só foi feita por dona Sofia. Sendo a mais antiga hóspede e possuindo uma razoável renda em prédios e apólices, gozava esta última senhora de uma tal ou qual intimidade com a proprietária. Dessa forma, sem rodeios, suspendendo um instante a refeição já começada, perguntou:

— Quem são esses príncipes, madame?

Mme. Barbosa retrucou bem alto e com certo orgulho:

— Uns ingleses ricos — tio e sobrinha.

Dona Sofia, que farejava desconfiada o contentamento da viúva Barbosa com os novos inquilinos, não pôde evitar um movimento de mau humor: arrebitou mais o nariz, já de si arrebitado, deu um muxoxo e observou:

— Não gosto desses estrangeiros.

Dona Sofia havia sido casada com um negociante português que a deixara viúva rica; por isso, e muito naturalmente, não gostava desses estrangeiros; mas teve logo, para contrariá-la, a opinião do doutor Benevente.

— Não diga tal, dona Sofia. O que nós precisamos é de estrangeiros... Que venham... Demais, os ingleses são, por todos os títulos, credores da nossa admiração.

De há muito, o doutor procurava captar a simpatia da rica viúva, cuja abastança, famosa na pensão, atraía-o, embora a vulgaridade dela devesse repeli-lo.

Dona Sofia não respondeu à contestação do bacharel e continuou a almoçar, cheia do mais absoluto desdém.

Magalhães, no entanto, julgou-se obrigado a dizer qualquer coisa, e o fez nestes termos:

— O doutor gosta dos ingleses; pois olhe: não simpatizo com eles... Um povo frio, egoísta.

— É um engano, veio com pressa Benevente. A Inglaterra está cheia de grandes estabelecimentos de caridade, de instrução, criados e mantidos pela iniciativa particular... Os ingleses não são esses egoístas que dizem. O que eles não são é esses sentimentais piegas que nós somos, choramingas e incapazes. São fortes e...

— Fortes! Uns ladrões! Uns usurpadores! exclamou o major Melo.

Melo era um empregado público, promovido, guindado pela República, que impressionava à primeira vista pelo seu aspecto de candidato à apoplexia. Quem lhe visse o rosto sanguíneo, o pescoço taurino, não lhe podia vaticinar outro fim. Morava com a mulher na pensão, desde que casara as filhas; e, tendo sido auxiliar, ou coisa que valha do marechal Floriano, guardava no espírito aquele jacobinismo do 93, jacobinismo de exclamações e objurgatórias, que era o seu modo habitual de falar.[111]

Benevente, muito calmo, sorrindo com ironia superior, como se estivesse a discutir numa academia, com outro confrade, foi ao encontro do adversário furioso:

— Meu caro senhor; é lei do mundo: os fortes devem vencer os fracos. Estamos condenados...

O bacharel usava e abusava desse fácil darwinismo de segunda mão; era o seu sistema favorito, com o qual se dava ares de erudição superior.[112] A bem dizer, nunca lera Darwin e confundia o que o próprio sábio inglês chama de metáforas, com realidades, existências, verdades inconcussas. Do que a crítica tem oposto aos exageros dos discípulos de Darwin, dos seus amplificadores literários ou sociais, do que, enfim, se vem chamando as limitações do darwinismo, ele nada sabia, mas falava com a segurança de inovador de há quarenta anos passados e ênfase de bacharel recente, sem as hesitações e dúvidas do verdadeiro estudioso, como se tivesse entre as mãos a explicação cabal do mistério da vida e das sociedades. Essa segurança, certamente inferior, dava-lhe força e o impunha aos tolos e néscios; e, só uma inteligência mais fina, mais apta a desmontar máquinas de embuste, seria capaz de fazer reservas discretas aos méritos de Benevente. Na pensão, porém, onde as não havia, todos recebiam aquelas afirmações como ousadias inteligentes, sábias e ultramodernas.

Melo, ouvindo a afirmação do doutor, não se conteve, exaltou-se e exclamou:

— É por isso que não progredimos... Homens há, como o senhor, que dizem tais coisas...

Nós precisávamos de Floriano... Aquele sim...

O nome de Floriano era para Melo uma espécie de amuleto patriótico, de égide da nacionalidade. O seu gênio político seria capaz de fazer todos os milagres, de realizar todos os progressos e modificações na índole do país.

Benevente não lhe deixou muito tempo e objetou, pondo de lado a parte de Floriano:

— É um fato, meu caro senhor. O nosso amor à verdade leva-nos a tal convicção. Que se há de fazer? A Ciência prova.[113]

A palavra altissonante de Ciência, pronunciada naquela sala mediocremente espiritual, ressoou com estridências de clarim a anunciar vitória. Dona Sofia virou-se e olhou com espanto o bacharel; Magalhães abaixou afirmativamente a cabeça; Irene arregalou os olhos; e Mme. Barbosa deixou de arrumar as xícaras de chá na étagère.

Melo não discutiu mais e Benevente continuou a exaltar as virtudes dos ingleses. Todos concordaram com ele sobre os grandes méritos do povo britânico: a sua capacidade de iniciativa, a sua audácia comercial, industrial e financeira, a sua honestidade, a sua lealdade e, sobretudo, rematou Florentino: a sua moralidade.

— Na Inglaterra, afirmou este último, os rapazes se casam tão puros como as raparigas.

Irene enrubesceu ligeiramente e dona Sofia levantou-se estrepitosamente, arrastando a cadeira em que estava sentada.

Florentino, hóspede quase sempre mudo, era um velho juiz de direito aposentado, espiritista convencido, que vagava no mundo o olhar perdido de quem perscruta o invisível.

Não percebeu que a sua afirmação havia escandalizado as senhoras e continuou serenamente:

— Lá não há esse nosso desregramento, essa falta de respeito, essa impudicícia de costumes... Há moral... O senhor quer ver uma coisa: outro dia fui ao teatro. Quer saber o que me aconteceu? Não pude ficar lá... Era tal a imoralidade que...

— Que peça era, doutor? — indagou Mme. Barbosa.

— Não sei bem... Era *Iaiá me deixe*.

— Ainda não vi, disse candidamente Irene.

— Pois não vá, menina! fez com indignação o doutor Florentino. Não se esqueça do que Marcos diz: "Qualquer que fizer a vontade de Deus, esse é meu irmão, e minha irmã, e minha mãe, isto é, de Jesus".

Florentino gostava dos Evangelhos e os citava a cada passo, com ou sem propósito.

Alguns hóspedes levantaram-se, muitos já se tinham retirado. A sala esvaziava-se e não tardou que o jovem Benevente se erguesse também e saísse. Antes passeou pela sala o seu olhar de pequeno símio, cheio de pequeninas espertezas, rematou sentenciosamente:

— Todos os povos fortes, como os homens, são morais, isto é, são castos, doutor Florentino. Concordo com o senhor.

Conforme tinham prometido, no dia seguinte, vieram as malas dos ingleses; mas não apareceram nesse dia na sala de jantar, nem em outras partes da pensão se mostraram aos hóspedes.

Só no outro dia imediato, pela manhã, à hora do almoço, foram vistos. Entraram sem descansar o olhar sobre ninguém; cumprimentaram entre os dentes e foram sentar-se no lugar que Mme. Barbosa lhes indicou.

Como parecessem não gostar dos pratos que lhes foram apresentados, dona Sinhá apressou-se em ir receber as suas ordens e logo se pôs a par de suas exigências e correu à cozinha para as providências necessárias.

Miss Edith, como se soube mais tarde chamar-se a moça inglesa, e o tio comiam calados, lendo cada um para o seu lado, desinteressados de toda a sala.

Vendo dona Sofia os rapapés que a dona da pensão fazia ao par albiônico, não pôde deixar de dar um muxoxo, que era o seu modo costumeiro de criticar e desprezar.

Todos, porém, olhavam de soslaio para os dois, sem ânimo de dirigir-lhes a palavra ou fixá-los mais demoradamente. Assim foi o primeiro e nos dias que se seguiram. A sala fez-se silenciosa; as conversas bulhentas cessaram; e, se alguém queria pedir qualquer coisa ao copeiro, falava baixo. Era como se de todos se tivesse apossado a emoção que a presença dos ingleses trouxera ao débil e infantil espírito da preta Angélica.

Os hóspedes acharam neles não sei o que de superior, de superterrestre; deslumbraram-se e acharam-se de um respeito religioso diante daquelas banalíssimas criaturas nascidas numa ilha da Europa ocidental.

A moça, mais que o homem, inspirava esse respeito. Ela não tinha a fealdade habitual das inglesas de exportação. Era até bem gentil de rosto, com uma boca leve e uns lindos cabelos louros, a puxar para o veneziano de fogo. As suas atitudes eram graves e os seus movimentos lentos, sem preguiça ou indolência. Vestia-se com simplicidade e discreta elegância.

O inglês era outra coisa: brutal de modos e fisionomia. Posava sempre de Lorde Nelson ou duque de Wellington;[114] olhava todos com desdém e superioridade esmagadora e realçava essa sua superioridade não usando ceroulas, ou vestindo blusas de jogadores de *golf* ou bebendo cerveja com rum.

Não se ligaram a ninguém na pensão e todos suportavam aquele desprezo como justo e digno de entes tão superiores.

Nem mesmo à tarde, quando, após o jantar, vinham todos, ou quase, para a sala da frente, eles se dignavam trocar palavras com os companheiros de casa. Afastavam-se e iam para a porta da rua, onde se mantinham geralmente calados: o inglês fumando, com os olhos semicerrados, como se incubasse pensamentos transcendentes; e Miss Edith, com o cotovelo direito apoiado no braço da cadeira e a mão na face, olhando as nuvens, o céu, as montanhas, o mar, todos esses mistérios fundidos na hora misteriosa do crepúsculo, como se o quisesse absorver, decifrá-lo e tirar dele o segredo das coisas futuras. Os poetas que passassem no bonde, certamente, veriam nela uma casta druidesa, uma Veleda, descobrindo naquele instante imperecível o que havia de ser pelos dias vindouros em fora.

Eram assim na pensão, onde faziam trabalhar as imaginações no imenso campo do sonho. Benevente julgava-os nobres, um duque e sobrinha; tinham o ar de raça, maneiras de comando, depósito da hereditariedade secular dos seus ancestrais, começando por algum vagabundo companheiro de Guilherme da Normandia; Magalhães pensava-os parentes dos Rothschild; Mme. Barbosa supunha Mr. Mac. Nabs gerente de um banco, metendo todos os dias as mãos em tesouros da gruta de Ali Babá; Irene admitia que ele fosse um almirante, viajando por todos os mares da Terra, a bordo de poderoso couraçado; Florentino, que consultara os espaços, sabia-os protegidos por um espírito superior; e o próprio Melo calara a sua indignação jacobina para admirar as fortes botas do inglês, que pareciam durar a eternidade.

Todo o tempo em que estiveram na pensão, o sentimento, que a respeito deles dominava os seus companheiros de casa, não se modificou. Até em alguns cresceu, solidificou-se, cristalizou-se em uma admiração beata e a própria dona Sofia, vendo que a sua consideração na casa não diminuía, partilhou a admiração geral.

Em Angélica, a coisa tomara feição intensamente religiosa. Pela manhã, quando levava chocolate ao quarto da miss, a pobre preta entrava medrosa, tímida, sem saber como tratar a moça, se de dona, se de moça, se de patroa, se de minha Nossa Senhora.

Muitas vezes temia interromper-lhe o sono, quebrar-lhe o sereno encanto do rosto adormecido na moldura dos cabelos louros. Deixava o chocolate sobre a mesa de cabeceira; a infusão esfriava e a pobre negra era mais tarde repreendida, em uma algaravia ininteligível, pela deusa que ela adorava. Não se emendava, porém; e, se encontrava a inglesa dormindo, a emoção do momento apagava a lembrança da repreensão. Angélica deixava o chocolate a esfriar, não despertava a moça e era de novo repreendida.

Em uma dessas manhãs, em que a preta foi levar o chocolate à sobrinha de Mr. George, com grande surpresa sua, não a encontrou no quarto. Em começo pensou que estivesse no banheiro; mas havia passado por ele e o vira aberto. Onde estaria? Farejou um milagre, uma ascensão aos céus, por entre nuvens douradas; e a miss bem o merecia, com o seu rosto tão puramente oval e aqueles olhos de céu sem nuvens...

Premida pelo serviço, Angélica saiu do aposento da inglesa; e foi nesse instante que viu a santa sair do quarto do tio, em trajes de dormir. O espanto foi imenso, a sua ingenuidade dissipou-se e a verdade queimou-lhe os olhos. Deixou-a entrar no quarto e, cá no corredor, mal equilibrando a bandeja nas mãos, a deslumbrada criada murmurou entre os dentes:

— Que pouca vergonha! Vá a gente fiar-se nesses estrangeiros... Eles são como nós...

E continuou pelos quartos, no seu humilde e desprezado mister.

Como o "homem" chegou[115]

> *Deus está morto; a sua piedade pelos homens matou-o.*
>
> Nietzsche[116]

I

A polícia da República, como toda a gente sabe, é paternal e compassiva no tratamento das pessoas humildes que dela necessitam; e sempre, quer se trate de humildes, quer de poderosos, a velha instituição cumpre religiosamente a lei.[117] Vem-lhe daí o respeito que aos políticos os seus empregados tributam e a procura que ela merece desses homens, quase sempre interessados no cumprimento das leis que discutem e votam.

O caso que vamos narrar não chegou ao conhecimento do público, certamente devido à pouca atenção que lhe deram os repórteres; e é pena, pois, se assim não fosse, teriam nele encontrado pretexto para *clichês* bem macabramente mortuários que alegrassem as páginas de suas folhas volantes.

O delegado que funcionou na questão talvez não tivesse notado o grande alcance de sua obra; e tanto isso é de admirar quanto as consequências do fato concordam com luxuriantes sorites de um filósofo sempre capaz de sugerir, do pé para a mão, novíssimas estéticas aos necessitados de apresentá-las ao público bem informado.

Sabedores de acontecimento de tal monta, não nos era possível deixar de narrá-lo com alguma minudência, para edificação dos delegados passados, presentes e futuros.

Naquela manhã, tinha a delegacia um movimento desusado. Passavam-se semanas sem que houvesse uma simples prisão, uma pequena admoestação. A circunscrição era pacata e ordeira. Pobre, não havia furtos; sem comércio, não havia gatunos; sem indústria, não havia vagabundos, graças à sua extensão e aos capoeirões que lá havia; os que não tinham domicílio arranjavam-no facilmente em choças ligeiras sobre chãos de outros donos mal conhecidos.

Os regulamentos policiais não encontravam emprego; os funcionários do distrito viviam descansados e, sem desconfiança, olhavam a população do lugarejo. Compunha-se o destacamento de um cabo e três soldados; todos os quatro, gente simples, esquecida de sua condição de sustentáculos do Estado.

O comandante, um cabo gordo que falava arrastando a voz, com a cantante preguiça de um carro de bois a chiar, habitava com a família um rancho próximo e plantava ao redor melancias, colhendo as de polpa bem rosada e doce, pelo verão inflexível da nossa terra. Um dos soldados tecia redes de pescaria, chumbava-as com cuidado para dar cerco às tainhas; e era de vê-las saltar por cima do fruto de sua indústria com a agilidade de acrobatas, agilidade surpreendente naqueles entes sem mãos e pernas diferenciadas. Um outro camarada matava o ócio pescando de caniço e quase nunca pescava crocorocas, pois diante do mar, da sua infinita grandeza, distraía-se, lembrando-se das quadrinhas que vinha compondo em louvor de uma beleza local.

Tinham também os inspetores de polícia essa concepção idílica, e não se aborreciam no morno vilarejo. Conceição, um deles, fabricava carvão e os plantões os fazia junto às caieiras, bem protegidas por cruzes toscas para que o tinhoso não entrasse nelas e fabricasse cinza em vez do combustível das engomadeiras. Um seu colega, de nome Nunes, aborrecido com o ar elísico daquela delegacia, imaginou quebrá-lo e lançou o jogo do bicho. Era uma coisa inocente: o mínimo da pule, um vintém; o máximo, duzentos réis, mas, ao chegar à riqueza do lugar, aí pelo tempo do caju, quando o sol saudoso da tarde dourava as areias e os frutos amarelos e vermelhos mais se intumesciam nos cajueiros frágeis, jogavam-se pules de dez tostões.

Vivia tudo em paz; o delegado não aparecia. Se o fazia de mês em mês, de semestre em semestre, de ano em ano, logo perguntava: houve alguma prisão? Respondiam alvissareiros: não, doutor; e a fronte do doutor se anuviava, como se sentisse naquele desuso do xadrez a morte próxima do Estado, da Civilização e do Progresso.

De onde em onde, porém, havia um caso de defloramento e este era o delito, o crime, a infração do lugarejo — um crime, uma infração, um delito muito próprio do Paraíso, que o tempo, porém, levou a ser julgado pelos policiais, quando, nas primeiras eras das nossas origens bíblicas, o fora pelo próprio Deus.

Em geral, os inspetores por eles mesmos resolviam o caso; davam paternos conselhos suasórios e a lei sagrava o que já havia sido abençoado pelas prateadas folhas das imbaúbas, nos capoeirões cerrados.

Não quis, porém, o delegado deixar que os seus subordinados liquidassem aquele caso. A paciente era filha do Sambabaia, chefe político do partido do senador Melaço; e o agente era eleitor do partido contrário a Melaço. O programa do partido de Melaço era não fazer coisa alguma e o do contrário tinha o mesmo ideal; ambos, porém, se diziam adversários de morte e essa oposição, refletindo-se no caso, embaraçava sobremodo o subdelegado.

Interrogado, confessara-se o agente pronto a reparar o mal; e, desde há muito, a paciente dera a tal respeito a sua indispensável opinião.

A autoridade, entretanto, hesitava, por causa da incompatibilidade política do casal. As audiências se sucediam e aquela era já a quarta. Estavam os soldados atônitos com tanta demora, provinda de não saber bem o delegado se, unindo mais uma vez o par, não iria o caso desgostar Melaço e mesmo o seu adversário Jati — ambos senadores poderosos, aquele do governo e este da oposição; e, desgostar qualquer deles punha em perigo o seu emprego porque, quase sempre entre nós, a oposição passa a ser governo e o governo oposição instantaneamente. O consentimento dos rapazes não bastava ao caso; era preciso, além, uma reconciliação ou uma simples adesão política.

Naquela manhã, o delegado tomava mais uma vez o depoimento do agente, inquirindo-o desta forma:

— Já se resolveu?

— Pois não, doutor. Estou inteiramente a seu dispor...

— Não é bem ao meu. Quero saber se o senhor tem tenção?

— De que, doutor? De casar? Pois não, doutor.

— Não é de casar... Isto já sei... É...

— Mas de que deve ser então, doutor?

— De entrar para o partido do doutor Melaço.

— Eu sempre, doutor, fui pelo doutor Jati. Não posso...

— Que tem uma coisa com a outra? O senhor divide o seu voto: a metade dá para um e a outra metade para outro. Está aí!

— Mas como?

— Ora! O senhor saberá arranjar as coisas da melhor forma; e, se o fizer com habilidade, ficarei contente e o senhor será feliz, porquanto pode arranjar tanto com um como com outro, conforme andar a política no próximo quatriênio, um lugar de guarda dos mangues.

— Não há vaga, doutor.

— Qual! Há sempre vaga, meu caro. O Felizardo não se tem querido alistar, não nasceu aqui, é de fora, é "estrangeiro"; e, dessa maneira, não pode continuar a fiscalizar os mangues. É vaga certa. O senhor adere ou antes: divide a votação?

— Divido, doutor.

— Pois então...

Por aí, um dos inspetores veio avisar de que o guarda civil de nome Hane lhe queria falar. O doutor Cunsono estremeceu. Era coisa do chefe, do geral lá de baixo; e, de relance, viu o seu hábil trabalho de harmonizar Jati e Melaço perdido inteiramente, talvez por causa de não ter, naquele ano, efetuado sequer uma prisão. Estava na rua, suspendeu o interrogatório e veio receber o visitador com muita angústia no coração. Que seria?

— Doutor, foi logo dizendo o guarda, temos um louco.

Diante daquele caso novo, o delegado quis refletir, mas logo o guarda emendou:

— O doutor Silly...

Era assim o nome do ajudante do geral inacessível; e dele, os delegados têm mais medo do que do chefe supremo todo-poderoso.

Hane continuou:

— O doutor Silly mandou dizer que o senhor o prendesse e o enviasse à central.

Cunsono pensou bem que esse negócio de reclusão de loucos é por demais grave e delicado e não era propriamente da sua competência fazê-lo, a menos que fossem sem eira nem beira ou ameaçassem a segurança pública. Pediu a Hane que o esperasse e foi consultar o escrivão. Este serventuário vivia ali de mau humor. O sossego da delegacia o aborrecia, não porque gostasse da agitação pela agitação, mas pelo simples fato de não perceber emolumentos ou quer que seja, tendo que viver de seus vencimentos. Aconselhou-se com ele o delegado e ficou perfeitamente informado do que dispunham a lei e a praxe. Mas Silly...

Voltando à sala, o guarda reiterou as ordens do auxiliar, contando também que o louco estava em Manaus. Se o próprio Silly não o mandava buscar, elucidou o guarda, era porque competia a Cunsono deter o "homem", porquanto a sua delegacia tinha costas do oceano e de Manaus se vinha por mar.

— É muito longe, objetou o delegado.

O guarda teve o cuidado de explicar que Silly já vira a distância no mapa e era bem reduzida: obra de palmo e meio. Cunsono perguntou ainda:

— Qual a profissão do "homem"?

— É empregado da delegacia fiscal.

— Tem pai?

— Tem.

Pensou o delegado que competia ao pai o pedido de internação, mas o guarda adivinhou-lhe o pensamento e afirmou:

— Eu o conheço muito e meu primo é cunhado dele.

Estava já Cunsono irritado com as objeções do escrivão e desejava servir a Silly, tanto mais que o caso desafiava a sua competência policial. A lei era ele; e mandou fazer o expediente.

Após o que, tratou Cunsono de ultimar o enlace de Melaço e Jati, por intermédio do casamento da filha do Sambabaia. Tudo ficou assentado da melhor forma; e, em pequena hora, voltava o delegado para as ruas onde não policiava, satisfeito consigo mesmo e com a sua tríplice obra, pois não convém esquecer a sua caridosa intervenção no caso do louco de Manaus.

Tomava a condução que o devia trazer à cidade, quando a lembrança do meio de transporte do demente lhe foi presente. Ao guarda civil, ao representante de Silly na zona, perguntou por esse instante:

— Como há de vir o "sujeito"?

O guarda, sem atender diretamente à pergunta, disse:

— É... É, doutor; ele está muito furioso.

Cunsono pensou um instante, lembrou-se dos seus estudos e acudiu:

— Talvez um couraçado... O "Minas Gerais" não serve? Vou requisitá-lo.

Hane, que tinha prática do serviço e conhecimento dos compassivos processos policiais, refletiu:

— Doutor: não é preciso tanto. O "carro-forte" basta para trazer o "homem".

Concordou Cunsono e olhou as alturas um instante sem notar as nuvens que vagavam sem rumo certo, entre o céu e a terra.

II

Silly, o doutor Silly, bem como Cunsono, graças à prática que tinham do ofício, dispunham da liberdade dos seus pares com a maior facilidade. Tinham substituído os graves exames íntimos provocados pelos deveres de seus cargos, as perigosas responsabilidades que lhes são próprias, pelo automático ato de uma assinatura rápida. Era um contínuo trazer um ofício, logo, sem bem pensar no que faziam, sem lê-lo até, assinavam e ia com essa assinatura um sujeito para a cadeia, onde ficava aguardando que se lembrasse de retirá-lo de lá a sua mão distraída e ligeira.

Assim era; e foi sem dificuldade que atendeu ao pedido de Cunsono no que toca ao carro-forte. Prontamente deu as ordens para que fosse fornecida a seu colega a masmorra ambulante, pior do que masmorra, do que solitária, pois nessas prisões sente-se ainda a algidez da pedra, alguma coisa ainda de meiguice, de sepultura, mas ainda assim meiguice; mas, no tal carro feroz, é tudo ferro, há inexorável antipatia do ferro na cabeça, ferro nos pés, aos lados uma igaçaba de ferro em que se vem sentado, imóvel, e para a qual se entra pelo próprio pé. É blindada e quem vai nela, levado aos trancos e barrancos de seu respeitável peso e do calçamento das vias públicas, tem a impressão de que se lhe quer poupar a morte por um bombardeio de grossa artilharia para ser empalado aos olhos de um sultão. Um requinte de potentado asiático.

Essa prisão de Calistenes, blindada, chapeada, couraçada, foi posta em movimento; e saiu, abalando o calçamento, a chocalhar ferragens, a trovejar pelas ruas afora em busca de um inofensivo.

O "homem", como dizem eles, era um ente pacato, lá dos confins de Manaus, que tinha a mania da Astronomia e abandonara, não de todo, mas quase totalmente, a terra pelo céu inacessível. Vivia com o pai velho nos arrabaldes da cidade e construíra na chácara de sua residência um pequeno observatório, onde montou lunetas que lhe davam pasto à inocente mania. Julgando insuficientes o olhar e as lentes, para chegar ao perfeito conhecimento da Aldebarã longínqua, atirou-se ao cálculo, à inteligência pura, à matemática e a estudar com afinco e fúria de um doido ou de um gênio.

Em uma terra inteiramente entregue à chatinagem e à veniaga, Fernando foi tomando a fama de louco, e não era ela sem algum motivo. Certos gestos, certas despreocupações e mesmo outras manifestações mais palpáveis pareciam justificar o julgamento comum; entretanto, ele vivia bem com o pai e cumpria os seus deveres razoavelmente. Porém, parentes oficiosos e outros longínquos aderentes entenderam curá-lo, como se se curassem assomos de alma e anseios de pensamento.

Não lhes vinha tal propósito de perversidade inata, mas de estultice congênita, juntamente com a comiseração explicável em parentes. Julgavam que o ser descompassado envergonhava a família e esse julgamento era reforçado pelos cochichos que ouviam de alguns homens esforçados por parecerem inteligentes.

O mais célebre deles era o doutor Barrado, um catita do lugar, cheiroso e apurado no corte das calças. Possuía esse doutor a obsessão das coisas extraordinárias, transcendentes, sem-par, originais; e, como sabia Fernando simples e desdenhoso pelos mandões, supôs que ele, com esse procedimento, censurava Barrado por demais mesureiro com os magnatas. Começou, então, Barrado a dizer que Fernando não sabia astronomia; ora, este último não afirmava semelhante coisa. Lia, estudava e contava o que lia, mais ou menos o que aquele fazia nas salas, com os ditos e opiniões dos outros.

Houve quem o desmentisse; teimava, no entanto, Barrado no propósito. Entendeu também de estudar uma astronomia e bem oposta à de Fernando: a astronomia do centro da Terra. O seu compêndio favorito era *A morgadinha de Val-Flor* e os livros auxiliares: *A dama de Monsoreau*[118] e *O rei dos grilhetas*, numa biblioteca de Herschell.

Com isto, e cantando, e espalhando que Fernando vivia nas tascas com vagabundos, auxiliado pelo poeta Machino, o jornalista Cosmético e o antropologista Tucolas, que fazia sábias mensurações nos crânios das formigas,[119] conseguiu remover os simplórios parentes de Fernando, e foi bastante que, de parente para conhecido, de conhecido para Hane, de Hane, para Silly e Cunsono, as coisas se encadeassem e fosse obtida a ordem de partida daquela fortaleza couraçada, roncando pelas ruas, chocalhando ferragens, abalando calçadas, para ponto tão longínquo.

Quando, porém, o carro chegou à praça mais próxima, foi que o cocheiro lembrou-se de que não lhe tinham ensinado onde ficava Manaus. Voltou e Silly, com a energia de sua origem britânica, determinou que fretassem uma falua e fossem a reboque do primeiro paquete.

Sabedor do caso e como tivesse conhecimento de que Fernando era desafeto do poderoso chefe político Sofonias, Barrado que, desde muito, lhe queria ser agradável, calou o seu despeito, apresentou-se pronto para auxiliar a diligência. Esse chefe político dispunha de um prestígio imenso e nada entendia de astronomia; mas, naquele tempo, era a ciência da moda e tinham em grande consideração os membros da Sociedade Astronômica, da qual Barrado queria fazer parte.

Sofonias influía nas eleições da Sociedade, como em todas as outras, e podia determinar que Barrado fosse escolhido. Andava, portanto, o doutor captando a boa vontade da potente influência eleitoral, esperando obter, depois de eleito, o lugar de Diretor Geral das Estrelas de Segunda Grandeza.

Não é de estranhar, pois, que aceitasse tão árdua incumbência e, com Hane e carrião, veio até à praia; mas não havia canoa, caíque, bote, jangada, catraia, chalana, falua, lancha, calunga, poveiro, peru, macacuano, pontão, alvarenga, saveiro que os quisesse levar a tais alturas.

Hane desesperava, mas o companheiro, lembrando-se dos seus conhecimentos de Astronomia, indicou um alvitre:

— O carro pode ir boiando.

— Como, doutor? É de ferro... muito pesado, doutor!

— Qual o quê! O "Minas", o "Aragón", o "São Paulo" não boiam? Ele vai, sim!

— E os burros?

— Irão a nadar, rebocando o carro.

Curvou-se o guarda diante do saber do doutor e deixou-lhe a missão confiada, conforme as ordens terminantes que recebera.

A calistênica entrou pela água adentro, consoante as ordens promanadas do saber de Barrado e, logo que achou água suficiente, foi ao fundo com grande desprezo pela hidrostática do doutor. Os burros, que tinham sempre protestado contra a física do jovem sábio, partiram os arreios e salvaram-se; e graças a uma poderosa cábrea, pôde a almanjarra ser salva também.

Havia poucos paquetes para Manaus e o tempo urgia. Barrado tinha ordem franca de fazer o que quisesse. Não hesitou e, energicamente, fez reparar as avarias e tratou de embarcar num paquete todo o trem, fosse como fosse.

Ao embarcá-lo, porém, surgiu uma dúvida entre ele e o pessoal de bordo. Teimava Barrado que o carro merecia ir para um camarote de primeira classe, teimavam os marítimos que isso não era próprio, tanto mais que ele não indicava o lagar dos burros.

Era difícil essa questão da colocação dos burros. Os homens de bordo queriam que fossem para o interior do navio; mas, objetava o doutor:

— Morrem asfixiados, tanto mais que são burros e mesmo por isso.

De comum acordo, resolveram telegrafar a Silly para resolver a curiosa contenda. Não tardou viesse a resposta, que foi clara e precisa: "Burros sempre em cima. Silly".

Opinião como esta, tão sábia e tão verdadeira, tão cheia de filosofia e sagacidade da vida, aliviou todos os corações e abraços fraternais foram trocados entre conhecidos e inimigos, entre amigos e desconhecidos.

A sentença era de Salomão e houve mesmo quem quisesse aproveitar o apotegma para construir uma nova ordem social.

Restava a pequena dificuldade de fazer entrar o carro para o camarote do doutor Barrado. O convés foi aberto convenientemente, teve a sala de jantar mesas arrancadas e o bendengó ficou no centro dela, em exposição, feio e brutal, estúpido e inútil, como um monstro de museu.

O paquete moveu-se lentamente em demanda da barra. Antes fez uma doce curva, longa, muito suave, lentamente, como se, ao despedir-se, cumprimentasse reverente a beleza da Guanabara. As gaivotas voavam tranquilas, cansavam-se, pousavam na água — não precisavam de terra...

A cidade sumia-se vagarosamente e o carro foi atraindo a atenção de bordo.

— O que vem a ser isto?

Diante da almanjarra, muitos viajantes murmuravam protestos contra a presença daquele estafermo ali; outras pessoas diziam que se destinava a encarcerar um bandoleiro da Paraíba; outras que era um salva-vidas; mas, quando alguém disse que aquilo ia acompanhando um recomendado de Sofonias, a admiração foi geral e imprecisa.

Um oficial disse:

— Que construção engenhosa!

Um médico afirmou:

— Que linhas elegantes!
Um advogado refletiu:
— Que soberba criação mental!
Um literato sustentou:
— Parece um mármore de Fídias!
Um sicofanta berrou:
— É obra mesmo de Sofonias! Que republicano!
Uma moça adiantou:
— Deve ter sons magníficos!

Houve mesmo escala para dar ração aos burros, pois os mais graduados se disputavam a honraria. Um criado, porém, por ter passado junto ao monstro e o olhado com desdém, quase foi duramente castigado pelos passageiros. O ergástulo ambulante vingou-se do serviçal; durante todo o trajeto perturbou-lhe o serviço.

Apesar de ir correndo a viagem sem mais incidentes, quis ao meio dela Barrado desembarcar e continuá-la por terra. Consultou, nestes termos, Silly: "Melhor carro ir terra faltam três dedos mar alonga caminho"; e a resposta veio depois de alguns dias: "Não convém desembarque embora mais curto carro chega sujo. Siga".

Obedeceu e o meteorito, durante duas semanas, foi objeto da adoração do paquete. Nos últimos dias, quando um qualquer dos passageiros dele se acercava, passava-lhe pelo dorso negro a mão espalmada com a contrição religiosa de um maometano ao tocar na pedra negra da Caaba.

Sofonias, que nada tinha com o caso, não teve nunca notícia dessa tocante adoração.

III

Muito rica é Manaus, mas, como em todo o Amazonas, nela é vulgar a moeda de cobre. É um singular traço de riqueza que muito impressiona o viajante, tanto mais que não se quer outra e as rendas do Estado são avultadas. O Eldorado não conhece o ouro, nem o estima.

Outro traço de sua riqueza é o jogo. Lá, não é divertimento nem vício: é para quase todos profissão. O valor dos noivos, segundo dizem, é avaliado pela média das paradas felizes que fazem, e o das noivas pelo mesmo processo no tocante aos pais.

Chegou o navio a tão curiosa cidade quinze dias após fazendo uma plácida viagem, com o fetiche a bordo. Desembarcá-lo foi motivo de absorvente cogitação para o doutor Barrado. Temia que fosse de novo ao fundo, não porque o quisesse encaminhá-lo por sobre as águas do rio Negro; mas, pelo simples motivo de que, sendo o cais flutuante, o peso do carrião talvez trouxesse desastrosas consequências para ambos, cais e carro.

O capataz não encontrava perigo algum, pois desembarcavam e embarcavam pelos flutuantes volumes pesadíssimos, toneladas até.

Barrado, porém, que era observador, lembrava-se da aventura do rio, e objetou:

— Mas não são de ferro.

— Que tem isso? fez o capataz.

Barrado, que era observador e inteligente, afinal compreendeu que um quilo de ferro pesa tanto quanto um de algodão; e só se convenceu inteiramente disso, como observador que era, quando viu o ergástulo em salvamento, rolando pelas ruas da cidade.

Continuou a ser ídolo e o doutor agastou-se deveras porque o governador visitou a caranguejola, antes que ele o fizesse.

Como não tivesse completas as instruções para detenção de Fernando, pediu-as a Silly. A resposta veio num longo telegrama, minucioso e elucidativo. Devia requisitar força ao governador, arregimentar capangas e não desprezar as balas de alteia. Assim fez o comissário. Pediu uma companhia de soldados, foi às alfurjas da cidade catar bravos e adquirir uma confeitaria de alteia. Partiu em demanda do "homem" com esse trem de guerra; e, pondo-se cautelosamente em observação, lobrigou os óculos do observatório, donde concluiu que a sua força era insuficiente. Normas para o seu procedimento requereu a Silly. Vieram secas e peremptórias: "Empregue também artilharia".

De novo pôs-se em marcha com um parque do Krupp.[120] Desgraçadamente, não encontrou o homem perigoso. Recolheu a expedição a quartéis; e, certo dia, quando de passeio, por acaso, foi parar a um café do centro comercial. Todas as mesas estavam ocupadas; e só em uma delas havia um único consumidor. A esta ele sentou-se. Travou por qualquer motivo conversa com o mazombo; e, durante alguns minutos, aprendeu com o solitário alguma coisa.

Ao despedirem-se, foi que ligou o nome à pessoa, e ficou atarantado sem saber como proceder no momento. A ação, porém, lhe veio prontamente; e, sem dificuldade, falando em nome da lei e da autoridade, deteve o pacífico ferrabrás em um dos bailéus do cárcere ambulante.

Não havia paquete naquele dia e Silly havia recomendado que o trouxessem imediatamente. "Venha por terra", disse ele; e Barrado, lembrado do conselho, tratou de segui-lo. Procurou quem o guiasse até ao Rio, embora lhe parecesse curta e fácil a viagem. Examinou bem o mapa e, vendo que a distância era de palmo e meio, considerou que dentro dela não lhe cabia o carro. Por este e aquele, soube que os fabricantes de mapas não têm critério seguro: era fazer uns muito grandes, ou muito pequenos, conforme são para enfeitar livros ou adornar paredes. Sendo assim, a tal distância de doze polegadas bem podia esconder viagem de um dia e mais.

Aconselhado pelo cocheiro, tomou um guia e encontrou-o no seu antigo conhecido Tucolas, sabedor como ninguém do interior do Brasil, pois o palmilhara à cata de formigas para bem firmar documentos às suas investigações antropológicas.

Aceitou a incumbência o curioso antropologista de himenópteros, aconselhando, entretanto, a modificação do itinerário.

— Não me parece, senhor Barrado, que devamos atravessar o Amazonas. Melhor seria, senhor Barrado, irmos até a Venezuela, alcançar as Guianas e descermos, senhor Barrado.

— Não teremos rios a atravessar, Tucolas?

— Homem! Meu caro senhor, eu não sei bem; mas, senhor Barrado me parece que não, e sabe por quê?

— Por quê?

— Por quê? Porque este Amazonas, senhor Barrado, não pode ir até lá, ao Norte, pois só corre de oeste para leste...

Discutiram assim sabiamente o caminho; e, à proporção que manifestava o seu profundo trato com a geografia da América do Sul, mais Tucolas passava a mão pela cabeleira de inspirado.

Achou que os conselhos do doutor eram justos, mas temia as surpresas do carrião. Ora, ia ao fundo, por ser pesado; ora, sendo pesado, não fazia ir ao fundo frágeis flutuantes. Não fosse ele estranhar o chão estrangeiro e pregar-lhe alguma peça? O cocheiro não queria também ir pela Venezuela, temia pisar em terra de gringos e encarregou-se da travessia do Amazonas — o que foi feito em paz e salvamento, com a máxima simplicidade.

Logo que foi ultimada, Tucolas tratou de guiar a caravana. Prometeu que o faria com muito acerto e contentamento geral, pois aproveitá-la-ia, dilatando as suas pesquisas antropológicas aos moluscos dos nossos rios. Era sábio naturalista, e antropologista, e etnografista da novíssima escola do conde de Gobineau,[121] novidade de uns sessenta anos atrás; e, desde muito, desejava fazer uma viagem daquelas para completar os seus estudos antropológicos nas formigas e nas ostras dos nossos rios.

A viagem correu maravilhosamente durante as primeiras horas. Sob um sol de fogo, o carro solavancava pelos maus caminhos; e o doente, à míngua de não ter onde se agarrar, ia ao encontro de uma e outra parede de sua prisão couraçada. Os burros, impelidos pelas violentas oscilações dos varais, encontravam-se e repeliam-se, ainda mais aumentando os ásperos solavancos da traquitana; e o cocheiro, na boleia, oscilava de lá para cá, de cá para lá, marcando o compasso da música chocalhante daquela marcha vagarosa.

Na primeira venda que passaram, uma dessas vendas perdidas, quase isoladas, dos caminhos desertos, onde o viajante se abastece e os vagabundos descansam de sua errância pelos descambados e montanhas, o encarcerado foi saudado com uma vaia: ó maluco! ó maluco!

Andava Tucolas distraído a fossar e cavocar, catando formigas; e, mal encontrava uma mais assim, logo examinava bem o crânio do inseto, procurava-lhe os ossos componentes, enquanto não fazia uma mensuração cuidadosa do ângulo de Camper ou mesmo de Cloquet. Barrado, cuja preocupação era ser êmulo do Padre Vieira, aproveitara o tempo para firmar bem as regras de colocação de pronomes, sobretudo a que manda que o "que" atraia o pronome complemento.

E assim andando foi o carro, após dias de viagem, até chegar a uma aldeia pobre, à margem de um rio, onde chalanas e naviecos a vapor tocavam de quando em quando.

Cuidaram imediatamente de obter hospedagem e alimentação no lugarejo. O cocheiro lembrou o "homem" que traziam. Barrado, a respeito, não tinha com segurança uma norma de proceder. Não sabia mesmo se essa espécie de doentes comia e consultou Silly, por telegrama. Respondeu-lhe a autoridade, com a energia britânica que tinha no sangue, que não era do regulamento retirar aquela espécie de enfermos do carro, o "ar" sempre lhes fazia mal. De resto, era curta a viagem e tão sábia recomendação foi cegamente obedecida.

Em pequena hora, Barrado e o guia sentavam-se à mesa do professor público, que lhes oferecera de jantar. O ágape ia fraternal e alegre, quando houve a visita da Discórdia, a visita da Gramática.

O ingênuo professor não tinha conhecimento do pichoso saber gramatical do doutor Barrado e expunha candidamente os usos e costumes do lugar com a sua linguagem roceira:

— Há aqui entre nós muito pouco caso pelo estudo, doutor. Meus filhos mesmo e todos quase não querem saber de livros. Tirante este defeito, doutor, a gente quer mesmo o progresso.

Barrado implicou com o "tirante" e o "a gente", e tentou ironizar. Sorriu e observou:

— Fala-se mal, estou vendo.

O matuto percebeu que o doutor se referia a ele. Indagou mansamente:

— Por que o doutor diz isso?

— Por nada, professor. Por nada!

— Creio, aduziu o sertanejo, que, tirante eu, o doutor aqui não falou com mais ninguém.

Barrado notou ainda o "tirante" e olhou com inteligência para Tucolas, que se distraía com um naco de tartaruga.

Observou o caipira, momentaneamente, o afã de comer do antropologista e disse, meigamente:

— Aqui, a gente come muito isso. Tirante a caça e a pesca, nós raramente temos carne fresca.

A insistência do professor sertanejo irritava sobremaneira o doutor inigualável. Sempre aquele "tirante", sempre o tal "a gente, a gente, a gente" — um falar de preto mina! O professor, porém, continuou a informar calmamente:

— A gente aqui planta pouco, mesmo não vale a pena. Felizardo do Catolé plantou uns leirões de horta, há anos, e quando veio o calor e a enchente...

— É demais! É demais! exclamou Barrado.

Docemente, o pedagogo indagou:

— Por quê? Por quê, doutor?

Estava o doutor sinistramente raivoso e explicou-se a custo:

— Então, não sabe? Não sabe?

— Não, doutor. Eu não sei, fez o professor, com segurança e mansuetude.

Tucolas tinha parado de saborear a tartaruga, a fim de atinar com a origem da disputa.

— Não sabe, então, rematou Barrado, não sabe que até agora o senhor não tem feito outra coisa senão errar em português?

— Como, doutor?

— É "tirante", é "a gente, a gente, a gente"; e, por cima de tudo, um solecismo!

— Onde, doutor?

— Veio o calor e a chuva — é português?

— É, doutor, é, doutor! Veja o doutor João Ribeiro! Tudo isso está lá. Quer ver?

O professor levantou-se, apanhou sobre a mesa próxima uma velha gramática ensebada e mostrou a respeitável autoridade ao sábio doutor Barrado. Sem saber desdéns simular, ordenou:

— Tucolas, vamo-nos embora.

— E a tartaruga? diz o outro.

O hóspede ofereceu-a, o original antropologista embrulhou-a e saiu com o companheiro. Cá fora, tudo era silêncio e o céu estava negro. As estrelas pequeninas piscavam sem cessar o seu olhar eterno para a Terra muito grande. O doutor foi ao encontro da curiosidade recalcada de Tucolas:

— Vê, Tucolas, como anda o nosso ensino? Os professores não sabem os elementos de gramática, e falam como negros de senzala.

— Senhor Barrado, julgo que o senhor deve a esse respeito chamar a atenção do ministro competente, pois me parece que o país, atualmente, possui um dos mais autorizados na matéria.

— Vou tratar, Tucolas, tanto mais que o Semicas é amigo do Sofonias.

— Senhor Barrado, uma coisa...

— Que é?

— Já falou, senhor Barrado, a meu respeito com o senhor Sofonias?

— Desde muito, meu caro Tucolas. Está à espera da reforma do museu e tu vais para lá direitinho. É o teu lugar.

— Obrigado, senhor Barrado. Obrigado.

A viagem continuou monotonamente. Transmontaram serras, vadearam rios e, num deles, houve um ataque de jacarés, dos quais se salvou Barrado graças à sua pele muito dura. Entretanto, um dos animais de tiro perdeu uma das patas dianteiras e mesmo assim conseguiu pôr-se a salvo na margem oposta.

Sarou-lhe a ferida não se sabe como e o animal não deixou de acompanhar a caravana. Às vezes, distanciava-se; às vezes, aproximava-se; e sempre a pobre alimária olhava longamente, demoradamente, aquele forno ambulante, manquejando sempre, impotente para a carreira, e como se se lastimasse de não poder auxiliar eficazmente o lento reboque daquela almanjarra pesadona.

Em dado momento, o cocheiro avisa Barrado de que o "homem" parecia estar morto; havia até um mau cheiro indicador. O regulamento não permitia a abertura da prisão e o doutor não quis verificar o que havia de verdade no caso. Comia aqui, dormia ali, Tucolas também e os burros também — que mais era preciso para ser agradável a Sofonias? Nada, ou antes: trazer o "homem" até ao Rio de Janeiro. As doze polegadas da sua cartografia desdobravam-se em um infinito número de quilômetros. Tucolas que conhecia o caminho, dizia sempre: estamos a chegar, senhor Barrado! Estamos a chegar! Assim levaram meses andando, com o burro aleijado a manquejar atrás do ergástulo ambulante, olhando-o docemente, cheio de piedade impotente.

Os urubus crocitavam por sobre a caravana, estreitavam o voo, desciam mais, mais, mais, até quase debicar no carro-forte. Barrado punha-se furioso a enxotá-los a pedradas; Tucolas imaginava aparelhos para examinar a caixa craniana das ostras de que andava à caça; o cocheiro obedecia.

Mais ou menos assim, levaram dois anos e foram chegar à aldeia dos Serradores, margem do Tocantins.

Quando aportaram, havia na praça principal uma grande disputa, tendo por motivo o preenchimento de uma vaga na Academia dos Lambrequins.[122]

Logo que Barrado soube do que se tratava, meteu-se na disputa e foi gritando lá a seu jeito e sacudindo as perninhas:

— Eu também sou candidato! Eu também sou candidato!

Um dos circunstantes perguntou-lhe a tempo, com toda a paciência:

— Moço: o senhor sabe fazer lambrequins?

— Não sei, não sei, mas aprendo na academia e é para isso que quero entrar.

A eleição teve lugar e a escolha recaiu sobre um outro mais hábil no uso da serra que o doutor recém-chegado.

Precipitou-se por isso a partida e o carro continuou a sua odisseia, com o acompanhamento do burro, sempre a olhá-lo longamente, infinitamente, demoradamente, cheio de piedade impotente.

Aos poucos os urubus se despediram; e, no fim de quatro anos, o carrião entrou pelo Rio adentro, a roncar pelas calçadas, chocalhando duramente as ferragens, com o seu manco e compassivo burro a manquejar-lhe à sirga.

Logo que foi chegado, um hábil serralheiro veio abri-lo, pois a fechadura desarranjara-se devido aos trancos e às intempéries da viagem, e desobedecia à chave competente. Silly determinou que os médicos examinassem o doente, exame que, mergulhados numa atmosfera de desinfetantes, foi feito no necrotério público.

Foi este o destino do enfermo pelo qual o delegado Cunsono se interessou com tanta solicitude.

PARTE II
CONTOS PUBLICADOS, CONFORME SELEÇÃO
DO AUTOR, NA OBRA *HISTÓRIAS E SONHOS*,
1ª EDIÇÃO, 1920 — ÚLTIMO LIVRO
PUBLICADO EM VIDA POR LIMA BARRETO[123]

O moleque[124]

A Arnaldo Damasceno Vieira[125]

Reclus, na sua *Geografia universal*, tratando do Brasil, notava a necessidade de conservarmos os nomes tupis dos lugares de uma terra. Têm eles, diz o grande geógrafo, a vantagem de possuir quase todos um sentido claro, muito claro, nas suas palavras, exprimindo algum fato da natureza, a cor das águas correntes, a altura, a forma ou o aspecto dos rochedos, a vegetação ou a aridez da região. No Rio de Janeiro, há de fato nomes tupis tão eloquentes, para traduzir a forma ou o encanto dos lugares, que ficamos pasmos, quando lhes sabemos a significação, com o poder poético, com a força de emoção superior de que eram capazes os primitivos canibais habitantes desta região, diante dos aspectos da natureza tão bela e singular que é a que cerca e limita nossa cidade. Bastam os nomes da baía. Como não traduz bem a sua sedução, o seu recato, a sua fascinação, o nome: Guanabara — seio do mar? E se o mar abriu aqui um seio foi para nele esconder as suas águas.

— Niterói — água escondida.

Esses nomes tupis, nos acidentes naturais das cercanias da cidade, são os documentos mais antigos que ela possui das vidas que aqui floresceram e morreram. Edificada em um terreno que é o mais antigo do globo, nos depósitos sedimentares das velhas regiões, até hoje não se encontram vestígios quaisquer da vida pré-histórica. A terra é velha, mas as vidas que viveram nela não deixaram, ao que parece, nenhum traço direto ou indireto de sua passagem. Os mais antigos testemunhos das existências anteriores às nossas, que por aqui passaram, são esses nomes em linguagem dos índios que habitavam estes lugares; e são assim bem recentes, relativamente.

Há, parece, na fatalidade destas terras, uma necessidade de não conservar impressões das sucessivas camadas de vida que elas deviam ter presenciado o desenvolvimento e o desaparecimento [sic]. Estes nomes tupaicos mesmo tendem a desaparecer, e todos sabem que, quando uma turma de trabalhadores, em escavações de qualquer natureza, encontra uma igaçaba, logo se apressam em parti-la, em destruí-la como coisa demoníaca ou indigna de ficar entre os de hoje. A pobre talha mortuária dos tamoios é sacrificada impiedosamente.

Frágeis eram os artefatos dos índios e todas as suas outras obras; frágeis são também as nossas de hoje, tanto assim que os mais antigos monumentos do Rio são de século e meio; e a cidade vai já para o caminho dos quatrocentos anos.

O nosso granito vetusto, tão velho quanto a terra, sobre o qual repousa a cidade, capricha em querer o frágil, o pouco duradouro. A sua grandeza e a sua antiguidade não admitem rivais.

Ainda hoje esse espírito do lugar domina a construção dos nossos edifícios públicos e particulares, que estão a rachar e a desabar, a todo instante. E como se a terra não deseje que fiquem nela outras criações, outras vidas, senão as florestas que ela gera, e os animais que nestas vivem.

Ela as faz brotar, apesar de tudo, para sustentar e ostentar um instante, vidas que devem desaparecer sem deixar vestígios. Estranho capricho...

Quer ser um recolhimento, um lugar de repouso, de parada, para o turbilhão que arrasta a criação a constantes mudanças nos seres vivos; mas só isto, continuando ela firme, inabalável, gerando e recebendo vidas, mas de tal modo que as novas que vierem não possam saber quais foram as que lhes antecederam.

Desde que as suas rochas surgiram, quantas formas de vida ela já viu? Inúmeras, milhares; mas de nenhuma quis guardar uma lembrança, uma relíquia, para que a Vida não acreditasse que podia rivalizar com a sua eternidade.

Mesmo os nomes índios, como já foi observado, se apagam, vão se apagando, para dar lugar a nomes banais de figurões ainda mais banais, de forma que essa pequena antiguidade de quatro séculos desaparecerá em breve, as novas denominações talvez não durem tanto.

Nenhum testemunho, dentro em pouco, haverá das almas que eles representam, dessas consciências tamoias que tentaram, com tais apelidos, macular a virgindade da incalculável duração da terra. Sapopemba é já um general qualquer, e tantos outros lugares do Rio de Janeiro vão perdendo insensivelmente os seus nomes tupis.

Inhaúma[126] é ainda dos poucos lugares da cidade que conserva o seu primitivo nome caboclo, zombando dos esforços dos nossos edis para apagá-lo.

É um subúrbio de gente pobre, e o bonde que lá leva atravessa umas ruas de largura desigual, que, não se sabe por quê, ora são muito estreitas, ora muito largas, bordadas de casas e casitas sem que nelas se depare um jardinzinho mais tratado ou se lobrigue, aos fundos, uma horta mais viçosa. Há, porém, robustas e velhas mangueiras que protestam contra aquele abandono da terra. Fogem para lá, sobretudo para seus morros e escuros arredores, aqueles que ainda querem cultivar a Divindade como seus avós. Nas suas redondezas, é o lugar das macumbas, das práticas de feitiçaria com que a teologia da polícia implica, pois não pode admitir nas nossas almas depósitos de crenças ancestrais. O espiritismo se mistura a eles e a sua difusão é pasmosa. A Igreja católica unicamente não satisfaz o nosso povo humilde. É quase abstrata para ele, teórica. Da divindade, não dá, apesar das imagens, de água benta e outros objetos do seu culto, nenhum sinal palpável, tangível de que ela está presente. O padre, para o grosso do povo, não se comunica no mal com ela; mas o médium, o feiticeiro, o macumbeiro, se não a recebem nos seus transes, recebem, entretanto, almas e espíritos que, por já não serem mais da terra, estão mais perto de Deus e participam um pouco da sua eterna e imensa sabedoria.

Os médiuns que curam merecem mais respeito e veneração que os mais famosos médicos da moda. Os seus milagres são contados de boca em boca, e a gente de todas as condições e matizes de raça a eles recorre nos seus desesperos de perder a saúde e ir ao encontro da Morte. O curioso — o que era preciso estudar mais devagar — é o amálgama de tantas crenças desencontradas a que preside a Igreja católica com os seus santos e beatos. A feitiçaria, o espiritismo, a cartomancia e a hagiologia católica se baralham naquelas práticas, de modo que faz parecer que de tal baralhamento de sentimentos religiosos possa vir nascer uma grande religião, como nasceram de semelhantes misturas as maiores religiões históricas.

Na confusão do seu pensamento religioso, nas necessidades presentes de sua pobreza, nos seus embates morais e dos familiares, cada uma dessas crenças atende a uma solicitação de cada uma daquelas almas, e a cada instante de suas necessidades.

A gravidade de pensamento que todo esse espetáculo provoca e as lembranças históricas que acodem fazem perguntar se a terra, que não tem querido guardar na sua grandeza traços das vidas e das almas que por ela têm passado, ainda desta vez, não consentirá que fiquem vestígios, pegadas, impressões das atuais que, nela, hoje sofrem e mergulham, a seu modo, no Mistério que nos cerca, para esquecê-las soturnamente; e pensa-se isto sob a luz do sol, alegre, clara, forte e alta, que recorta no céu azul as montanhas que se alongam para tocá-lo, tal como se vê nesse lugar de Inhaúma, antiga aldeia de índios, a serra dos Órgãos, solene, soberba...

Numa das ruas desse humilde arrebalde, antes trilho que mesmo rua, em que as águas cavaram sulcos caprichosos, todo ele bordado de maricás que, quando floriam, tocavam-se de flocos brancos, morava em um barracão dona Felismina.

O "barracão" é uma espécie arquitetônica muito curiosa e muito especial àquelas paragens da cidade. Não é a nossa conhecida choupana de sapê e de paredes "a sopapos". É menos e é mais. É menos, porque em geral é menor, com muito menos acomodações; e mais, porque a cobertura é mais civilizada; é de zinco ou de telhas. Há duas espécies. Em uma, as paredes são feitas de tábuas; às vezes, verdadeiramente tábuas; em outras, de pedaços de caixões. A espécie, mais aparentada com o nosso "rancho" roceiro, possui as paredes como este: são de taipa. Estes últimos são mais baixos e a vegetação das bordas das ruas e caminhos os dissimula, aos olhos dos transeuntes; mas aqueles têm mais porte e não se envergonham de ser vistos. Há alguns com dois aposentos; mas quase sempre, tanto os de uma como de outra espécie, só possuem um. A cozinha é feita fora, sob um telheiro tosco, um puxado no telhado da edificação, para aproveitar o abrigo de uma das paredes da barraca; e tudo cercado do mais desolador abandono. Se o morador cria galinhas, elas vivem soltas, dormem nas árvores, misturam-se com as dos vizinhos e, por isso, provocam rixas violentas entre as mulheres e maridos, quando disputam a posse dos ovos.

Por vezes, no fundo, na frente ou aos lados deles, há uma árvore de mais vulto: um cajueiro, um mamoeiro, uma pitangueira, uma jaqueira, uma laranjeira; mas nenhum sinal de amanho do terreno, de tentativa de cultura, a não ser um canteirozinho com uns pés de manjericão ou alecrim. Isto às vezes; e, às vezes também, uma touceira de bananeira.

A guaxima cresce, e o capim, e a vassourinha, e o carrapicho e outros arbustos silvestres e tenazes.

O barracão de dona Felismina era de um só aposento, mas o da vizinha, dona Emerenciana, tinha dois. Eram ambos da primeira espécie. Dona Emerenciana era casada com o senhor Romualdo, servente ou coisa que o valha em uma dependência da grande oficina do Trajano. Era preta como dona Felismina e honesta como ela. Defronte ficava a residência da Antônia, uma rapariga branca, com dois filhos pequenos, sempre sujos e rotos. A sua residência era mais modesta: as paredes do seu barraco eram de taipa.

A vizinhança, ao mesmo tempo que falava dela, tinha-lhe piedade:

— Coitada! Uma desgraçada! Uma perdida!

Era bem nova ela, mas fanada pelo sofrimento e pela miséria. Com os seus vinte e poucos anos de idade, de boas feições, mesmo delicadas, a sua história devia ser a triste história de todas essas raparigas por aí...

Mal comendo, ela e os filhos; mal tendo com que se cobrir, todas as manhãs, quando saía a comprar um pouco de café e açúcar, na venda do Antunes, e, na padaria do Camargo, um pão — que lhe teria custado, quem sabe! que profunda provação no seu pudor de mulher, para ganhá-lo — não se esquecia nunca de colher pelo caminho uns "boas-noites", umas flores de melão-de-são-caetano, de pinhão, de quaresma, de manacás, de maricás — o que encontrasse — para enfeitar-se ou trazê-las nas mãos, em ramalhete.

Todos da rua dos Maricás — era este o nome daquele trilho de Inhaúma — conheciam-lhe a vida, mas com a piedade e compaixão próprias à ternura do coração do povo humilde pela desgraça, tratavam-na como outra fosse ela e a socorriam nas suas horas de maiores aflições. Só o Antunes, o da venda, com o seu empedernido coração de futuro grande burguês, é que dizia, se lhe perguntavam quem era:

— Uma vagabunda.

Dona Felismina gozava de toda a consideração nas cercanias e até de crédito, tanto no Antunes, como no Camargo da padaria. Além de lavar para fora, tinha uma pequena pensão que lhe deixara o marido, guarda-freios da Central, morto em um desastre. Era uma preta de meia-idade, mas já sem atrativo algum. Tudo nela era dependurado e todas as suas carnes, flácidas. Lavava todo o dia e todo o dia vivia preocupada com o seu humilde mister. Ninguém lhe sabia uma falta, um desgarro qualquer, e todos a respeitavam pela sua honra e virtude. Era das pessoas mais estimadas da ruela e todos depositavam na humilde crioula a maior confiança. Só a Baiana tinha-a mais. Esta, porém, era "rica". Morava em uma das poucas casas de tijolo da rua dos Espinhos, casa que era dela. Vendedora de angu, em outros tempos, conseguira juntar alguma coisa e adquirira aquela casita, a mais bem tratada da rua. Tinha "homem" enquanto lhe servia; e, quando ele vinha aborrecê-la mandava-o embora, mesmo a cabo de vassoura. Muito enérgica e animosa, possuía uma piedade contida que se revelou perfeitamente numa aventura curiosa de sua vida. Uma manhã, havia cinco ou seis anos, saindo com o seu tabuleiro de angu, encontrou em uma calçada um embrulho um tanto grande. Arriou o tabuleiro e foi ver o que era. Era uma criança, branca — uma menina. Deu os passos necessários e criava a criança, que, nas imediações, era conhecida por "Baianinha". E, ao ir às compras na venda, o caixeiro lhe dizia por brincadeira:

— "Baianinha", tua mãe é negra.

A pequena arrufava-se e respondia com indignação:

— Negra é tu, "seu" burro!

A Baiana, porém, era "rica", estava mais distante. Dona Felismina, porém, ficava mais próximo da vida de toda aquela gente da rua. Os seus conselhos eram ouvidos e procurados, e os seus remédios eram aceitos como se partissem da prescrição de um doutor. Ninguém como ela sabia dar um chá conveniente, nem aconselhar em casos de dissídias domésticas. Detestava a feitiçaria, os bruxedos, os macumbeiros, com as suas orgias e barulhadas; mas inclinava-se para o espiritismo, frequentando as sessões do "seu" Frederico, um antigo colega do seu marido, mas branco, que morava adiante, um pouco acima. Além da medicina de chás e tisanas, ela aconselhava àquela gente os medicamentos homeopáticos. A beladona, o acônito, a briônia, o súlfur eram os seus remédios preferidos e quase sempre os tinha em casa, para o seu uso e dos outros.

Certa vez salvou um dos filhos da Antônia de uma convulsão e esta lhe ficou tão grata que chegou a prometer que se emendaria.

Dona Felismina morava com o seu filho José, o Zeca, um pretinho de pele de veludo, macia de acariciar o olhar, com a carapinha sempre aparada pelos cuidados da mão de sua mãe, e também com as roupas sempre limpas, graças também aos cuidados dela.

Tinha todos os traços de sua raça, os bons e os maus; e muita doçura e tristeza vaga nos pequenos olhos que quase ficavam no mesmo plano da testa estreita.

Era-lhe este seu filho o seu braço direito, o seu único esteio, o arrimo de sua vida com os seus nove ou dez anos de idade. Doce, resignado e obediente, não havia ordem de sua mãe que ele não cumprisse religiosamente. De manhã, o seu encargo era levar e trazer a roupa dos fregueses; e ele carregava os tabuleiros de roupa e trazia as trouxas; sem o menor desvio de caminho. Se ia à casa do "seu" Carvalho, ia até lá, entregava ou recebia a roupa e voltava sem fazer a menor traquinada, a menor escapada de criança por aquelas ruas que são mais estradas que rua mesmo. Almoçava e a mãe quase sempre precisava:

— Zeca, vai à venda e traz dois tostões de sabão "regador".

Na venda, entre todo aquele pessoal tão especial e curioso das vendas suburbanas: carroceiros, verdureiros, carvoeiros, de passagens; habitués do parati, como os há na cidade de chope; conversadores da vizinhança, gente sem ter que fazer que não se sabe como vive, mas que vive honestamente; um ou outro degradado da sua condição anterior ou nascimento — entre toda essa gente, Zeca era mais imperioso e gritava:

— Caixeiro, "mi" serve já. Dois tostões de sabão "regador"!

Se o caixeiro estava atendendo à dona Aninha, mulher do servente dos telégrafos, Fortes, e não vinha atendê-lo logo, Zeca insistia, fingindo-se irritado:

— "Mi despache", caixeiro! Dois tostões de sabão "regador".

"Seu" Eduardo, o caixeiro, que era bom e habituado a suportar a insolência dos pequenos que vão às compras, fazia docemente:

— Espere, menino. Você não vê que estou servindo, aqui, a dona Aninha!

A mãe tinha vontade de pô-lo no colégio; ela sentia a necessidade disso todas as vezes que era obrigada a somar os róis. Não sabendo ler, escrever e contar, tinha que pedir a "seu" Frederico, aquele "branco" que fora colega de seu marido. Mas, pondo-o no colégio, quem havia de levar-lhe e trazer-lhe a roupa? Quem havia de fazer-lhe as compras?

À tarde, Zeca descansava, brincava com as crianças do lugar um pouco; mas, ao anoitecer, já estava perto da mãe que remendava a roupa dos fregueses, à luz do lampião de querosene, cuja fumaça enegrecia o zinco do teto do barracão.

Se bem fosse com a mãe todos os meses receber a módica pensão que o pai deixara, na Caixa dos Guarda-Freios, o seu sonho não era viver no centro da cidade, nas suas ruas brilhantes, cheias de bondes, automóveis, carroças e gente. Zeca desprezava aquilo tudo. O seu sonho era o Engenho de Dentro e o seu cinema. Ter dinheiro, para ir sempre a ele, ver-lhe instantemente as "fitas" que os grandes cartazes anunciavam e o tímpano a soar continuamente insistia no convite de vê-las. Quando sua mãe permitia, aos domingos, com outra criança ajuizada da vizinhança, ia até à estação, até lá, defronte do fascinante cinema. Encostava-se, então, à grade da estrada de ferro e ficava a olhar, no alto, minutos a fio, aqueles grandes painéis, cheios de grandes figuras, deslumbrantes na sua cercadura de lâmpadas elétricas, como se tudo aquilo fosse uma promessa de felicidade. Como atingiria aquilo? O céu talvez não fosse mais belo... Em cima dos seus tamancos domingueiros, com o terno de casimira que a caridade do coronel Castro lhe dera, e a tesoura de sua mãe adaptara a seu corpo, ele, fascinado, não pensava senão naquele cinema brilhante de luzes e apinhado de povo. Nem o apito dos trens o distraía e só a passagem dos bondes elétricos aborrecia-o um pouco, por lhe tirar vista do divertimento. Não tinha inveja dos que entravam; o que ele queria era entrar também.

Como havia de ser uma "fita"? As moças se moviam sob luzes? Como faziam-nas grandes, parecidas? Como apareciam os homens tal e qual? As árvores e as ruas? E sem falar, como é que tudo aquilo falava?

Podia ter dinheiro para ir, pois, em geral, sempre os fregueses de sua mãe lhe davam um níquel ou outro; mas, mal os apanhava, levava-os à mãe que sempre andava necessitada deles, para a compra do trincal, do polvilho, do sabão e mesmo para a comida que comiam. Distraí-los com o cinema seria feio e ingratidão para com a sua mãe. Um dia havia de ir ao cinema, sem sacrificá-la, sem enganá-la, como mau filho. Ele não o era como o Carlos que furtava os do próprio pai...

Zeca, por seu procedimento, pela sua dedicação à mãe, era muito estimado de todos e todos lhe davam gratificações, gorjetas, balas, frutas, quando ia entregar ou buscar a roupa.

Muitos se interessavam com a mãe, para pô-lo em um recolhimento, em um asilo; ela, porém, embora quisesse vê-lo sabendo ler, sempre objetava, e com razão, a necessidade que tinha dos seus serviços, pois era este seu único filho o braço direito dela, seu único auxílio, o seu único "homem".

Uma vez quase cedeu. O "seu" Castro, o coronel, empregado aposentado da alfândega, conhecido em Inhaúma pelo seu gênio benfazejo e seu infortúnio com os filhos e filhas, viera-lhe até à sua própria casa, até àquele barracão, naquela modesta rua, bordada de um lado e outro de sebes de maricás e de "pinhão", e expôs-lhe a que vinha. Dona Felismina respondeu-lhe com lágrimas nos olhos:

— Não posso, "seu" coronel; não posso... Como hei de viver sem ele? É ele quem me ajuda... Sei bem que é preciso aprender, saber, mas...

— Você vai lá para casa, Felismina; e não precisa estar se matando.

Titubeou a rapariga e o velho funcionário compreendeu, pois desde há muito já tinha compreendido, na gente de cor, especialmente nas negras, esse amor, esse apego à casa própria, à sua choupana, ao seu rancho, ao seu barracão — uma espécie de Protesto de Posse contra a dependência da escravidão que sofreram durante séculos. Apesar da recusa, o coronel Castro, em quem a idade e as desgraças domésticas tinham mais enchido de bondade o seu coração naturalmente bom, nunca deixou de interessar-se pela criança, que o penalizava excessivamente. A sua meiguice, a sua resignação, aquele árduo trabalho diário para a sua idade eram motivos para que o velho e tristonho aposentado sempre a olhasse com a mais extremada simpatia. Quando o pretinho ia à sua casa levar-lhe a sua ou a roupa das filhas, dava-lhe sempre qualquer coisa, puxava-lhe a língua, perguntava-lhe pelas suas necessidades.

Certo dia, em começo do ano, o pequeno Zeca chegou-lhe em casa com a fisionomia um tanto transtornada. Parecia ter chorado e muito. O coronel, homem para quem, como disse um sábio, não havia nada insignificante e desprezível que pudesse causar dor ou prazer à mais humilde criatura, que não merecesse a atenção do filósofo — o coronel interrogou-o sobre o motivo de sua mágoa.

— Foi tua mãe?

— Não, "seu" coronel.

— Que foi, então, Zeca?

O pequeno não quis dizer e não cessava de olhar o chão, de encará-lo, de cravá-lo, de cavá-lo, de enterrar toda a sua vida nele. Zeca estava na varanda de uma velha casa de fazenda, como ainda as há muito por lá, varanda em parapeito e colunas, no clássico estilo dessas velhas habitações; o coronel nela também estava lendo os jornais, na cadeira de balanço, e só deixara a leitura quando avistou o pequeno que subia a ladeira com o tabuleiro de roupa à cabeça.

A atitude do pequeno, a sua recusa em confessar o motivo do seu choro e o seu todo de desalento fizeram que o velho funcionário, já por ternura natural, já por bondosa curiosidade, procurasse a causa da dor que feria tão profundamente aquela criança tão pobre, tão humilde, tão desgraçada, quase miserável.

— Dize, Zeca. Dize que eu te darei uma vestimenta de "diabinho" no Carnaval que está aí.

O pretinho levantou a cabeça e olhou com um grande e brusco olhar de agradecimento, de comovido agradecimento àquele velho de tão belos cabelos brancos.

Confessou; e Castro nada disse a ninguém da humilde e ingênua confissão do pretinho Zeca.

Aproximou-se o Carnaval; e, quando foi sábado, véspera dele, dona Felismina retirou mais cedo dos arames a roupa branca que estivera a secar.

Atarefada com esse serviço, ela não viu que o seu filho entrara-lhe pelo barracão adentro, sobraçando um embrulho guizalhante e um outro, com rasgões no papel, por onde saíam recurvados chifres e uma formidável língua vermelha. Era uma horrível máscara de "diabo".

Dona Felismina veio para o interior do barracão; e pôs-se a arrumar a roupa seca ou corada. Zeca, distraído, no outro extremo do aposento, não a viu entrar e, julgando-a lá fora, desembrulhou os apetrechos carnavalescos. Sobre a humilde e tosca mesa de pinho estendeu uma rubra vestimenta de ganga rala e uma máscara apavorante de olhos esbugalhados, língua retorcida e chifres agressivos, apareceu tão amedrontadora que se o próprio diabo a visse teria medo.

A mãe, ao barulho dos guizos, virou-se, e, vendo aquilo, ficou subitamente cheia de más suspeitas:

— Zeca, que é isso?

Uma visão dolorosa lhe chegou aos olhos, da casa de detenção, das suas grades, dos seus muros altos... Ah! meu Deus! Antes uma boa morte!... E repetiu ainda mais severamente:

— Que é isso, Zeca? Onde você arranjou isso?

— Não... mamãe... não...

— Você roubou, meu filho?... Zeca, meu filho! Pobre, sim; mas ladrão, não! Ah! meu Deus!... Onde você arranjou isso, Zeca?

A pobre mulher quase chorava e o pequeno, transido de medo e com a comoção diante da dor da mãe, balbuciava, titubeava e as palavras não lhe vinham. Afinal, disse:

— Mas... mamãe... não foi assim...

— Como foi? Diz!

— Foi "seu" Castro quem me deu. Eu não pedi...

Dona Felismina sossegou e o pequeno também. Passados instantes, ela perguntou com outra voz:

— Mas para que você quer isso? Antes tivesse dado a você umas camisas... Para que essas bobagens? Isso é para gente rica, que pode. Enfim...

— Mas, mamãe, eu aceitei, porque precisava.

— Disto! Ninguém precisa disto! Precisa-se de roupa e comida... Isto são tolices!

— Eu precisava, sim senhora.

— Como, você precisava?

— Não lhe contei que há meses, diversas vezes, quando passava, para ir à casa de dona Ludovina, diante do portão do capitão Albuquerque, os meninos gritavam: ó moleque! — ó moleque! — ó negro! — ó gibi!? Não lhe contei?

— Contou-me; e daí?

— Por isso quando o coronel me prometeu a fantasia, eu aceitei.

— Que tem uma coisa com a outra?

— Queria amanhã passar por lá e meter medo aos meninos que me vaiaram.

Harakashy e as escolas de Java[127]

> *Tudo o que este mundo encerra é propriedade do brâmane, porque ele, por seu nascimento eminente, tem direito a tudo o que existe.*
>
> Código de Manu[128]

Na minha peregrinação sentimental por este mundo, fui ter, não sei como, à cidade de Batávia, na ilha de Java.

É fama que os franceses ignoram sobremodo a geografia; mas estou certo de que, entre nós, pouca gente tem notícias seguras dessa ilha e da capital das Índias Neerlandesas.

É pena, pois é da terra um dos recantos mais originais e cheios de surpreendentes mistérios que se vão aos poucos desvendando aos olhos atônitos da nossa pobre humanidade.

Lá, Dubois achou partes do esqueleto do *Pithecanthropus erectus*; e o doido do Nietzsche tinha admiração por certas trepadeiras dessa curiosa ilha, porque, dizia ele, amorosas do sol, se enrodilhavam pelos carvalhos e, apoiadas neles, elevavam-se acima dos mais altos galhos dessas árvores veneráveis, banhavam-se na luz e davam a sua glória em espetáculo.

Os restos do afastado ancestral do homem que Dubois encontrou, não os vi quando lá estive.

Trepadeiras e cipós vi muitos, mas carvalho não vi nenhum. Nietzsche, que lá não esteve, certamente julgou que Java tinha alguma semelhança com Saxe ou com a Suíça.

Não eram precisos os carvalhos nem as tais trepadeiras, muito vulgarmente, como todas as plantas, amorosas da luz, para tornar Java interessante, porque só o aspecto mesclado de sua população, a confusão do seu pensamento religioso, as suas antiguidades búdicas e os seus vulcões descomunais seduzem e prendem a atenção do peregrino desgostoso ou do sábio esquadrinhador.

Por meses e meses, o tédio mais principesco desfaz-se naquelas terras de sol candente e orgia vegetal que, talvez, com a Índia e os grandes lagos da África, sejam os únicos lugares da terra que não foram ainda banalizados inteiramente.

Creio que não será assim por muito tempo. Lá estão os holandeses; e edificaram até, na cidade de Batávia, um bairro europeu chamado, na língua deles, Weltevreden (paz do mundo), cujas damas se vestem e têm todos os tiques periódicos das moças de Hong-Kong ou de Petrópolis.

Nos olhos das mulheres do bairro europeu não há senão a mui terrena ânsia da fortuna; mas nos olhares negros, luminosos, magnéticos das javanesas há coisas do Além, o fundo do mar, o céu estrelado, o indecifrável mistério da sempre misteriosa Ásia. Também há volúpia e há morte.

A massa de hindus, de chineses, de anamitas, de malaios e javaneses, porém, esmaga a banalidade pretensiosa daquelas holandesas rechonchudas que estão pedindo a sua imediata volta às monótonas campinas da pátria, com as suas vacas nédias, os seus clássicos moinhos de vento e a ligeira névoa que parece sempre cobri-las, para readquirirem o necessário relevo das suas pessoas.

Não falando no famoso jardim botânico dos arredores, Batávia, como São Paulo ou Cuiabá, possui estabelecimentos e sociedades de ciência e de arte dignas de atenção.

A sua academia de letras é muito conhecida na rua principal da cidade, e os literatos da ilha brigam e guerreiam-se cruamente, para ocuparem um lugar nela. A pensão que recebem é módica, cerca de cinco patacas, por mês, na nossa moeda; eles, porém, disputam o *fauteuil* acadêmico por todos os processos imagináveis. Um destes é o empenho, o nosso "pistolão", que procuram obter de quaisquer mãos, sejam estas de amigos, de parentes, das mulheres, dos credores ou, mesmo, das amantes dos acadêmicos que devem escolher o novo confrade.

Há de parecer que, por tão pouco, não valia a pena disputar acirradamente, como fazem, tais posições. É um engano. O sujeito que é acadêmico tem facilidade em arranjar bons empregos na diplomacia, na alta administração; e a grande burguesia da terra, burguesia de acumuladores de empregos, de políticos de honestidade suspeita, de leguleios afreguesados, de médicos milagrosos ou de ricos desavergonhados, cujas riquezas foram feitas à sombra de iníquas e aladroadas leis — essa burguesia, continuando, tem em grande conta o título de membro da academia, como todo outro qualquer, e o acadêmico pode bem arranjar um casamento rico ou coisa equivalente.

    Lá, a literatura não é uma atividade intelectual imposta ao indivíduo, determinada nele, por uma maneira muito sua e própria do seu feitio mental; para os javaneses, é, nada mais, nada menos, que um jogo de prendas, uma sorte de sala, podendo esta ser cara ou barata.

Os médicos, que, em Java, têm outra denominação, como veremos mais tarde, são os mais constantes fregueses da academia. Estão sempre a bater-lhe na porta, apesar de não ter a medicina nada que ver com a literatura.

Pertencendo à Academia de Letras — é o que imagino — como que eles ganham maior confiança dos clientes e mais segurança no emprego dos remédios. Assim, talvez, pensem eles e também o povo, tanto que a clínica lhes aumenta logo que entram para a ilustre companhia javanesa.

É bem possível que as suas letras e a sua fascinação pela Academia visem somente tal resultado, porquanto, entre eles, a rivalidade na clínica é terrível e mais ainda quando se trata de competir com colegas estrangeiros. Usam contra estes das mais desleais armas.

Um houve, natural de um pequeno país da Europa e de extração campônia, que só as pôde manter à distância, usando de armas e processos grosseiramente saloios. Estava sempre de varapau em punho e foi o meio mais eficaz que encontrou, para não lhe caluniarem e lhe prejudicarem a clínica.

A literatura desses doutores e cirurgiões é das mais estimadas naquelas terras; e isto, por dois motivos: porque é feita por doutores e porque ninguém a lê e entende.

O critério literário e artístico dos médicos de Java não é o de Hegel, de Schopenhauer, de Taine, de Brunetière ou de Guyau, eles não perdem tempo com semelhante gente. Não admitem que a obra literária tenha por fim manifestar um certo caráter saliente ou essencial do assunto que se tem em vista, mais completamente do que o fazem os fatos reais. Literatura não é fazer entrar no patrimônio do espírito humano, com auxílio dos processos e métodos artísticos, tudo o que interessa o uso da vida, a direção da conduta e o problema do destino. Não, absolutamente não.

Os doutores javaneses de curar não entendem literatura assim. Para eles, é boa literatura a que é constituída por vastas compilações de coisas de sua profissão, escritas laboriosamente em um jargão enfadonho com fingimentos de língua arcaica.

Curioso é que a primeira qualidade exigida em um livro de estudo é a sua perfeita, completa clareza, que só pode ser obtida com a máxima simplicidade de escrever, além de um encadeamento naturalmente lógico de suas partes, evitando-se tudo o que distraia a atenção do leitor daquilo que se quer ensinar.

Vou explicar-me melhor e os leitores verão como os sábios javaneses prendem a atenção, poupam o esforço mental dos seus discípulos, empregando termos obsoletos e locuções que desde muito estão em desuso.

Suponhamos que um médico nosso patrício se proponha a escrever um tratado qualquer de patologia e empregue a linguagem de João de Barros, mesclada com a do Padre Vieira, sem esquecer a de Alexandre Herculano. Eis aí em que consiste a literatura suculenta dos doutores javaneses; e todos de lá lhes admiram as obras escritas em tal patoá ininteligível. Darei um exemplo, servindo-me do nosso idioma.

Antes, porém, de dar essa mostra do modo de escrever dos esculápios de lá, dar-lhes-ei o de falar, com uma anedota que me contaram lá mesmo — porque lá há também irreverentes e observadores. Uma família média, tendo o chefe doente e vendo que a moléstia não dava volta com o modesto médico assistente, resolveu chamar uma das celebridades da medicina javanesa. A mulher do doente era quem mais queria isto, porque, embora possam ser excelentes, com todos os bons predicados, nenhuma mulher perde de todo a vaidade; e a visita de uma notabilidade hipocrática fazia falar a vizinhança. Foi chamado o homem, o doutor Lhovehy, um celebridade retumbante, professor, membro de várias academias, inclusive a de Letras e a de História e Geografia.

Ele foi de carro, com a visita paga adiantadamente: cento e cinquenta florins. Em chegando junto ao doente, com três jeitos de mau ator foi falando assim:

— Até agora quem o há tratado?

— O doutor Nepuchalyth.

— Mister é que tenhais sempre atilamento com esses físicos incautos. Eles são homens que não curam senão por experiência e costume; e é tão bom de enganar os néscios não afeitos ao bom parecer dos físicos de valia que dão cor a facilmente serem enganados por eles e o pior é que alguns clientes físicos, ou por contentar todos os do povo e não querer trabalhar ou especular as curas, vão-se com o parecer deles; e porque ser aprazível ao povo faz ao físico ganhar mais moedas, usam logo em princípio as suas mezinhas deles.

Depois de ter pronunciado esse exórdio com toda a solenidade teatral e doutoral, o Garcia Orta[129] não anunciado, da sublime escola de Java, examinou o doente e receitou em grego. Quase ao sair, a mulher perguntou-lhe:

— Doutor, qual a dieta?

— Polho cozido ou caldo dele.

A mulher voltou para junto do marido, sem ter compreendido a dieta, pois temeu mostrar-se ignorante em face do sábio, indagando o que era polho.

Logo que a viu, o marido ralhou-a com doçura:

— Filha, eu não dizia a você que esses médicos famosos não servem para nada?... Este que você trouxe fala que ninguém o entende, como se a gente falasse para isso... Receita umas mixórdias misteriosas... Sabe você de uma coisa? Continuo com o doutor Nepuchalyth, ali da esquina. Este ao menos tem juízo e não inventou um modo de falar para ele só entender.

O exemplo de que falei acima é o que se encontra em obras de um famoso doutor lá de Java. Cito um único, mas poderia citar muitos. O javanês, doutor de curas, queria dizer: "Sou de opinião que a febre deve ser combatida na sua causa".

Julgou isto vulgar, indigno do seu título e das suas prerrogativas consuetudinárias, e escreveu provocando a máxima admiração dos seus leitores, da seguinte forma:

"Erro, quer parecer-me, é não se atentar donde provêm tal febre com incendimento e modorra, para só tratá-la às rebatinhas, tão de pronto como se mesmo fora ela a doença, senão consequência muita vez de vitais desarranjos imigos da sã vida e onde o físico de recado achará a fonte ou as fontes do mal que deixa assim o corpo sem os bons e sãos aspectos de sua habitual composição."

Depois de uma beleza destas, a sua entrada na academia foi certa e inevitável, pois é nessa espécie de pot-pourri de estilos de tempos desencontrados, com o emprego de um vocábulo senil, tirado à sorte; de salada de feitos de linguagem de épocas diferentes, de modismos de séculos afastados uns dos outros, que a gente inteligente de Java encontra a mais alta expressão da sua oca literatura. Há exceções, devo confessar. Continuo, sem me deter nelas.

A ciência javanesa está muito adiantada. Nunca se fez lá a mais insignificante descoberta; nunca um sábio javanês edificou uma teoria qualquer.

Penso que tal se dá por não haver precisão disso; os da estranja suprem as necessidades da mentalidade javanesa.

O sábio da Batávia é o contrário de todos os outros sábios do mundo. Não é um modesto professor que vive com seus livros, seus algarismos, suas retortas ou *éprouvettes*. O sábio de Java, ao contrário, é sempre um ricaço que foge dos laboratórios, dos livros, das retortas, dos cadinhos, das épuras, dos microscópios, das equatoriais, dos telescópios, das cobaias, tem cinco ou seis empregos, cada qual mais afanoso, e não falta às festas mundanas.

A presunção de cientista, entretanto, não há quem lá não a tome. Basta que um sujeito tenha aprendido um pouco de álgebra ou folheado um compêndio de anatomia, para se julgar cientista e se encher de um profundo desdém por toda a gente, sobretudo pelos literatos ou poetas. Contudo todos desse gênero querem sê-lo e, em geral, são péssimos.

Vou lhes contar um caso que se passou com o doutor Karitschâ Lanhi, quando foi nomeado diretor do câmbio do Banco Central de Java. Esse doutor era professor da Escola de Sapadores, da qual mais adiante falarei, e por isso se julgou no direito de pleitear o lugar do banco. No dia seguinte de sua nomeação, o seu subalterno imediato foi perguntar-lhe qual a taxa de câmbio que devia ser afixada.

— Sempre para a alta. Qual foi a taxa de ontem?

O empregado retrucou:

— 18 5/17, doutor.

O sábio pensou um pouco e determinou:

— Afixe: 18 5/21, senhor Hatati.

O homem reprimiu o espanto e todo o banco riu-se de tão seguro financeiro que lhe caía do céu, por descuido. Não houve remédio senão demitir-se ele uma semana depois de nomeado.

São assim os graves sábios de Java.

Não nos afastemos, porém, do nosso estudo.

Das grandes artes técnicas, a mais avançada, como era de esperar, é a medicina. O tratamento geralmente empregado é o do vestuário médico. Consiste ele em usar o doutor certo traje para curar certa moléstia. Para sarar bexigas, o médico vai em ceroulas; para congestão de fígado, sobrecasaca e cartola; para tuberculose, tanga e chapéu de palha de coco; antraz, de casaca etc. etc.

Este curioso método foi descoberto recentemente em um país próximo que o repudiou, mas veio revolucionar a medicina da grande ilha. Os físicos locais adotaram-no imediatamente e aumentaram o preço das visitas e redobraram a caça aos empregos, para atender às despesas com a indumentária e os aviamentos.

Estava a ponto de esquecer-me de falar no ensino da célebre ilha do arquipélago de Sonda, pois tanto me alonguei no estudo dos seus médicos, que vou ter a ele com pressa.

Existe uma universidade com três faculdades superiores: a de "Sapadores", a de "Cortadores" e a de "Físicos". Os cursos destas faculdades duram cerca de cinco anos, mas cada uma delas tem um subcurso menor, de dois ou três anos. A de "Sapadores" tem o de "consertadores de picaretas"; a de "Cortadores", o de "embrulhadores"; e a de "Físicos", o de "cobradores".

Nas margens do Jacarta, rio que banha a Batávia, quem não tem um título dado por uma dessas faculdades não pode ser nada, porquanto, aos poucos, os legisladores da terra e a estupidez do povo foram exigindo para exercer os grandes e pequenos cargos do Estado, quer os políticos, quer os administrativos, um qualquer documento universitário de sabedoria.

Todos, por isso, tratam de obtê-lo e é a mais dura vicissitude da vida ser reprovado no curso. É raro, mas acontece. Os jovens javaneses empregam toda espécie de meios para não serem reprovados, menos estudar. Essa contingência pueril da "bomba", na sociedade javanesa, leva às almas dos moços daquelas paragens um travo tão amargo de desconforto que toda a felicidade que lhes chegar posteriormente não o atenuará, e muito menos será capaz de dissolvê-lo.

E mesmo que ele se acredite por sua própria iniciativa, mais valiosa e mais segura que os papéis oficiais; por mais aptidões que demonstre sem título — tem que vegetar em lugares subalternos e dar o que tem de melhor aos outros titulados, para que figurem estes como capazes. Ele escreverá as cartas de amor; mas os beijos não serão nele. Por um curioso fenômeno sociológico, as ideias bramânicas de casta se enxertaram nas caducas concepções universitárias do medievo europeu e foram dar nas ilhas de Sonda, sob o pretexto de ensino, nessa estranha e original concepção do doutor javanês. Aproveito a ocasião para avisar os leitores que essa concepção religioso-universitária também existe na República de Bruzundanga.

Creio, porém, que ela é originária da grande ilha da Malásia donde foi ter àquela República, por caminho que não descobri.

Como todo moço que tem legítimas ambições naquele recanto do nosso planeta, Harakashy, um javanês que foi muito meu amigo mais tarde, conseguiu entrar para a Escola dos Sapadores, a fim de acreditar-se na sociedade em que vivia, e ter o seu lugar sob o sol, com o título que a faculdade dava. Era malaio com muitas gotas de sangue holandês nas veias, mas sem fortuna nem família. No começo, as coisas foram indo, ele passou; mas, em breve, Harakashy desandou e foi reprovado umas dez vezes na universidade.

Em absoluto, não houve injustiça. O meu amigo nada sabia, porque ingenuamente deduzira dos fatos que a principal condição para ser aprovado, nos exames de Java, é não saber. Enganava-se, porém, supondo que tal homenagem fosse prestada a todos. Recebem-na os filhos dos grandes dignitários da colônia, dos ricaços, dos homens de negócios que sabem levantar capitais; mas escolares que não têm tal ascendência, como o meu amigo, estão talhados para engrossar a estatística dos reprovados, a fim de comprovar o rigor que há nos estudos da Universidade de Batávia.

Dá-se isto, não por culpa total dos professores; mas pelas solicitações de toda a sociedade batavense que quer seus lentes universitários, homens de salão, de teatros caros, de bailes de alto bordo; e eles, para aumentar as suas rendas, que custeiem esse luxo, têm que viver ajoujados aos ministros que dão empregos, ou aos *brasseurs d'affaires* que lhes pedem emprestados os nomes para apadrinhar empresas honestas, semi-honestas e mesmo desonestas, em troco de boas gorjetas.

Quem meu filho beija, minha boca adoça — diz o nosso povo.

Em uma sociedade que se modelou assim, não era possível que o meu Harakashy fosse lá das pernas.

Entretanto, eu o conheci e o senti muito inteligente, culto, amigo dos livros e todo ele saturado de anseios espirituais. Gostava muito de filosofia, de letras e, sobretudo, de história. Leu-me ensaios e eu achei muito bem escritos, revelando uma grande cultura e um grande poder de evocar.

Mas Java é muito estúpida e não admite inteligência senão nos "sapadores", nos "físicos" e nos "cortadores".

Ainda não lhes disse o que são os tais "cortadores". São estes assim como os nossos advogados e o seu emblema é uma tesoura, devido a ser, senão de regra, mas de praxe, de tradição que toda defesa ou acusação judiciária tenha o maior número de citações possíveis e tais peças são mais estimadas quando as referências aos autores consultados vêm nelas coladas com os próprios retalhos dos livros aludidos. A tesoura é instrumento próprio para isto e, dessa maneira, enriquece os "cortadores", pois os arrazoados dessa natureza são muito bem pagos, embora lhes estraguem as bibliotecas que alcançam muito baixas licitações quando vão a leilão.

Atribuí o desastre da vida escolar do meu amigo ao fato de ele não ter nenhum jeito para qualquer das grandes profissões liberais que a Batávia oferece aos seus filhos.

Se Harakashy nascesse em França ou em outro país civilizado, naturalmente a sua própria vocação encaminhá-lo-ia para uma aplicação mental, de acordo com a sua feição de espírito; mas, em Java, tinha que ser uma daquelas três coisas, se quisesse figurar como inteligente. Não achando campo para a sua atividade cerebral, muito pouco atraído para o estudo das "picaretas automáticas", muito orgulhoso para bajular os professores e aceitar aprovações por comiseração, o meu amigo ficou naquela exuberante terra sem norte, sem rumo, absolutamente sem saber o que fazer.

Ensinava para vestir-se e comer. E todos que o conheciam desde menino admiravam-se que, ao infante galhardo dos seus primeiros anos, se houvesse substituído nele um rapaz macambúzio, isolado, amargo e cruel nas suas conversas camarárias, ressumando sempre uma profunda tristeza.

Aos profundos, parecerá vão; aos superficiais, parecerá tolo — tão grandes consequências para tão fracas causas.

Não me animo a discutir, mas lembro que o amor tem qualquer coisa de parecido...

Visitei-o sempre. Amei-o na sua desordem de espírito, imensa e ambiciosa de fazer o Grande e o Novo. Em uma das minhas visitas, encontrei-o no seu modesto quarto, deitado em uma espécie de enxerga, fumando e tendo um gordo livro ao lado. Eu entrava sem me anunciar. Trocamos algumas palavras e ele me disse logo após:

— Fizeram muito bem em não me deixar ir adiante.

— E essa!

— Não te admires. Continuo a estudar história e estou convencido.

— Como?

— Lê este manuscrito.

Passou-me então um códice fortemente encadernado em couro.

Era o livro que tinha ao lado. Pude ler o título: *História da Universidade de Batávia com a biografia dos seus mais distintos alunos*, por Degni-Hatdy — 1878.

— Quem é este Degni-Hatdy? perguntei.

— Foi um gênio, meu caro. Um gênio de escola... Recebeu medalhas, diplomas, prêmios... Vive ainda, mas ninguém o conhece mais.

— É de interesse, a memória?

— É, e bastante, pois traz a lista dos alunos ilustres da universidade.

— Quais foram?

— Newton, Huyghens, Descartes, Kant, Pasteur, Claude Bernard, Darwin, Lagrange.

— Chega.

— Ainda: Dante e Aristóteles.

— Uff!

— Gente de primeira, como vês; e, quando soube, tive orgulho de ter sido de alguma forma colega deles; mas...

Por aí acendeu um cigarro, tirou duas longas fumaças com a languidez javanesa e continuou com a pachorra batava:

— Mas, como te dizia, bem cedo tive vergonha de ter um dia passado pela minha mente que eu era capaz de emparelhar-me com tais gênios. E verdade que não sabia terem eles frequentado a universidade... Vou esconder-me em qualquer buraco, para me resgatar de tamanha pretensão.

Saí. Ainda o vi durante alguns dias; mas, bem depressa, desapareceu dos meus olhos. Pobre rapaz! Onde estará?

Congresso Pan-Planetário[130]

Urubu pelado não se mete no meio dos coroados
Ditado popular

De tal forma se haviam multiplicado os congressos, que foi preciso ser original. Dentro de cada um dos oito planetas, desde o mais bronco, que me parece ser Vênus, até o mais inteligente, que naturalmente deve ser Netuno, não era possível reunir um que não fosse a milésima repartição dos outros anteriores. Congressos nunca foram coisas de primeira necessidade; mas a necessidade do espetáculo tem em todos nós tão fortes exigências como desvios convenientes.

Demais, Júpiter estava em tal estado de adiantamento que precisava mostrar-se ao sistema todo. Produzia por ano 200 000$000 de toneladas de aperfeiçoadas farpas de bambus (específico contra as dores de dentes); e os seus filósofos e escritores, graças às modernas máquinas elétricas de escrever, abarrotavam os armazéns das estradas de ferro com bilhões de toneladas de papel impresso. Houve um que, narrando todas as suas conversas e atos do ano, dia por dia, hora por hora, minuto por minuto, segundo por segundo, escreveu uma obra de 68 922 volumes, com 20 677 711 páginas, das quais 3 000 000 alvas e limpas — as melhores! — significavam as horas de seu sono sem sonhos.

O autor não omitiu nelas nem as ordens aos criados, nem tampouco as frases vulgares que trocamos ao cumprimentar. Tudo registrou porque, dizia ele, isso aumentava o peso da obra, e, portanto, o seu valor.

Era unicamente Júpiter que estava assim: o resto dos satélites do Sol vivia sofrivelmente... Como, porém, houvessem descoberto que todos eles estavam ligados por uma força oculta que, embora influindo mutuamente sobre todos eles, pesava mediocremente sobre os destinos particulares de cada um; e, como também fosse preciso ser original nos congressos — Júpiter propôs, e todos os planetas restantes aceitaram, a reunião de um congresso Pan-Planetário.

Era preciso, diziam os embaixadores de Júpiter, formar um espírito planetário, em contraposição ao espírito estelar. Com isso, eles escondiam o secreto desejo de vender aos outros planetas farpas aperfeiçoadas, remédios para calos, toneladas de um literário papel de embrulhos e outros produtos similares de sua atividade sem limites, não esquecendo o fito de conquistar alguns destes últimos ou parte deles.

Todos os outros não viram bem esse propósito de Júpiter; mas este lhes venceu a resistência convencendo-os de que deviam ser originais e chamar a atenção do Universo... O mundo estelar não nos debocha? Altair não está sempre a rir-se sarcasticamente de nós?

Aldebarã não nos ameaça com seu rubor? Sírius não nos desdenha? Havemos de lho mostrar.

A reunião — ficou decidido — teria lugar na Terra. Não porque a Terra fosse muito poderosa, mas porque, nos últimos anos, ela instalara nos seus polos uma imensa buzina que gritava para as estrelas — "Sou o primeiro planeta do orbe, tenho estradas de milhões de metros: sou o paraíso do Universo" etc. etc.

A buzina era indispensável, visto que os caminhos, palácios, jardins e teatros etc. se destinavam aos extraterrestres e tinham por fim atraí-los, no pensamento de que os estranhos viessem trazer a segura prosperidade dela — a Terra.

O seu povo, todos conhecem-no: é uma gente cheia de uma nevoenta poesia, tema, loquaz, um tanto indolente, mas liberal, por ser relaxada, e generosa, por ser liberal.

São defeitos e são qualidades, mesmo porque, para os povos, não há defeitos nem qualidades; há características, e mais nada.

Os de Júpiter não são assim; são rígidos, duros e frios; e têm dois sentimentos dominadores: o do enorme, que é o seu critério de beleza, e o do dourado.

Um habitante do grande planeta, uma vez na Terra, ao ver pelo crepúsculo o céu banhado de ouro liquefeito, esperneou de tal modo e de tal modo subiu às montanhas para colhê-lo que nos antípodas houve um terremoto.

Em vendo a cor do ouro, eles saem bufando, com o olhar injetado, em estado de fúria; e saem matando, estripando a indiferentes, a amigos, a parentes e até aos pais; e — curioso — só querem ouro para construir caixões de seis léguas de alturas e seis polegadas quadradas de base. Eis como sentem a beleza... A isso juntam um horror pelos gatos, um ódio idiota e histérico; no entanto, os "gatos" são bons; se velhos, têm a candura de criança; se crianças, uma grácil espontaneidade de encantar. Mesmo se não são melhores do que os seus companheiros de planeta, são perfeitamente iguais a eles.

Contudo, são doridos e auditivos, o que lhes dá a faculdade de criar uma poesia e uma música próprias, das quais os de Júpiter se aproveitam, à míngua de poder eles mesmos criar essas manifestações artísticas, pois a sua insensibilidade não o permite.

Mas os jupiterianos não os toleram, porque podem os "gatos" votar, embora fossem os próprios algozes destes que lhes tivessem dado esse direito.

Por qualquer dá cá aquela palha, os estúpidos jupiterianos se reúnem na praça pública e matam a pauladas, a fogo, à fouce, sem forma de processo alguma, sob o pretexto de que o "gato" queria casar ou namorava uma filha deles. Lá se chama banditismo e é coisa parecida com o linchamento yankee.

Um viajante, entretanto, que lá esteve, achou esses "gatos" excepcionalmente tímidos e doces, admirando-se que lá não houvesse mais crimes, provocados pelos sofrimentos e humilhações que eles sofrem.

Perseguem-nos de um modo bárbaro e covarde. Chamam-nos de poltrões, mas, quando querem guerrear, socorrem-se deles e os "gatos" se portam bem. Vem a paz, oprimem-nos, encurralam-nos mas, assim mesmo, eles crescem e multiplicam-se... Fraca raça!

Júpiter, como ia dizendo, acudiu ao grito da buzina e reuniu o congresso na Terra.

Na primeira sessão, logo os jupiterianos falaram na fraternidade de todos os animais do Universo: homens e gatos, burros e jupiterianos, marcianos e raposos. Um principal de Júpiter até, a esse respeito, fez um discurso muito bonito.

É muito cediça a manobra de Júpiter falar sempre em liberdade, fraternidade etc. Certa vez, ele declarou guerra a Saturno, para libertar-lhe os povos. Logo, porém, que o venceu, restabeleceu a escravatura que já estava absolvida. Tal e qual a América do Norte fez com o Texas, província do México, em 1837.

Como todos esperavam, os trabalhos do congresso prosseguiram com grande atividade.

Além de tratar do estabelecimento de pontes pênseis que ligassem todos os planetas entre si, o congresso votou as seguintes conclusões sobre a perfeita fraternidade animal, estabelecida nos seguintes pontos:

a) Não se deveria mais comer qualquer animal (boi, carneiro, porco);

b) As gaiolas dos pássaros deveriam ser aumentadas do dobro, no mínimo;

c) Na caça, uma espingarda não poderia ser carregada com mais de seis grãos de chumbo;

d) Generalizar 05 jogos de bola na sociedade dos cabritos.

O programa era vasto e piedoso; e até um principal de Júpiter, a esse respeito, orou e citou largamente a Bíblia, tanto o Antigo como o Novo Testamento, fazendo pena não haver ali muitas beatas que pudessem chorar com tal homem, tão digno de vir a substituir são Vicente de Paulo, porque não é próprio citar Sáquia-Múni.

O povo da Terra — boa gente! — exultou e encheu-se de orgulho por poder mandar às estrelas este grito: "Não comemos mais bois!! Nada temos com as estrelas!".

Houve festas: banquetes e bailes para alguns; luminárias para quem quisesse ver as fantasmagorias surpreendentes nos órgãos de publicidade.

No Céu, porém, Sírius sorriu e Altair mais amarela se fez. Da plêiade, duas estrelas empalideceram de espanto, e a Aldebarã quis avisar aos néscios, mas não pôde.

Júpiter vendeu a todos os seus irmãos toneladas de farpas, de remédios para calos, de papel literário; e isto com alguma violência, que me eximo de contar. De passagem, digo-lhes que ele ocupou um pedaço de Mercúrio...

Se tais produtos não estavam completamente envenenados, foram, no entanto, deletérios. A Terra banalizou-se; Marte perdeu a inteligência; Vênus, o amor desinteressado; Netuno, a bravura generosa; os "gatos" de todos os planetas, contudo, vieram a gozar dos benefícios das instituições jupiterianas, isto é, foram expulsos da comunhão dos patrícios.

Sob os bons auspícios de Júpiter, foi assim que se fez a fraternidade animal em todo o sistema planetário. Sírius nunca mais cessou de sorrir.

Cló[131]

A Alexandre Valentim

Devia ser já a terceira pessoa que lhe sentava à mesa. Não lhe era agradável aquela sociedade com desconhecidos; mas que fazer naquela segunda-feira de Carnaval, quando as confeitarias têm todas as mesas ocupadas e as cerimônias dos outros dias desfazem-se, dissolvem-se?

Se as duas primeiras pessoas eram desajeitados sujeitos sem atrativos, o terceiro conviva resgatava todo o desgosto causado pelos outros. Uma mulher formosa e bem tratada é sempre bom ter-se à vista, embora sendo desconhecida, ou, talvez, por isso mesmo...

Estava ali o velho Maximiliano esquecido, só moendo cismas, bebendo cerveja, obediente ao seu velho hábito. Se fosse um dia comum, estaria cercado de amigos; mas os homens populares, como ele, nunca o são nas festas populares. São populares a seu jeito, para os frequentadores das ruas célebres, cafés e confeitarias, nos dias comuns; mas nunca para a multidão que desce dos arrabaldes, dos subúrbios, das províncias vizinhas, abafa aqueles e como que os afugenta. Contudo não se sentia deslocado...

A quinta garrafa já se esvaziara e a sala continuava a encher-se e a esvaziar-se, a esvaziar-se e a encher-se. Lá fora, o falsete dos mascarados em trote, as longas cantilenas dos cordões, os risos e as músicas lascivas enchiam a rua de sons e ruídos desencontrados e, dela, vinha à sala uma satisfação de viver, um frêmito de vida e de luxúria que convidava o velho professor a ficar durante mais tempo bebendo, afastando o momento de entrar em casa.

E esse frêmito de vida e luxúria que faz estremecer a cidade nos três dias de sua festa clássica, naquele momento, diminuía-lhe muito as grandes mágoas de sempre e, sobretudo, aquela teimosia e pequenina de hoje. Ela o pusera assim macambúzio e isolado, embora mergulhado no turbilhão de riso, de alegria, de rumor, de embriaguez e luxúria dos outros, em segunda-feira gorda. O "jacaré" não dera e muito menos a centena. Esse capricho da sorte tirava-lhe a esperança de um conto e pouco — doce esperança que se esvaía amargosamente naquele crepúsculo de galhofa e prazer.

E que trabalho não tivera ele, doutor Maximiliano, para fazê-la brotar no seu peito, logo nas primeiras horas do dia! Que chusmas de interpretações, de palpites, de exames cabalísticos! Ele bem parecia um áugure romano que vem dizer ao cônsul se deve ou não oferecer batalha...

Logo que ela lhe assomou aos olhos, como não lhe pareceu certo aquele navegar precavido dentro do nevoento mar do Mistério, marcando rumo para aquele ponto — o "jacaré" — onde encontraria sossego, abrigo, durante alguns dias!

E agora, passado o nevoeiro, onde estava?... Estava ainda em mar alto, já sem provisões quase, e com débeis energias para levar o barco a salvamento... Como havia de comprar bisnagas, confetes, serpentinas, alugar automóvel? E — o que era mais grave — como havia de pagar o vestido de que a filha andava precisada, para se mostrar sábado próximo, na rua do Ouvidor, em toda a plenitude de sua beleza, feita (e ele não sabia como) da rija carnadura de Itália e de uma forte e exótica exalação sexual...

Como havia de dar-lhe o vestido?

Com aquele seu olhar calmo em que não havia mais nem espanto, nem reprovação, nem esperança, o velho professor olhou ainda a sala tão cheia, por aquelas horas, tão povoada e animada de mocidade, de talento e de beleza. Ele viu alguns poetas conhecidos, quis chamá-los, mas, pensando melhor, resolveu continuar só.

O velho doutor Maximiliano não cansou de observar, um por um, aqueles homens e aquelas mulheres, homens e mulheres cheios de vícios e aleijões morais; e ficou um instante a pensar se a nossa vida total, geral, seria possível sem os vícios que a estimulavam, embora a degradem também.

Por esse tempo, então, notou ele a curiosidade e a inveja com que um grupo, de modestas meninas dos arrabaldes, examinava a *toilette* e os ademanes das mundanas presentes.

Na sua mesa, atraindo-lhes os olhares, lá estava aquela formosa e famosa Eponina, a mais linda mulher pública da cidade, produto combinado das imigrações italiana e espanhola, extraordinariamente estúpida, mas com um olhar de abismo, cheio de atrações, de promessas e de volúpia.

E o velho lente olhava tudo aquilo pausadamente, com a sua indulgência de infeliz, quando lhe veio o pensar na casa, naquele seu lar, onde o luxo era uma agrura, uma dor, amaciada pela música, pelo canto, pelo riso e pelo álcool.

Pensou, então, em sua filha, Clôdia — a Cló, em família — em cujo temperamento e feitio de espírito havia estofo de uma grande hetaira.[132] Lembrou-se com casta admiração de sua carne veludosa e palpitante, do seu amor às danças lúbricas, do seu culto à *toilette* e ao perfume, do seu fraco senso moral, do seu gosto pelos licores fortes; e, de repente e por instantes, ele a viu coroada de hera, cobrindo mal a sua magnífica nudez, com uma pele mosqueada, o ramo de tirso erguido, dançando, religiosamente bêbeda, cheia de fúria sagrada de bacante: "Evoé! Baco!".

E essa visão antiga lhe passou pelos olhos, quando a Eponina ergueu-se da mesa, tilintando as pulseiras e berloques caros, chamando muito a atenção de Mme. Rego da Silva que, em companhia do marido e da sua extremosa amiga Dulce, amante de ambos, no dizer da cidade, tomavam sorvetes, numa mesa ao longe.

O doutor Maximiliano, ao ver aquelas joias e aquele vestido, voltou a lembrar-se de que o "jacaré" não dera; e refletiu, talvez com profundeza, mas certo com muita amargura, sobre a má organização da nossa sociedade. Mas não foi adiante e procurou decifrar o problema da sua multiplicação em Cló, tão maravilhosa e tão rara. Como é que ele tinha posto no mundo um exemplar de mulher assaz vicioso e delicado como era a filha? De que misteriosa célula sua saíra aquela floração exuberante de fêmea humana? Vinha dele ou da mulher? De ambos? Ou de sua mulher só, daquela sua carne apaixonada e sedenta que trepidava quando lhe recebia as lições de piano, na casa dos pais?

Não pôde, porém, resolver o caso. Aproximava-se o doutor André, com o seu rosto de ídolo peruano, duro, sem mobilidade alguma na fisionomia, acobreada, onde o ouro do aro do *pince-nez* reluzia fortemente e iluminava a barba sedosa.

Era um homem forte, de largos ombros, musculoso, tórax saliente, saltando; e, se bem tivesse as pernas arqueadas, era assim mesmo um belo exemplar da raça humana.

Lamentava-se que ele fosse um bacharel vulgar e um deputado obscuro. A sua falta de agilidade intelectual, de maleabilidade, de ductilidade, a sua fraca capacidade de abstração e débil poder de associar ideias não impediam fosse ele deputado e bacharel. Ele seria rei, estaria no seu quadro natural, não na câmara, mas remando em ubás ou igaras nos nossos grandes rios ou distendendo aqueles fortes arcos de iri que despejam frechas ervadas com curaro.

Era o seu último amigo, entretanto o mais constante comensal de sua mesa luculesca.

Deputado, como já ficou dito, e rico, representava, com muita galhardia e liberalidade, uma feitoria mansa do Norte, nas salas burguesas; e, apesar de casado, a filha do antigo professor, a lasciva Cló, esperava casar-se com ele, pela religião do Sol, um novo culto recentemente fundado por um agrimensor ilustrado e sem emprego.

O velho Maximiliano nada de definitivo pensava sobre tais projetos; não os aprovava, nem os reprovava. Limitava-se a pequenas reprimendas sem convicção, para que o casamento não fosse efetuado sem a bênção do sacerdote do Sol ou de outro qualquer.

E se isto fazia, era para não precipitar as coisas; ele gostava dos desdobramentos naturais e encadeados, das passagens suaves, das inflexões doces, e detestava os saltos bruscos de um estado para o outro.

— Então, doutor, ainda por aqui? fez o rico parlamentar sentando-se.

— É verdade, respondeu-lhe o velho. Estou fazendo o meu sacrifício, rezando a minha missa... É a quinta... Que toma, doutor?

— Um "madeira"... Que tal o Carnaval?

— Como sempre.

E, depois, voltando-se para o caixeiro:

— Outra cerveja e um "madeira", aqui, para o doutor. Olha: leva a garrafa.

O caixeiro afastou-se, levando a garrafa vazia e o doutor André perguntou:

— Dona Isabel não veio?

— Não. Minha mulher não gosta das segundas-feiras de Carnaval. Acha-as desenxabidas... Ficaram, ela e a Cló, em casa a se prepararem para o baile à fantasia na casa dos Silvas... Quer ir?

— O senhor vai?

— Não, meu caro senhor; do Carnaval, eu só gosto dessa barulhada da rua, dessa música selvagem e sincopada de reco-recos, de pandeiros, de bombos, desse estrídulo de fanhosos instrumentos de metais... Até do bombo gosto, mais nada! Essa barulhada faz-me bem à alma. Não irei... Agora, se o doutor quer ir... Cló vai de preta mina.

— Deve-lhe ficar muito bem... Não posso ir; entretanto, irei à sua casa para ver a sua senhora e a sua filha fantasiadas. O senhor devia também ir...

— Fantasiado?

— Que tinha?

— Ora, doutor! eu ando sempre com a máscara no rosto.

E sorriu leve com amargura; o deputado pareceu não compreender e observou:

— Mas a sua fisionomia não é tão decrépita assim...

Maximiliano ia objetar qualquer coisa quando o caixeiro chegou com as bebidas, ao tempo em que Mme. Rego da Silva e o marido levantaram-se com a pequena Dulce, amante de ambos, no dizer da cidade em peso.

O parlamentar olhou-os bastante com o seu seguro ar de quem tudo pode. Ouviu que ao lado diziam — à passagem dos três: *ménage à trois*. A sua simplicidade provinciana não compreendeu a maldade e logo dirigiu-se ao velho professor:

— Jantam em casa?

— Jantamos; e o doutor não quer jantar conosco?

— Obrigado. Não me é possível ir hoje... Tenho um compromisso sério... Mas fique certo que, antes de saírem, lá irei tomar um uisquezinho... Se me permite?

— Oh! doutor! O senhor é nosso melhor amigo. Não imagina como todos lá falam no senhor. Isabel levanta-se a pensar no doutor André; Cló, essa, nem se fala! Até o Caçula, quando o vê, não late; faz-lhe festas, não é?

— Como isso me cumula de...

— Ainda há dias, Isabel me disse: Maximiliano, eu nunca bebi um Chambertin como esse que o doutor André nos mandou... O meu filho, o Fred, sabe até um dos seus discursos de cor; e, de tanto repeti-lo, creio que sei de memória vários trechos dele.

A face rígida do ídolo, com grande esforço, abriu-se um pouco; e ele disse, ao jeito de quem quer o contrário:

— Não vá agora recitá-lo.

— Certo que não. Seria inconveniente; mas não estou impedido de dizer, aqui, que o senhor tem muita imaginação, belas imagens e uma forma magnífica.

— Sou principiante ainda, por isso não me fica mal aceitar o elogio e agradecer a animação.

Fez uma pausa, tomou um pouco de vinho e continuou em tom conveniente:

— O senhor sabe perfeitamente que espécie de força me prende aos seus... Um sentimento acima de mim, uma solicitação, alguma coisa a mais que os senhores puseram na minha vida...

— Pois então, interrompeu cheio de comoção o doutor Maximiliano: à nossa!

Ergueu o copo e ambos tocaram os seus, reatando o parlamentar a conversa desta maneira:

— Deu aula hoje?

— Não. Desci para espairecer e "cavar". É dura esta vida... "cavar"! Como é triste dizer-se isto! Mas que se há de fazer? Ganha-se uma miséria... Um professor com oitocentos mil-réis o que é? Tem-se a família, representação... uma miséria! Ainda agora, com tantas dificuldades, é que Cló deu em tomar banhos de leite...

— Que ideia! Onde aprendeu isso?

— Sei lá! Ela diz que tem não sei que propriedades, certas virtudes... O diabo é que tenho de pagar uma conta estupenda no leiteiro... São banhos de ouro, é que são! Jogo nos bichos... Hoje tinha tanta fé no "jacaré"...

O caixeiro passava e ele recomendou:

— Baldomero, outra cerveja. O doutor não toma mais um "madeira"?

— Vá lá. Ganhou, doutor?

— Qual! E não imagina que falta me fez!

— Se quer?...

— Por quem é, meu caro; deixe-se disso! Então há de ser assim todo o dia?

— Que tem!... Ora!... Nada de cerimônias; é como se recebesse de um filho...

— Nada disso... Nada disso...

Fingindo que não entendia a recusa, o doutor André foi retirando da carteira uma bela nota, cujo valor nas algibeiras do doutor Maximiliano fez-lhe esquecer em muito a sua desdita no "jacaré".

O deputado ainda esteve um pouco; em breve, porém, se despediu, reiterando a promessa de que iria até à casa do professor, para ver as duas senhoras fantasiadas.

O doutor Maximiliano bebeu ainda uma cerveja e, acabada que foi a cerveja, saiu vagarosamente um tanto trôpego.

A noite já tinha caído de há muito. Era já noite fechada. Os cordões e os bandos carnavalescos continuavam a passar, rufando, batendo, gritando desesperadamente. Homens e mulheres de todas as cores — os alicerces do país — vestidos de meia, canitares e enduapes de penas multicores, fingindo índios, dançavam na frente ao som de uma zabumbada africana, tangida com fúria em instrumentos selvagens, roufenhos, uns, estridentes, outros. As danças tinham luxuriosos requebros de quadris, uns caprichosos trocar de pernas, umas quedas imprevistas.

Aqueles fantasiados tinham guardado na memória muscular velhos gestos dos avoengos, mas não mais sabiam coordená-los nem a explicação deles. Eram restos de danças guerreiras ou religiosas dos selvagens de onde a maioria deles provinha, que o tempo e outras influências tinham transformado em palhaçadas carnavalescas...

Certamente, durante os séculos de escravidão, nas cidades, os seus antepassados só se podiam lembrar daquelas cerimônias de suas aringas ou tabas, pelo carnaval. A tradição passou aos filhos, aos netos, e estes estavam ali a observá-la com as inevitáveis deturpações.

Ele, o doutor Maximiliano, apaixonado amador de música, antigo professor de piano, para poder viver e formar-se, deteve-se um pouco, para ouvir aquelas bizarras e bárbaras cantorias, pensando na pobreza de invenção melódica daquela gente. A frase, mal desenhada, era curta, logo cortada, interrompida, sacudida pelos rufos, pelo ranger, pelos guinchos de instrumentos selvagens e ingênuos. Um instante, ele pensou em continuar uma daquelas cantigas, em completá-la; e a ária veio-lhe inteira, ao ouvido, provocando o antigo professor de música a fazer parar o "Chuveiro de Ouro", a fim de ensinar-lhes, aos cantores, o que a imaginação lhe havia trazido à cabeça naquele momento.

Arrependeu-se que tivesse feito gostar daquela barulhada; porém, o amador de música vencia o homem desgostoso. Ele queria que aquela gente entoasse um hino, uma cantiga, um canto com qualquer nome, mas que tivesse regra e beleza. Mas — logo imaginou — para quê? Corresponderia a música mais ou menos artística aos pensamentos íntimos deles? Seria mesmo a expansão dos seus sonhos, fantasias e dores?

E, devagar, se foi indo pela rua em fora, cobrindo de simpatia toda a puerilidade aparente daqueles esgares e berros, que bem sentia profundos e próprios daquelas criaturas grosseiras e de raças tão várias, mas que encontravam naquele vozerio bárbaro e ensurdecedor meio de fazer porejar os seus sofrimentos de raça e de indivíduo e exprimir também as suas ânsias de felicidade.

Encaminhou-se direto para a casa. Estava fechada; mas havia luzes na sala principal, onde tocavam e dançavam.

Atravessou o pequeno jardim, ouvindo o piano. Era sua mulher quem tocava; ele o adivinhava pelo seu *velouté*, pela maneira de ferir as notas, muito docemente, sem deixar quase perceber a impulsão que os dedos levavam. Como ela tocava aquele tango! Que paixão punha naquela música inferior!

Lembrou-se então dos "cordões", dos "ranchos", das suas cantilenas ingênuas e bárbaras, daquele ritmo especial a elas que também perturbava sua mulher e abrasava sua filha. Por que caminho lhes tinha chegado ao sangue e à carne aquele gosto, aquele pendor por tais músicas? Como havia correlação entre elas e as almas daquelas duas mulheres?

Não sabia ao certo; mas viu em toda a sociedade complicados movimentos de trocas e influências — trocas de ideias e sentimentos, de influências e paixões, de gostos e inclinações.

Quando entrou, o piano cessava e a filha descansava, no sofá, a fadiga da dança lúbrica que estivera ensaiando com o irmão. O velho ainda ouviu indulgentemente o filho dizer:

— É assim que se dança nos Democráticos.[133]

Cló, logo que o viu, correu a abraçá-lo e, abraçada ao pai, perguntou:

— André não vem?

— Virá.

Mas, logo, em tom severo, acrescentou:

— Que tem você com André?

— Nada, papai; mas ele é tão bom...

Quis Maximiliano ser severo; quis apossar-se da sua respeitável autoridade de pai de família; quis exercer o velho sacerdócio de sacrificador aos deuses Penates; mas era cético demais, duvidava, não acreditava mais nem no seu sacerdócio nem no fundamento da sua autoridade. Ralhou, entretanto, frouxamente:

— Você precisa ter mais compostura, Cló. Veja que o doutor André é casado e isto não fica bem.

A isto, todos entraram em explicações. O respeitável professor foi vencido e convencido de que a afeição da filha pelo deputado era a coisa mais inocente e natural deste mundo. Foram jantar. A refeição foi tomada rapidamente. Fred, contudo, pôde dar algumas informações sobre os préstitos carnavalescos do dia seguinte. Os Fenianos perderiam na certa. Os Democráticos tinham gasto mais de sessenta contos e iriam pôr na rua uma coisa nunca vista. O carro do estandarte, que era um templo japonês, havia de fazer um "bruto sucesso". Demais, as mulheres eram as mais lindas, as mais bonitas... Estariam a Alice, a Charlotte, a Lolita, a Cármen...

— Ainda toma muito cloral? perguntou Cló.

— Ainda, retrucou o irmão; e emendou: vai ser uma lindeza, um triunfo, à noite, com luz elétrica, nas ruas largas...

E Cló, por instantes, mordeu os lábios, suspendeu um pouco o corpo e viu-se também, no alto de um daqueles carros, iluminada pelos fogos de bengala, recebida com palmas, pelos meninos, pelos rapazes, pelas moças, pelas burguesas e burgueses da cidade. Era o seu triunfo a meta de sua vida; era a proliferação imponderável de sua beleza em sonhos, em anseios, em ideias, em violentos desejos naquelas almas pequenas, sujeitas ao império da convenção, da regra e da moral. Tomou a cerveja, todo o copo de um hausto, limpou a espuma dos lábios e o seu ligeiro buço surgiu lindo sobre os breves lábios vermelhos. Em seguida, perguntou ao irmão:

— E essas mulheres ganham?

— Qual! Você não vê que é uma honra? respondeu-lhe o irmão.

E o jantar acabou sério e familiar, embora a cerveja e o vinho não tivessem faltado aos devotos de cada uma das duas bebidas.

Logo que a refeição acabou, talvez uns vinte minutos após, o doutor André se fazia anunciar. Desculpou-se com as senhoras; não pudera vir jantar, questões políticas, uma conferência... Pedia licença para oferecer aquelas pequenas lembranças de Carnaval. Deu uma pequena caixa a dona Isabel e uma maior à Cló. As joias saíram dos escrínios e faiscaram orgulhosamente para todos os presentes deslumbrados. Para a mãe, um anel; para a filha, um bracelete.

— Oh, doutor! fez dona Isabel. O senhor está a sacrificar-se e nós não podemos consentir nisto...

— Qual, dona Isabel! São falsas, nada valem... Sabia que dona Clódia ia de "preta mina" e lembrei-me trazer-lhe este enfeite...

Cló agradeceu sorridente a lembrança e a suave boca quis fixar demoradamente o longo sorriso de alegria e agradecimento. E voltaram a tocar. Dona Isabel pôs-se ao piano e, como tocasse depois da sobremesa, hora da melancolia e das discussões transcendentes, como já foi observado, executou alguma coisa triste.

Chegava a ocasião de se prepararem para o baile à fantasia que os Silvas davam. As senhoras retiraram-se e só ficaram, na sala, os homens, bebendo uísque. André, impaciente e desatento; o velho lente, indiferente e compassivo, contando histórias brejeiras, com vagar e cuidado; o filho, sempre a procurar caminho para exibir o seu saber em coisas carnavalescas. A conversa ia caindo, quando o velho disse para o deputado:

— Já ouviu a *Bamboula*, de Gottschalk,[134] doutor?

— Não... Não conheço.

— Vou tocá-la.

Sentou-se ao piano, abriu o álbum onde estava a peça e começou a executar aqueles compassos de uma música negra de Nova Orleans, que o famoso pianista tinha filtrado e civilizado.

A filha entrou, linda, fresca, veludosa, de pano da costa ao ombro, trunfa, com o colo inteiramente nu, muito cheio e marmóreo, separado do pescoço modelado, por um colar de falsas turquesas. Os braceletes e as miçangas tilintavam no peito e nos braços, a bem dizer totalmente despidos; e os bicos de crivo da camisa de linho rendavam as raízes dos seios duros que mal suportavam a alvíssima prisão onde estavam retidos.

Ainda pôde requebrar, aos últimos compassos da *Bamboula*, sobre as chinelas que ocupavam a metade dos pés; e toda risonha sentou-se por fim, esperando que aquele Salomão de *pince-nez* de ouro lhe dissesse ao ouvido:

"Os teus lábios são como uma fita de escarlate; e o teu falar é doce. Assim como é o vermelho da romã partida, assim é o nácar das tuas faces; sem falar no que está escondido dentro."

O doutor Maximiliano deixou o tamborete do piano e o deputado, bem perto de Clódia, se não falava como o rei Salomão à rainha de Sabá dilatava as narinas para sorver toda a exalação acre daquela moça, que mais capitosa se fazia dentro daquele vestuário de escrava desprezada.

A sala encheu-se de outros convidados e a sessão de música veio a cair na canção e na modinha. Fred cantou e Cló, instada pelo doutor André, cantou também. O automóvel não tinha chegado; ela tinha tempo...

Dona Isabel acompanhou; e a moça, pondo tudo o que havia de sedução na sua voz, nos seus olhos pequenos e castanhos, cantou a "Canção da Preta Mina":

Pimenta-de-cheiro, jiló, quibombô;
Eu vendo barato, mi compra ioiô!

Ao acabar, era com prazer especial, cheia de dengues nos olhos e na voz, com um longo gozo íntimo que ela, sacudindo as ancas e pondo as mãos dobradas pelas costas na cintura, curvava-se para o doutor André e dizia vagamente:

Mi compra ioiô!

E repetia com mais volúpia, ainda uma vez:

Mi compra ioiô!

Hussein Ben-Áli Al-Bálec e Miqueias Habacuc[135]
(*Conto argelino*)

Ao senhor Cincinato Braga[136]

Antes da conquista francesa, havia, na Argélia, uma família composta de um velho pai doente e seis filhos varões. Desde muito que o pai, devido aos achaques da idade, não se entregava diretamente aos trabalhos da sua lavoura; mas, sempre que o seu estado de saúde lhe permitia, tinha o cuidado de correr as suas terras com plantações, que eram de tâmaras, alfa, oliveiras, laranjeiras, havendo somente uma parte que era destinada à criação de ovelhas, cabras e bezerros. As plantações e a criação estavam entregues a cinco dos seus filhos, pois o mais velho, ele o tinha mandado ao Cairo, para estudar profundamente, na respectiva universidade, a lei do Profeta e vir a ser um ulemá digno e sábio no Corão.

Áli Bálec Al-Bálec era o nome desse filho do velho árabe e esteve de fato no Cairo; mas, bem depressa, abandonou o estudo das santas leis de Alá e do Profeta e procurou a sociedade dos infiéis.

Foi ter nas suas aventuras à Grécia, onde se demorou muito tempo e adquiriu dos gregos muitos hábitos, costumes e vícios. Não se pode em confiança dizer que os atuais sejam bem netos dos antigos; mas são aparentados. A finura e sagacidade dos últimos para abstrações filosóficas, para especulações científicas, para a análise dos sentimentos e paixões, do que dão provas as suas obras de filosofia, as suas criações científicas e as suas grandes obras literárias, empregam nos nossos dias os atuais na mercancia, no tráfico, no escambo, em que sempre procuram, com a máxima habilidade e sabedoria enganar não só os estrangeiros, como os seus próprios patrícios.

No Oriente, só há um traficante que não seja enganado pelo grego: é o armênio. Diz-se mesmo lá: o judeu é enganado pelo grego, mas o armênio engana ambos.

Os turcos, de onde em onde, matam estes últimos aos milheiros, não tanto por motivos religiosos, mas por ódio do comprador cavalheiresco, do homem leal e crédulo, que se vê enganado despudoradamente, e sente que não há, no outro que o ludibriou, nenhum princípio de honra, de lealdade, de honestidade, que as relações entre os homens o exigem.

Áli Bálec Al-Bálec, apesar de ser muçulmano, foi atraído para o meio dos gregos e, com eles, aprendeu as suas espertezas, maroscas e habilidades para enganar os outros.

E assim foi que ele andou fora da casa paterna, fazendo o escambo dos mares do Levante, indo de Alexandria para Constantinopla, daí para Jafa, deste porto para Salônica, desta cidade para Corfu, perlustrando todos aqueles mares azuis, cheios de história, de lenda, de sangue e piratas, comerciando e mesmo pirateando quando a ocasião se lhe oferecia.

Ao saber da morte do pai, vendeu logo a faluca que possuía e correu a receber a herança. Coube-lhe uma grande data de terra, coberta de pés de tâmaras, enquanto os irmãos tinham as suas cultivadas com alfa, com laranjeiras, oliveiras e um mesmo recebeu a sua parte em terrenos de pastagens magras, onde pasciam rebanhos enfezados de ovelhas e cabras.

Todos, porém, ficaram contentes com a partilha e iam vivendo.

Áli Bálec Al-Bálec trouxera como sua mulher uma israelita que renegara o Talmude pelo Corão, mas, apesar disso, tinha o maior desprezo pelos muçulmanos, aos quais considerava grosseiros, convencendo de tal coisa o marido a ponto dele não dar mais importância aos seus próprios irmãos.

Logo ao voltar ainda os atendia e os visitava; mas a mulher lhe dizia sempre:

— Esses teus irmãos são uns brutos! Parecem mochos! Uns bobos! Que sandálias! O pano das suas chéchias[137] é barato e sempre está sujo! Deixa-os lá!

Aos poucos, devido aos conselhos de sua mulher, Salisa, da sua insistência, ele deixou de procurar os irmãos, fez-lhes má cara, embora os filhos deles viessem de quando em quando, à casa do tio, para ver o primo Hussein, que se ia criando mais pérfido que o pai e mais orgulhoso que a mãe.

Em pouco, Áli ficou inteiramente convencido da sua imensa superioridade sobre os seus humildes e resignados irmãos.

Por ter na sua sala um tapete de Esmirna, serem as suas armas de aço de Damasco, tauxiadas de ouro, julgava os seus manos, que se tinham habituado à simplicidade e à modéstia, como inferiores, iguais aos das tribos negras que viviam para além do deserto. Julgando-os assim, esquecia-se que, enquanto ele viajava, enquanto ele aprendia aquelas coisas finais, os irmãos plantavam, ceifavam e colhiam, para ele aprender.

Além disso, Áli, como falasse alguns patoás levantinos, julgava-se muito mais que todos os do vilaiete e também, por possuir joias de ouro e pedras caras, valendo muitas piastras, imaginava que tudo podia.

Por esse tempo, chegaram os franceses e o *caide* apelou para todos, a fim de socorrer o bei com homens e valores. Áli ofereceu uma das joias do seu tesouro e quase por isso foi empalado. O joalheiro do palácio verificou que as joias eram inteiramente falsas e, vindo o bei a saber disso, tomou a coisa como afronta e mandou castigar severamente o doador.

Salisa, sua mulher, ficou, ao conhecer a notícia, no mais completo desespero, não porque o marido estivesse em risco de vida, mas pelo fato que a fortuna representada por aquelas joias não era mais que fumaça.

Áli foi solto e jurou que havia de enriquecer de novo. Aceitou sem resistência a dominação francesa e, com alegria, viu que essa dominação trazia uma grande alta para as tâmaras que o seu terreno produzia prodigiosamente.

Seus irmãos, a seu exemplo, aceitaram os francos e continuaram na sua modéstia, observando muito religiosamente as leis do Corão.

Áli, já habituado, em pouco se misturou com os infiéis a quem vendia as tâmaras por bom preço e gastava o grosso do rendimento que ia tendo em bebidas, apesar da proibição do Corão, em orgias com os oficiais e funcionários franceses. Construiu um palácio que ele pretendia parecido com aquele do grande califa Harum Al-Raxid, em Bagdá, conforme é descrito no livro de histórias da princesa Xerazade.

Vendo que as tâmaras eram muito procuradas pelos francos que, por elas, pagavam bom dinheiro, por toda a parte começaram a plantar tâmaras; os irmãos de Áli, porém, não quiseram fazer tal, pois sabiam por experiência de seu pai, que, desde que houvesse muitas tâmaras para vender e, não se precisando desse fruto para o nosso comer diário, não era possível que muita gente as quisesse comprar tão caro. Abundando tinham que vendê-las mais barato, para atingir e provocar os compradores mais pobres.

Continuaram com a sua alfa, as suas laranjeiras, a pascer os seus rebanhos, sem nenhuma inveja do irmão que parecia rico e os desprezava.

Os seus sobrinhos, de quando em quando, iam às terras do tio e ele, por ostentação, por vaidade e para mostrar riqueza, lhes dava uma libra turca e as crianças voltavam para casa dos pais, dizendo:

— Tio Áli é que é gente! Tem tudo! Como ele é rico, por Alá!

Os seus pais respondiam:

— Cada um se deve conformar com o que Alá lhe dá! É bom que prospere, pois tem família... Deus é Deus e Maomé é seu profeta.

Veio a morrer Áli, quando as tâmaras começaram a cair de preço. Herdou-lhe os bens, além da mulher, o seu único filho Hussein Ben-Áli Al-Bálec que tinha todos os defeitos do pai aumentados com os de sua mãe.

Era vaidoso, presunçoso, ávido, desprezando os parentes, para os quais era somítico e avaro, desprezando-os como se fossem animais imundos e tidos em maldição pelas Leis do Profeta. Com os franceses, entretanto, era mais pródigo do que o pai e fingia ter as suas maneiras e usos.

Nas gazetas que começaram a aparecer em Argel, Hussein Ben-Áli Al-Bálec era gabado e, apesar das leis do Corão proibirem a reprodução da figura humana, uma delas lhe publicou o retrato. As tâmaras começaram a descer; e, como Hussein tivesse notícias que, duas léguas próximas, um outro muçulmano possuía uma grande plantação delas, começou a pensar que era esta que fazia descer o preço das suas.

Em Argel, sobretudo no vilaiete de Hussein, personificam-se sempre os fenômenos e a sutileza que um plantador de tâmaras não pode bem conhecer, apesar de raça árabe, o filigranado das induções da economia política...

Imaginou logo destruir a plantação e mesmo toda aquela que aparecesse na redondeza. Supôs de bom alvitre ir com alguns homens e queimar os coqueiros. O dono certamente queixar-se-ia ao *caide*, às autoridades francas; e seria uma complicação. Homem de expedientes, lembrou-se de conseguir do capitão francês da guarnição, Al-Durand ou Al-Burhant, a destruição do plantio rival. Habitualmente, fez-se amigo do rume, encheu-o de presentes, de festas, de bebidas, pois seguia o exemplo de seu pai nesse tocante; e o "cão do cristão" se fez afinal seu amigo. Um dia, depois de uma festa, o militar, que pisava indignamente a terra onde estavam os ossos do seu pai, após muitas queixas de Áli, apiedado do árabe, apressou-se em ir à plantação do vizinho e castigá-lo. Assim fez, com os seus soldados e os ferozes serviçais de Hussein. Houve queixa; o capitão foi punido; mas o *saas* de tâmaras não subiu nem meio *gourde*.

As suas finanças iam de mal a pior, a casa magnífica ia dando mostras de ruína e os seus móveis e alfaias deterioravam-se com o tempo. Sua mãe não cessava de censurar-lhe pelas faltas que não lhe cabiam. Ela, com aquela arrogância muito sua e inveja também muito sua, repreendia-o:

— Vês: as tâmaras caem de preço e tu não tomas providência alguma. Os meus não são assim... Mas tens o sangue de teu pai... É verdade que teus tios estão vendendo alfa, oliveiras, gado e laranjas e ganham... Se tu não fizeres esforço algum, ficarás como eles, uns macacos a viver em tocas e a dormir em pelegos de carneiro... Xmed, o teu segundo tio, ganhou duzentas piastras em azeitonas e ficou contente. Queres ser como ele?

— Que hei de fazer, mãe?

— Pensa; e não fiques aí a chorar como mulher. Saul chorou? Davi chorou? Só o Deus dos cristãos chorou: Jeová não ama o choro. Ele ama a guerra e o combate, até o extermínio. Lê os livros, os que foram os meus e os teus que são também agora os meus. Lembra-te de Débora e de Judite e eram mulheres!

Hussein Ben-Áli Al-Bálec não podia dormir com a impressão das palavras de sua mãe. O *saas* de tâmaras continuava a descer de *gourde* em *gourde*, e ele só se lembrava de Áli, de Ornar, de todos aqueles de sua raça que as tinham levado em meio século, do Ganges ao Ebro. Mas o *saas* de tâmaras parecia não temer aquelas sombras augustas e ferozes. Descia sempre.

Certo dia, apareceu-lhe um homem que queria falar a sua mãe, Salisa. Era o irmão dela, Miqueias Habacuc. A irmã e o sobrinho acolheram muito bem tão próximo parente e lhe falaram na baixa das tâmaras que os atormentava. Miqueias, que era homem esperto em negócios, disse para o sobrinho:

— Filho de minha irmã, tens meu sangue, mas não a minha fé nos livros santos da sinagoga; mas teus avós Isaque, Baruque, Daniel, Azaf, Etã, Zabulon, Neftali e tantos outros mandam que eu te auxilie nesse transe da tua vida que é preciosa a eles e a mim, pois ela é deles e também minha. Portanto, tais forem os presentes que tu me fizeres, eu posso purificar-me de ter socorrido um ente que não é de Israel. Dize-o que o rabino me perdoará.

Hussein ficou de pensar e, à noite, conferenciou com sua mãe Salisa.

— Filho, dá-lhe alguns cequins turcos e aquelas joias falsas que quase custaram a morte de teu pai. Porque — ouve bem — o conselho dele pode ser falaz.

Despertando Miqueias, logo Hussein foi ter com ele e propôs-lhe o escambo. O israelita, ao ver as joias, nem olhou mais os cequins. Ficou com os olhinhos fosforescentes de tigre na escuridão. Era como se fosse dar um salto de felino. Contou então ao sobrinho como devia proceder.

— Tu que tens o sangue de minha avó Micaia, que era da tribo de Jeroboão, e de Azarela, que era da casa de Leedã, ouve, comprarás todas as tâmaras que houver na redondeza, mesmo antes de amadurecerem, ficando elas nos pés. Quando for época de colhê-las, colhê-las-ás todas, guardando em surrões nos armazéns de tua casa e não venderás senão quando te oferecerem um lucro que dê a fartar para gastares...

— Tio amado e sábio: elas não apodrecerão?

— Não importa. As poucas "medidas" em que isto acontecer darão prejuízo, mas tu marcarás o lucro de modo que o cubras.

Hussein Ben-Áli Al-Bálec descansou um instante a cabeça sobre o peito, depois a ergueu de repente e exclamou:

— Falas com a sabedoria do Profeta, Miqueias Habacuc. Que Alá seja contigo!

Miqueias Habacuc, filho de Uriel de Sepetai, não se quis demorar mais e partiu despedindo-se da irmã Salisa e do sobrinho Hussein Ben-Áli Al-Bálec com lágrimas nos olhos, canastras pesadas com os cequins turcos e as joias falsas com que o sobrinho lhe pagara o seu profundo conselho de economia política hebraica.

Hussein fez o que lhe foi aconselhado; e as tâmaras começaram a ter mais oferta de preço. Vendeu-as com grande lucro no primeiro ano; no segundo, se sentia uma certa resistência no mercado, ele as reteve em grande parte; mas, no terceiro ano, ele teve que comprar a produção e viu que ia aumentando o estoque do que se pode chamar de valorização das tâmaras. Viu bem que se continuasse a comprar a produção, ficaria com ele demasiado aumentado, a sua fortuna comprometida e que fez? Cedeu. As tâmaras começaram a descer *gourde* a *gourde*. Teve uma ideia que um sargento francês lhe indicou. Vendo que elas encalhavam nos seus armazéns e os pedidos cresciam lentamente; vendo, pouco a pouco, os seus coquinhos perdendo o valor, alugou alguns gritadores que berrassem, nas ruas de Argel, a guerreira:

— Vivam as tâmaras! Não há coisa melhor que as tâmaras de Hussein Ben-Áli Al-Bálec!

Nas gazetas, ele pagava anúncios das suas tâmaras, mas não vendia mais que dantes. Deu-as de graça e, como toda coisa dada de graça, elas só agradavam desse modo.

Em se tratando de vendê-las, nada! Os surrões de tâmaras aumentavam nos seus armazéns, pois teimava em comprá-las e guardá-las, para que elas não viessem afinal a não valer nada.

O tapete de Esmirna que o pai lhe deixara desfiava-se, empenhou as armas preciosas, também a herança do pai, para comprar mais sacas de tâmaras. Comprou um tapete falso e umas armas vagabundas de um cabila mais vagabundo ainda, para pôr no lugar das antigas preciosidades. Os outros plantadores, que se tinham limitado a colher e vender, iam vivendo das suas modestas plantações; ele, Hussein Ben-Áli Al-Bálec, corria para a ruína certa.

Foi por aí que, novamente, lhe apareceu Miqueias Habacuc, seu tio, homem hábil e esperto nos negócios. Hussein ficou espantado, mas o tio lhe disse:

— Rebento da minha querida irmã, pelo Deus de Abraão, de Israel e de Jacó, não te amedrontes: vendi as joias por um bom preço a um grego, com o que ganhei duas coisas: dinheiro e a glória de ter enganado um cão dessa espécie. Mas, pelo Eterno! Esta ideia de pagar-me o conselho em joias falsas não é tua... Isto tem dedo de pessoa inteiramente da minha raça de Mardoc e Malaquias... Isto é de minha irmã! Não foi tua mãe quem...

— Foi. E que fizeste do dinheiro, tio amado da minha alma; socorro da minha vida?

— Emprestei-o aos turcos com bons juros e quando os cobrei, quase me esfolaram. Muito tem sofrido a raça de Israel; mas o que sofri deles, nem contar te posso — ó descendente do grande Al-Bálec, companheiro de Musa — conquistador das Espanhas!

Acabava de dizer estas palavras, quando entra no aposento em que estavam Salisa, a feroz Judite, a eloquente Débora — que, ao dar com o irmão, se põe em prantos, exclamando:

— Irmão do coração, sábio Miqueias! Tu que descendes como eu de Micaia, da tribo de Jeroboão, e de Azarela, que era da casa de Leedã, salva-me pelo nosso Deus de Abraão, de Israel e de Jacó — salva-me!

E a feroz Judite e eloquente Débora chorou não a sua dor, nem a dos outros, mas o dinheiro que se sumia.

Contou, então, Hussein ao tio, como a ruína se aproximava; como a valorização das tâmaras, no começo dando tão bom resultado, viera a acabar, no fim, em desastre completo.

O velho Miqueias, filho de Uriel de Sepetai, coçou as barbas hirsutas; os seus olhinhos luziram naquele quadro de pelos cerdosos; depois, faiscando-os malignamente, perguntou ao sobrinho:

— Com que dinheiro tu, sobrinho meu; com que dinheiro fizeste a operação?

Hussein disse-lhe que fora com o dinheiro dele e o da sua mãe. Miqueias Habacuc, judeu de Salônica, homem esperto e hábil em negócios, sorriu com gosto e demora, dizendo após:

— Tolo que és!
— Por quê?

Habacuc assim falou de súbito, logo imediatamente à pergunta:

— Que me darás em troca pela explicação?
— A última bolsa de cequins de ouro que me resta.
— És generoso e grande, sobrinho meu, filho de Salisa, minha irmã, guarda-a. Ganharemos mais. Fizeste mal em empregar o teu dinheiro e o da tua mãe. Devias empregar o dos outros.
— Como, tio Miqueias?
— Tu não sabes, meu sobrinho, essas operações de câmbio e de banco. Eu as sei. Nós agora vamos organizar a defesa das tâmaras, isto é, impedir que especuladores reduzam à miséria e à desolação esta rica região do Magreb, como dizia o teu grande avô, Al-Bálec. Vamos pedir dinheiro aos seus habitantes, para que não morram de fome e não pereçam à míngua por falta de trabalho.
— Não me darão, tio.
— Dar-te-ão, sobrinho do meu coração; dar-te-ão. Chama teus tios, irmãos de teu pai, e os filhos, e convence-os que devem dar as economias que têm, em moeda, para poderes lutar com os que querem acabar com as plantações de tâmaras do vilaiete. Dize-lhes que se não o fizerem as plantações morrerão, os habitantes fugirão, aqui ficará tudo deserto, sem água e sem pastagens; e

os bens deles nada valerão e serão também eles obrigados a fugir, perdendo muito, senão tudo.

— E em troca?

— Tu lhes darás vales que vencerão juros e pagarás os vales em certo prazo.

— Mas...

— Nada objetes, meio do meu sangue de Sepetai, mas meu sobrinho inteiramente. Não sabes o que é a cobiça; não sabes o que é querer ter dinheiro sem trabalhar. Eles aceitarão na certa e, não sendo ricos em breve precisarão de dinheiro. Eu vou pôr um "bazar" com o saco de cequins de ouro que te resta e farei saber que desconte esses vales teus, em dinheiro ou em mercadoria. O pouco dinheiro que tens atrairá o deles, tu comprarás tâmaras, mas pagarás em vales que vencerão o juro de dois por cento, mas que eu descontarei a vinte, trinta e mais por cento.

— Se não quiserem descontar, tio que és sábio como o mais sábio dos ulemás, como há de ser?

— Tens o dinheiro dos teus parentes. Em começo, pagarás tudo em dinheiro. Mas teus parentes, precisando de dinheiro, irão, como te disse, procurar-me. Eu os atenderei imediatamente. A fama correrá e ninguém temerá receber os teus vales.

— Compreendo. E as tâmaras?

— Irás vendendo a bom preço e guardando o dinheiro, deixando que uma grande parte apodreça. Tu viverás na pompa, na grandeza, e um belo dia, em vez de eu descontar vales, adquiro-os com ágio. Toda a gente quererá os teus vales e encheremos as arcas de dinheiro.

— E no fim, no pagamento, como será?

— Marcarás um prazo longo, pela festa do Beirão, e daqui até lá teremos tempo de agir.

Hussein Ben-Áli Al-Bálec empregou todas as lábias que lhe ensinou Miqueias Habacuc. Seus tios e primos entregaram-lhe as economias, pois ficaram muito contentes que ele se lembrasse de defendê-los, de impedir a ser completa a miséria. Tio e sobrinho encheram os simplórios homens de todos os afagos, de todas as blandícias, e iniciaram a defesa das tâmaras, que era a própria defesa do vilaiete.

Um único não quis entregar as terras de pastagem. Foi o tio que herdara as terras de pastagem. Dissera o velho:

— As tâmaras não são do gosto de todo o mundo e as que se colhem são de sobra para os que gostam delas. Hão de se as vender barato por força, pois são demais.

Hussein Ben-Áli Al-Bálec, porém, deu início à sua obra de grande eficácia para todo o vilaiete, ostentando uma riqueza, um luxo e uma magnificência que reduziram, fascinaram a imaginação do povo do lugar e das circunvizinhanças.

O seu palácio foi aumentado; as suas estrebarias ficaram cheias de soberbos ginetes do Hedjaz, nas suas piscinas só corriam águas perfumadas — tudo ficou sendo um encanto no seu alcáçar e dependências.

A fama de sua riqueza corria por toda a parte e até, em Argel, a branca, a guerreira, seu nome era falado. Dizia a boca do povo:

— Se todos fossem como Hussein Ben-Áli Al-Bálec conquistaríamos todo o Magreb, expulsando os rumes.

O seu crédito ficou sendo tal que todo o dinheiro que havia naquelas terras entrou para as suas arcas.

As tâmaras subiram de preço, de fato; mas pouco. Entretanto, enquanto vendia um terço, guardava dois. Miqueias Habacuc exultava, com os descontos que fazia e com o dinheiro que era trazido para as mãos do sobrinho. Só a irmã, a feroz Salisa, temia o fim e perguntava ao irmão:

— Como pagaremos tantos vales, se já gastamos o dinheiro deles e temos mais tâmaras guardadas que vendidas?

— Cala-te, irmã que és minha. Aí é que está a minha grande sabedoria.

O dinheiro amoedado desapareceu e os vales de Hussein corriam como moeda. No começo equivaliam ao seu valor em cequins; mas, bem depressa, para se comprar com eles um *saas* de trigo, tinha-se de gastar o duplo do que se gastava antigamente. O povo começava a desconfiar, quando veio rebentar a guerra de Abdelcáder, emir de Mascara. Andava ele precisando de homens e víveres. O emir, que sabia do prestígio de Hussein naquele vilaiete, oferece-lhe alguns milhares de libras turcas, para que mandasse homens.

Miqueias, que sabe do caso, intervém, e propõe que o sobrinho aceite, contanto que o emir lhe compre as tâmaras. O emir acede, paga as mil libras turcas, compra as tâmaras de que não precisava.

E Hussein convence os parentes que devem partir para os *goums*.[138] Para isso falou como um santo marabuto.

Antes da festa do Beirão, época que era marcada para o vencimento dos vales, fugia, com a mãe, a feroz Salisa, o tio Miqueias Habacuc, homem hábil e esperto em negócios — cheios todos de ouro, ricos de apodrecer.

No vilaiete a população caiu na miséria, menos aquele tio de Hussein Ben-Áli Al-Bálec, que não quis entrar na defesa das tâmaras.

Durante muito tempo, pastoreou as suas ovelhas e tosou os seus carneiros. Os seus netos ainda hoje fazem a mesma coisa naquele lugarejo argelino, onde as inocentes tamareiras, se não constituem objeto de maldição, são tidas como simples árvores de adorno.

Agaricus auditae[139]

A João Luis Ferreira

Alexandre Ventura Soares tinha seus vinte e cinco anos, bacharel em ciências físicas e naturais, era preparador do Museu de História Natural, cargo que, obtido em concurso, lhe dera direito a uma viagem à Europa, nos tempos em que as subvenções para isso largamente se distribuíam, razão pela qual eram equitativa e sabiamente feitas. De volta, por acaso, viera a morar defronte de um homem de idade, venerável, que vivia, pelo jardim de sua vasta casa, a catar pedrinhas no chão. Curioso com os trejeitos do homem, pôs-se a observá-lo, a fim de descobrir o que significavam. Visou a Ásia e encontrou no caminho a América. El Levante por el Poniente... A filha do ancião, muito naturalmente, pouco afeita a curiosidades sobre o seu jardim que não tivessem a ela por objeto, supôs que o doutor estivesse apaixonado por ela. Nenê, era o seu apelido familiar, sabia que o rapaz era dado a coisas de botânica; que pertencia ao museu; que o tratavam de doutor; logo não se podia tratar senão de um médico.

A nossa mentecapta inteligência nacional, de que não fazem parte só as mulheres, não admite que tratem de botânica senão os médicos; e de matemática os engenheiros; quando, em geral, nem uns nem outros se preocupam em tais coisas.

Ela, porém, vivendo em círculo restrito, não tendo estudos especiais, convivências outras que não essa da sociedade, fossilizadas de cérebro e com receitas de formulário na cabeça, não podia ter outra opinião que a geral na nossa terra, de cima a baixo. Aquele moço era por força doutor em medicina ou, no mínimo, estudante. Quando soube que não, teve uma ponta de despeito; e custou-lhe a crer que fosse tão formado como outro qualquer doutor. Foi o próprio pai quem a convenceu.

— Oh! filha! filha! Pois não sabias disso? Pois eu estimo muito saber que tenho na vizinhança um sábio.

O desembargador Monteiro, pai da Nenê, estava aposentado e tinha a mania da mineralogia. Ele mal conhecia o primeiro sistema de cristalografia; mas não lhe deixava a teima. Tinha um laboratório onde não havia nem uma balança de Jolly, nem um maçarico, nem um bico de Bunsen, nem um reativo, nem um pedaço de carvão vegetal; mas quando mostrava aos visitantes, exclamava ufano:

— Vejam como tenho livros! Vejam! Tenho o Haüy, as suas duas obras; a *Estrutura dos cristais* e a *Mineralogia*, primeiras edições... Olhem aqui Delafosse! Seis volumes! Hein?

E assim mostrava toda a sua biblioteca de mineralogia sistemática e descritiva. Chegava a um canto, onde havia uma pequena bigorna de ourives, montada em um forte soco de pau, tendo a um dos lados um pesado martelo de carpinteiro; e observava:

— É aqui que trabalho há anos... Ainda não consegui isolar uma granada de granito... No entanto, eu as vejo em quase todas as pedras da rua sobre que ponho os pés.

Foi esta mania de procurar granadas nas pedras da rua que chamou a atenção do jovem naturalista seu vizinho. Se Monteiro lobrigava uma granada por menor que fosse, nas pedras soltas do seu caminho, logo apanhava o pedregulho, levando-o para casa, e martelava-o naquela bigorna de fazer pulseiras, à cata da pedrinha vermelho-rubra; mas, fosse por isso ou por aquilo, a granada se escafedia e o nosso mineralogista ficava desolado. Só os paralelepípedos do pavimento das ruas lhe escapavam; mas, assim mesmo, quando estivessem ajustados aos outros; se soltos, ele pagava a algum moleque para levar um ou outro à sua casa.

Sua filha, dona Nenê, ficou muito contente; e o jovem botanista não teve nenhuma dificuldade em obter a sua mão.

O velho desembargador disse-lhe unicamente:

— Bem. Não há dúvida. O doutor tem com certeza um futuro brilhante;

mas, ainda não demonstrou para que veio ao mundo. Já escreveu uma "memória"?

— Não, senhor.

— Faz mal. Na Alemanha, é muito usado... A "memória" demonstra sagacidade para o novo, para o detalhe inédito, inexplorado, um ponto de vista que houvesse escapado aos sábios e grandes mestres... Eu queria que meu futuro genro merecesse minha filha dessa maneira, porque, na Alemanha...

— Mas o senhor desembargador há de me permitir uma pergunta?

— Pois não.

— A que sociedade ou academia deveria eu apresentar a minha memória?

— Não há negá-lo: a sua objeção procede. Não havendo entre nós academias especiais a semelhantes ciências, havia, portanto, embaraço em achar quem julgasse o mérito ou demérito do seu trabalho. As que há, ou são de uns ignorantes literatos que nunca viram uma granada em uma pedra, ali, da pedreira no rio Comprido, ou são formadas por uns médicos faladores que têm pretensões a literatos. Mas... acontece que os senhores não conhecem bem o Brasil, senão saberiam que existe uma academia respeitável e egrégia, não só pelos vários ramos de ciências naturais nela cultivados, como também pelo número de sábios mortos e vivos a ela pertencentes, que mereciam ser conhecidos pelo senhor que governa a sua mocidade nobre pela inteligência e pelo estudo. Então não conhece o senhor a "Academia dos Esquecidos"?[140]

— Não!

— É de admirar! Pois, creia-me, dela, além dos atuais, fizeram e fazem parte ainda: Alexandre Ferreira, Conceição Veloso, Gomes de Sousa, o doutor José Mauricio Nunes Garcia, Domingos Freire, Tito Lívio de Castro, Morais e Vale, José Bonifácio...

— José Bonifácio, dos Esquecidos!

— Sim! Aquele mineralogista que depois foi político. E como não?

— Ah!

— Compreende-me, agora? Pois bem. Atualmente, presido eu a Academia, disse o desembargador com ênfase; e espero que, como um paladino, ofereça à sua noiva a árdua vitória de fazer parte dela: Está aqui a minha mão, Nenê...

Os três sábios despediram-se tocantemente; faltou, porém, o quarto sábio. Talvez fosse o único que não levasse n'alma engano cego; mas a pequena levou, creio, durante o primeiro ano.

Na rua, monologava Soares: um caso novo, um detalhe original, onde hei de buscá-los? Fui bom estudante e, talvez por isso, nunca supus que, na ciência, houvesse novidade. Tudo já estava feito e, quando não estava, quando se queria coisa nova, compravam-se as revistas estrangeiras e lá estava a coisa digeridinha. E — que diabo! — para que havia eu de aumentar a dificuldade dos estudantes? Não bastavam os europeus, os tais alemães? Já que era preciso descobrir ou inventar para casar, vá lá! Mas não era já suficiente ser "doutor" para casar? Ainda mais esta! Até o que se havia de pedir para casar bem! Ora bolas! Estou quase desistindo... Não! É preciso ter-se uma posição decente na sociedade, um bom casamento, se não rico, pelo menos semirrico... Se não descubro, forjico qualquer coisa e a ciência que se amole... A ciência é um enfeite; é assim como este anel de safira.

E olhou para a pedra quase tão dura como o diamante, a qual não esmaeceu em nada ao seu olhar feroz de cupidez...

Resolveu-se Soares a escrever sobre mineralogia: *Rochas metamórficas do Brasil* ou *O veio de petro-sílex do Corcovado*; mas isto, considerava, não é novo e muito menos é meu. O jovem sábio foi dormir, julgando ter perdido a menina rica, a importância de genro do desembargador Monteiro, e a sua entrada na Academia dos Esquecidos.

Buffon afirmou alhures que alguns volumes da sua monumental *História natural*, ele os devia ao seu criado. Soares deveu a sua "memória" e a sua felicidade ao seu criado José. Despertou-o este bem cedo, muito a contragosto dele. Leu os jornais, de princípio a fim; leu a notícia dos rolos que houvera no Teatro Lírico, tomou outra xícara de café, fumou e, de súbito, sentou-se à mesa e escreveu em bastardo:

AGARICUS AUDITAE

Mais embaixo, ao lado direito, pôs à guisa de epígrafe:

Memória apresentada à Academia dos Esquecidos, secular e vetusta como as demais congêneres, pelo bacharel em ciências físicas e naturais da Escola Politécnica do Rio de Janeiro, Alexandre Ventura Soares.

E então começou:

"Senhores Acadêmicos. Seduziu-me desde moço a doutrina darwiniana; e eu, com Lyell, a sorvi em grandes haustos na sua aplicação à geologia. Concordei que o mundo atual era resultante e resultado de várias, lentas, pequeninas transformações seriadas cujos termos não têm origem; com Huxley, depois daquela sua célebre demonstração por que tem passado o cavalo através das idades (T. Huxley — *L'évolution et l'origine des espèces* — tradução francesa, 1892, págs. 232 e seguintes) — com Huxley, dizia, acreditei que o *Megatherium* e o mamute, como plenipotenciários seus, tivessem acreditado entre nós a hórrida preguiça e o informe elefante. Sustentei que, sob o império inexorável da seleção natural e da adaptação ao meio, marchássemos nós, pedras e homens, nessa sucessão de modificações, passo moroso e graduado com que vai a variável, de estádio em estádio, se aproximando do limite para nunca atingi-lo, como nós para o nosso perfeito destino desconhecido (Haeckel,[141] passim)."

— Bem começado! exclamou o nosso Alexandre. Os períodos se sucedem como uma falange de teoremas e deles tirarei legiões de corolários. *Festina lente*... Mas continuemos:

"E, certo nestas ideias, parecia impossível, e de fato é, que, em plena vida contemporânea, existissem exemplares da fauna e da flora dos primórdios da Terra. Houve, não obstante ser inconsequente com os verdadeiros princípios da ciência, alguém que pretendeu ter visto fósseis 'vivos', mas, se é possível isto no mundo das inteligências, fora do mundo do pensamento, tal como o dos artistas, dos poetas, dos sociólogos, dos escritores, dos arquitetos, dos jornalistas, dos músicos, tal não permite a evolução em geral.

"Deveis lembrar-vos, senhores acadêmicos, dos *Pterodactylus longisrostris*, que alguns viajantes (poetas naturalmente) julgaram lobrigar por entre as florestas ralas da Nova Zelândia, mas que, após visitas de verdadeiros cientistas, foram arrastados para a voragem dos desmentidos da excelsa ciência."

Soares não se conteve e exclamou bem alto:

— Muito bem! Excelsa ciência! Admirável! Naturalmente o desembargador Monteiro há de apreciar esta bela frase: excelsa ciência! Não há dúvida! Esta minha memória traz no seu bojo toda uma síntese das minhas qualidades e das minhas audácias fáceis! Assentarei a minha fama de naturalista; entrarei para a Academia dos Esquecidos; demonstrarei o vigor do meu estilo e, por cima de tudo, uma pequena semirrica! Arre! Como é bom ter-se um bom curso na Escola Politécnica do Rio de Janeiro! Nenê, como te amo! Socorre-me nesse transe, como me vais socorrer a vida toda! A mulher foi feita para sustentar homem... Aquele burro do Comte![142] Era por isso que ele detestava a geologia, a paleontologia! Burro! Nenê!... E não é que estou mesmo parecendo o Paulo, o tal da Virgínia? Ora bolas!

Adiante:

"II — Amigo meu e consumado sábio, J. C. Kramer, exímio geólogo e professor da mesma cadeira da Harvard University, USA, em conversa comigo, há dias, no Museu de História Natural desta capital — conversa amável de sábios —, comunicou-me que, há tempos, por ocasião de estudar, no Rio de Janeiro, a 'hipótese da glaciação do Brasil', de Agassiz,[143] observou vegetando nesta cidade de assaz estranha casta de tortulhos — a que as crianças chamam 'mijo-de-sapo' e 'orelha-de-burro' que ele julgava, apesar do disparatado dos caracteres, exemplares da flora do período triássico da época secundária.

"Óbvio será dizer-vos, senhores acadêmicos, que uma tal comunicação me encheu de imenso júbilo, patriótico e científico.

"Cavaqueando comigo o doutor Kramer, da Harvard University, USA, admirava-se, sorrindo com mofa e desculpando-se amável, que, vivendo os tais cogumelos tão próximos dos nossos estabelecimentos de ciências, não houvéssemos ainda notado a sua singular estrutura. É bastante explicável — desculpava-se agora mal — vosso país é muito novo. E, na continuação da palestra, não se media, às vezes, de contentamento e satisfação. Deixava sempre transparecer nesses sentimentos a utilidade científica da perspicácia e sutileza do sábio *yankee*; e o que parecia acrescer ainda mais a sua maligna satisfação, era que tais *Agaricus* fossem além dos nomes das crianças que tinham, também conhecidos vulgarmente por 'diletantes', nome que, dado o seu explicável e previsto mau ouvido para as línguas do sul da Europa, creio tratar-se de *'dilettanti'*."

Nisto, o José chega à porta do gabinete do sábio Alexandre e grita:

— "Seu dotô"! O almoço na mesa!

— Oh! Já?

Olhou o relógio na parede e concordou:

— Você tem razão... É verdade! Já são dez horas... Almoço, vou ao museu, consulto as notas da besta do Kramer e, antes do fim do mês, tenho a "pequena" e o resto... E, se alguns céticos, pessimistas e despeitados disserem que a ciência, no Brasil, não leva longe, não dá fortuna, independência, eu posso dizer bem alto: aqui estou eu!

E bateu, com força, no peito, como se dissesse para a escolha do fuzilamento: atirem que eu não preciso de ficar amarrado, nem vendado. Sei morrer!

No dia seguinte, completamente armado com as notas do famoso geólogo *yankee*, o notável brasileiro Alexandre Ventura Soares, homem grave e sábio, tanto mais grave e mais sábio por ser jovem, continuou a sua memória casamenteira assim:

"III — O habitat de tais 'orelhas-de-burro', como lhes chamam as crianças do Rio de Janeiro, é um barracão úmido e quente que fica ao sopé do morro de Santo Antônio, no centro da cidade, e serve as mais das vezes de depósito de jornais europeus de modas e joias de aluguel que correm, em vários corpos, as capitais de segunda ordem do globo, exibindo-as como riquezas próprias."

— Diabo! exclamou Soares, compulsando as notas. Este Kramer tem cada ideia! Isto é impossível! Adiante, pois é preciso! Enfim ponho umas aspas e vai a coisa por conta dele:

"Convém — e com humildade vos peço, senhores acadêmicos — que vos esqueçais (não fôsseis Esquecidos) das mais comezinhas noções de botânica, pois o nosso excêntrico sábio vai desvendar órgãos pouco fáceis de aceitar em 'mijos-de-sapo'."

— Está salva a minha responsabilidade, monologou o notável preparador do Museu de História Natural. Vamos! É preciso não esquecer o teu ideal científico! A Nenê está ali! Vamos! Esta "memória" é a tua sorte grande!

E tomando fôlego, continuou:

"Eles deveriam ser análogos aos criptógamos que formavam com outros a flora do período carbonífero; e, para justificar isto, encontraram-se entre eles alguns exemplares do *Lepidodendron elegans*, do gênero *Atanephae*.

"Pareceria a pessoas pouco versadas em geologia e paleontologia, que tais criptógamos não alcançassem, nos nossos dias, mais do que alguns centímetros de altura; mas, a vós, que delas sabeis mais do que eu, não parecerá estranho que afirme tê-los visto com 1,50 m e 1,80 m de altura.

"Sob a forte objetiva de um microscópio de Zeiss, encontrou o doutor Kramer, na parte mínima do disco superior que possuem tais tortulhos, alguma coisa semelhante ao cérebro humano.

"Analisando esse pedacito de cabeça pacientemente, com a paciência característica de um professor da Harvard College, se lhe depararam, ao doutor Kramer, coroando as suas fatigantes pesquisas, em estado rudimentar, os nervos óptico, auditivo, olfativo, gustativo etc. e, de todos esses, o mais rudimentar e grosseiro, era o auditivo. Usando, então, de um paradoxo fácil, o sábio de Cambridge (USA) denominou-os cogumelos auditivos (*Agaricus auditae*).

"Das bossas (o singular Kramer ainda admite a teoria de Gall), só lhes restava a da memória. As funções da vida vegetativa tinham neles um completo e pleno desenvolvimento, tanto assim que, apesar de agáricos, sabiam comer demasiadamente.

"O que torna tais cogumelos dignos de nota, além de outros caracteres — observa o doutor Kramer —, é que possuem sexos. Há-os machos e os há fêmeas. Embora fiel aos ditames da ciência, no entretanto, por honestidade científica, julgo-me obrigado a transcrever aqui essa blasfêmia. Mas, se ela foi irrogada à ciência, por um sábio como o distinto professor da Harvard University, claro é que nós não devemos senão acatá-la, embora assim parecendo ser. Se não nos parece verdade inconcussa, partindo de onde parte, néscios como somos, temos o dever de tomá-la como tal.

"Diz o professor americano que há os exemplares de uma coloração negra, intensamente negra, tendo na parte superior um canudo também negro, lustroso, como uma espécie de rabo de ave — são os machos; e os outros claros, róseos, cabeludos, seminus, cheios de pedrarias — são as fêmeas.

"Nessas diferenças, todas superficiais, que o extraordinário professor julga traduzirem sexos, no choque delas, no seu atrito é que reside a agitação, a fermentação daquele principado vegetal dos *Agaricus auditae*.

"Tocando isto à sociologia das 'orelhas-de-burro', em que não sou versado, não me animo a discutir a questão e adio o debate para mais tarde..."

— Que é José?

— Esta carta da casa do doutor Monteiro.

O criado retirou-se e o sábio, apud Kramer, abriu o bilhete e leu:

"Meu querido:
Já não apareces, não te vejo mais. Deixa essa história de 'memória'. Papai é maníaco, isto não é preciso. É melhor que arranjes um soneto, uns versos, enfim, que talvez façam o mesmo efeito; e, se quiseres, mandá-los-ei fazer por um poeta discreto que anda na precisão de dez mil-réis. Queres? Que tal? Responde.
Nenê."

O sábio Alexandre, luzeiro da ciência brasileira, respondeu:

"Nenê.
Tem fé em mim e na Ciência.
Alexandre."

Em seguida, o original cientista Ventura considerou de si para si:
— Bem, por hoje, basta. Amanhã irei determinar a origem e, no sábado, lerei a memória ao desembargador; e, ainda, não foram passados dois meses! A ciência brasileira tem os seus lados notáveis e singulares — continuou Alexandre na sua meditação — e um deles é essa presteza nos seus trabalhos. Isto é devido ao fato que, para os outros sábios, o objeto da ciência está no mundo, exigindo pesquisas, observações e experiências demoradas; nós, porém, pouco nos importamos com o mundo. Há livros; fazemos ciência. Com eles, revistas, memórias dos outros, sem ir diretamente à natureza, estudam-se detalhes, arquiteta-se uma teoria nova que escapou aos grandes mestres das grandes obras. A questão é combinar um com outro, embora antagônicos...

Oh! Este Brasil não é um país perdido! É um grande país!

Na quinta-feira, tinha o nosso bacharel concluído a sua memória e fê-lo de modo feliz e completo. Ei-lo:

"IV — Escusado será dizer que, desde logo, procurei motivar e determinar as origens de tão estranha vegetação; e sem nada encontrar, já desesperava, quando o acaso, constante amigo dos sábios, auxiliou-me eficazmente, como quando foi ao encontro de Newton, com a maçã, e de Galileu, com a lâmpada da catedral de Pisa.

"V — Há um ano pouco mais, andando eu na Itália, em comissão do governo, vi, na praia de Nápoles onde flanava, brotando sobre uns andrajos sujos e abandonados de um *lazzarone*, uns cogumelos de um cromatismo vário e minúsculos. Naturalista, impressionaram-me eles e tive o capricho de trazer a policrônica aglomeração dos pequeninos tortulhos, com os competentes andrajos, para o Rio de Janeiro. Aqui chegado, depositei-os em um quarto contíguo ao do meu criado José, que, ora tocando em uma flauta de bambu ou em sanfona valsas e polcas mais em voga; ora, lendo notícias de fitas de cinema, distraía-se, sem esquecer, de quando em quando, de entoar com indecifrável voz, árias das óperas da moda, que ele ouvia trauteadas pelas ruas. Sem que tal saiba bem explicar, a não ser a flauta, o cantochão, as crônicas do José, as 'orelhas-de-burro' napolitanas começaram a medrar, a crescer e têm atualmente quase meio metro de altura.

"VI — Atribuo, portanto, senhores acadêmicos Esquecidos, aos portentosos *Agaricus* do doutor Kramer as mesmas origens que os meus e o seu desenvolvimento às mesmas causas que os daqueles trazidos por mim da Itália, tanto mais que perto do habitat dos primeiros existe a banda de música da Brigada Policial e o Teatro Lírico."

O doutor Alexandre Ventura Soares, bacharel em ciências físicas e naturais pela Escola Politécnica do Rio de Janeiro, preparador, por concurso, do Museu de História Natural do Rio de Janeiro, terminando a memória, levou-a ao desembargador Monteiro que gastou seis meses em lê-la e meditar sobre ela. Ao fim dos quais, mandou chamá-lo e, logo que veio, apresentando-o à filha, assim falou:

— Nenê, é este o teu noivo que, pelo seu talento e pela sua erudição, acaba de penetrar na Academia Brasileira dos Esquecidos. Casados, desejo que vocês continuem o número deles, para grandeza e fama do Brasil.

Casaram-se e a primeira coisa que fizeram, graças ao dote dela, foi comprarem um chalé na "curiosa floresta" dos *Agaricus auditae*.

Adélia[144]

— A nossa filantropia moderna feita de elegância e exibições é das coisas mais inúteis e contraproducentes que se pode imaginar.

Entre todas as pessoas do povo aqui, no Rio de Janeiro, há uma condenação geral para as raparigas que se casam, no dia de santa Isabel, e saem da Casa de Expostos.[145] Isto se dá para uma casa semirreligiosa, que só visa, penso eu, não a felicidade terrena, mas o resgate de almas das garras do demônio. Agora, imagina tu o que de transtorno na vida de tantos entes não vão levar esses "dispensários", essas creches etc. que lhes amparam os primeiros anos de vida e, depois, os abandonam à sua sorte!...

Antes a sala do banco da Misericórdia que receita remédios de uma cor única e cuja dieta só varia na inversão dos pratos... É sempre a mesma... Essa caridade é espúria e perversa... Antes deixar essa pobre gente entregue à sua sorte...

— És mau... É impossível que ela não aproveite muitos.

— Alguns, talvez; mas muitos, ela estraga e desvia do seu destino, que talvez fosse alto. Nelson legou Lady Hamilton à Inglaterra; e tu sabes quais foram os começos dela. Chegaria até isso se andasse em creches, dispensários?

— Não sei; mas não nos devemos guiar por exceções.

— É uma frase; mas vou contar-te uma história bem singela que espero não me interromperás. Prometes?

— Prometo.
— Vou contar.
— Conta lá.
O narrador fez uma pausa e encetou vagarosamente:

Quando a portuguesa Gertrudes, que "vivia" com o italiano Giuseppe, um amolador ambulante, apresentou Adélia, sua filha, à sublimada competência do doutor Castrioto, do dispensário, a criança era só um olhar. As pernas lhe eram uns palitos, os braços descamados, esqueléticos, moviam-se nas convulsões de choro sinistramente. Com tais membros e o ventre ressequido e a boca umedecida de uma baba viscosa, a criança parecia premida por todas as forças universais, físicas e espirituais. O seu olhar, entretanto, era calmo. Era azul-turquesa, e doce, e vago. No meio da desgraça do seu corpo, a placidez do seu olhar tinha um tom zombeteiro. O doutor melhorou-a muito; mas, assim mesmo, até à puberdade, foi-lhe o corpo um frangalho e o olhar sempre o mesmo, a ver caravelas ao longe que a viessem buscar para países felizes. Depois de adolescente, porém, no fim das grandes concentrações íntimas, o brilho hialino das pupilas turbava-se, estremecia.

Ninguém descobriu-lhe o olhar — quem repara no olhar de uma menina de estalagem? Olham-se-lhe as formas, os quadris e os seios; ela não os tinha opulentos, contudo casou-se. O casamento realizou-se a pé e a garotada assoviou pelo caminho. A noiva com calma estúpida olhou-os. Por quê? Casava-se a pé; era ignóbil. O padrinho não lhe notou modificação sensível. Não chorara, não soluçara, não tremera; unicamente mudou num instante de olhar, que ficou duro e perverso. O primeiro ano de casamento fez-lhe bem.

A intensa vida sexual arredondou-lhe as formas, disfarçou as arestas e as anfractuosidades — emprestou-lhe beleza.

Demais, o ócio desse primeiro ano afinou-a, melhorou-a; mas sempre com aquele olhar fora do corpo e das coisas reais e palpáveis. No fim de dois anos de casada, o marido começou a tossir e a escarrar, a escarrar e a tossir. Não trabalhava mais. Adélia rogou, pediu, chorou. Andou por aqui e por ali. Encontrou alguém amável que a convidou:

— Vamos até lá, é perto.
— Ó... Não... "Ele"...
— "Ele"!... Vamos!... "Ele" não sabe; não pode mais. Vamos.

Foi, e foi muitas vezes; mas sempre sem pesar, sem compreender bem o que fazia, à espera das caravelas sonhadas.

Ia e voltava. O marido tossia e tomava remédios.

— Trouxeste?

— Sim; trouxe.

— Quem te deu?

— O doutor.

— Como ele é bom.

Aos poucos, infiltravam-se-lhe gostos novos. Um sapato de abotoar, um chapéu de plumas, uma luva... Morreu o marido. O enterro foi fácil e o luto ficou-lhe bem. O seu olhar vago, fora dos homens e das coisas, atravessava o véu negro como um firmamento com uma única estrela no engaste de um céu de borrasca. Um ano depois corria confeitarias, à tarde; mas o seu olhar não pousava nunca nos espelhos e nas armações. Andava longe dela, longe daqueles lugares.

— Toma vermute?

— Sim.

— É melhor coquetel.

— É.

— Antes cerveja.

— Vá cerveja.

Não custou a embriagar-se um dia. Meteram-lhe num carro. Estava que nem uma pasta mole e desconjuntada.

— Que tem você?

— Nada, não vejo.

— Você por que não abre mais os olhos?

— Não posso, não vejo!

— Lá vão os Fenianos...[146] Você não vê?

— Ouço a música.

Teve carros. Frequentou teatros e bailes duvidosos, mas seu olhar sempre saía deles, procurando coisas longínquas e indefinidas. Recebeu joias. Olhava-as. Tudo lhe interessou e nada disso amou. Parecia em viagem, a bordo. A mobília e a louça do paquete não lhe desagradavam; queria a riqueza, talvez; mas era só. Nada se acorrentava na sua alma. Correu cidades elegantes e as praias.

— Hoje, ao Leme.

— Sim, ao Leme.

A curva suave da praia e a imensa tristeza do oceano prendiam-na. Defronte do mar, animava-se; dizia coisas altas que passavam pelas cabeças das companheiras, cheias de mistério, como o voo longo de patos selvagens, à hora crepuscular.

Veio um ano que se examinou. Estava quase magra, quase esquálida. Foi-se fanando daí por diante. Diminuíram-se-lhe as joias e os vestidos. Morreu aos trinta e poucos anos como a criança que se fora: um frangalho de corpo e um olhar vago e doce, fora dela e das coisas. Que é que adiantou o dispensário?

Calou-se o que narrava, e o outro só soube dizer:
— Vou-me embora... Até amanhã.

O feiticeiro e o deputado[147]

Nos arredores do "Posto Agrícola de Cultura Experimental de Plantas Tropicais", que, como se sabe, fica no município Contra-Almirante Doutor Frederico Antônio da Mota Batista, limítrofe do nosso, havia um habitante singular.

Conheciam-no no lugar, que, antes do batismo burocrático, tivera o nome doce e espontâneo de Inhangá, por "feiticeiro"; o mesmo, certa vez a ativa polícia local, em falta do que fazer, chamou-o a explicações. Não julguem que fosse negro. Parecia até branco e não fazia feitiços. Contudo, todo o povo das redondezas teimava em chamá-lo de "feiticeiro".

É bem possível que essa alcunha tivesse tido origem no mistério de sua chegada e na extravagância de sua maneira de viver.

Fora mítico o seu desembarque. Um dia apareceu numa das praias do município e ficou, tal e qual Manco Capac,[148] no Peru, menos a missão civilizadora do pai dos incas. Comprou, por algumas centenas de mil-réis, um pequeno sítio com uma miserável choça, coberta de sapé, paredes a sopapo; e tratou de cultivar-lhe as terras, vivendo taciturno e sem relações quase.

A meia encosta da colina, o seu casebre crescia como um cômoro de cupins; ao redor, os cajueiros, as bananeiras e as laranjeiras afagavam-no com amor; e cá embaixo, no sopé do morrote, em torno do poço de água salobre, as couves reverdesciam nos canteiros, aos seus cuidados incessantes e tenazes.

Era moço, não muito. Tinha por aí uns trinta e poucos anos; e um olhar doce e triste, errante e triste e duro, se fitava qualquer coisa.

Toda a manhã viam-no descer à rega das couves; e, pelo dia em fora, roçava, plantava e rachava lenha. Se lhe falavam, dizia:

— "Seu" Ernesto tem visto como a seca anda "brava".

— É verdade.

— Neste mês "todo" não temos chuva.

— Não acho... Abril, águas mil.

Se lhe interrogavam sobre o passado, calava-se; ninguém se atrevia a insistir e ele continuava na sua faina hortícola, à margem da estrada.

À tarde, voltava a regar as couves; e, se era verão, quando as tardes são longas, ainda era visto depois, sentado à porta de sua choupana. A sua biblioteca tinha só cinco obras: a *Bíblia*, o *Dom Quixote*, a *Divina comédia*, o *Robinson* e o *Pensées* de Pascal. O seu primeiro ano ali devia ter sido de torturas.

A desconfiança geral, as risotas, os ditérios, as indiretas certamente teriam-no feito sofrer muito, tanto mais que já devia ter chegado sofrendo muito profundamente, por certo de amor, pois todo o sofrimento vem dele.

Se se é coxo e parece que se sofre com o aleijão, não é bem este que nos provoca a dor moral: é a certeza de que ele não nos deixa amar plenamente...

Cochichavam que matara, que roubara, que falsificara; mas a palavra do delegado do lugar, que indagara dos seus antecedentes, levou a todos confiança no moço, sem que perdesse a alcunha e a suspeita de feiticeiro. Não era um malfeitor; mas entendia de mandingas. A sua bondade natural para tudo e para todos acabou desarmando a população. Continuou, porém, a ser feiticeiro, mas feiticeiro bom.

Um dia sinhá Chica animou-se a consultá-lo:

— "Seu" Ernesto: viraram a cabeça de meu filho... Deu "pa bebê"... "Tá arrelaxando"...

— Minha senhora, que hei de eu fazer?

— O "sinhô" pode, sim! "Conversa cum" santo...

O solitário, encontrando-se por acaso, naquele mesmo dia, com o filho da pobre rapariga, disse-lhe docemente estas simples palavras:

— Não beba, rapaz. É feio, estraga — não beba!

E o rapaz pensou que era o Mistério quem lhe falava e não bebeu mais. Foi um milagre que mais repercutiu com o que contou o Teófilo Candeeiro.

Este incorrigível bebaço, a quem atribuíam a invenção do tratamento das sezões, pelo parati, dias depois, em um cavaco de venda, narrou que vira, uma tardinha, aí quase pela boca da noite, voar do telhado da casa do "homem" um pássaro branco, grande, maior do que um pato; e, por baixo do seu voo rasteiro, as árvores todas se abaixavam, como se quisessem beijar a terra.

Com essas e outras, o solitário de Inhangá ficou sendo como um príncipe encantado, um gênio bom, a quem não se devia fazer mal.

Houve mesmo quem o supusesse um Cristo, um Messias. Era a opinião do Manuel Bitu, o taverneiro, um antigo sacristão, que dava a Deus e a César o que era de um e o que era de outro; mas o escriturário do posto, "seu" Almada, contrariava-o, dizendo que se o primeiro Cristo não existiu, então um segundo!...

O escriturário era um sábio, e sábio ignorado, que escrevia em ortografia pretensiosa os pálidos ofícios, remetendo mudas de laranjeiras e abacateiros para o Rio.

A opinião do escriturário era de exegeta, mas a do médico era de psiquiatra.

Esse "anelado" ainda hoje é um enfezadinho, muito lido em livros grossos e conhecedor de uma quantidade de nomes de sábios; e diagnosticou: um puro louco.

Esse "anelado" ainda hoje é uma esperança de ciência...

O "feiticeiro", porém, continuava a viver no seu rancho sobranceiro a todos eles. Opunha às opiniões autorizadas do doutor e do escriturário, o seu desdém soberano de miserável independente; e ao estulto julgamento do bondoso Mané Bitu, a doce compaixão de sua alma terna e afeiçoada...

De manhã e à tarde, regava as suas couves; pelo dia em fora, plantava, colhia, fazia e rachava lenha, que vendia aos feixes, ao Mané Bitu, para poder comprar as utilidades de que necessitasse. Assim, passou ele cinco anos quase só naquele município de Inhangá, hoje burocraticamente chamado — "Contra-Almirante Doutor Frederico Antônio da Mota Batista".

Um belo dia foi visitar o posto o Deputado Braga, um elegante senhor, bem-posto, polido e cético.

O diretor não estava, mas o doutor Chupadinho, o sábio escriturário Almada e o vendeiro Bitu, representando o "capital" da localidade, receberam o parlamentar com todas as honras e não sabiam como agradá-lo.

Mostraram-lhe os recantos mais agradáveis e pinturescos, as praias longas e brancas e também as estranguladas entre morros sobranceiros ao mar; os horizontes fugidios e cismadores do alto das colinas; as plantações de batatas-doces; a ceva dos porcos...

Por fim, ao deputado que já se ia fatigando com aqueles dias, a passar tão cheio de assessores, o doutor Chupadinho convidou:

— Vamos ver, doutor, um degenerado que passa por santo ou feiticeiro aqui. É um dementado que, se a lei fosse lei, já de há muito estaria aos cuidados da ciência, em algum manicômio.

E o escriturário acrescentou:

— Um maníaco religioso, um raro exemplar daquela espécie de gente com que as outras idades fabricavam os seus santos.

E o Mané Bitu:

— É um rapaz honesto... Bom moço — é o que posso dizer dele.

O deputado, sempre cético e complacente, concordou em acompanhá-los à morada do feiticeiro. Foi sem curiosidade, antes indiferente, com uma ponta de tristeza no olhar.

O "feiticeiro" trabalhava na horta, que ficava ao redor do poço, na várzea, à beira da estrada.

O deputado olhou-o e o solitário, ao tropel de gente, ergueu o busto que estava inclinado sobre a enxada, voltou-se e fitou os quatro. Encarou mais firmemente o desconhecido e parecia procurar reminiscências. O legislador fitou-o também um instante e, antes que pudesse o "feiticeiro" dizer qualquer coisa, correu até ele e abraçou-o muito e demoradamente.

— És tu, Ernesto?

— És tu, Braga?

Entraram. Chupadinho, Almada e Bitu ficaram à parte e os dois conversaram particularmente.

Quando saíram, Almada perguntou:

— O doutor conhecia-o?

— Muito. Foi meu amigo e colega.

— É formado? indagou o doutor Chupadinho.

— É.

— Logo vi, disse o médico. Os seus modos, os seus ares, a maneira com que se porta fizeram-me crer isso; o povo, porém...

— Eu também, observou Almada, sempre tive essa opinião íntima; mas essa gente por aí leva a dizer...

— Cá para mim, disse Bitu, sempre o tive por honesto. Paga sempre as suas contas.

E os quatro voltaram em silêncio para a sede do "Posto Agrícola de Cultura Experimental de Plantas Tropicais".

Uma noite no Lírico[149]

Poucas vezes, ia ao antigo D. Pedro II[150] e as poucas em que lá fui, era das galerias que assistia ao espetáculo.

Munido do competente bilhete, às oito horas, entrava, subia, procurava o lugar marcado e nele mantinha-me, durante a representação. De forma que aquela sociedade brilhante que eu via formigar nos camarotes e nas cadeiras, me parecia distante, colocada muito afastada de mim, em lugar inacessível, no fundo de cratera de vulcão extinto. Cá do alto, debruçado na grade, eu sorvia o vazio da sala com a volúpia de uma atração de abismo. As casacas corretas, os uniformes aparatosos, as altas toaletes das senhoras, semeadas entre eles, tentavam-me, hipnotizavam-me. Decorava os movimentos, os gestos dos cavalheiros e procurava descobrir a harmonia oculta entre eles e os risos e os ademanes das damas.

Nos intervalos, encostado a uma das colunas que sustentam o teto, observando os camarotes, apurava o meu estudo do *hors-ligne*, do distinto, com os espectadores que ficavam nas lojas.

Via correrem-se-lhes os reposteiros, e os cavaleiros bem encasacados, juntarem os pés, curvarem ligeiramente o corpo, apertarem ou mesmo beijarem a mão das damas que se mantinham eretas, encostadas a uma das cadeiras, de costas para a sala, com o leque em uma das mãos caídas ao longo do corpo.

Quantas vezes não tive ímpetos de ali mesmo, com risco de parecer doido ao polícia vizinho, imitar aquele cavalheiro?

Quase tomava notas, desenhava esquemas da postura, das maneiras, das mesuras do elegante senhor...

Havia naquilo tudo, na singular concordância dos olhares e gestos, dos ademanes e posturas dos interlocutores, uma relação oculta, uma vaga harmonia, uma deliciosa equivalência que mais do que o espetáculo do palco, me interessavam e seduziam. E tal era o ascendente que tudo isso tinha sobre o meu espírito que, ao chegar em casa, antes de deitar, quase repetia, com o meu velho chapéu de feltro, diante do meu espelho ordinário, as performances do cavalheiro.

Quando cheguei ao quinto ano do curso e os meus destinos me impuseram, resolvi habilitar-me com uma casaca e uma assinatura de cadeira do Lírico. Fiz consignações e toda a espécie de agiotagem com os meus vencimentos de funcionário público e para lá fui.

Nas primeiras representações, pouco familiarizado com aquele mundo, não tive grandes satisfações; mas, por fim, habituei-me.

As criadas não se fazem em instantes duquesas? Eu me fiz logo homem na sociedade.

O meu colega Cardoso, moço rico, cujo pai enriquecera na indústria das indenizações, muito concorreu para isso.

Fora simples a ascensão do pai à riqueza. Pelo tempo do governo provisório, o velho Cardoso pedira concessão para instalar uns poucos de burgos agrícolas, com colonos javaneses, nas nascentes do Purus; mas, não os tendo instalado no prazo, o governo seguinte cassou o contrato. Aconteceu, porém, que ele provou ter construído lá um rancho de palha. Foi para os tribunais que lhe deram ganho de causa, e recebeu de indenização cerca de quinhentos contos.

Encarregou-se o jovem Cardoso de me apresentar ao "mundo", de me informar sobre toda aquela gente. Lembro-me bem que, certa noite, me levou ao camarote dos viscondes de Jacarepaguá. A viscondessa estava só; o marido e a filha tinham ido ao bufê. Era a viscondessa uma senhora idosa, de traços empastados, sem relevo algum, de ventre proeminente, com um *pince-nez* de ouro trepado sobre o pequeno nariz e sempre a agitar o cordão de ouro que prendia um grande leque rococó.

Quando entramos, estava sentada, com as mãos unidas sobre o ventre, tendo o fatal leque entre elas, o corpo inclinado para trás e a cabeça a repousar sobre o espaldar da cadeira. Mal desmanchou a posição em que estava, respondeu maternalmente aos cumprimentos, e interrogou o meu amigo sobre a família.

— Não desceram de Petrópolis, este ano?
— Meu pai não tem querido... Há tanta bexiga...
— Que medo tolo! Não acha, doutor? dirigindo-se a mim.

Respondi:
— Penso assim também, viscondessa.

Ela ajuntou então:
— Olhe, doutor... como é a sua graça?
— Bastos, Frederico.
— Olhe, doutor Frederico; lá em casa havia uma rapariga... uma negra... boa rapariga...

E, por aí, desandou a contar a história vulgar de uma pessoa que trata de outra atacada de moléstia contagiosa e não apanha a doença, enquanto a que foge vem a morrer dela.

Depois da sua narração, houve um curto silêncio; ela, porém, o quebrou:
— Que tal o tenor?
— É bom, disse o meu amigo. Não é de primeira ordem, mas se o pode ouvir...
— Ah! O Tamagno! suspirou a viscondessa.
— O câmbio está mau, refleti; os empresários não podem trazer notabilidades.
— Nem tanto, doutor! Quando estive na Europa, pagava por um camarote quase a mesma coisa que aqui... Era outra coisa! Que diferença!

Como houvessem anunciado o começo do ato seguinte, despedimo-nos. No corredor, encontramos o visconde e a filha. Cumprimentamo-nos rapidamente e descemos para as cadeiras.

Meu companheiro, segundo a praxe elegante e desgraciosa, não quis entrar logo. Era mais chique esperar o começo do ato... Eu, porém, que era novato, fui tratando de abancar-me. Ao entrar na sala, dei com o Alfredo Costa, o que me causou grande surpresa, por sabê-lo, apesar de rico, o mais feroz inimigo daquela gente toda. Não foi durável o meu espanto. Juvenal tinha posto a casaca e cartola, para melhor zombar, satirizar e estudar aquele meio.

— De que te admiras? Venho a este barracão imundo, feio, pechisbeque,

que faz todo o Brasil roubar, matar, prevaricar, adulterar, a fim de rir-me dessa gente que tem as almas candidatas ao pez ardente do inferno. Onde estás?

Disse-lhe eu, ao que ele me convidou:

— Vem para junto de mim... Ao meu lado, a cadeira está vazia e o dono não virá. É a do Abrantes que me avisou disso, pois, no fim do primeiro ato, me disse que tinha de estar em certo lugar especial... Vem que o lugar é bom para observar.

Aceitei. Não tardou que o ato começasse e a sala se enchesse...

Ele, logo que a viu assim, falou-me:

— Não te dizia que, daqui, tu poderias ver quase toda a sala?

— É verdade! Bela casa!

— Cheia, rica! observou o meu amigo com um acento sarcástico.

— Há muito que não via tanta gente poderosa e rica reunida.

— E eu há muito tempo que não via tantos casos notáveis da nossa triste humanidade. Estamos como que diante de vitrinas de um museu de casos de patologia social.

Estivemos calados, ouvindo a música; mas, ao surgir na boca de um camarote, à minha direita, já pelo meio do ato, uma mulher, alta, esguia, de grande porte, cuja tez moreno-claro e as joias rutilantes saíam muito friamente do fundo negro do vestido, discretamente decotado em quadrado, eu perguntei:

— Quem é?

— Não conheces? A Pilar, a "Espanhola".

— Ah! Como se consente?

— É um lugar público... Não há provas... Demais, todas as "outras" a invejavam... Tem joias caras, carros, palacetes...

— Já vens tu...

— Ora! Queres ver? Vê o sexto camarote de segunda ordem, contando de lá para cá! Viste?

— Vi.

— Conheces a senhora que lá está?

— Não, respondi.

— É a mulher de Aldong, que não tem rendimentos, sem profissão conhecida ou com a vaga de que trata de negócios. Pois bem: há mais de vinte anos, depois de ter gasto a fortuna da mulher, ele a sustenta como um nababo. Adiante, embaixo, no camarote de primeira Ordem vês aquela moça que está com a família?

— Vejo. Quem é?

— É a filha do doutor Silva a quem, certo dia, encontraram, em uma festa campestre, naquela atitude que Anatole France, num dos Bergerets, diz ter alguma coisa de luta e de amor... E os homens não ficam atrás...

— És cruel!

— Repara naquele que está na segunda fila, quarta cadeira, primeira classe. Sabes de que vive?

— Não.

— Nem eu. Mas, ao que corre, é banqueiro de casa do jogo. E aquele general, acolá? Quem é?

— Não sei.

— O nome não vem ao acaso; mas sempre ganhou as batalhas... nos jornais. Aquele almirante que tu vês, naquele camarote, possui todas as bravuras, menos a de afrontar os perigos do mar. Mais além, está o desembargador Genserico...

Consta não pôde acabar. O ato terminava: palmas entrelaçavam-se, bravos soavam. A sala toda era uma vibração única de entusiasmo. Saímos para o saguão e eu me pus a ver todos aqueles homens e mulheres tão maldosamente catalogados pelo meu amigo. Notei-lhes as feições transtornadas, o tormento do futuro, a certeza da instabilidade de suas posições. Vi todos eles a arrombar portas, arcas, sôfregos, febris, preocupados por não fazer bulha, a correr à menor que fosse...

E ali, entre eles, a "Espanhola" era a única que me aparecia calma, segura dos dias a vir, sem pressa, sem querer atropelar os outros, com o brilho estranho da pessoa humana que pode e não se atormenta...

Um músico extraordinário[151]

Quando andávamos juntos no colégio, Ezequiel era um franzino menino de quatorze ou quinze anos, triste, retraído, a quem os folguedos colegiais não atraíam. Não era visto nunca jogando "barra, carniça, quadrado, peteca", ou qualquer outro jogo dentre aqueles velhos brinquedos de internato que hoje não se usam mais. O seu grande prazer era a leitura e, dos livros, os que mais gostava eram os de Júlio Verne. Quando todos nós líamos José de Alencar, Macedo, Aluísio e, sobretudo, o infame Alfredo Gallis,[152] ele lia *A ilha misteriosa*, o *Heitor Servadac*,[153] as *Cinco semanas em um balão* e, com mais afinco, as *Vinte mil léguas submarinas*.

Dir-se-ia que a sua alma ansiava por estar só com ela mesma, mergulhada, como o Capitão Nemo do romance vernesco, no seio do mais misterioso dos elementos da nossa misteriosa Terra.

Nenhum colega o entendia, mas todos o estimavam, porque era bom, tímido e generoso. E porque ninguém o entendesse nem as suas leituras, ele vivia consigo mesmo; em quando não estudava as lições de que dava boas contas, lia seu autor predileto.

Quem poderia pôr na cabeça daquelas crianças fúteis pela idade e cheias de anseios de carne para a puberdade exigente o sonho que o célebre autor francês instila nos cérebros dos meninos que se apaixonam por ele, e o bálsamo que os seus livros dão aos delicados que prematuramente adivinham a injustiça e a brutalidade da vida?

O que faz o encanto da meninice não é que essa idade seja melhor ou pior que as outras. O que a faz encantadora e boa é que, durante esse período da existência, nossa capacidade de sonho é maior e mais força temos em identificar os nossos sonhos com a nossa vida. Penso, hoje, que o meu colega Ezequiel tinha sempre no bolso um canivete, no pressuposto de, se viesse a cair em uma ilha deserta, possuir à mão aquele instrumento indispensável para o imediato arranjo de sua vida; e aquele meu outro colega Sanches andava sempre com uma nota de dez tostões, para, no caso de arranjar a "sua" namorada, ter logo em seu alcance o dinheiro com que lhe comprasse um ramilhete.

Era, porém, falar ao Ezequiel, em *Heitor Servadac*, e logo ele se punha entusiasmado e contava toda a novela do mestre de Nantes. Quando acabava, tentava então outra; mas os colegas fugiam um a um, deixavam-no só com o seu Júlio Verne, para irem fumar um cigarro às escondidas.

Então, ele procurava o mais afastado dos bancos do recreio, e deixava-se ficar lá, só, imaginando, talvez, futuras viagens que haviam de fazer, para as aventuras de Roberto Grant, de Hatteras, de Passepartout, de Keraban, de Miguel Strogoff, de Cesar Cascavel, de Phileas Fogg[154] e mesmo daquele curioso doutor Lindenbrock, que entre pela cratera extinta de Sueffels, na desolada Islândia, e vem à superfície da terra, num ascensor de lavas, que o Estrômboli vomita nas terras risonhas que o Mediterrâneo afaga...

Saímos do internato quase ao mesmo tempo e, durante algum, ainda nos vimos; mas, bem depressa, perdemo-nos de vista.

Passaram-se anos e eu já havia de todo esquecido, quando, no ano passado, vim a encontrá-lo em circunstâncias bem singulares.

Foi em um domingo. Tomei um bonde da Jardim, aí, na avenida, para visitar um amigo e, com ele, jantar em família. Ia ler-me um poema; ele era engenheiro hidráulico.

Como todo o sujeito que é rico ou se supõe ou quer passar como tal, o meu amigo morava para as bandas de Botafogo.

Ia satisfeito, pois de há muito não me perdia por aquelas bandas da cidade e me aborrecia com a monotonia dos meus dias, vendo as mesmas paisagens e olhando sempre as mesmas fisionomias. Fugiria, assim, por algumas horas, à fadiga visual de contemplar as montanhas desnudadas que marginam a Central, da estação inicial até Cascadura.¹⁵⁵ Morava eu nos subúrbios. Fui visitar, portanto, o meu amigo, naquele Botafogo catita, Meca das ambições dos nortistas, dos sulistas e dos... cariocas.

Sentei-me nos primeiros bancos; e já havia passado o Lírico e entrávamos na rua Treze de Maio,¹⁵⁶ quando, no banco de trás do meu, se levantou uma altercação com o condutor, uma dessas vulgares altercações comuns nos nossos bondes.

— Ora, veja lá com quem fala! dizia um.

— Faça o favor de pagar sua passagem, retorquia o recebedor.

— Tome cuidado, acudiu o outro. Olhe que não trata com nenhum cafajeste! Veja lá!

— Pague a passagem, senão o carro não segue.

E como eu me virasse por esse tempo a ver melhor tão patusco caso, dei com a fisionomia do disputador que me pareceu vagamente minha conhecida. Não tive de fazer esforços de memória. Como uma ducha, ele me interpelou desta forma:

— Vejas tu só, Mascarenhas, como são as coisas! Eu, um artista, uma celebridade, cujos serviços a este país são inestimáveis, vejo-me agora maltratado por esse brutamonte que exige de mim, desaforadamente, a paga de uma quantia ínfima, como se eu fosse da laia dos que pagam.

Aquela voz, de súbito, pois ainda não sabia bem quem me falava, reconheci o homem: era o Ezequiel Beiriz.

Paguei-lhe a passagem, pois, não sendo celebridade, nem artista, podia perfeitamente e sem desdouro pagar quantias ínfimas; o veículo seguiu pacatamente o seu caminho, levando o meu espanto e a minha admiração pela transformação que se havia dado no temperamento do meu antigo colega de colégio. Pois era aquele parlapatão, o tímido Ezequiel?

Pois aquele presunçoso, que não era da laia dos que pagam, era o cismático Ezequiel do colégio, sempre a sonhar viagens maravilhosas, à Júlio Verne? Que teria havido nele? Ele me pareceu inteiramente são, no momento e para sempre.

Travamos conversa e mesmo a procurei, para decifrar tão interessante enigma.

— Que diabo, Beiriz! Onde tens andado? Creio que há bem quinze anos que não nos vemos — não é? Onde andaste?

— Ora! Por esse mundo de Cristo. A última vez que nos encontramos... Quando foi mesmo?

— Quando eu ia embarcar para o interior do estado do Rio, visitar a família.

— É verdade! Tens boa memória... Despedimo-nos no largo do Paço... Ias para Muruí — não é isso?

— Exatamente.

— Eu, logo em seguida, parti para o Recife a estudar direito.

— Estiveste lá este tempo todo?

— Não. Voltei para aqui, logo de dois anos passados lá.

— Por quê?

— Aborrecia-me aquela "chorumela" de direito... Aquela vida solta de estudantes de província não me agradava... São vaidosos... A sociedade lhes dá muita importância, daí...

— Mas que tinhas com isso? Fazias vida à parte...

— Qual! Não era bem isso o que eu sentia... Estava era aborrecidíssimo com a natureza daqueles estudos... Queria outros...

— E tentaste?

— Tentar! Eu não tento; eu os faço... Voltei para o Rio a fim de estudar pintura.

— Como não tentas, naturalmente...

— Não acabei. Enfadou-me logo tudo aquilo da Escola de Belas-Artes.

— Por quê?

— Ora! Deram-me uns bonecos de gesso para copiar... Já viste que tolice? Copiar bonecos e pedaços de bonecos... Eu queria a coisa viva, a vida palpitante...

— É preciso ir às fontes, começar pelo começo, disse eu sentenciosamente.

— Qual! Isto é para toda gente... Eu vou de um salto; se erro, sou como o tigre diante do caçador — estou morto!

— De forma que...

— Foi o que me aconteceu com a pintura. Por causa dos tais bonecos, errei o salto e a abandonei. Fiz-me repórter, jornalista, dramaturgo, o diabo! Mas, em nenhuma dessas profissões dei-me bem... Todas elas me desgostavam... Nunca estava contente com o que fazia... Pensei, de mim para mim, que nenhuma delas era a da minha vocação e a do meu amor; e, como sou honesto intelectualmente, não tive nenhuma dor de coração em largá-las e ficar à toa, vivendo ao deus-dará.

— Isto durante muito tempo?

— Algum. Conto-te o resto. Já me dispunha a experimentar o funcionalismo, quando, certo dia, descendo as escadas de uma secretaria, onde fui levar um pistolão, encontrei um parente afastado que as subia. Deu-me ele a notícia da morte do meu tio rico que me pagava colégio e, durante alguns anos, me dera pensão; mas ultimamente a tinha suspendido, devido, dizia ele, a eu não esquentar lugar, isto é, andar de escola em escola, de profissão em profissão.

— Era solteiro, esse seu tio?

— Era, e, como já não tivesse mais pai (ele era irmão de meu pai), ficava sendo o seu único herdeiro, pois morreu sem testamento. Devido a isso e mais ulteriores ajustes com a Justiça, fiquei possuidor de cerca de duas centenas e meia de contos.

— Um nababo! Hein?

— De algum modo. Mas escuta, filho! Possuidor dessa fortuna, larguei-me para a Europa a viajar. Antes — é preciso que saibas — fundei aqui uma revista literária e artística — *Vilbara* — em que apresentei as minhas ideias budistas sobre a arte, apesar do que nela publiquei as coisas mais escatológicas possíveis, poemetos ao suicídio, poemas em prosa à Venus Genitrix, junto com sonetos, cantos, glosas de coisas de livros de missa de meninas do colégio de Sion.

— Tudo isto de tua pena?

— Não. A minha teoria era uma e a da revista outra, mas publicava as coisas mais antagônicas a ela, porque eram dos amigos.

— Durou muito a tua revista?

— Seis números e custaram-me muito, pois até tricromias publiquei e hás de adivinhar que foram de quadros contrários ao meu ideal búdico. Imagina tu que até estampei uma reprodução dos *Horácios*, do idiota do David![157]

— Foi para encher, certamente?

— Qual! A minha orientação nunca dominou a publicação...

Bem! Vamos adiante. Embarquei quase como fugido deste país em que a estética transcendente da renúncia, do aniquilamento do desejo era tão singularmente traduzida em versos fesceninos e escatológicos e em quadros apologéticos da força da guerra. Fui-me embora!

— Para onde?

— Pretendia ficar em Lisboa, mas, em caminho, sobreveio uma tempestade; e deu-me vontade, durante ela, de ir ao piano. Esperava que saísse o "bitu"; mas, qual não foi o meu espanto, quando de sob os meus dedos, surgiu e ecoou o tremendo fenômeno meteorológico, toda a sua música terrível... Ah! Como me senti satisfeito! Tinha encontrado a minha vocação... Eu era músico! Poderia transportar, registrar no papel e reproduzi-los artisticamente, com os instrumentos adequados, todos os sons, até ali intraduzíveis pela arte, da Natureza. O bramido das grandes cachoeiras, o marulho soluçante das vagas, o ganido dos grandes ventos, o roncar divino do trovão estalido do raio — todos esses ruídos, todos esses sons não seriam perdidos para a Arte; e, através do meu cérebro, seriam postos em música, idealizados transcendentalmente, a fim de mais fortemente, mais intimamente prender o homem à Natureza, sempre boa e sempre fecunda, vária e ondeante; mas...

— Tu sabias música?

— Não. Mas, continuei a viagem até Hamburgo, em cujo conservatório me matriculei. Não me dei bem nele, passei para o de Dresden, onde também não me dei bem. Procurei o de Munique, que não me agradou. Frequentei o de Paris, o de Milão...

— De modo que deves estar muito profundo em música?

Calou-se meu amigo um pouco e logo respondeu:

— Não. Nada sei, porque não encontrei um conservatório que prestasse. Logo que o encontre, fica certo que serei um músico extraordinário. Adeus, vou saltar. Adeus! Estimei ver-te.

Saltou e tomou por uma rua transversal que não me pareceu ser a da sua residência.

A biblioteca[158]

A Pereira da Silva[159]

À proporção que avançava em anos, mais nítidas lhe vinham as reminiscências das coisas da casa paterna. Ficava ela lá pelas bandas da rua do Conde, por onde passavam então as estrondosas e fagulhentas "maxambombas" da Tijuca. Era um casarão grande, de dois andares, rés do chão, chácara cheia de fruteiras, rico de salas, quartos, alcovas, povoado de parentes, contraparentes, fâmulos, escravos; e a escada que servia os dois pavimentos, situada um pouco além da fachada, a desdobrar-se em toda a largura do prédio, era iluminada por uma grande e larga claraboia de vidros multicores. Todo ele era assoalhado de peroba de Campos, com vastas tábuas largas, quase da largura da tora de que nasceram; e as esquadrias, portas, janelas, eram de madeira de lei. Mesmo a cocheira e o albergue da sege eram de boa madeira e tudo coberto de excelentes e pesadas telhas. Que coisas curiosas havia entre os seus móveis e alfaias? Aquela mobília de jacarandá-cabiúna com o seu vasto canapé, de três espaldares, ovalados e vastos, que mais parecia uma cama que mesmo um móvel de sala; aqueles imensos consolos, pesados, e ainda mais com aqueles enormes jarrões de porcelana da Índia que não vemos mais; aqueles desmedidos retratos dos seus antepassados, a ocupar as paredes de alto a baixo — onde andava tudo aquilo? Não sabia... Vendera ele, aqueles objetos? Alguns; e dera muitos.

Umas coisas, porém, ficaram com o irmão que morrera cônsul na Inglaterra e lá deixara a prole; outras, com a irmã que se casara para o Pará... Tudo, enfim, desaparecera. O que ele estranhava ter desaparecido eram as alfaias de prata, as colheres, as facas, o coador de chá...

E o espevitador de velas? Como ele se lembrava desse utensílio obsoleto, de prata! Era com ternura que se recordava dele, nas mãos de sua mãe, quando, nos longos serões, na sala de jantar, à espera do chá — que chá! — ele o via aparar os morrões das velas do candelabro, enquanto ela, sua mãe, não interrompia a história do Príncipe Tatu, que estava contando...

A tia Maria Benedita, muito velha, ao lado, sentada na estreita cadeira de jacarandá, tendo o busto ereto, encostado ao alto espaldar, ficava do lado, com os braços estendidos sobre os da cadeira, o tamborete aos pés, olhando atenta aquela sessão familiar, com o seu agudo olhar de velha e a sua hierática pose de estátua tebana tumular. Eram os nhonhôs e nhanhãs, nas cadeiras; e as crias e molecotes acocorados no assoalho, a ouvir... Era menino...

O aparelho de chá, o usual, o de todo o dia, como era lindo! Feito de uma louça negra, com ornatos em relevo, e um discreto esmalte muito igual de brilho — donde viera aquilo? Da China, da Índia?

E a gamela de bacurubu em que a Inácia, a sua ama, lhe dava banho — onde estava? Ah! As mudanças! Antes nunca tivesse vendido a casa paterna...

A casa é que conserva todas as recordações de família. Perdida que seja, como que ela se vinga fazendo dispersar as relíquias familiares que, de algum modo, conservavam a alma e a essência das pessoas queridas e mortas... Ele não podia, entretanto, manter o casarão... Foram o tempo, as leis, o progresso...

Todos aqueles trastes, todos aqueles objetos, no seu tempo de menino, sem grande valia, hoje valeriam muito... Tinha ainda o bule do aparelho de chá, um escumador, um *guéridon* com trabalho de embutido... Se ele tivesse (insistia) conservado a casa, tê-los-ia todos hoje, para poder rever o perfil aquilino, duro e severo do seu pai, tal qual estava ali, no retrato de Agostinho da Mota, professor de academia; e também a figurinha de Sèvres que era a sua mãe em moça, mas que os retratistas da terra nunca souberam pôr na tela. Mas não pôde conservar a casa... A constituição da família carioca foi insensivelmente se modificando; e ela era grande demais para a sua. De resto, o inventário, as partilhas, a diminuição de rendas, tudo isso tirou-a dele. A culpa não era sua, dele, era da marcha da sociedade em que vivia...

Essas recordações lhe vinham sempre e cada vez mais fortes, desde os quarenta e cinco anos; estivesse triste ou alegre, elas lhe acudiam. Seu pai, o conselheiro Fernandes Carregal, tenente-coronel do Corpo de Engenheiros e lente da Escola Central, era filho do sargento-mor de engenharia e também lente da Academia Real Militar que o conde de Linhares,[160] ministro de dom João VI, fundou em 1810, no Rio de Janeiro, com o fim de se desenvolverem entre nós os estudos de ciências matemáticas, físicas e naturais, como lá diz o ato oficial que a instituiu. Desta academia todos sabem como vieram a surgir a atual Escola Politécnica e a extinta Escola Militar da Praia Vermelha. O filho de Carregal, porém, não passara por nenhuma delas; e, apesar de farmacêutico, nunca se sentira atraído pela especialidade dos estudos do pai. Este dedicara-se, a seu modo e ao nosso jeito, à Química. Tinha por ela uma grande mania... bibliográfica. A sua biblioteca a esse respeito era completa e valiosa. Possuía verdadeiros "incunábulos",[161] se assim se pode dizer, da química moderna. No original ou em tradução, lá havia preciosidades. De Lavoisier,[162] encontravam-se quase todas as memórias, além do seu extraordinário e sagacíssimo *Traité élémentaire de chimie, présenté dans un ordre et d'après les découvertes modernes.*

O velho lente, no dizer do filho, não podia pegar nesse respeitável livro que não fosse tomado de uma grande emoção.

— Veja só meu filho, como os homens são maus! Lavoisier publicou esta maravilhosa obra no início da Revolução, a qual ele sinceramente aplaudiu... Ela o mandou para o cadafalso — sabe você por quê?

— Não, papai.

— Porque Lavoisier tinha sido uma espécie de coletor ou coisa parecida no tempo do rei. Ele o foi, meu filho, para ter dinheiro com que custeasse as suas experiências. Veja você como são as coisas e como é preciso ser mais do que homem para bem servir aos homens...

Além desta gema que era a sua menina dos olhos, o Conselheiro Carregal tinha também o Proust, *Novo sistema de filosofia química*; o Priestley, *Expériences sur les différentes espèces d'air*; as obras de Guyton de Morveau; o *Traité* de Berzelius, tradução de Hoefer e Esslinger; a *Statique chimique* do grande Berthollet; a *Química orgânica* de Liebig, tradução de Gerhardt — todos livros antigos e sólidos, sendo dentre eles o mais moderno as *Lições de filosofia química*, de Wurtz, que são de 1864; mas, o estado do livro dava a entender que nunca tinham sido consultadas. Havia mesmo algumas obras de alquimia, edições dos primeiros tempos da tipografia, enormes, que exigem ser lidas em altas escrivaninhas, o leitor de pé, com um burel de monge ou nigromante; e, entre os desta natureza, lá estava um exemplar do — *Le livre des figures hiéroglyphiques* que a tradição atribui ao alquimista francês Nicolas Flamel.[163]

Sobravam, porém, além destes, muitos outros livros de diferente natureza, mas também preciosos e estimáveis: um exemplar da *Geometria* de Euclides, em latim, impresso em Upsal, na Suécia, nos fins do século XVI; os *Principia* de Newton, não a primeira edição, mas uma de Cambridge muito apreciada; e as edições *princeps* da *Méchanique analytique*, de Lagrange, e da *Géométrie descriptive*, de Monge.

Era uma biblioteca rica assim de obras de ciências físicas e matemáticas que o filho do conselheiro Carregal, há quarenta anos para cinquenta, piedosamente carregava de casa em casa, aos azares das mudanças desde que perdera o pai e vendera o casarão em que ela quietamente tinha vivido durante dezenas de anos, a gosto e à vontade.

Poderão supor que ela só tivesse obras dessa especialidade; mas tal não acontecia. Havia as de outros feitios de espírito. Encontravam-se lá os clássicos latinos; *Voyage autour du monde* de Bougainville; uma *Nouvelle Héloïse*, de Rousseau, com gravuras abertas em aço; uma linda edição dos *Lusíadas*, em caracteres elzevirianos; e um exemplar do *Brasil e a Oceania*, de Gonçalves Dias, com uma dedicatória, do próprio punho do autor, ao conselheiro Carregal.[164]

Fausto Carregal, assim era o nome do filho, até ali nunca se separara da biblioteca que lhe coubera como herança. Do mais que herdara, tudo dissipara, bem ou mal; mas os livros do conselheiro, ele os guardara intatos e conservados religiosamente, apesar de não os entender. Estudara alguma coisa, era até farmacêutico, mas sempre vivera alheado do que é verdadeiramente a substância dos livros — o pensamento e a absorção da pessoa humana neles.

Logo que pôde, arranjou um emprego público que nada tinha a ver com o seu diploma, afogou-se no seu ofício burocrático, esqueceu-se do pouco que estudara, chegou a chefe de seção, mas não abandonou jamais os livros do pai que sempre o acompanharam, e as suas velhas estantes de vinhático com incrustação de madrepérola.

A sua esperança era que um dos seus filhos os viesse a entender um dia; e todo o seu esforço de pai sempre se encaminhou para isso. O mais velho dos filhos, o Álvaro, conseguiu ele matriculá-lo no Pedro II; mas logo, no segundo ano, o pequeno meteu-se em calçarias de namoros, deu em noivo e, mal fez dezoito anos, empregou-se nos correios, praticante *pro rata*, casando-se daí em pouco. Arrastava agora uma vida triste de casal pobre, moço, cheio de filhos, mais triste era ele ainda porquanto, não havendo alegria naquele lar, nem por isso havia desarmonia. Marido e mulher puxavam o carro igualmente...

O segundo filho não quisera ir além do curso primário. Empregara-se logo em um escritório comercial, fizera-se remador de um clube de regatas, ganhava bem e andava pelas tolas festas domingueiras de *sport*, com umas calças sungadas pelas canelas e um *canotier* muito limpo, tendo na fita uma bandeirinha idiota.

A filha casara-se com um empregado da Câmara Municipal de Niterói e lá vivia.

Restava-lhe o filho mais moço, o Jaime, tão bom, tão meigo e tão seu amigo, que lhe pareceu, quando veio ao mundo, ser aquele que estava destinado a ser o inteligente, o intelectual da família, o digno herdeiro do avô e do bisavô. Mas não foi; e ele se lembrava agora como recomendava sempre à mulher, nos primeiros anos de vida do caçula, ao ir para a repartição:

— Irene, cuida bem do Jaime! Ele é que vai ler os papéis do meu pai.

Porque o pequeno, em criança, era tão doentinho, tão mirrado, apesar dos seus olhos muito claros e vivos, que o pai temia fosse com ele a sua última esperança de um herdeiro capaz da biblioteca do conselheiro.

Jaime tinha nascido quando o mais velho entrava nos doze anos; e o inesperado daquela concepção alegrava-lhe muito, mas inquietara a mãe.

Pelos seus quatro anos de idade, Fausto Carregal já tinha podido ver o desenvolvimento dos dois outros seus filhos varões e havia desesperado de ver qualquer um deles entender, quer hoje ou amanhã, os livros do avô e do bisavô, que jaziam limpos, tratados, embalsamados, nos jazigos das prateleiras das estantes de vinhático, à espera de uma inteligência, na descendência dos seus primeiros proprietários, para de novo fazê-los voltar à completa e total vida do pensamento e da atividade mental fecunda.

Certo dia, lembrando-se de seu pai em face das esperanças que depositava no seu filho temporão, Fausto Carregal considerou que, apesar do amor de seu progenitor à Química, nunca ele o vira com *éprouvettes*, com copos graduados, com retortas. Eram só livros que ele procurava. Como os velhos sábios brasileiros, seu pai tinha horror ao laboratório, à experiência feita com as suas mãos, ele mesmo...

O seu filho, porém, o Jaime, não seria assim. Ele o queria com o maçarico, com o bico de Bunsen, com a baqueta de vidro, com o copo de laboratório...

— Irene tu vais ver como o Jaime vai além do avô! Fará descobertas.

Sua mulher, entretanto, filha de um clínico que tivera fama quando moço, não tinha nenhum entusiasmo por essas coisas. A vida, para ela, se resumia em viver o mais simplesmente possível. Nada de grandes esforços, ou mesmo de pequenos, para se ir além do comum de todos; nada de escaladas, de ascensões; tudo terra a terra, muito cá embaixo... Viver, e só! Para que sabedorias? Para que nomeadas? Quase nunca davam dinheiro e quase sempre desgostos. Por isso, jamais se esforçou para que os seus filhos fossem além do ler, escrever e contar; e isso mesmo a fim de arranjarem um emprego que não fosse braçal, pesado ou servil.

O Jaime cresceu sempre muito meigo, muito dócil, muito bom; mas com venetas estranhas. Implicava com uma vela acesa em cima de um móvel porque lhe pareciam os círios que vira em torno de um defunto, na vizinhança; quando trovejava ficava a um canto calado, temeroso; o relâmpago fazia-o estremecer de medo, e logo após, ria-se de um modo estranho... Não era contudo doente; com o crescimento, até adquirira certa robustez. Havia noites, porém, em que tinha uma espécie de ataque, seguido de um choro convulso, uma coisa inexplicável que passava e voltava sem causa, nem motivo. Quando chegou aos sete anos, logo o pai quis pôr-lhe na mão a cartilha, porquanto vinha notando com singular satisfação a curiosidade do filho pelos livros, pelos desenhos e figuras, que os jornais e revistas traziam. Ele os contemplava horas e horas, absorvido, fixando nas gravuras os seus olhos castanhos, bons, leais...

Pôs-lhe a cartilha na mão:

— "A-e-i-o-u" — diga: "a".

O pequeno dizia: "a"; o pai seguia: "e"; Jaime repetia: "e"; mas quando chegava a "o", parecia que lhe invadia um cansaço mental, enfarava-se subitamente, não queria mais atender, não obedecia mais ao pai e, se este insistia e ralhava, o filho desatava a chorar:

— Não quero mais, papaizinho! Não quero mais!

Consultou médicos amigos. Aconselharam-no esperar que a criança tivesse mais idade. Aguardou mais um ano, durante o qual, para estimular o filho, não cessava de recomendar:

— Jaime, você precisa aprender a ler. Quem não sabe ler, não arranja nada na vida.

Foi em vão. As coisas se vieram a passar como da primeira vez. Aos doze anos, contratou um professor paciente, um velho empregado público aposentado, no intuito de ver se instilava na inteligência do filho o mínimo de saber ler e escrever. O professor começou com toda a paciência e tenacidade; mas, a criança que era incapaz de ódio até ali, perdeu a doçura, a meiguice para com o professor.

Era falar-lhe no nome, a menos que o pai estivesse presente, ele desandava em descomposturas, em doestos, em sarcasmos ao físico e às maneiras do bom velho. Cansado, o antigo burocrata, ao fim de dois anos, despediu-se tendo conseguido que Jaime soletrasse e contasse alguma coisa.

Carregal meditou ainda um remédio, mas não encontrou. Consultou médicos, amigos, conhecidos. Era um caso excepcional; era um caso mórbido esse de seu filho. Remédio, se um houvesse, não existia aqui; só na Europa... Não podia, o pequeno, aprender bem, nem mesmo ler, escrever, contar!... Oh! Meu Deus!

A conclusão lhe chegou sem choque, sem nenhuma brusca violência; chegou sorrateiramente, mansamente, pé ante pé, devagar, como uma conclusão fatal que era.

Tinha o velho Carregal, por hábito, ficar na sala em que estavam os livros e as estantes do pai, a ler, pela manhã, os jornais do dia. À proporção que os anos se passavam e os desgostos aumentavam-lhe na alma, mais religiosamente ele cumpria essa devoção à memória do pai. Chorava às vezes de arrependimento, vendo aquele pensamento todo, ali sepultado, mas ainda vivo, sem que entretanto pudesse fecundar outros pensamentos... Por que não estudara?

Dava-se assim, com aquela devoção diária, a ele mesmo, a ilusão de que, se não compreendia aqueles livros profundos e antigos, os respeitava e amava como a seu pai, esquecido de que para amá-los sinceramente era preciso compreendê-los primeiro. São deuses os livros, que precisam ser analisados, para depois serem adorados; e eles não aceitam a adoração senão dessa forma...

Naquela manhã, como de costume, fora para a sala dos livros, ler os jornais; mas não os pôde ler logo.

Pôs-se a contemplar os volumes nas suas molduras de vinhático. Viu o pai, o casarão, os moleques, as mucamas, as crias, o fardão do seu avô, os retratos... Lembrou-se mais fortemente de seu pai e viu-o lendo, entre aquelas obras, sentado a uma grande mesa, tomando de quando em quando rapé, que ele tirava às pitadas de uma boceta de tartaruga, espirrar depois, assoar-se num grande lenço de Alcobaça, sempre lendo, com o cenho carregado, os seus grandes e estimados livros.

As lágrimas vieram aos olhos daquele velho e avô. Teve de sustê-las logo. O filho mais novo entrava na dependência da casa em que ele se havia recolhido. Não tinha Jaime, porém, por esse tempo, um olhar de mais curiosidade para aqueles veneráveis volumes avoengos. Cheio dos seus dezesseis anos, muito robusto, não havia nele nem angústias, nem dúvidas. Não era corroído pelas ideias e era bem nutrido pela limitação e estreiteza de sua inteligência. Foi logo falando, sem mais detença, ao pai:

— Papai, você me dá cinco mil-réis, para eu ir hoje ao *football*.

O velho olhou o filho. Olhou a sua adolescência estúpida e forte, olhou seu mau feitio de cabeça; olhou bem aquele último fruto direto de sua carne e de seu sangue; e não se lembrou do pai. Respondeu:

— Dou, meu filho. Dentro em pouco, você terá.

E em seguida como se acudisse alguma coisa deslembrada que aquelas palavras lhe fizeram surgir à tona do pensamento, acrescentou com pausa:

— Diga a sua mãe que me mande buscar na venda uma lata de querosene, antes que feche. Não se esqueça, está ouvindo!

Era domingo. Almoçaram. O filho foi para o *football*;[165] a mulher foi visitar a filha e os netos, em Niterói; e o velho Fausto Carregal ficou só em casa, pois a cozinheira teve também folga.

Com os seus ainda robustos setenta anos, o velho Fausto Fernandes Carregal, filho do tenente-coronel de engenharia, conselheiro Fernandes Carregal, lente da Escola Central, tendo consertado mais uma vez o seu antigo *cavaignac* inteiramente branco e pontiagudo, sem tropeço, sem desfalecimento, aos dois, aos quatro, aos seis, ele só, sacerdotalmente, ritualmente, foi carregando os livros que tinham sido do pai e do avô para o quintal da casa. Amontoou-os em vários grupos, aqui e ali, untou de petróleo cada um, muito cuidadosamente, e ateou-lhes fogo sucessivamente.

No começo a espessa fumaça negra do querosene não deixava ver bem as chamas brilharem; mas logo que ele se evolou, o clarão delas, muito amarelo, brilhou vitoriosamente com a cor que o povo diz ser a do desespero...

Lívia[166]

E todos os dias quando ela, de manhã cedo, ia, ainda morrinhenta da cama, preparar o café matinal da família, ia toda envolvida num nevoeiro de sonhos, sonhados durante um demorado dormir de oito horas a fio. Por vezes — lá na cozinha, só, vigiando pacientemente a água que fervia — ao lhe chegarem as reminiscências deles em tumulto, juntas, borbulhava-lhe nos lábios uma interjetiva qualquer, eco desconexo do muito que lhe falavam por dentro.

De quando em quando, sofreando um gesto glorioso de satisfação, dizia — é ele — e isso de leve traduzia a grande carícia que lhe era dado gozar naquele instante, refazendo aquele sonho bom — tão bom e acariciador que bem lhe parecia um inebriamento de capitosos perfumes a se evolar do Mistério vagarosamente, suavemente... Depois, logo que o café se aprontava e, na sala de jantar, todos ao redor da mesa se punham a sorvê-lo, mastigando o pão de cada dia — ela, d'olhos parados, presos a uma linha do assoalho, levando compassadamente a xícara aos lábios, ficava a um canto a pensar, remoendo a cisma, procurando decifrar naqueles traços nebulosos — tão mal grudados pela memória — a figura viva daquele com quem, em sonhos, se vira indo de braço dado ruas em fora.

Esforço a esforço, de evocação em evocação, aparecia-lhe aos poucos a sua figura, o seu ar; e, após esse paciente trabalho de reconstrução, lhe vinha, anunciado por um sorriso reprimido que lhe encrespava radiosamente o semblante, o seu nome sílaba por sílaba... Go-do-fre-do. Então com volúpia, ela lhe pesava os recursos: ganhava cento e vinte, no emprego da Central, talvez, em breve, viesse a ter mais. Quarenta para casa e o resto para o vestuário e alimentos.

Era pouco — convinha — mas servia, pois, assim ficaria livre da tirania do cunhado, das impertinências do pai; teria sua casa, seus móveis e, certamente, o marido lhe dando algum dinheiro, ela — quem sabe! — que tão bons sonhos tinha, arriscando no "bicho", aumentaria a renda do casal; e, quando assim fosse, havia de comprar um corte de fazenda boa, um chapéu, de jeito que, sempre, pelo Carnaval, iria melhorzinha à rua do Ouvidor, assistir passarem as sociedades.

O café já se havia acabado; e ela ficara ainda distraída e sentada, quando soou de lá da sala de visitas a voz vigorosa do cunhado:

— Lívia! Traz o meu guarda-sol que ficou atrás da porta do quarto. Depressa!... Anda que faltam só oito minutos para o trem!

E como se demorasse um pouco, o Marques, redobrando de vigor no timbre, gritou:

— Oh! C'os diabos! Você ainda não achou! Safa! Que gente mole!

Humildemente, Lívia lá foi aos pulos, como uma corça domesticada, entregar o objeto pedido, para lhe ser arrancado bruscamente das mãos...

Envolvida ainda naquele sonho que lhe soubera tão bem a manhã, ela, através das frinchas da veneziana viu o cunhado atravessar a rua e se perder por entre o dédalo de casas.

Certificada disso, abriu a janela. O subúrbio todo despertava languidamente.

As montanhas, verde-negras, quase desnudas de vegetação, confusamente surgiam do seio da cerração tênue e esgarçada. As casas listravam de branco e ocre o pardacento geral, enquanto bocados de neblina, finos, adelgaçados, flutuavam sobre elas como sombras erradias.

As ruas descalças e enlameadas eram atravessadas por alguns transeuntes cabisbaixos, malvestidos, andando céleres em busca do embarcadouro.

Corria, de resto, como sempre, morosamente o viver diário; e a Lívia, sacudida pelo silvo agudo de uma locomotiva, levantou de repente os olhos, até ali fitos na estação que emergia do ambiente pardo a clarear-se, para pregá-los numa nesga do céu que o sol abria, por entre a névoa, furiosamente, vitoriosamente.

A súbitas, sua alma voou, asas abertas, voo rasgado, para outras bandas, outras regiões. Voou para a cidade de luxo e elegância que, ao fim daquelas fitas de aço, refulgia e brilhava.

Representaram-se-lhe os teatros de luxo, os bailes do tom, a rua da moda onde triunfavam as belezas. Ao considerar isso, viu-se ali também, ela, sim! ela, que não era feia, tendo o seu porte flexível e longo, envolvido de rendas, a desprender custosas essências e aqueles seus dedos de unhas de nácar, ornados de ouro e pérolas, escolhendo, na mais chique loja, *cassas, baptistes, voiles*...

Numa galopada de sonhos, supôs maiores coisas e — lembrando-se do que lhe contara a madrinha (oh! como era rica!) — imaginou a Europa, aquelas terras soberbas, por onde a "dindinha" passeava a sua velhice e o seu egoísmo.

Doidamente revolvia a alma e as cismas... Calculou-se lá também, na alameda de um soberbo jardim, de landau, com ricas vestes ao corpo unidas, ressaltando delas o esplendor de suas formas e o esguio patrício de seu corpo. Imaginou que, através de um caro chapéu de palhinha branca, se coasse a luz macia do sol da Europa, polvilhando-lhe a tez de ouro, em cujo fundo brilhassem muito os seus olhos vivos, negros e redondos.

— Oh! que bom! Quem me dera! — quase exclamou por esse tempo.

De reviravolta, Lívia adivinhou outra coisa no sonho. Não pensara bem; era outro que não o Godofredo, o rapaz que imaginara.

Aquele nariz grosso, aquela testa alta, o bigode ralo, não eram dele; eram antes do Siqueira, estudante de farmácia, filho do Agente. Esse poderia lhe dar aquilo — a Europa, o luxo — pois que formado ganharia muito.

Dessa forma — resolvera — "amarraria a lata" no Godofredo e "pegaria" com o Siqueira. E era muito melhor! O Siqueira, afinal, ia formar-se, seria um marido formado, ao braço do qual, se não fosse à Europa, viria a gozar de maior consideração...

Demais a Europa era desnecessária — para quê? Era querer muito. Quem muito quer nada tem; e ela para ter alguma coisa devia querer pouco. Bastava pois que lhe tirassem dali, fosse esse, fosse aquele; mas... se em todo o caso pudesse ser um mais assim... seria muito melhor.

E desde quando vinha ela querendo aquilo? Havia muitos anos; havia dez talvez. Desde os doze que namorava, que "grelava" só para aquele fim; entretanto, apesar de haver tido mais de quinze namorados, ainda ali estava, ainda ali ficava, sob o mando do cunhado.

Quinze namorados!

Quinze! De que lhe serviram?

Um levara-lhe beijos, outro abraços, outro uma e outra coisa; e sempre, esperando casar-se, isto é, libertar-se, ela ia languidamente, passivamente deixando. Passavam um, dois meses, e os namorados iam-se sem causa. Era feio, diziam; mas que fazer? como casar-se?

Por consequência, como viver? A sua própria mãe não lhe aconselhava? Não lhe dizia: "Filha, anda com isso; preciso ver esta letra vencida"?

De resto, o amor lhe desculparia, pois não é o amor o máximo tirano? Não é a própria essência da vida, das coisas mudas, dos seres, enfim?

Porventura ela os amara? Teria ela amado aquela legião de namorados? Amara um, sequer? Não sabia...

— O que é amar? interrogava fremente. Não é escrever cartas doces? Não é corresponder a olhares?

Não é dar aos namorados as ameaças da sua carne e da sua volúpia?

— Se era isso, ela amara a todos, um a um; se não era, a nenhum amara...

E o que era amar? Que era então?

Ao lhe chegar essa interrogação metafísica, para o seu entendimento, ela se perdeu no próprio pensamento; as ideias se baralharam, turbaram-se; e, depois, fatigada, foi passando vagarosamente a mão esquerda pela testa, correu-a pacientemente pela cabeça toda até à nuca.

Por fim, como se fosse um suspiro, concluiu:

— Qual amor! Qual nada! A questão é casar e para casar, namorar aqui, ali, embora por um se seja furtada em beijos, por outro em abraços, por outro...

— Ó Lívia! Você hoje não pretende varrer a casa, rapariga? Que fazes há tanto tempo na janela?!

Obedecendo ao chamado de sua mãe, Lívia foi mais uma vez retomar a dura tarefa, da qual, ao seu julgar, só um casamento havia de livrá-la para sempre, eternamente...

Mágoa que rala[167]

I

Dos chefes de Estado que tem tido o Brasil, o que mais amou, e muito profundamente, o Rio de Janeiro, foi sem dúvida dom João VI; e a população da cidade e arredores ainda tem na memória, nos dias contemporâneos, mais de um século após a sua chegada a estas plagas, a lembrança do seu nome. Nas freguesias afastadas do antigo Município Neutro, que conservam até hoje uma forte feição roceira, a recordação do rei bondoso e bonachão é mais viva e o seu nome é pronunciado pela gente mais humilde de tais lugarejos, sofrendo uma abreviatura singular — "Dom Sexto". Os que o precederam e nos governaram como vice-reis e governadores-gerais portaram-se na capital da ilimitada colônia portuguesa como simples funcionários, executores de ordens dos reis, ministros, conselhos, mesas disto e daquilo, sem olhar sequer as árvores, o céu, as cenas que os cercavam e muito menos a gente da terra. Acredito que, com a sua empáfia de fidalgos avariados, muitos deles duvidassem da humanidade dessa última e se aborrecessem com a natureza local, pululante e grandiosa. Não se pareciam com as coisas semelhantes de Portugal e não se podiam medir pelo estalão delas; não prestavam, portanto. A gente, para eles, um pouco mais que animais, eram uns negros à toa; e a natureza, um flagelo de mosquitos e cascavéis, sem possuir uma proporcionalidade com o homem, como a de Portugal, que parecia um jardim, feito para o homem.

Mesmo os nossos poetas mais velhos nunca entenderam a nossa vegetação, os nossos mares, os nossos rios; não compreendiam as nossas coisas naturais e nunca lhes pegaram a alma, o *substractum*; e se queriam dizer alguma coisa sobre ela caíam no lugar-comum amplificado e no encadeamento de adjetivos grandiloquentes, quando não voltavam para a sua arcadiana e livresca floresta de álamos, plátanos, mirtos, com vagabundíssimas ninfas e faunos idiotas, segundo a retórica e a poética didáticas das suas cerebrinas escolas, cheias de pomposos tropos, de rapé, de latim, e regras de catecismo literário. Se, nos poetas, o sentimento da natureza era esse de paisagens de poetas latinos, numa diluição já tão exaustiva que fazia que os autores do decalque se parecessem todos uns com os outros, como se poderia exigir de funcionários, fidalgos limitados, na sua própria prosápia, uma maior força original de sentimento diante dos novos quadros naturais que a luminosa Guanabara lhes dava, cercando as águas de mercúrio de suas harmoniosas enseadas?

Dom João VI, porém, nobre de alta linhagem e príncipe do século de Rousseau, mal enfronhado na literatura palerma dos árcades, dos desembargadores e repentistas, estava mais apto para senti-los de primeira mão, diretamente. Podia ele, perfeitamente, amar o passaredo alegre na plumagem e triste no canto, a gravidade alpestre de cenários severos, os morros cobertos de árvores de insondável verde-escuro, que descem pelas encostas amarradas umas às outras, pelos cipós e trepadeiras, até o mar fosco que muge ao sopé deles.

O sucesso de Rousseau entre a alta fidalguia do seu tempo foi um estranho acontecimento que hoje surpreende a todos nós, tanto mais que não se passa uma geração e vem ele a ser amaldiçoado pelos filhos e netos dos que o festejaram, como sendo um dos autores do 89 e do rubro 93.

Antes disso foi ele o *enfant gâté* da grande nobreza e da grande burguesia que àquela se assemelhava nos gestos, nos gostos, nos vestuários, em tudo, enfim, até no modo de assinar o nome.

Depois dos seus primeiros sucessos musicais e literários, mesmo antes com a sua mãe-amante, Mme. de Warens,[168] Jean-Jacques foi o mimo, o autor predileto da alta nobreza e da grande burguesia, que esperavam a guilhotina da Grande Revolução lendo as suas declamações e objurgatórias contra a civilização. Sempre lido por elas, sempre por elas agraciado e socorrido, ambas sorveram com lágrimas nos olhos as palavras do genebrino, cujas obras deviam inspirar e sustentar o ânimo do sumo pontífice da guilhotina — Robespierre. E Rousseau, nas festanças e bailes do rico financeiro Dupin, avô ou coisa parecida de George Sand[169] que, numa edição das *Confessions*, prefaciada por ela, se confessa fiel ao espírito do comensal de seu avô, naquele lacustre castelo de Chenonceaux, erguido a capricho sobre as águas do Cher; é Mme. d'Épinay,[170] é a marechala de Luxembourg, é o marquês de Girardin,[171] é o príncipe de Conti, é Frederico II,[172] é o marechal, governador de Neuchâtel, em nome deste último, e tantos outros magnatas do tempo.

Dom João VI devia tê-lo lido e, sendo desgraçado três vezes, como filho, como marido e como rei, havia de encontrar a sua alma bem aberta para lhe receber as lições e compreender de modo mais amplo a natureza, de modo a ser solicitado para um convívio mais íntimo com as árvores, com os regatos, com as cascatas, fossem elas civilizadas, bárbaras ou selvagens.

Fugindo do seu reino, trazendo consigo a mãe louca,[173] que pedia, ao embarcar em Lisboa, andassem mais devagar, para não parecer que fugiam; obrigado pelo seu nascimento e as condições particulares do seu estado, a suportar uma mulher que perdera toda a conveniência, todo o pudor e todo o respeito a si própria, nos seus desregramentos sexuais — o pobre rei, gordo, glutão, tido como estúpido, desconfiado da sua paternidade oficial, só encontrava na música e nos aspectos naturais derivativos para a sua muito humana necessidade de efusões sentimentais.

Na sua vida de grandes mágoas e profundas dores, o seu desembarque no Rio com certeza foi para a sua alma uma aleluia. A augusta beleza do cenário natural, a sua originalidade imprevista e grandiosa — sem atingir o incompreensível do desmedido e do colossal, a efusão filial de toda uma bizarra população de brancos, índios, negros e mulatos, quase toda a chorar, provocaram muito naturalmente a simpatia, fizeram-lhe logo brotar no coração uma grande afeição pelo lugar, animaram-no novamente a viver, sentir-se rei de fato — Rei — o chefe aceito voluntariamente, como pai e senhor, por todos aqueles súditos longínquos que o viam pela primeira vez.

Dom João, diz Oliveira Lima,[174] caminha sereno, com a melancolia a fundir-se ao calor da simpatia que o estava acolhendo.

Para bem ver a terra, então, ele se esqueceu das quinze mil pessoas que o acompanhavam desde as margens do Tejo, daqueles quinze mil "desembargadores e repentistas, peraltas e sécias, frades e freiras, monsenhores e castrados — enxame de parasitas imundos", como diz Oliveira Martins, que aportava em São Sebastião para esvair quotidianamente a Ucharia Real e enchê-la em troca de zumbidos de intrigas, mexericos e alcovitices.

E o rei pagou bem o carinho filial com que o Rio de Janeiro o recebeu; foi grato. Tratou logo de arranjar uma nobreza da terra, que ele mesmo dizia não ser "nobreza" mas "tafetá"; protegeu José Maurício[175] e autorizou que a sua desgraciosa mas sagrada figura de rei, de nobre da mais alta e pura fidalguia, apesar da filha do Barbadão, fosse pintada na tela por um pobre pintor mulato, José Leandro, que nunca vira a Itália, nem museus, nem academias, e talvez até nem tivesse mestres.

Mas, não foi só aí que mostrou a sua gratidão para os afagos recebidos por ele, na sociedade da Guanabara; não o foi também, unicamente, nas instituições de ensino e outras que criou; foi para a terra que o seu agradecimento se voltou, foi para a sua beleza de que se enamorou, onde quis deixar as marcas e o penhor do grande amor que ela lhe inspirara.

De fato, não há lugar no Rio de Janeiro que não tenha uma lembrança do simplório rei erisipeloso e gordo. De Santa Cruz à ilha do Governador, numa distância de vinte léguas, as há por toda parte; da ilha do Governador à Gávea, também; e no centro da cidade são inúmeras.

Com as más entradas daqueles tempos, talvez pouco piores que as de hoje, é incrível como esse homem, tido por preguiçoso, indolente, vadio, vencesse tão grandes distâncias, andando de um lado para o outro, só para gozar os pinturescos e pitorescos recantos de sua improvisada capital ultramarina.

Hoje, com bondes elétricos, automóveis e o mais, os nossos grandes burgueses, alguns, dados todos os descontos, mais ricos do que o príncipe regente, só sabem amontoar-se em Botafogo, em palacetes de um gosto afetado, pedras falsas de arquitetura, com as tabuletas idiotas de "vilas" disto ou daquilo.

E não era só o rei; a própria rainha foi-se para Botafogo,[176] hoje "melindroso" e "encantador" mas, naquele tempo, roça perfeita; Von Langsdorff, cônsul-geral da Rússia, tinha uma fazenda na raiz da serra, onde cultivava em larga escala a mandioca; Chamberlain, também cônsul-geral, mas da Inglaterra, era proprietário de uma chácara em Santa Teresa, para caçar borboletas e plantar café; um emigrado político, o conde de Hogendrop foi morar como simples roceiro da terra, nas Águas Férreas; e o pintor Taunay, membro do Instituto de França, que veio com a missão artística de Lebreton, foi residir com toda a família, nas proximidades da cascatinha da Tijuca.

A nossa burguesia atual, porém, é panurgiana e, por isso, banaliza tudo em que toca ou de que se utiliza. Darwin, quando passou por aqui, em 1832, habitou durante os belos meses cariocas de maio e junho uma pequena casa de roça, nas cercanias da baía de Botafogo.

É impossível, diz ele, sonhar nada mais delicioso do que essa residência de algumas semanas em país tão admirável! Hoje, se ele visse esse subúrbio do Rio de Janeiro, com as suas casas quase todas iguais em pacholice; com os seus jardins econômicos de terra e, mais do que isso, avaros; com a sua aristocracia de melindrosas desfrutáveis e encantadoras com o espírito nas pontas dos dedos, ambos, machos e fêmeas, estetas de cinemas; com os seus verdadeiros e falsos ricos, arrogantes e ávidos; com os seus lacaios e *badauds* do luxo de pacotilha que lá impera; como não se recordaria da meiguice primitiva do lugar, quando por ali ele caçava "planárias", classificadas por Cuvier[177] como vermes intestinais, mas que, por sinal, não se encontram nos intestinos de qualquer animal; como lhe dariam saudades a música vesperal e dissonante iniciada pelas cigarras estridentes, e seguida pelo coaxar de rãs e sapos e pelo chiar dos grilos, com a iluminação instantânea dos pirilampos? Mas a nuvem pardo-azul, que nos grandes dias de luz funde ao longe as cores e as nuanças, observada pelo sábio inglês, ainda se pode ver naquele célebre recanto do Rio de Janeiro. Os burgueses não se erguem da terra; não escalam o céu. Isso é coisa para titãs... A nossa plutocracia, como a de todos os países, perdeu a única justificação da sua existência como alta classe, mais ou menos viciosa e privilegiada, que era a de educadora das massas, propulsora do seu alevantamento moral, artístico e social.

Nada sabe fazer de acordo com o país, nem inspirar que se faça. Ela copia os hábitos e opiniões uns dos outros, amontoa-se num lugar só, e deixa os lindos recantos do Rio de Janeiro abandonados aos carvoeiros ferozes que, afinal, saem dela mesma.

Encarando a burguesia atual de todo gênero, os recursos e privilégios de que dispõe, como sendo unicamente meios de alcançar fáceis prazeres e baixas satisfações pessoais, e não se compenetrando ela de ter, para com os outros, deveres de todas as espécies, falseia a sua missão e provoca a sua morte. Não precisará de guilhotina...

É bom lembrar, porém, já que falávamos em Darwin, que ele — e não podia deixar de fazê-lo — se refere também ao Jardim Botânico; e este recanto do Rio de Janeiro, tão peculiar à cidade que é até um dos seus emblemas, fala ainda de dom João vi. Até bem pouco tempo, era o lugar predileto para os passeios burgueses e familiares. Era o lugar dos piqueniques ou convescotes; e, aos domingos e dias de festas, quem lá fosse, encontraria, à sombra das suas veneráveis árvores, famílias e convivas, criados e mucamas e noivos, a comer o leitão assado e o peru recheado, votivos à boa harmonia e felicidade dos lares, em dias de sacrifício doméstico do nosso culto aos penates. Foram proibidos, e o Jardim Botânico só ficou lembrado por causa de uma casa rústica que havia defronte dele, espécie de hospedaria disfarçada em que, à noite, se realizavam pândegas alegres de rapazes e raparigas que não tinham o que perder. Assim mesmo, entretanto, ele não se aguentou na memória dos cariocas passeadores. Como Silvestre, a Tijuca e o moderno Sumaré, passou da moda. Hoje é em Copacabana e adjacências que se realizam as pândegas e se epilogam tragédias ou comédias conjugais. O Jardim Botânico, porém, ficou sossegado, quieto entre o mar bem próximo e a selva verde-negra que cobre os contrafortes do Corcovado ao fundo, polvilhada de prata após as grandes chuvas, lançando sobre os que o abandonaram o desdém de suas palmeiras altivas e titanicamente para o céu, à espera de que, para as suas alfombras, voltem as famílias em festança honesta e os amorosos irregulares em transportes sagrados, a fim de abençoar, quer umas, quer outros, debaixo das arcaicas góticas dos seus bambus veneráveis.

Conquanto tenha tido a primazia de nortear, para o seu portão, a primeira linha de bondes que se construiu no Rio de Janeiro, de uns tempos a esta parte o jardim deixou de ser falado nos jornais, nas crônicas elegantes, não mais foi escolhido para festividades mundanas a estrangeiros de distinção efêmera; e a massa dos cariocas desabituando-se de lhe ouvir o nome, nem vendo a sua alameda senhorial de palmeiras nas notas do Tesouro, esqueceu-se daquele pedaço da cidade, que é bem e só ele mesmo, ele unicamente, sem semelhança com outro.

Um belo dia de anos passados, porém, nas primeiras horas da manhã, logo após o café, abrindo os jornais, deram os cariocas com a primeira página de quase todos os quotidianos ocupada com uma longa notícia, entremeada de gravuras macabras e fisionomias satisfeitas de policiais em diligência.

Cada qual das gazetas tinha mais títulos e subtítulos e cada qual destes era mais campanudo e inexplicável. Leram a notícia e, em suma, tratava-se do seguinte: tendo fechado o jardim, os guardas, conforme mandava o regulamento, passaram revista a todo ele. Davam-na por acabada, quando um deles encontrou, na borda de um gramado, um punhal esquisito, "esquinado", dizia ele, com uma inscrição na face da lâmina. Era simples e em espanhol o mote: *Soy yo*! O achado intrigou-o, esquadrinhou melhor os arredores e veio a dar, dissimulado em uma moita, com o cadáver de uma mulher com o rosto arroxeado e congestionado, inteiramente vestida, só com chapéu fora do lugar, mas, posto por outra mão ao lado dela. Parecia estrangeira. De súbito e de forma tão tétrica, foi arrancada do esquecimento a lembrança do velho jardim real; e ele surgiu a todos da cidade com uma auréola de martírio, feita da ingratidão de toda uma população a cujos pais e avós, sem nada lhes pedir, ele soubera dar tantos instantes de alegria e amor.

Os jornais lembraram a sua história, a sua fundação pelo rei dom João VI, os benefícios que havia prestado com fornecimentos de sementes de plantas úteis ou "mudas" de variedades de cana-de-açúcar; lembraram a plantação de chá que lá houvera, sem esquecer de louvar as esguias e majestosas palmeiras, uma das quais, plantada pelas próprias mãos do rei, estava morrendo de velha.

O inquérito veio a correr, ou melhor, a arrastar-se sem esperança de resultado; e a inscrição em espanhol, no punhal, fazia que as autoridades policiais prendessem, não só todos os súditos do rei da Espanha que encontravam à mão, como também colombianos, argentinos, chilenos, e até um filipino azeitonado foi preso, apesar de ser um simples e inofensivo malaio vagabundo e cabeludo, que vivia a catar ervas medicinais para vendê-las aos herbanários da rua Larga e aos chefes de macumbas e "candomblés" dos subúrbios longínquos. Tudo em pura perda.

A vítima foi identificada. Era uma criada alemã, arrumadeira de um grande hotel de luxo do Silvestre ou de Santa Teresa, que, nos seus dias de folga ou licença, gostava de passear pelos arredores da cidade e beber cerveja em toda parte. Todos os frequentadores de casas de chopes conheciam aquela pequena alemã, de Baden, rechonchudinha, polpuda que nem um repolho, com os malares sempre rosados, possuidora de um perfeito aspecto de boneca alemã de carregação, que bebia mais do que os patrícios, rindo e estalando as palavras no duro e gutural alemão, cuja família diziam ser de camponeses de um lugarejo do grão-ducado. Os seus papéis eram cartas dos pais, de irmãos e parentes, além de lembranças de uns e outros, como retratos, sem mais outro traço sentimental que não este da família; e sobre o seu cadáver foram encontradas as joias que a sua modesta condição permitia possuir: um anel de pouco preço, umas bichas de ouro e brilhantes mas de valor pouco considerável, um par de pulseiras, algum dinheiro e mais nada.

II

O doutor Matos Garção era quem conduzia o inquérito; mas esse moço, feito delegado de polícia, por empenhos de políticos do interior e sendo ele mesmo de São Sebastião de Passa Quatro, pecava por inteiro desconhecimento do Rio de Janeiro, de forma que, apesar de ter alguma inteligência, andou dando por paus e por pedras, cego, tonto, numa descontinuidade de esforços de causar riso e pena.

Houve até uma diligência que, inspirada por ele, parecia encaminhá-lo para a descoberta do assassino da pequena Graüben Hunderbrok; mas que ele não a soube aproveitar. Tendo observado que muitos desses imigrantes espontâneos chegam ao Rio de Janeiro, com passagem por Buenos Aires, conseguiu obter da polícia argentina informações a respeito da alemãzinha assassinada. De lá, noticiaram que ela estivera naquela cidade do Prata, havia já quatro anos, quando, tendo vinte e três de idade, viera de França, de Paris, acompanhando uma família rica argentina, como criada. Meses depois, poucos, quatro, se tanto, despedira-se bruscamente e subitamente embarcara para a Guanabara. Era o que informaram as pessoas da família Avendaña, com a qual aportara em Buenos Aires. Um casal de alemães, cujo marido tinha um emprego secundário nas oficinas da Cervejaria Brama, sem ser solicitado, depôs perante o delegado. O que havia de importante, no depoimento dele, era que Graüben tinha na sua companhia um filho de quatro anos, a que dera à luz alguns meses após a sua chegada de Buenos Aires. O exame médico-legal tinha já indicado essa maternidade que ela parecia querer ocultar.

O punhal foi bem examinado; mas apesar de parecer a todos uma arma de luxo e antiga, cabo de prata lavrada, guarda de aço com arabescos tauxiados e a tal inscrição sibilina — *Soy yo!* — na lâmina também tauxiada de arabescos, nenhum dos armeiros, chamados para quesitos, se animavam a dizê-lo autêntico, hesitavam na determinação de sua procedência, uns queriam-na toledana, outros italiana das primitivas armas da Renascença e alguns mesmo chegaram a pensar em uma imitação, para "engazopar" os colecionadores "rastas" da América do Sul. A bainha não foi encontrada; a adaga estava imaculada de sangue, pois a morte se dera por estrangulamento, tendo o assassino simplesmente esganado a rapariga com ambas as mãos.

Ia assim o inquérito, cansando todos: delegado, escrivão, comissários, guardas, agentes, polícias de farda, "encostados", jornalistas e o público; e já o doutor Matos, de São Sebastião de Passa Quatro, se resolvera a fechar a semana "espanhola" e inaugurar a "germânica" com a detenção de muitos alemães, quando a 22 de junho, isto dias depois do assassínio, surge na delegacia um rapaz de vinte e poucos anos de idade, boa aparência, que se acusa como autor do homicídio do jardim.

Chamava-se ele Lourenço da Mota Orestes e era empregado nos Telégrafos, em um modesto lugar, sendo muito estimado pelos chefes, superiores e colegas, pela sua reserva, sua assiduidade e obediência. Fora, antes, empregado no comércio, onde seu pai era também muito estimado e considerado, pela sua honestidade e rigor no cumprimento das suas obrigações. Tinha este um grande "bazar" muito apregoado, pelas bandas do Estácio de Sá, onde comerciava com toda a lisura, não tendo por isso grande fortuna, empregando quase toda a renda da loja nas suas despesas de família.

Lourenço, ao entardecer daquele úmido dia de junho de..., chegou à delegacia e disse precisar falar ao delegado sobre o assassínio da alemãzinha. Estava já a autoridade muito enfarada com o caso e demorou razoavelmente em recebê-lo. Devido à insistência do rapaz, veio a ser ouvido duas horas depois de sua chegada. Logo que se aproximou do doutor Matos, disse-lhe sem mais detença que confessava ser ele o matador de Graüben. O jovem bacharel de São Sebastião de Passa Quatro estremeceu na ampla cadeira, levantou-se como se fosse impelido por uma mola, e, acompanhando a fala com um olhar desvairado, perguntou ao rapaz, para quem tinha a mão direita estendida, apontando-o dramaticamente, com o dedo indicador:

— Foste tu, então?

— Fui, doutor, disse o rapaz serenamente.

Tocou o delegado a campainha, chamou os seus auxiliares, aos quais disse em tom de grande satisfação:

— Está ali (apontou) quem matou a alemã no jardim.

Todos exclamaram a um só tempo:

— Este!

O delegado, de novo apontando para o rapaz, confirmou:

— Sim; é este.

Perguntou em seguida ao Lourenço:

— Não foste tu?

— Fui, doutor.

Determinou, então, o doutor Matos Garção que o metessem no xadrez; que o vigiassem muito e não deixassem conversar com ninguém. Logo que o rapaz se encaminhou para a prisão da delegacia, onde estavam os xadrezes, ordenou ao prontidão que telegrafasse ao chefe, aos auxiliares, à Associação de Imprensa, a todos os jornais, convidando todos para assistir à confissão do criminoso.

Com tal notícia, a cidade teve um contentamento de alívio e alguns, curiosos de ver o assassino e talvez ouvir-lhe a confissão que a nova estampada à porta dos jornais tinha feito encaminharem-se para o posto policial longínquo, tiveram que esperar até quase às onze horas da noite o momento de serem satisfeitos e dele saíram nas imediações da madrugada.

O chefe e os policias graúdos chegaram às nove horas, os repórteres dos principais jornais pouco depois, mas faltava o do *O Arauto do Povo*, um jornal ainda novo, mas de grande venda, que chegou pelas proximidades das onze horas e foi esperado devido às ordens do chefe, pois *O Arauto* fazia-lhe uma oposição cega e queria ele provar à sua redação o quanto eram infundados os seus artigos.

Tendo chegado, afinal, o repórter, seguido de fotógrafo como alguns outros, o criminoso foi introduzido.

Antes, tinham os jornalistas tirado aspectos da "mesa", como chefe de polícia, auxiliares, delegados, escrivão, sentados, e, de pé, às costas destes, inspetores, guardas, polícias etc.

O moço entrou e puseram-no em uma cadeira próxima ao delegado distrital que esperou, para tomar por termo a confissão, que os fotógrafos "batessem" a chapa à luz da explosão do magnésio.

No começo, correu tudo em ordem e o acusado, com voz firme, articulando distintamente palavra por palavra, disse o seu nome, a sua filiação, ter vinte e cinco anos de idade etc. etc. Narrou como se dera o crime. Tendo, todos os anos, quando podia gozar férias, aí pelo mês de junho, o hábito de vir passar os quinze dias delas em casa de seu amigo Leopoldo Martins Barroca, nos arredores da praia do Pinto, da lagoa Rodrigo de Freitas, viera como de costume naquele ano. Gostava de passá-los aí, pois, com a sua família, até aos quatorze anos, antes de estabelecer-se seu pai, ao deixar de ser feitor do jardim, ele residira naquelas redondezas das quais guardava as mais suaves recordações. Naquele dia, 14 de junho de..., o do assassínio, tendo almoçado com a mulher e os filhos do seu amigo, sem ele, pois o fazia mais cedo para não perder o seu ponto no Arsenal de Marinha, onde era escrevente, saiu e foi ler o *Jornal do Commercio* na venda do "seu" Eduardo, que ficava justamente na praia, fazendo esquina com a rua do Pau, em que estava a casa do seu hospedeiro amigo.

Lera a folha vagarosamente e dera-lhe vontade de ir ao jardim passear. Assim fizera e, vagando pelas alamedas, naquele dia de semana, silenciosas e desertas, encontrara com aquela alemã que, só agora, pela leitura dos jornais, soube chamar-se Graüben. Travara, a propósito não se lembra de quê, conversa com ela. Ria-se muito a moça, com um riso estreito e de pouca duração, com propósito ou não, e pareceu-lhe, por diversos gestos, ter-se ela apaixonado por ele. Em um dado momento, quis beijá-la, ela o repeliu, mas continuou a conversar com ele como se nada tivesse havido, no seu mau português.

Chegando a um lugar mais sombrio, repetiu a tentativa de abraçá-la e beijá-la e repetiu com mais força e decisão. Ela, a alemã, se enfureceu e arrancou, não sabia de que dobra do vestido, o punhal que foi encontrado, tentando feri-lo. Foi por esse tempo que, desvairado pela luxúria, pelo despeito, pelo medo — tudo isto misturado e multiplicado levou-o a agarrar a rapariga pelo pescoço, com ambas as mãos, cheio de frenesi apertou-o loucamente, cegamente e, quando pôde refletir, viu que ela estava morta. Vendo-a assim, ocultou o cadáver em uma moita e saiu muito naturalmente, aí pelas três horas da tarde. Foi para a casa de que era hóspede e, ao dia seguinte, no noturno, embarcava para São Paulo, onde estivera até à véspera daquele dia 22.

Essa parte principal do depoimento correu bem, mas logo que o acusado deu por finda a acusação que fazia a si mesmo, todos começaram a interrogá-lo, quase a um só tempo — chefe, delegados, comissários, jornalistas, homens do povo e até policías.

Apesar da barafunda, a todos respondia com calma e precisão, mesmo porque, em geral, as perguntas eram as mais idiotas possíveis ou não tinham relação alguma com o torpe crime do Jardim Botânico.

No dia seguinte, os jornais, pejados de retratos e outras gravuras, traziam longas notícias, com os comentários do costume e alguns elogiavam o chefe, outros calavam-se a tal respeito; mas, todos eram acordes em tachar de revoltante o criminoso, tipo verdadeiramente lombrosiano,[178] pelas feições e pela cínica calma dos delinquentes natos.

A não ser a calma, não havia nada de verdade nisso. O rapaz era bem parecido e conformado de corpo e rosto, mais alto que baixo, branco sem jaça, robusto mais do que a média; e tinha um olhar agudo, por vezes agudíssimo, mas sempre meigo e triste, onde havia muito de vago e de melancolia.

No dia seguinte, começaram a interrogar as pessoas aludidas na confissão pelo criminoso. Dois guardas do jardim reconheceram-no; um, porém, dizia que o vira entrar na véspera do crime, no dia de santo Antônio; entretanto, o outro jurava que ele estivera no jardim, a 14, por sinal que o avistara, nas proximidades do chafariz, quando ia o visitante dobrar a alameda à esquerda e perpendicular à principal da entrada.

Este depoimento, se bem que fosse confirmado, mais tarde e em acareação com o protagonista da tragédia, estava em contradição com muitos outros. Dona Zilda, a mulher do amigo em cuja casa Lourenço estivera hospedado, depôs dizendo que, no dia do crime, o seu hóspede lhe chegara à casa, aí pelas três horas e pelos fundos, pois era seu hábito, depois de ler o jornal na venda, descer à praia, embrenhar-se na restinga, chupar cambuim, pitangas, frutas de cardo, mexerica, qualquer fruta silvestre e voltar para a casa pelos fundos que davam para a restinga do Leblon. Perguntada se era costume dele ir ao jardim, disse que sim, parecendo-lhe até que, no dia de santo Antônio, lá fora.

O proprietário da venda, o senhor Eduardo Silveira, mais ou menos confirmou o depoimento de dona Zilda. Disse que, deixando o senhor Lourenço de ler o *Comércio* pelas duas horas, o vira descer à praia, como era do seu hábito, procurar um atalho que levava à restinga; e não acreditava que tivesse ido ao jardim, naquele dia, por aquelas horas, pois estava sem colarinho nem gravata, não se entrando, como é sabido, naquele logradouro público sem esses complementos do vestuário.

O marido de dona Zilda, o amigo de Lourenço, pouco sabia, mas asseverava que ele fora ao jardim, a 13, dia de santo Antônio, pois, tendo ficado em casa para remendar uma cerca e concertar o galinheiro, o vira sair completamente vestido, convidando-o, a ele, depoente, a acompanhá-lo, o que não fez, e com isso desculpou-se, por ter de executar aqueles servicinhos caseiros.

Reinquirido, à vista do depoimento do vendeiro, a respeito de como tinha podido entrar no jardim sem colarinho, nem gravata, explicou Lourenço que obtivera esses dois objetos no caminho de Jorge Turco, nas Três-Vendas, e os colocara no pescoço, nos fundos do botequim do canto da estrada de Dona Castorina.

Jorge Turco, convidado a depor, afirmou nunca ter vendido um alfinete ao rapaz, que conhecia, entretanto, por lhe passar pela porta do negócio em companhia do "seu" Leopoldo da rua do Pau, um dos seus bons fregueses e a mulher também.

O dono do botequim dissera que, de fato, um dia destes da semana passada, tinha consentido que ele fosse aos fundos do seu negócio, mas não sabia ao certo o dia e não podia garantir que, para lá entrasse sem colarinho e gravata. Com eles, saiu; disso, tinha memória.

Apesar de toda essa confusão de depoimentos que resultava em mostrar não ter ele coparticipação nem ser autor do crime, Lourenço continuava a afirmar com a mais convincente das firmezas que era autor do assassínio; que fora só ele quem matara a alemã; que merecia castigo e ajuntava detalhes elucidativos da sua luta com a alemã que dizia ter morto, nas condições do seu primitivo depoimento.

Vindo a saber-se que nos dias que mediaram entre o do crime e o da confissão não estivera ele em São Paulo, mas na barra da Guaratiba, em casa de uns antigos serviçais de seu pai, muito chegados à família, sendo ele até padrinho de um dos filhos deles — vindo a saber-se disso, explicava a falsidade do seu primeiro depoimento nessa parte como tendo por fito não querer comprometer aqueles pobres pretos aos quais muito estimava e amava.

Toda a sua confissão ia assim se desmoronando com as informações que traziam as pessoas conceituadas no seu meio peculiar, e indicadas tácita ou explicitamente nos depoimentos do acusado, as quais, procuradas para elucidar os passos dados por ele naquele sinistro posmerídio de 14 de junho de..., vinham todas elas mostrar a inverossimilhança de suas afirmações, fazendo-o claramente inocente. Não se sabia o que pensar de tão esquisito caso...

O pai, como informante, depôs longamente sobre o caráter e os hábitos do filho. O seu depoimento foi tocante e longo. Era um velho português forte e firme, com um olhar ladino, mas bondoso, inspirando toda a sua pessoa retidão e franqueza. Contou ele que desde uns cinco ou seis anos para cá o gênio do seu filho se transformara. Até aos vinte anos, era alegre, até folgazão, gostava de regatas, de festas, de vestuário e atavios. Logo, aos dezesseis anos, pedira-lhe que o empregasse, porque não tinha propensão para os estudos. Ele, pois, se entristecera, porquanto o julgava, como todos os seus mestres, inteligente e aplicado. Fazendo-lhe a vontade, apesar de isso desgostá-lo e também à mulher, empregara-o em uma casa comercial, por atacado, onde fez carreira, sendo de ano para ano aumentado de vencimentos. Deu em morar fora da casa paterna, sob o pretexto de ficar mais perto do clube de regatas de que era sócio, e não precisar acordar-se tão cedo para comparecer aos "ensaios". Não se opôs, já por julgá-lo ajuizado, já por apreciar o seu desenvolvimento físico e o ar de saúde que ia ganhando.

Aos dezenove anos para os vinte, sem explicação alguma (aí a sua voz tremeu), soube que o seu filho tinha abandonado o emprego e fugira não sabia para onde. Fora ao patrão, pagou-lhe uns pequenos adiantamentos que fizera a casa ao rapaz e, quase dois anos depois, veio a saber que o filho estava na maior miséria em São Paulo, exercendo os duros e humildes ofícios de varredor e carregador de uma venda de arrabalde. A instâncias de sua mulher, partiu para aquela capital, trouxe-o e, um ano inteiro, Lourenço lhe ficou em casa, trocando raras palavras com ele e os irmãos, só se expandindo mais longamente com a mãe. Não atinava com a mágoa do filho e temia que se matasse. Vivia a ler livros de religião e espíritas, cujos títulos ele, o pai, não sabia repetir. Não queria ver jornais, nem revistas. Seus cuidados com a integridade mental do filho eram grandes, tanto mais que, várias vezes, lhe dissera a mulher que, quase sempre, quando ia ao quarto, o encontrava a chorar ou com a fisionomia de quem tinha acabado de fazer isso. Por intermédio dela, sempre lhe fornecia dinheiro, para as suas pequenas necessidades; e, longe de empregá-lo consigo, seu filho dava a maior parte aos criados da casa, às crianças da vizinha, só reservando uma pequena e diminuta quantia para a compra de cigarros ordinaríssimos e fósforos. Quisera-o mandar para a Europa, e ele não aceitara, dizendo à mãe que tinha medo do oceano. Preferia que lhe arranjassem um pequeno emprego público modesto; com as suas relações, conseguira ele, o pai, obter; e, desde que o exercia, como que tinha melhorado de estado de espírito. Quanto ao crime, não sabia nada; mas não julgava seu filho capaz de tanta maldade, antes o supunha louco, com a mania do martírio e, em tempo, havia requerido o competente exame de sanidade mental.

A parte do depoimento do pai que aludia à fuga do filho para São Paulo impressionou o repórter d'*O Arauto*, que, daqui e dali, veio a saber e publicou o motivo dela. Ele abalara para lá, devido a ter dado um desfalque na casa em que era empregado, no valor de dois ou três contos, que foram pagos pelo pai.

A polícia que já estava disposta a não acreditar na sua confissão, à vista de tal precedente, voltou à carga, encerrou o inquérito e remeteu-o ao juiz competente. As contradições e incongruências entre a confissão do réu e os depoimentos de testemunhas e informantes continuaram a encher de mistério o caso.

O juiz sumariante ficou completamente atrapalhado, doido até, com tal crime e tal criminoso. Não havia uma hipótese a fazer, quase todos os depoimentos levavam à convicção de que a confissão de Lourenço era falsa; ele, porém, confessava com tal firmeza! Que havia de pensar?

Quem sabe se ele não queria despistar a polícia, mas com que interesse? Os seus amigos do peito eram poucos e todos eles podiam dar numerosos testemunhos de como tinham passado todo o dia 14, quase todo, nas suas repartições. Por dinheiro? Era absurdo.

O advogado, chamado pelo pai, disse-lhe logo:

— Aceito, mas o meu maior adversário é seu filho... Não cessa de confessar que foi ele e justificar mais ou menos bem os desmentidos às suas afirmações. Olhe como se saiu daquela "potoca" de São Paulo. Perfeitamente aceitável... É o diabo! Mas... aceito!

O advogado, em desespero de causa, pediu exame de sanidade mental para o seu cliente. O juiz com muito contentamento deferiu o pedido. Lourenço foi para o hospício, onde esteve internado dois meses. Da comissão, fazia parte o doutor Juliano Moreira, que empregou todo o seu saber e toda a sua quente simpatia para decifrar aquele angustioso enigma psicológico.

Observado cuidadosamente, virado o seu espírito pelo avesso, interrogado dessa e daquela forma, escrevendo e falando não revelou qualquer perturbação nas suas faculdades mentais. Era o homem comum, o médio, sem nenhuma degenerescência ou psicose, inferior ou superior, acentuada.

Foi pronunciado; mas, antes que entrasse em júri, uma pequena revista lembrou um caso muito semelhante acontecido na Alemanha, em Essen, e contado em um livro do senhor Hugo Fridlaender e resumido, no *Le Temps*, por Th. de Wyzewa.[179] Tratava-se de um tal Alfred Land que, tendo praticado uma pequena falcatrua, um furto doméstico, se sentiu tão angustiado, tão cheio de mágoa, de ralação íntima a lhe pedir expiação da falta, que não trepidou em acusar-se como autor de um assassínio misterioso, o qual ele estava materialmente impossibilitado de executar.

Citando Wyzewa, o autor do artigo dizia que, em Lourenço, a consciência de ter desonrado o seu nome, de ter cometido um crime vil e covarde, de ter injuriado, maculado a honra dos pais e da família, era o que o roía interiormente, o desassossegava, o ralava dia e noite, silenciosamente, sem que ele avaliasse bem a tensão desse estado d'alma, até o dia em que a notícia do assassínio da pequena alemã, num recanto afastado do Jardim Botânico, sugeriu-lhe a ideia de resgatar o seu erro de rapazola com uma condenação por assassínio.

Levava-o a júri uma espécie de necessidade de resgatar a sua falta de um modo "heroico, romanesco e místico" da honestidade; uma premente determinação de expiação do seu crime de furto, determinação que invadira aos poucos, insidiosamente, a sua vontade, no silêncio de suas meditações e nas horas angustiosas do remorso e do arrependimento.

Ninguém aqui, como aquele juiz de instrução do *Crime e castigo* se abalança a ler as pequenas revistas de rapazes, para estar a par da psicologia mórbida dos criminosos cerebrais e inexplicáveis; e, por isso, muito naturalmente, não houve quem interpretasse de modo plausível a atitude daquele rapaz que parecia desejar com volúpia uma condenação por crime hediondo e execrado.

Foi a júri e não foi difícil absolvê-lo. Ninguém acreditava na sua criminalidade, nem o promotor, nem jurados, nem juiz, ninguém! Quando, porém, o juiz, à vista das respostas do júri, mandou-o pôr em liberdade, se por "ali" não estivesse preso, conforme a linguagem forense, Lourenço se levantou, pediu vênia ao juiz, e, perante este e os jurados, protestou contra a sua absolvição, nos seguintes termos:

— Senhor juiz e senhores jurados, eu protesto contra a minha absolvição que é iníqua e injusta, em face da minha consciência. Sou um criminoso, ninguém melhor do que eu pode afirmá-lo; quero sofrer, para resgatar-me e poder, então, viver outra vez com alegria e satisfação, no convívio dos meus semelhantes. Nenhuma justiça, nenhum homem tem o direito de se opor a esse meu sincero desejo... Protesto, portanto!

Sentou-se; mas, o promotor não apelou.

Clara dos Anjos[180]

A Andrade Muricy[181]

O carteiro Joaquim dos Anjos não era homem de serestas e serenatas, mas gostava de violão e de modinhas. Ele mesmo tocava flauta, instrumento que já foi muito estimado, não o sendo tanto atualmente como outrora. Acreditava-se até músico, pois compunha valsas, tangos e acompanhamentos para modinhas.

Aprendera a "artinha" musical na terra de seu nascimento, nos arredores de Diamantina, e a sabia de cor e salteado; mas não saía daí.

Pouco ambicioso em música, ele o era também nas demais manifestações de sua vida. Empregado de um advogado famoso, sempre quisera obter um modesto emprego público que lhe desse direito à aposentadoria e ao montepio, para a mulher e a filha. Conseguira aquele de carteiro, havia quinze para vinte anos, com o qual estava muito contente, apesar de ser trabalhoso e o ordenado ser exíguo.

Logo que foi nomeado, tratou de vender as terras que tinha no local de seu nascimento e adquirir aquela casita de subúrbio, por preço módico, mas, mesmo assim, o dinheiro não chegara e o resto pagou ele em prestações. Agora, e mesmo há vários anos, estava de plena posse dela. Era simples a casa. Tinha dois quartos, um que dava para a sala de visitas e outro, para a de jantar. Correspondendo a um terço da largura total da casa, havia nos fundos um puxadito que era a cozinha. Fora do corpo da casa, um barracão para banheiro, tanque etc.; e o quintal era de superfície razoável, onde cresciam goiabeiras maltratadas e um grande tamarineiro copado.

A rua desenvolvia-se no plano e, quando chovia, encharcava que nem um pântano; entretanto, era povoada e dela se descortinava um lindo panorama de montanhas que pareciam cercá-la de todos os lados, embora a grande distância. Tinha boas casas a rua. Havia até uma grande chácara de outros tempos com aquela casa característica de velhas chácaras de longa fachada, de teto acaçapado, forrada de azulejos até a metade do pé-direito, um tanto feia, é fato, sem garridice, mas casando-se perfeitamente com as anosas mangueiras, com as robustas jaqueiras e com todas aquelas grandes e velhas árvores que, talvez, os que as plantaram, não tivessem visto frutificar.

Por aqueles tempos, nessa chácara, se haviam estabelecido as "bíblias". Os seus cânticos, aos sábados, quase de hora em hora, enchiam a redondeza. O povo não os via com hostilidade, mesmo alguns humildes homens e pobres raparigas simpatizavam com eles, porque, justificavam, não eram como os padres que, para tudo, querem dinheiro.

Chefiava os protestantes um americano, Mr. Sharp, homem tenaz e cheio de uma eloquência bíblica que devia ser magnífica em inglês; mas que, no seu duvidoso português, se fazia simplesmente pitoresca. Era Sharp daquela raça curiosa de *yankees* que, de quando em quando, à luz da interpretação de um ou mais versículos da Bíblia, fundam seitas cristãs, propagam-nas, encontram adeptos logo, os quais não sabem bem por que foram para a nova e qual a diferença que há entre esta e a de que vieram.

Fazia prosélitos e, quando se tratava de iniciar uma turma, os noviços dormiam em barracas de campanha, erguidas no eirado da chácara ou entre as suas velhas árvores maltratadas e desprezadas. As cerimônias preparatórias duravam uma semana, cheia de cânticos divinos; e a velha propriedade, com as suas barracas e salmodias, adquiria um aspecto esquisito de convento ao ar livre de mistura com um certo ar de acampamento militar.

Da redondeza, poucos eram os adeptos ortodoxos; entretanto, muitos lá iam por mera curiosidade ou para deliciar-se com a oratória de Mr. Sharp.

Iam sem nenhuma repugnância, pois é próprio do nosso pequeno povo fazer um extravagante amálgama de religiões e crenças de toda sorte, e socorrer-se desta ou daquela, conforme os transes de sua existência. Se se trata de afastar atrasos de vida, apela para a feitiçaria; se se trata de curar uma moléstia tenaz e resistente, procura o espírita; mas não falem à nossa gente humilde em deixar de batizar o filho pelo sacerdote católico, porque não há quem não se zangue: Meu filho ficar pagão! Deus me defenda!

Joaquim não fazia exceção desta regra e sua mulher, a Engrácia, ainda menos.

Eram casados há quase vinte anos, mas só tinham uma filha, a Clara. O carteiro era pardo-claro, mas com cabelo ruim, como se diz; a mulher, porém, apesar de mais escura, tinha o cabelo liso.

Na tez, a filha puxava o pai; e no cabelo, à mãe. Na estatura, ficara entre os dois. Joaquim era alto, bem alto, acima da média, ombros quadrados; a mãe, não sendo muito baixa, não alcançava a média, possuindo uma fisionomia miúda, mas regular, o que não acontecia com o marido que tinha o nariz grosso, quase chato. A filha, a Clara, tinha ficado em tudo entre os dois; média deles, era bem a filha de ambos. Habituada às musicatas do pai, crescera cheia de vapores das modinhas e enfumaçara a sua pequena alma de rapariga pobre com os dengues e a melancolia dos descantes e cantarolas.

Com dezessete anos, tanto o pai como a mãe tinham por ela grandes desvelos e cuidados. Mais depressa ia Engrácia à venda de "seu" Nascimento, buscar isto, ou aquilo, do que ela [sic]. Não que a venda de "seu" Nascimento fosse lugar de badernas; ao contrário: as pessoas que lá faziam "ponto" eram de todo o respeito. O Alípio, uma delas, era um tipo curioso de rapaz, que, conquanto pobre, não deixava de ser respeitador e bem-comportado.

Tinha um aspecto de galo de briga; entretanto, estava longe de possuir a ferocidade repugnante desses galos malaios de apostas, não possuindo — é preciso saber — nenhuma.

Um outro que aparecia sempre lá era um inglês, Mr. Persons, desenhista de uma grande oficina mecânica das imediações. Quando saía do trabalho, passava na venda, lá se sentava naqueles característicos tamboretes de abrir e fechar, e deixava-se ficar até ao anoitecer bebericando ou lendo os jornais do senhor Nascimento. Silencioso quase taciturno, pouco conversava e implicava muito com quem o tratava por Seu Mister.

Havia lá também o filósofo Meneses, um velho hidrópico, que se tinha na conta de sábio, mas que não passava de um simples dentista clandestino, e dizia tolices sobre todas as coisas. Era um velho branco, simpático, com um todo de imperador romano, barbas alvas e abundantes.

Aparecia, às vezes, o J. Amarante, um poeta, verdadeiramente poeta, que tivera o seu momento de celebridade em todo o Brasil, se ainda não a tem; mas que, naquela época, devido ao álcool e a desgostos íntimos, era uma triste ruína de homem, apesar dos seus dez volumes de versos, dez sucessos, com os quais todos ganharam dinheiro menos ele. Amnésico, semi-imbecilizado, não seguia uma conversa com tino e falava desconexamente. O subúrbio não sabia bem quem ele era; chamava-o muito simplesmente — o poeta.

Um outro frequentador da venda era o velho Valentim, um português dos seus sessenta anos e pouco, que tinha o corpo curvado para diante, devido ao hábito contraído no seu ofício de chacareiro que já devia exercer há mais de quarenta. Contava "casos" e anedotas de sua terra, pontilhando tudo de rifões portugueses do mais saboroso pitoresco.

Apesar de ser assim decente, Clara não ia à venda; mas o pai, em alguns domingos, permitia que fosse com as amigas ao cinema do Méier ou Engenho de Dentro,[182] enquanto ele e alguns amigos ficavam em casa tocando violão, cantando modinhas e bebericando parati.

Pela manhã, logo nas primeiras horas, os companheiros apareciam, tomavam café, iam em seguida para o quintal, para debaixo do tamarineiro, jogar a bisca, com o litro de cachaça ao lado; e aí, sem dar uma vista d'olhos sobre as montanhas circundantes, nuas, empedrouçadas, deixavam-se ficar até à hora do "ajantarado" que a mulher e a filha preparavam.

Só depois deste é que as cantorias começavam.

Certo dia, um dos companheiros dominicais do Joaquim pediu-lhe licença para trazer, no dia do aniversário dele, que estava próximo, um rapaz de sua amizade, o Júlio Costa, que era um exímio cantor de modinhas. Acedeu. Veio o dia da festa e o famoso trovador apareceu. Branco, sardento, insignificante, de rosto e de corpo, não tinha as tais melenas denunciadoras, nem outro qualquer traço de capadócio. Vestia-se seriamente com um apuro muito suburbano, sob a tesoura de alfaiate de quarta ordem. A única pelintragem adequada ao seu mister que apresentava consistia em trazer o cabelo repartido no alto da cabeça, dividido muito exatamente pelo meio. Acompanhava-o o violão. A sua entrada foi um sucesso.

Todas as moças das mais diferentes cores que, aí, a pobreza harmonizava e esbatia, logo o admiraram. Nem César Bórgia, entrando mascarado, num baile à fantasia dado por seu pai, no Vaticano, causaria tanta emoção.

Afirmavam umas para as outras:

— É ele! É ele, sim!

Os rapazes, porém, não ficaram muito contentes com isto; e, entre eles, puseram-se a contar histórias escabrosas da vida galante do cantor de modinhas.

Apresentado aos donos da casa e à filha, ninguém notou o olhar guloso que deitou para os seios empinados de Clara.

O baile começou com a música de um "terno" de flauta, cavaquinho e violão. A polca era a dança preferida e quase todos a dançavam com requebros próprios de samba.

Num intervalo Joaquim convidou:

— Por que não canta, "seu" Júlio?

— Estou sem voz, respondeu ele.

Até ali, ele tinha tomado parte no "remo"; e, repinicando as cordas, não deixava de devorar com os olhos os bamboleios de quadris de Clarinha, quando dançava. Vendo que seu pai convidara o rapaz, animou-se a fazê-lo também:

— Por que não canta, "seu" Júlio? Dizem que o senhor canta tão bem...

Esse "tão bem" foi alongado maciamente. O cantador acudiu logo:

— Qual, minha senhora! São bondades dos camaradas...

Consertou a "pastinha" com as duas mãos, enquanto Clara dizia:

— Cante! Vá!

— Já que a senhora manda, disse ele, vou cantar.

Com todo o dengue, agarrou o violão, fez estalar as cordas e anunciou:

— Amor e sonho.

E começou com uma voz muito alta, quase berrando, a modinha, para depois arrastá-la num tom mais baixo, cheio de mágoa e langor, sibilando os "ss", carregando os "rr" das metáforas horrendas de que estava cheia a cantoria. A coisa era, porém, sincera; e mesmo as comparações estrambóticas levantavam nos singelos cérebros das ouvintes largas perspectivas de sonhos, erguiam desejos, despertavam anseios e visões douradas. Acabou. Os aplausos foram entusiásticos e só Clarinha não aplaudiu, porque, tendo sonhado durante toda a modinha, ficara ainda embevecida quando ela acabou...

Dias depois, vindo à janela por acaso — era de tarde — sem grande surpresa, como se já o esperasse, Clara recebeu o cumprimento do cantor magoado. Não pôs malícia na coisa, tanto assim que disse candidamente à mãe:

— Mamãe, sabe quem passou aí?
— Quem?
— "Seu" Júlio.
— Que Júlio?
— Aquele que cantou nos "anos" de papai.

A vida da casa, após a festança de aniversário do Joaquim, continuou a ser a mesma. Nos domingos, aquelas partidas de bisca com o Eleutério, servente da biblioteca, e com o Augusto, guarda municipal, acompanhadas de copitos de cachaça, e o violão, à tarde. Não tardou que se viesse agregar um novo comensal: era o Júlio Costa, o famoso modinheiro suburbano, amigo íntimo do Augusto e seu professor de trovas.

Júlio quase nunca jantava, pois tinha sempre convites em todos os quatro pontos cardeais daquelas paragens. Tomava parte nas partidas de bisca, de parcerrada, e pouco bebia. Apesar de não demorar-se pela tarde adentro, pôde ir cercando a rapariga, a Clara, cujos seios empinados, volumosos e redondos fascinavam-lhe extraordinariamente e excitavam a sua gula carnal insaciável. Em começo foram só olhares que a moça, com os seus úmidos olhos negros, grandes, quase cobrindo toda a esclerótica, correspondia a furto e com medo; depois, foram pequenas frases, galanteios, trocados às escondidas, para, afinal, vir a fatídica carta.

Ela a recebeu, meteu-a no seio e, ao deitar-se, leu-a, sob a luz da vela, medrosa e palpitante. A carta era a coisa mais fantástica, no que diz respeito à ortografia e à sintaxe, que se pode imaginar; tinha, porém, uma virtude: não era copiada do Secretário dos amantes, era original. Contudo a missiva fez estremecer toda a natureza virgem de Clara que, com a sua leitura, sentiu haver nela surgido alguma coisa de novo, de estranho, até ali nunca sentida. Dormiu mal. Não sabia bem o que fazer: se responder, se devolver. Viu o olhar severo do pai; as recriminações da mãe. Ela, porém, precisava casar-se. Não havia de ser toda a vida assim como um cão sem dono... Os pais viriam a morrer e ela não podia ficar pelo mundo desamparada... Uma dúvida lhe veio: ele era branco; ela, mulata...

Mas que tinha isso? Tinham-se visto tantos casos... Lembrou-se de alguns... Por que não havia de ser? Ele falava com tanta paixão... Ofegava, suspirava, chorava; e os seus seios duros estouravam de virgindade e de ansiedade de amar...

Responderia; e assim fez, no dia seguinte. As visitas de Costa tornaram-se mais demoradas e as cartas mais constantes. A mãe desconfiou e perguntou à filha:

— Você está namorando "seu" Júlio, Clarinha?

— Eu, mamãe! Nem penso nisso...

— Está, sim! Então não vejo?

A menina pôs-se a chorar; a mãe não falou mais nisso; e Clara, logo que pôde, mandou pelo Aristides, um molecote da vizinhança, uma carta ao modinheiro, relatando o fato.

Júlio morava na estação próxima e a situação de sua família era bem superior à da sua namorada. O seu pai tinha um emprego regular na prefeitura e era, em tudo, diferente do filho. Sisudo, grave, sério, ia até a imponência grotesca do bom funcionário; e não seria capaz de admitir que a namorada do filho dançasse na sua sala. Sua mulher não tinha o ar solene do marido, era, porém, relaxada de modos e hábitos. Comia com a mão, andava descalça, catava intrigas e "novidades" da vizinhança; mas tinha, apesar disso, uma pretensão íntima de ser grande coisa, de uma grande família.

Além do Júlio, tinha três filhas, uma das quais já era adjunta municipal; e, das outras duas, uma estava na Escola Normal e a mais moça cursava o Instituto de Música.

Tiravam muito ao pai, no gênio sobranceiro, no orgulho fofo da família; e tinham ambição de casamentos doutorais. Mercedes, Adelaide e Maria Eugênia, eram esses os nomes, não suportariam de nenhuma forma Clara como cunhada, embora desprezassem soberbamente o irmão pelos seus maus costumes, pelo seu violão, pelos seus plebeus galos de briga e pela sua ignorância crassa.

Pequeno-burguesas, sem nenhuma fortuna, mas, devido à situação do pai e a terem frequentado escolas de certa importância, elas não admitiriam, para Clara, senão um destino: o de criada de servir.

Entretanto, Clara era doce e meiga; inocente e boa, podia-se dizer que era muito superior ao irmão delas pelo sentimento, ficando talvez acima dele pela instrução, conquanto fosse rudimentar, como não podia deixar de ser, dada a sua condição de rapariga pobríssima.

Júlio era quase analfabeto e não tinha poder de atenção suficiente para ler o entrecho de uma fita de cinematógrafo. Muito estúpido, a sua vida mental se cifrava na composição de modinhas delambidas, recheadas das mais estranhas imagens que a sua imaginação erótica, sufocada pelas conveniências, criava, tendo sempre perante seus olhos o ato sexual.

Mais de uma vez, ele se vira a braços com a polícia por causa de defloramento e seduções de menores.

O pai, desde a segunda, recusara intervir; mas a mãe, dona Inês, a custo de rogos, de choro, de apelo — para a pureza de sangue da família —, conseguira que o marido, o capitão Bandeira, procurasse influenciar, a fim de evitar que o filho casasse com uma negrinha de dezesseis anos, a quem o Júlio "tinha feito mal".

Apesar de não ser totalmente má, os seus preconceitos junto à estreiteza da sua inteligência não permitiram ao seu coração que agasalhasse ou protegesse o seu infeliz neto. Sem nenhum remorso, deixou-o por aí, à toa, pelo mundo...

O pai, desgostoso com o filho, largara-o de mão; e quase não se viam. Júlio vivia no porão da casa ou nos fundos da chácara onde tinha gaiolas de galos de briga, o bicho mais hediondo, mais repugnantemente feroz que é dado a olhos humanos ver. Era a sua indústria e o seu comércio, esse negócio de galos e as suas brigas em rinhadeiros.

Barganhava-os, vendia-os, chocava as galinhas, apostava nas rinhas; e com o resultado disso e com alguns cobres que a mãe lhe dava, vivia e obtinha dinheiro para vestir-se. Era o tipo completo do vagabundo doméstico, como há milhares nos subúrbios e em outros bairros do Rio de Janeiro.

A mãe, sempre temendo que se repetissem os seus ajustes de contas com a polícia, esforçava-se sempre por estar ao corrente dos seus amores. Veio a saber do seu último com a Clara e repreendeu-o nos termos mais desabridos. Ouviu-a o filho respeitosamente, sem dizer uma palavra; mas, julgou da boa política relatar, a seu modo, por carta, tudo à namorada. Assim escreveu:

Queridinha confesso-te que ontem quando recebi a tua carta minha mãe viu e fiquei tão louco que confessei tudo a mamãe que lhe amava muito e fazia por você as maiores violências, ficaram todos contra mim é a razão porque previno-te que não ligues ao que lhe disserem, por isso peço-te que preze bem o meu sofrimento.

Pense bem e veja se estás resolvida a fazer o que lhe pedi na última cartinha.

Saudades e mais saudades deste infeliz que tanto lhe adora e não é correspondido. O teu Júlio.

Clara já estava habituada com a redação e ortografia do seu namorado, mas, apesar de escrever muito melhor, a sua instrução era insuficiente para desprezar um galanteador tão analfabeto. Ainda por cima, a sua fascinação pelo modinheiro e a sua obsessão pelo casamento lhe tiravam toda a capacidade crítica que pudesse ter. A carta produziu o efeito esperado por Júlio. Choro, palpitações, anseios vagos, esperanças nevoentas, vislumbres de céus desconhecidos e encantados — tudo isso aquela carta lhe trouxe, além do halo de dedicação e amor por ela com que Clara fez resplandecer, na imaginação, as pastinhas do violeiro. Daí a dias, fez o prometido, isto é, deixou a janela do quarto aberta para que ele entrasse no aposento. Repetiu a façanha quase todas as noites seguidas, sem que ele se demorasse muito no quarto.

Nos domingos, aparecia, cantava e semelhava que entre ambos não havia nada. Um belo dia, Clara sentiu alguma coisa de estranho no ventre. Comunicou ao namorado. Qual! Não era nada, disse ele.

Era, sim; era o filho. Ela chorou, ele acalmou-a, prometendo casamento. O ventre crescia, crescia...

O cantador de modinhas foi fugindo, deixou de aparecer a miúdo; e Clara chorava. Ainda não lhe tinham percebido a gravidez.

A mãe, porém, com auxílio de certas intimidades próprias de mãe para filha, desconfiou e pô-la em confissão. Clara não pôde esconder, disse tudo; e aquelas duas humildes mulheres choraram abraçadas diante do irremediável... A filha teve uma ideia:

— Mamãe, antes da senhora dizer a papai, deixa-me ir até à casa dele, para falar com a sua mãe?

A velha meditou e aceitou o alvitre:

— Vai!

Clara vestiu-se rapidamente e foi. Recebida com altaneria por uma das filhas, disse que queria falar à mãe de Júlio. Recebeu-a esta rispidamente; mas a rapariga, com toda a coragem e com sangue-frio difícil de crer, confessou-lhe tudo, o seu erro e a sua desdita.

— Mas o que é que você quer que eu faça?

— Que ele se case comigo, fez Clara num só hausto.

— Ora, esta! Você não se enxerga! Você não vê mesmo que meu filho não é para se casar com gente da laia de você! Ele não amarrou você, ele não amordaçou você... Vá-se embora, rapariga!

Ora já se viu! Vá!

Clara saiu sem dizer nada, reprimindo as lágrimas, para que na rua não lhe descobrissem a vergonha. Então, ela? Então ela não se podia casar com aquele calaceiro, sem nenhum título, sem nenhuma qualidade superior? Por quê?

Viu bem a sua condição na sociedade, o seu estado de inferioridade permanente, sem poder aspirar à coisa mais simples a que todas as moças aspiram. Para que seriam aqueles cuidados todos de seus pais? Foram inúteis e contraproducentes, pois evitaram que ela conhecesse bem justamente a sua condição e os limites das suas aspirações sentimentais... Voltou para casa depressa. Chegou; o pai ainda não viera.

Foi ao encontro da mãe. Não lhe disse nada; abraçou-a chorando.

A mãe também chorou e, quando Clara parou de chorar, entre soluços, disse:

— Mamãe, eu não sou nada nesta vida.

Uma vagabunda[183]

É um caso bem curioso o que te vou contar e que me parece digno de registro. Para muitos parecerá fantástico; mas, como tu sabes, já houve quem dissesse que a realidade é mais fantástica do que imaginamos.

— Dostoiévski?

— Sim; creio que foi ele, embora não afiance que fosse com estas palavras. Sabes bem como são as palavras dele?

— Não; mas estou certo que não lhe trais o pensamento... Enfim! Isso não vem ao caso. Conta lá a história.

— Conto-a a ti com todos os detalhes, para que possas tirar dela todo o profundo sentido que tem. Se tratasse de outro, havia de abreviá-la, transformá-la-ia em anedota; mas, tratando-se de ti, não há nada que seja prolixo para a compreensão de semelhante fato.

Eles estavam no Campo de Sant'Ana e aquelas cutias sempre ariscas e aquelas saracuras de galinheiro, apesar de tudo, não deixavam de dar um toque selvagem naquele jardim educado.

O narrador continuou:

— Foi isto há alguns anos passados. Bebia eu muito nesse tempo, muito mesmo porque tinha por divisa ou tudo ou nada. Além disso adotam uma frase não sei de que autor, como complemento da divisa.

— Qual é? perguntou o outro.
— "O burguês bebe champanha; o herói bebe aguardente."
— Essas duas sentenças cobiçadas deviam dar resultados surpreendentes.
— Deram, como tu sabes, mas eu te quero contar uma que tu não sabes.
— Duvido.
— Pois vais ver.
— Não acredito, pois sei todas as tuas proezas desse tempo.
— Essa proeza, porém, não é minha; é de outro ou de outra.
— Que outra?
— Conheceste a Alzira?
— Sim! Aquela vagabunda que ia à casa do "Guaco", na rua do Carmo.
— É isso mesmo: aquela vagabunda que ia à casa do "Guaco", na rua do Carmo. É isso.
— Homem! Pelo modo por que falas, parece que tiveste paixão por ela...
— Não tive paixão, mas sou-lhe grato.
— Por quê?
— Lembras-te bem que ela bebia conosco calistos de "Guaco".
— Lembro-me bem.
— E que ela tivera um passado de lustre, de opulência, no alto mundanismo?
— Perfeitamente. Contudo, Frederico, eu penso que ela exagerava um pouco.
— É verdade. Aquele caso que ela nos contou de ter perdido uma noite, não sei em que jogo, em São Paulo, oitenta contos, não me parece verossímil; entretanto...
— Não é só isso. Todas as sumidades da República haviam sido seus amantes. Ora, isso não é possível, porquanto muitas delas, quando começaram, eram pobretões que não podiam aspirar a semelhante "objeto de luxo".
— Tens razão; mas...
— Uma coisa: quando me recordo da Alzira, só me vem à mente o seu famoso chapéu de chuva de alpaca, com que, às vezes, quando embriagada, desancava um qualquer e ia parar no xadrez.
— Eu, quando me vem ela à lembrança, com a sua fisionomia triste, fanada, é com o seu orgulho de ter tido muito dinheiro, por meios tão baixos...
— A observação é boa. Ela não parecia ter dor em recordar os belos dias passados; parecia antes ter prazer... Afinal, que tem ela com a tua história?

— Estavas fora, lá, para Alagoas. Continuei a frequentar o "Guaco", onde ia todas as tardes encontrar os companheiros. Ocasionalmente topava com Alzira e pagava-lhe um cálice. As nossas relações eram as mais amistosas possíveis. Ela me contava as histórias de aventuras passadas, quer as de jogo, quer as de amor; e eu as ouvia para aprender a vida com aquela mulher batida pela sorte, pelo infortúnio e pela maldade dos homens. Gostava até da emoção que ela sentia, narrando o seu triunfo, quando, trepada no alto dos carros de Carnaval, era aclamada pelas famílias, nas ruas apinhadas por onde passava. Pelo modo que ela me contava esses episódios, julguei que Alzira nesses dias se supunha resgatada. Talvez tivesse razão...

— Coitada! fez o outro.

— Bem. Como te contava, ia sempre ao "Guaco" e, em certo dia do pagamento, lá fui. Tinha os vencimentos quase intactos na algibeira. Encontrei-a, sentei-me e pedi cerveja. Ela não quis, ficou no seu cálice habitual. Em dado momento, ao passar o proprietário, o Martins — tu te lembras dele?

— Pois não.

— Disse-lhe: Martins, vê quanto te devo. Ele respondeu e, logo que ele se afastou, Alzira perguntou-me: "Frederico, tens dinheiro?". Disse-lhe que sim; e ela me pediu: "Podes 'passar' cinco mil-réis?". Não me fiz esperar e dei-lhe uma nota de cinco mil-réis que tinha na algibeira do colete. Ela guardou e continuou a conversa. Veio a hora de sair e de pagar a despesa atual e as passadas. Martins fez a soma e tirei da algibeira da calça o grosso do dinheiro, dando-lhe uma nota que satisfizesse a conta. Logo que o Martins se dirigiu ao balcão, ela me disse ao ouvido: "Tu não podes dar mais cinco mil-réis?". Disse-lhe peremptoriamente: não! Não teve um momento de hesitação: levantou-se e atirou-me a nota na cara. Foi saindo e descompondo-me baixamente.

— Era muito malcriada.

— Pensei isso e o Martins aconselhou-me a evitá-la, por isso. Um acontecimento posterior, porém, fez-me julgá-la melhor.

— É daí que...

— Vais ouvir: passaram-se meses e, para publicar um livro, meti-me em complicações. Se o livro deu dinheiro eu não sei, porque só perdi com ele; entretanto, fez um sucessozinho; mas, caí de roupas [sic] etc. etc. Uma noite estava sentado entre desanimados, como eu, num banco do largo da Carioca, considerando aqueles automóveis vazios, que lhe levam algum encanto. Apesar disso, não pude deixar de comparar aquele rodar de automóveis, rodar em torno da praça, como que para dar ilusão de movimento, aos figurantes de teatro que entram por um lado e saem pelo outro, para fingir multidão; e como que me pareceu que aquilo era um truque do Rio de Janeiro, para se dar ares de grande capital movimentada... Estava assim, quando me bateram ao ombro: "Oh! Frederiquinho!".

— Quem era?
— Era a Alzira.
— Queria ela alguma coisa?
— Queria dar-me. Nada mais.
— O quê?
— A passagem do bonde.
— Tu não a tinhas?
— Tinha. Disse-lhe isso até; mas o meu aspecto era da mais completa miséria. Minha roupa estava sebosa, meu chapéu de palha muito sujo, cabeludo, barba velha; e, além de tudo, sobreviera-me uma fraqueza de pálpebras, que me obrigava a usar uns sinistros óculos escuros de mendigo semicego. Apesar da minha recusa, ela insistiu de tal modo, de forma tão cheia de piedade e ternura, que me pareceu uma cruel desfeita não lhe aceitar o cruzado.
— Aceitaste?
— Aceitei.
— Curioso.
— Está aí a vagabunda do "Guaco", meu caro Chaves.

Levantaram-se, saíram do jardim e o advento da noite, misteriosa e profunda, era anunciado pelo acender dos lampiões de gás e o piscar dos globos de luz elétrica, naquele magnífico fim de crepúsculo.

A barganha[184]

E o "turco", desde muito cedo, andava pelos subúrbios a mercar aqueles coloridos registros de santos. Havia um São João Batista, com a sua tanga, o seu bordão de pastor e o seu inocente carneiro que olhava doce tudo o que via fora da estampa; havia um Cristo com o coração muito rubro à mostra, coroado de espinhos, e os olhos revirados para o Céu que naquele dia estava lindo, de um profundo azul-cobalto; havia uma Ceia em que Jesus presidia, mansueto e resignado, apesar de se saber traído, e havia muitos outros santos e santas que o "turco" levava, alguns enrolados, mas outros diante do seu peito arquejante das suas caminhadas de humilde bufarinheiro, daquelas modestas paragens da cidade.

E ele ia:

— Compra, sinhor! Muita bonita!

Das casas, às vezes, lá saía uma mulher ou outra, de cores as mais variadas, e indagava com desprezo:

— Olá! O que é que você leva aí?

Miguel José parava, aproximava-se da porteira e respondia:

— Santa, sinhora! Muita bonita!

— Que santos tem?

— Muitas, sinhora. Tuda bonita.

Desenrolava os registros e a rapariga começava a examinar. De repente, à vista de uma daquelas oleogravuras, ela gritava:

— Leocádia! Leocádia!

Lá do interior da casa respondiam:

— Que é?

A outra acudia:

— Vem cá. Vem ver uma coisa.

Vinha uma outra rapariga e a que estava, recomendava, mostrando um dos quadros do "turco":

— Vê só como é lindo este Menino Jesus.

A outra examinava e concordava. O "turco" se animava e perguntava:

— Não quer compra ele?

Uma delas ia ao encontro da pergunta do bufarinheiro:

— Quanto é?

— Barata, sinhora.

— Quanto?

— Dois mil-réis.

— Chi, meu Deus! É caro, muito mesmo.

O pobre ambulante não fazia negócio algum; e continuava com a sua carga sagrada a palmilhar aquelas ruas que são mais propriamente veredas.

— Ainda se houvesse árvores, sombra que amaciasse aquela manhã quente, embora linda e cristalina, o seu ofício seria suportável; mas não as havia. Tudo era descampado e as ruas eram batidas pelo sol em chapa. Lá ia ele. As calças ficavam-lhe pelos tornozelos; o chapéu era de feltro, mas não se sabia se era preto, azul, cinzento. Tinha todas as cores próprias a chapéus dessa espécie. Em um pé calçava uma botina amarela; em outro, um sapato preto.

— Cumpra, sinhor! Coisa bonita de Deus! Cumpra.

Foi dizendo isto a um petulante crioulo, muito preto, de um preto fosco e desagradável, cabeleira grande, gordurosa, repartida ao alto, e o chapéu a dançar-lhe em cima dela; foi dizendo isto a ele que lhe ia acontecendo uma grande desgraça naquela manhã. O negro, ao ouvi-lo, chegou-se muito junto ao "turco" e indagou com um ar autoritário:

— Que é que você está dizendo?

O humilde armênio pensou logo que tratava com um soldado de polícia à paisana, pois lhe parecia que, na terra em que estava, todos os pretos são soldados e podem prender todos os armênios.

Com essa convicção, Miguel José respondeu cheio de respeito e acatamento:

— Dizia, sinhor: cumpra santo muita bonita.

O negro perfilou-se todo, tomou uns ares judiciais ou policiais, chegou o chapéu de palha para a testa e disse:

— Você parece que não é civilizado.

— Cumo, sinhor?

— Sim, você é herege, inimigo de Nosso Senhor.

— Não, sinhor.

O preto desarmou-se um pouco de seus ares judiciais ou policiais, tornou-se mais suave, quis fazer de penetrante e sagaz. Perguntou:

— Você come carne de porco?

E Miguel José olhou as montanhas pedregosas que ele via lá, longe, esbatidas no azul profundo da manhã, ressaltando quase inteiramente na ambiência translúcida do dia, e lembrou-se da sua aldeia armênia, das suas cabras, das suas ovelhas, dos seus porcos.

A sua fisionomia dura contraiu-se um pouco e os seus olhos de carneiro quiseram chorar de recordação, de sofrimento, de mágoa.

Ele se encheu todo de uma pesada tristeza; mas pôde responder:

— Sim, senhor, eu coma.

— Então você é cristão? insistiu o preto.

— Sim, sinhor; diga a sinhor sou cristão.

— Admira.

— Por quê, sinhor?

— Porque você diz "vender", "comprar" santos.

— Cuma se diz então?

— Troca-se. Aprenda — está ouvindo! É falta de respeito, é sacrilégio dizer comprar ou vender santos. Aprendeu?

— Sim, sinhor. Obrigada, sinhor.

E o crioulo se foi, deixando o pobre armênio arrasado por mais aquele déspota que passava sobre a sua pobre raça; mas mesmo assim, continuou na sua mercancia.

Lá se foi ele por aquelas ruas de tão caprichoso nivelamento que permite as carroças que por lá se arriscam andarem no ar com burros e tudo. Lá ia ele:

— Cumpra, sinhor! Muita bonita.

Subia, descia ladeiras; parava nas portas; mas não fazia negócio algum.

Num pequeno campo, encontrou uma porção de crianças a empinar papagaios. Parou um pouco para ver aquele divertimento interessante que as crianças da sua terra não conheciam. Veio um pequenote:

— Ó Zé! O que é que você leva aí?

— Santo, menina. Pede mamãe compra uma.

— Ora, esta! Lá em casa tem tanto santo — para que mais um? Vende ali, aos "bíblias".

Miguel José percebeu bem a malícia da criança, pois de uma feita caíra na tolice de oferecer um registro a essa espécie de religiosos e se vira atrapalhado. Não que o tivessem maltratado, mas um deles, baixinho, com um *pince-nez* muito puro de vidros cristalinos, o levara para o interior da casa, lera-lhe uma porção de coisas de um livro e depois quisera que ele se ajoelhasse e abandonasse os registros.

Noutra não cairia ele...

Continuou o caminho, mas estava cansado. Ansiava por uma sombra, onde repousasse um pouco. Havia muitas árvores, mas todas no interior das casas, nas chácaras, nos quintais ou nos jardins. Uma assim pública, na margem da rua, em terreno abandonado que o abrigasse aí, por uns dez minutos, ele não encontrava.

E seria tão bom descansar assim fazendo o seu minguado almoço, para continuar até à tarde a sua faina, vendo se ganhava pelo menos uns dez ou cinco tostões de comissão com a venda daquelas coisas sagradas.

E continuou o seu caminho, tendo sempre exposta diante do peito a imagem de Cristo, coroado de espinhos, a mostrar o coração muito rubro, com os seus misericordiosos olhos a procurar o Céu, naquela manhã muito linda, de um profundo azul-cobalto...

Afinal, achou uma mangueira, maltratada, cheia de ervas parasitas, a crescer na borda do caminho, num terreno desocupado.

Sentou-se, tirou da algibeira um naco de pão dormido, uma cebola e pôs-se a comer, olhando as montanhas pedroucentas que assomavam ao longe e lhe faziam lembrar a terra natal. Ele não tinha nenhum nítido pensamento sobre a vida, a natureza e a sociedade...

Não tardou que se lhe viesse juntar um companheiro. Era também um "volante" como ele; mas a sua mercancia era outra, menos espiritual. Vendia sardinhas, de que trazia um cesto cheio. Era um português, cheio de saúde, de força, de audácia. Vinha suado, mais do que o armênio; entretanto, não dava mostras de ter ressentimentos nem do sol nem da dureza do seu ofício. O armênio olhou-o com inveja e pensou de si para si:

— Como é que esse homem pode ser alegre, pode ter esperanças?

O português, sem auxílio, arriou o grande cesto na sombra e sentou-se também cheio de confiança e desembaraço.

Foi logo dizendo:

— Bons dias, patrício.

Miguel José fez uma voz sumida:

— Bom dia, sinhor.

O português, sem mais aquela, observou:

— Qual senhor! Qual nada! Cá entre nós, é você pra baixo. Isto de senhor é lá pros doutores, não é para nós que andamos aqui aos tombos.

E emendou comunicativo:

— Que diabo — ó patrício! — que tu comes pra aí?

O "turco" disse-lhe e o Manuel da Silva considerou:

— Lá na minha terra, há quem goste disto; mas eu nunca me acostumei. Cebola pra mim, só na comida. Numa bacalhoada, ah!...

Miguel José continuava a mastigar sua cebola com pão, enquanto Manuel da Silva contava a féria. Contada que ela foi, disse bem alto:

— Pela hora que é, as coisas não vão mal. Até o meio-dia vendo tudo...

Guardou o dinheiro na bolsa que tinha a tiracolo e perguntou subitamente ao companheiro de acaso:

— Você já vendeu muito hoje, patrício?

— Nada, sinhor.

— Está você a dar com o tal de senhor! Pergunto se você já vendeu alguma coisa hoje, homem!

— Nada.

— O que é que você vende?

— Santo, sinhor.

— Santo?

— Sim; santo.

— Deixa ver isto, como é? — fez o português curioso.

O armênio passou-lhe os registros coloridos e o vendedor de sardinhas pôs-se a olhá-los com espanto e deslumbramento artístico de aldeão simplório. Achou tudo aquilo bonito: aquele Jesus, mostrando o coração; São João, com o carneirinho; o Menino Jesus — tudo muito lindo aos seus olhos maravilhados de camponês cândido e enfeitiçado pelas coisas do senhor vigário.

Refletiu de si para si: "Coisas tão bonitas, se não as vendeu, é porque este 'turco' é mesmo burro. Comigo, já as tinha vendido, ganhado dinheiro e ficado com algumas, pra pôr lá no quarto".

Veio-lhe uma ideia.

— Patrício! Você quer fazer um negócio?

Os olhos de carneiro do armênio luziram mais forte e com mais esperança.

— Qual é? perguntou ele.

— Tenho ali na cesta cerca de vinte mil-réis de sardinhas, vendidas a duas por um vintém. Se você vendê-las a vinte, ganha o dobro.

Quer você trocar estes santos pelo cesto de sardinhas?

Miguel José rapidamente pesou os prós e contras da operação comercial. Sabia bem, por experiência própria, que a população, até as crianças, se mostrava refratária à mercadoria espiritual de que ele era portador; e, pelo que lhe vira ainda agora nas mãos, a do seu companheiro não se portava da mesma forma.

Em se tratando de sardinhas, as coisas não corriam da mesma maneira como no tocante a santos. Considerou bem e logo respondeu:

— Tá feita, senhor.

Os dois se despediram e trocaram de carga. Miguel José voltou a passar pelos mesmos lugares em que oferecera os registros, sem nenhum resultado; mas, quando apregoou as sardinhas, não teve mãos a medir. Vendeu-as a vintém, então fez escambos de compensação e, de tal forma correram-lhe as coisas que, dentro de três horas, tinha vendido tudo, podia pagar os registros à loja e lucrava cinco mil e tanto.

Manuel da Silva, o alegre português das sardinhas, saiu muito ancho com os seus registros; mas não foi logo vendê-los.

A frugalidade do "turco" tinha-lhe dado uma fome extraordinária.

Procurou uma casa de pasto e comeu a fartar, acompanhado de um bom martelo de verdasco.

Bem alimentado, satisfeito, dispôs-se a "trocar" o são João Batista, Menino Jesus, correndo a sua freguesia de peixes e crustáceos.

Batia as portas:

— Mamãe, dizia uma criança, está aí o seu Manuel.

A mãe perguntava lá de dentro:

— Ele traz camarão?

— Não, mamãe; quer vender santos.

— Para que deu agora, seu Manuel! Ora, vejam só! Vender santos. Diga a ele que não quero.

Dessa e de outra maneira, ele foi percorrendo em vão sua freguesia das sardinhas, sem mercar uma única estampa religiosa.

A sua alegria matinal se ia e todo o seu desgosto se voltava terrível contra ele mesmo. Não fora o "turco" que o embrulhara; fora ele mesmo que propusera aquele negócio. Era castigo. Ia tão bem com as sardinhas, para que fizera aquela barganha?

Andou até quase a noitinha e nada vendeu. Ao recolher-se, ainda quis ver as oleogravuras que o haviam deslumbrado.

Mirou uma, mirou outra e, olhando-as firmemente, refletiu:

— Se não fosse por faltar o respeito devido a Nosso Senhor Jesus Cristo, que aí está, eu havia de dizer que tudo isso são coisas do diabo que aquele "turco" me impingiu. Nunca mais! Tarrenego![185]

Uma conversa vulgar[186]

O meu conhecimento com aquele venerável velho me viera devido às relações que mantive com um seu neto, que fora meu colega de colégio. Isto que se passou comigo e ele, e conto agora, deu-se há anos.

Tinha eu totalmente, por aquela época, abandonado os estudos, o neto já havia falecido; e, abandonando os estudos, como se diz, procurara e já ocupava um emprego público. Apesar da irremediável falta do meu antigo colega, continuava a frequentar a casa do velho Florêncio, cujas conversas muito apreciava. A sua residência era fora da cidade, em um sítio lá pelas bandas de Campo Grande, bem tratado, com muita laranja, capados, galinhas, perus; e a casa de moradia era vasta e tinha muitos cômodos.

Ele morava com a filha, mãe do meu antigo colega, uma mocetona, irmã deste, e um seu irmão, que poderia ter aí os seus cinquenta e poucos anos, um tipo acabado de pequeno proprietário rural das nossas terras.

Este irmão, o mais moço dos quatro, sendo que dois já eram mortos, tinha tido uma mocidade acidentada; e, aos quarenta e poucos anos, sossegara, fazendo-se o mais plácido roceiro que se pode imaginar.

Aposentando-se Florêncio no lugar de escrivão do almoxarifado da Marinha, viera ele morar com o irmão ali, acompanhado da filha, viúva com dois filhos, um dos quais, o homem, como já disse, fora meu colega no internato secundário.

Quando cismava, sem mesmo me anunciar, ia aos sábados para lá, dormia e todo o domingo, fosse a cavalo pelos arredores, fosse jogando o solo, nós três — ele, o irmão e eu —, passava-o eu na maior satisfação.

Não era lugar bonito, mas era são, e toda a gente do velho Florêncio era de uma meiguice para mim de me encher de saudades quando saía de manhã, segunda-feira, para vir para a morrinha da repartição.

Calhou aquela segunda-feira cair em dia que era do recebimento da sua aposentadoria no Tesouro. Florêncio disse-me logo, pela manhã, na segunda-feira:

— Você, Bandeira, acompanha-me até o Tesouro, que quero ir com você até ao Pão de Açúcar, no tal bonde aéreo.

Sendo os primeiros dias do mês e eu não tendo faltado até ali, podia bem acompanhá-lo no passeio que premeditava.

Florêncio contava perto de setenta anos mas ainda era forte, pisava com liberdade e segurança e a sua conversa tinha o pitoresco e o encanto singular de ser como as "memórias" vivas do Rio de Janeiro.

Muito observador, com uma memória muito fiel para data e fisionomias, tendo vivido em certas rodas de algum destaque, podia-se, conversando com ele, saber a vida anedótica do Rio de Janeiro, quase desde a coroação e sagração de Pedro II, em 1841, até nossos dias.

Apreciava-o muito por isso, e, sem precisar provocá-lo, bastava um incidente qualquer, uma velha casa avistada, em qualquer parte, um encontro, um sobrenome, para ele me contar histórias pitorescas da vida social, política, sentimental ou escandalosa do Segundo Reinado.

Saímos do Tesouro logo que recebeu o seu dinheiro, e fomos em demanda do largo de São Francisco.

Notei que ele olhava para um lado e outro, como procurando alguém. Quase no meio da praça, quando a atravessamos, em direitura à rua do Ouvidor, veio a seu encontro um homem, não muito velho, orçando aí pelos quarenta e poucos, mas avelhantado, sujo mesmo, barba por fazer. Era mulato claro, de feições regulares. Logo que se apertaram as mãos, Florêncio disse ao outro:

— Você não foi ao Tesouro!

— Atrasei-me...

E gaguejou, sem encontrar desculpa.

O velho meu amigo não esperou que ele a encontrasse e foi dizendo:
— Você não toma juízo... Onde você está morando?
— No mesmo quarto, "seu" Florêncio.
— Por que não vai para casa descansar um pouco?
— "Seu" Florêncio, é longe... Aqui sempre faço os meus biscates...
— Bem. Tome lá, Ernesto.
E puxou uma nota de dez mil-réis e deu-lha.

Senti no olhar do Ernesto uma doida vontade de ir-se, logo que sentiu o dinheiro na algibeira.

Afinal deixamos o rapaz e reencetamos o caminho da rua do Ouvidor. Eram quase duas horas da tarde e o largo de São Francisco, se bem que decaído do antigo movimento, quando todas as linhas de bondes de São Cristóvão e Tijuca nele paravam, tinha alguma agitação.

Emparelhávamos com a estátua, quando o velho Florêncio me disse:
— Você conhece esse homem?
— Não.
— É filho do visconde de Castanhal.
— Como? O capitalista?
— Sim; o capitalista.
— Não se acredita.
— Vou contar a você como ele o é. Quando Castanhal chegou aqui era simplesmente José da Silva. Homem tenaz, abriu, onde hoje é a luxuosa rua Gonçalves Dias, antiga dos Latoeiros, uma casa para vender leite em copos, em garrafas e laticínios. Não havia dessas casas na cidade e logo foi a dele se afreguesando. Silva atendia à freguesia na sala; e no interior, para encher as garrafas, lavar os copos, cozinhar para ele e tratar da sua roupa, tinha uma preta com quem vivia amasiado.

Na rua Gonçalves Dias, canto da do Ouvidor, naquela época, vinham parar os bondes do Jardim Botânico, cujo título era então em inglês. José da Silva lembrou-se de gelar o leite, isto é, pôr certo número de garrafas mergulhadas no gelo, que vinha da América do Norte, nos porões dos navios, pois ainda não se havia descoberto o processo de fabricá-lo artificialmente.

O leite gelado "pegou", como se diz; e sendo o lugar frequentado, em breve José da Silva viu-se obrigado a aumentar a casa que até aí só tinha duas portas.

Um outro seu patrício invejou-lhe a sorte e Silva, finório que era, tratou logo de passar o estabelecimento adiante com grande lucro. Mas... eu não contei a você uma coisa.

— Qual é?

— O Silva e a crioula tiveram um filho e o mulatinho cresceu até aos cinco ou seis anos, na leiteria de Silva, conhecido dos fregueses como filho dele. Assim o conheci. Passaram-se cinco ou seis anos sem que eu soubesse do Silva, crioula e filho, quando, indo a Catumbi e passando na porta de uma estalagem, vejo aproximar-se de mim uma crioula que me tratava pelo nome. Disse-me que era a rapariga de José da Silva, em cuja casa de laticínios me conheceu. Há três anos — é ela a falar — ele, o Silva, a abandonara, para casar-se convenientemente. Nada dera a ela nem ao filho; e a sua vida, com o pequeno Ernesto, havia sido até aquele dia um tormento de angústia e de misérias. Mandei que me procurasse em casa. Morava por esse tempo com minha mãe e irmãos na rua do Senado, numa casa de altos e baixos, com uma chácara que dava para o morro já desaparecido. Falei a minha mãe que a admitisse em casa ao que ela acedeu; e, por minha vez eu, que já estava na Marinha, consegui colocar o molecote no arsenal como aprendiz. Minha mãe morreu etc. etc...

O pequeno prosperou, aprendeu a ler, fez-se em breve oficial; e, quando acabamos com a casa paterna, ele pôde armar a sua e sustentar a mãe.

Parecia marchar muito bem e Ernesto nunca me deixou de procurar.

Gostei sempre dele, pois era bom filho, honesto, zeloso e digno de toda a proteção.

Há não sei que desgosto recalcado nessa gente, não sei que ponto fraco, que rachadura, que eles acabam sempre arrebentando de alguma forma. Este Ernesto depois da morte da mãe deu em beber. Perdeu o emprego e vive agora como você vê. Tenho muita pena dele, dou-lhe dinheiro, sabendo mesmo que é para beber; mas não sei que coisa me diz que tenho alguma culpa nas carraspanas que transformaram esse rapaz ou na razão da transformação que o levou a bebedeiras contínuas, que me apiedo dele, do seu vício e lhe dou dinheiro.

— Que pai!

— Não há muito que censurá-lo. Hoje, não sei; mas, naquele tempo, essas ligações preliminares, introito e prefácio do venerável casamento com bênção sacerdotal e sacramental da igreja, eram admitidas; e as suas rupturas simples, inflexíveis, assim como a do Silva com a mãe do Ernesto, não vexavam ninguém.

Os futuros sogros, para dar o "sim" aos futuros genros, só admitiam uma coisa: e que elas, as rupturas, se realizassem e os seus genros futuros nunca mais procurassem, não só as raparigas, o que era justo, mas o filho ou filhos também...

Nós tínhamos chegado à avenida Central. A moderna via pública tinha o movimento do costume: os mesmos mirones, os mesmos estafermos com as mesmas caras idiotas para as mulheres e moças que passavam. Subitamente, Florêncio pega-me pelo braço e, apontando, diz:

— Você sabe quem é aquela moça que vai ali?

— Onde?

— Com aquelas duas senhoras?

— Quem é?

— É a filha mais moça do Castanhal; é irmã do Ernesto que acabamos de deixar.

Ainda me demorei olhando pelas costas a moçoila que seguia em direitura à rua do Ouvidor; e considerei bem o seu vestuário caro, na moda, de cujo corpete surgia o pescoço bem modelado e de uma linda tinta moreno-claro.

Sua Excelência[187]

O ministro saiu do baile da Embaixada, embarcando logo no carro. Desde duas horas estivera a sonhar com aquele momento. Ansiava estar só, só com o seu pensamento, pesando bem as palavras que proferira, relembrando as atitudes e os pasmos olhares dos circunstantes. Por isso entrara no *coupé* depressa, sôfrego, sem mesmo reparar se, de fato, era o seu. Vinha cegamente, tangido por sentimentos complexos: orgulho, força, valor, vaidade.

Todo ele era um poço de certeza. Estava certo do seu valor intrínseco; estava certo das suas qualidades extraordinárias e excepcionais. A respeitosa atitude de todos e a deferência universal que o cercava eram nada mais, nada menos, que o sinal da convicção geral de ser ele o resumo do país, a encarnação dos seus anseios. Nele viram os doridos queixumes dos humildes e os espetaculosos desejos dos ricos. As obscuras determinações das coisas, acertadamente, haviam-no erguido até ali, e mais alto levá-lo-iam, visto que só ele, ele só e unicamente, seria capaz de fazer o país chegar aos destinos que os antecedentes dele impunham...

E ele sorriu, quando essa frase lhe passou pelos olhos, totalmente escrita em caracteres de imprensa, em um livro ou em um jornal qualquer. Lembrou-se do seu discurso de ainda agora:

"Na vida das sociedades como na dos indivíduos..."

Que maravilha! Tinha algo de filosófico, de transcendente. E o sucesso daquele trecho? Recordou-se dele por inteiro:

"Aristóteles, Bacon, Descartes, Espinosa e Spencer, como Sólon, Justiniano, Portalis e Ihering, todos os filósofos, todos os juristas afirmam que as leis devem se basear nos costumes..."

O olhar, muito brilhante, cheio de admiração — o olhar do *leader* da oposição — foi o mais seguro penhor do efeito da frase...

E quando terminou! Oh!

"Senhor, o nosso tempo é de grandes reformas; estejamos com ele; reformemos!"

A cerimônia mal conteve, nos circunstantes, o entusiasmo com que esse final foi recebido.

O auditório delirou. As palmas estrugiram; e, dentro do grande salão iluminado, pareceu-lhe que recebia as palmas da Terra toda.

O carro continuava a voar. As luzes da rua extensa apareciam como um só traço de fogo; depois, sumiram-se.

O veículo agora corria vertiginosamente dentro de uma névoa fosforescente. Era em vão que seus augustos olhos se abriam desmedidamente; não havia contornos, formas, onde eles pousassem.

Consultou o relógio. Estava parado? Não; mas marcava a mesma hora e o mesmo minuto da saída da festa.

— Cocheiro, onde vamos?

Quis arriar as vidraças. Não pôde; queimavam.

Redobrou os esforços, conseguindo arriar as da frente. Gritou ao cocheiro:

— Onde vamos? Miserável, onde me levas?

Apesar de ter o carro algumas vidraças arriadas, no seu interior fazia um calor de forja. Quando lhe veio esta imagem, apalpou bem, no peito, as grã-cruzes magníficas. Graças a Deus, ainda não se haviam derretido. O leão da Birmânia, o dragão da China, o lingão da Índia estavam ali, entre todas as outras, intactas.

— Cocheiro, onde me levas?

Não era o mesmo cocheiro, não era o seu. Aquele homem de nariz adunco, queixo longo com uma barbicha, não era o seu fiel Manoel.

— Canalha para, para, senão caro me pagarás!

O carro voava e o ministro continuava a vociferar:

— Miserável! Traidor! Para! Para!

Em uma dessas vezes voltou-se o cocheiro; mas a escuridão que se ia, aos poucos, fazendo quase perfeita, só lhe permitiu ver os olhos do guia da carruagem, a brilhar de um brilho brejeiro, metálico e cortante. Pareceu-lhe que estava a rir-se.

O calor aumentava. Pelos cantos o carro chispava. Não podendo suportar o calor, despiu-se. Tirou a agaloada casaca, depois o espadim, o colete, as calças...

Sufocado, estonteado, parecia-lhe que continuava com vida, mas que suas pernas e seus braços, seu tronco e sua cabeça dançavam, separados.

Desmaiou; e, ao recuperar os sentidos, viu-se vestido com uma reles libré e uma grotesca cartola, cochilando à porta do palácio em que estivera ainda há pouco e de onde saíra triunfalmente, não havia minutos.

Nas proximidades um *coupé* estacionava.

Quis verificar bem as coisas circundantes; mas não houve tempo.

Pelas escadas de mármore, gravemente, solenemente, um homem (pareceu-lhe isso) descia os degraus envolvido no fardão que despira, tendo no peito as mesmas magníficas grã-cruzes.

Logo que o personagem pisou na soleira, de um só ímpeto aproximou-se e, abjectamente, como se até ali não tivesse feito outra coisa, indagou:

— V. Ex.ª quer o carro?

A matemática não falha[188]

Embora ainda não esteja aposentado de todo, já me julgo completamente desligado do emprego público que exerci, na Secretaria da Guerra, durante quinze anos.

A vida de cada um de nós, que é feita e guiada mais pelos outros do que por nós mesmos, mais pelos acontecimentos fortuitos do que por qualquer plano traçado de antemão, arrasta-nos, às vezes, nos seus pontapés e repelões, até onde nunca julgaríamos chegar.

Jamais imaginei, em dia algum da minha vida, ter de ir parar naquele casarão do Campo de Santana e testemunhar as sábias e pressurosas medidas que os presidentes da República e seus ministros da Guerra põem em prática para a eficaz defesa armada do Brasil.

Mas sucessos imprevistos da minha vida com dolorosas desgraças domésticas, num instante de necessidade e angústia, levaram-me até ali, fizeram-me ver bem profundamente, de excelente lugar na plateia, uma das partes mais curiosas da administração republicana.

Não me despedi ainda do lugar, mas, de qualquer modo, hei de fazê-lo; e, quando de todo o fizer, penso bem que o farei sem saudades.

E não é propriamente por ser ele; fosse outro, creio que se daria o mesmo.

Neste como naquele, nesta ou naquela profissão, tenham-se as melhores ou piores aptidões, o que se nos pede nessa sociedade burguesa e burocrática é muita abdicação de nós mesmos, é um apagamento da nossa individualidade particular, é um enriquecimento de ideias e sentimentos comuns e vulgares, é um falso respeito pelos chamados superiores e uma ausência de escrúpulos próprios, de modo a fazer os tímidos e delicados de consciência não suportar sem os mais atrozes sofrimentos morais a dura obrigação de viver, respirar a atmosfera deletéria de covardia moral, de panurgismo, de bajulação, de pusilanimidade, de falsidade, que é a que envolve este ou aquele grupo social e traz o sossego dos seus fariseus e saduceus, um sossego de morte da consciência.

Os delicados de alma, nos nossos dias, mais do que em outros quaisquer, estão fatalmente condenados a errar por toda a parte. A grosseria dos processos, a "embromação" mútua, a hipocrisia e a bajulação, a dependência canina, é o que pede a nossa época para dar felicidade ao jeito burguês.

É a época dos registros e dos tabeliães, mas é o tempo das maiores falsificações; é a época dos códigos, sendo também o tempo das mais vivas ladroeiras; é a época das polícias aperfeiçoadas, apesar de que é o tempo dos fiadores, endossantes etc., verificando-se nele os maiores calotes; é a época dos diplomas e das cartas, entretanto, sobretudo, entre nós — é o tempo da mediocridade triunfante, da ignorância arrogante escondida atrás de diplomas de saber; etc., etc.

Quem fez nas primeiras idades uma representação da vida cheia de justiça, de respeito religioso pelos direitos dos outros, de deveres morais, de supremacia do saber, de independência de pensar e agir — tudo isto de acordo com as lições dos mestres e dos livros; e choca-se com a brutalidade do nosso viver atual, não pode deixar de sofrer até o mais profundo do seu ser e ficar abalado com esse traumatismo para toda a vida, desconjuntado, desarticulado, vivendo aos trombolhões, sem norte, sem rumo e sem esperança.

Um espírito que criou para si um ideal de vida muito diferente do que a nossa atual de fato apresenta, conclui que tanto vale ter isto ou aquilo; que os homens são insuportáveis, tolos, injustos e que devemos vê-los, ricaços ou generais, doutores ou curandeiros, carvoeiros ou almirantes, ministros e os seus sábios secretários, na sua hipocrisia de tartufos, na sua miséria moral, na sua abjeção necessária, como atores de uma comédia que nos deve fazer rir, sem esquecer de ter pena deles, pois os seus esgares, as suas pinturas, as suas roupagens brilhantes de reis, de príncipes, de papas ou os trapos de mendigos que os vestem, a sua caracterização, enfim, tem por destino ganhar dinheiro, a fim de que não morram de fome.

Sem que me atribua qualidades excepcionais, detesto a hipocrisia e por isso digo que deixo o emprego sem saudades.

Nunca o amei, jamais o prezei. No começo, se tivessem respeitado justamente a dignidade do meu juramento, o meu trabalho e as qualidades de burocrata que eu tinha como todos os outros, talvez mudasse de sentimento, e, mesmo, como tantos outros, me tivesse deixado anular comodamente no ramerrão burocrático.

Não quiseram assim, revoltei-me; e, desde essa revolta, sei que os meus desastres são devidos muito a mim e um pouco aos outros. Daí para cá, todo o meu esforço tem sido o livrar-me de tal lugar, que é para a minha consciência um foco de apreensões, transformando-se ele em um inquisitorial aparelho de torturas espirituais que me impede de pensar tão somente no esplendor do mistério e rir-me à vontade desses bonecos sarapintados de títulos e distinções que, não sem pena, me fazem gargalhar interiormente para mais perfeitamente gozar a bronca estultícia deles.

A minha sociedade agora não será mais a dos simuladores do talento, do trabalho, da honestidade, da temperança, será a dos *défroqués*, dos *toqués*, dos *ratés* de todas as profissões e situações, mas que sabem perfeitamente que falta confessada é "meia falta", e também que Sardanapalos[189] poderoso mandou pôr como seu epitáfio as seguintes e eloquentes palavras "Fundei Tarso e Anquíale, entretanto, aqui estou morto".

Antes, porém, de esquecer totalmente os episódios desses meus quinze anos de vida que deviam ser os melhores dela, mas que me foram os de maiores angústias, quero registrar algumas passagens curiosas que observei, e também curiosas figuras que conheci, durante eles.

Todo o mundo está disposto a acusar os burocratas desta ou daquela coisa feia. Mas poucos lembram das "partes" de certa espécie que são de pôr um cristão doido. Há algumas que são verdadeiramente importunas, insuportáveis e de desafiar a paciência de Jó.

No meu tempo de Secretaria, havia por lá muitos; e, de tão renitente espécie, eu me lembro de um preto de quase setenta anos, forte ainda, que, em um mês, fez entrar mais de dez requerimentos, pedindo a mesma coisa.

Chamava-se Agostinho Petra de Bittencourt e tinha sido músico de um batalhão de voluntários da Pátria, que estivera no Paraguai.[190] Dizia-se filho de um padre Petra que morrera há mais de cinquenta anos, deixando uma incalculável fortuna, em barras de ouro e pedras preciosas, em moedas de ouro e prata, que se achava depositada no Tesouro. Era seu herdeiro, como seu filho; e, quando bem interrogado, Agostinho dizia que o padre era branco. Entretanto, não seriam precisos grandes conhecimentos antropológicos para dizer-se, à primeira vista, que o herdeiro de fortuna tão grande não tinha nem uma gota de sangue caucásico. Um jornal daqui chegou a tratar do caso; mas anos se passaram e só ele não deixou de falar na famosa herança...

A sua demanda com o Ministério da Guerra, porém, era de outra natureza e muito mais prosaica. Tendo vindo a lei que dava vitaliciamente aos voluntários da Pátria, sobreviventes, o soldo dos postos e graduações com que foram dispensados, ao terminar a guerra, Agostinho requereu-lhe fosse concedida semelhante pensão como mestre de música.

A Contabilidade da Guerra, consultando os documentos originais da época, as folhas de pagamento, denominadas na linguagem militar "relações de mostra", só encontrou o nome de Petra como músico de 1ª classe. O velho não se conformou e, daqui e dali, arranjou uma biblioteca de Ordens do Dia da guerra contra Lopes, que ele sobraçava dia e noite, onde o seu nome figurava como mestre de banda.

Armado contra elas, Agostinho foi a ministros, a secretários de Sua Excelência, a ajudantes de ordens de Sua Excelência, a todo o pessoal majestoso que recebe luz de Sua Excelência, queixar-se da imaginária injustiça de que vinha sendo vítima. Não havia nenhuma, mas Petra atribuía aos empregados da Contabilidade má-fé, dolo, falsidade administrativa, quando eles tinham cumprido seu dever.

Como, em geral, todos os requerentes, o pobre músico de batalhão só se queixava dos pequenos; e os grandes, ao receberem as suas queixas, aconselhavam que requeresse. E ele requeria sem dó nem piedade; anos e anos levou ele pelos corredores do Quartel-General, sobraçando a sua biblioteca belicosa, requerendo, resmungando, reclamando e um mês até deu entrada a mais de dez requerimentos no sentido da sua modesta pretensão.

À vista desse exemplo e de outros mais significativos, talvez, mas pouco pitorescos, é de crer que o Império e a literatura patriótica da ocasião tenham posto no espírito dos voluntários do Paraguai grandiosas esperanças de toda ordem.

É mesmo vezo de todos os governos, quando precisam de soldados para suas guerras, isso fazerem. O nosso não podia fugir da regra e, ao se ver a braços com *El Supremo* do Paraguai, se não disse francamente aos voluntários, se voltassem, não teriam mais que trabalhar para viver, prometeu com certeza grandes coisas, pois todos com que tratei estavam possuídos de uma forte convicção dos deveres do Estado para com eles.

Foi, naturalmente, esse sentimento multiplicado, quadruplicado, decuplicado, centuplicado e também deformado no espírito simples, primitivo e vaidoso de um ingênuo e ignorante preto que levou o major honorário do Exército, voluntário da Pátria, José Carlos Vital, ao mais completo dos desastres que se pode imaginar.

Vital foi há anos uma figura popular do Rio de Janeiro. Todos devem lembrar-se de um pretinho muito baixo, miúdo, feio, com feições de pequeno símio, malares salientes, lábios moles, sempre úmidos de saliva, babados mesmo, que era visto passar pelas ruas principais, fardado de major honorário, com uma banda obsoleta na cintura, um espadagão antediluviano, de colarinho extremamente justo e botas cambaias... Hão de se lembrar, por força! Pois essa figura pouco marcial era o major José Carlos Vital.

Para obedecer à justiça, diga-se que todos o olhavam com respeito. Aos poucos, envaideceu-se com isto e não perdoava continência, brados d'armas e outras cerimônias militares devidas a seu posto. Ficou irritante e cavava assim a sua ruína. A vaidade matou-o, como veremos.

Nos seus tempos áureos de "major", era Vital um simples servente do Arsenal de Guerra; e, quando deixava as suas humildes funções, lá, no Cafofo, nas proximidades do atual mercado, envergando solenemente a farda e sobraçando com o braço esquerdo o espadagão, não era raro que, na primeira tasca, aceitasse o copo de parati e contasse, encostado ao balcão da venda, à gente humilde e tresmalhada daquelas paragens as suas proezas guerreiras. O arsenal era naquele tempo local escolhido quase sempre, para embarque ou desembarque de figurões de toda ordem e nacionalidade; e, quando isso se dava, o major julgava-se obrigado a comparecer com o seu fardão, o seu espadagão, o seu colarinho sujo, as suas botas cambaias e o seu charuto de tostão. Às vezes mesmo, com tal *toilette*, apresentava-se no Palácio do Catete, para cumprimentar o presidente da República, em dias festivos...

É fácil de imaginar como a presença de semelhante herói quebraria a harmonia de tão solenes e graves cerimônias por demais obedientes ao protocolo e às regras de precedência. Mas o major, "Voluntário da Pátria", que era, nunca quis convencer-se de que o seu heroísmo ficava mal em tais lugares e devia somente brilhar no largo da Sé, no do Moura e em outras molduras dessa natureza que lhe eram adequadas e próprias. Um belo dia aparece um branco, e modestamente vivendo em Pernambuco, recebendo também etapa de asilado lá, como o seu homônimo preto recebia aqui. Abre-se inquérito; cada um dos Josés Carlos Vitais apresenta as suas provas de identidade; a indagação da verdade é feita com o máximo critério e imparcialidade, acabando-se por concluir que o de Pernambuco é o autêntico, embora o daqui não tenha procedido de má-fé. O festejado herói do largo do Moura, do beco da Batalha,[191] o orgulho das últimas pretas minas que conheceram o Príncipe Obá,[192] perde as zonas, o emprego, a etapa de asilado, enviúva do fardão, para sumir-se dentro de um velho fraque de paisano vulgar.

E aquela satisfação de ser major, com as suas honras, privilégios, garantias e isenções, esvai-se, some-se, foge da sua triste vida de filho sem pai e que da mãe não tem a mais vaga lembrança; essa satisfação infantil que lhe resgatava os padecimentos de criança desvalida e levada em tenra idade, como se verificou, para os campos de batalha — essa satisfação se aniquila completamente como se o destino não lhe quisesse dar, nos seus últimos dias de vida essa vã e pueril consolação, como se não lhe quisesse dar a mínima ilusão de felicidade, a ele que passara toda a existência esmagado, humilhado, sem prazeres, sem alegrias, talvez, mesmo as mais vulgares!... Ah! a Vaidade...

Chamei de vã e pueril a consolação que podem dar as honras e que envaidecem o "major". Será verdade? Vi tanta gente disputá-las, vi tantos homens, de condições de riqueza e instrução mais variadas, requestá-las que estou disposto a crer que errei quando assim as qualifiquei.

Não poderei citar muitos casos de pedidos delas, porque quase todos, por comuns de argumentação e motivos, me escaparam da memória; mas um, por ser sobremodo grotesco, viveu-me sempre na minha lembrança e, ainda hoje, quando dele me recordo, causa-me riso. Conto-o. Um voluntário da Pátria chamou em seu auxílio, ou tentou chamar, a aritmética para obter o justo honorário a que se julgava com direito. O senhor José Dias de Oliveira, porteiro adido do extinto Hospital do Andaraí, vivo ainda, como o são também os outros dois seus colegas a que aludi, era um velho pesadão, curto de membros e de corpo, com umas abundantes e longas barbas mosaicas, ventre proeminente e acentuado na sua redondeza, voz cava, que, de quando em quando, aparecia na secretaria, a fim de procurar com um seu amigo, funcionário dela, "o livro dos voluntários da Pátria". Só ele conhecia esse livro e ele o pedia com a máxima insistência. A sua voz cava não permitia grandes gritos; mas, assim mesmo, nos dias de reclamação, conseguia encher os corredores e as salas com o seu rouco vozeiro. Quem o visse, nesse transe, poderia apreciar o gesticular desenfreado com que acompanhava a sua abafada gritaria e o cuidado constante que tinha, para não lhe caírem as calças perna abaixo. Movia todas as partes do corpo que permitiam movimento: os braços, as pernas, a cabeça, o pescoço; e falava, falava, semigritando.

Queria o tal "livro" para resolver ou justificar os seus direitos, que tinham o apoio da matemática. Era, argumentava, tenente honorário e fora tenente da polícia do Paraná. Ora, 2 + 2 são quatro. Logo, ele possuía quatro galões, o que equivale a dizer que era major e, como tal, tinha direito à patente desse posto. De alguma forma, penso eu agora, o Senhor José Dias de Oliveira tem razão. Se o esoterismo positivista da geometria e do cálculo tanto concorreu para o 15 de Novembro, não é demais que a cabala da tabuada de somar auxiliasse a pretensão do porteiro adido do antigo hospital do Andaraí. $2 + 2 = 4$; ele é, portanto, major. A matemática não falha...

PARTE III
CONTOS PUBLICADOS EM *OUTRAS HISTÓRIAS*,
QUE INTEGRAM A 2ª EDIÇÃO
DE *HISTÓRIAS E SONHOS*, 1951

Por que não se matava[193]

Esse meu amigo era o homem mais enigmático que conheci. Era a um tempo taciturno e expansivo, egoísta e generoso, bravo e covarde, trabalhador e vadio. Havia no seu temperamento uma desesperadora mistura de qualidades opostas e, na sua inteligência, um encontro curioso de lucidez e confusão, de agudeza e embotamento.

Nós nos dávamos desde muito tempo. Aí pelos doze anos, quando comecei a estudar os preparatórios, encontrei-o no colégio e fizemos relações. Gostei da sua fisionomia, da estranheza do seu caráter e mesmo ao descansarmos no recreio, após as aulas, a minha meninice contemplava maravilhada aquele seu longo olhar cismático, que se ia tão demoradamente pelas coisas e pelas pessoas.

Continuamos sempre juntos até à escola superior, onde andei conversando; e, aos poucos, fui verificando que as suas qualidades se acentuavam e os seus defeitos também.

Ele entendia maravilhosamente a mecânica, mas não havia jeito de estudar essas coisas de câmbio, de jogo de bolsa. Era assim: para umas coisas, muita penetração; para outras, incompreensão.

Formou-se, mas nunca fez uso da carta. Tinha um pequeno rendimento e sempre viveu dele, afastado dessa humilhante coisa que é a caça ao emprego.

Era sentimental, era emotivo; mas nunca lhe conheci amor. Isto eu consegui decifrar, e era fácil. A sua delicadeza e a sua timidez faziam a compartilha com outro, as coisas secretas de sua pessoa, dos seus sonhos, tudo o que havia de secreto e profundo na sua alma.

Há dias encontrei-o no chope, diante de uma alta pilha de rodelas de papelão, marcando com solenidade o número de copos bebidos.

Foi ali, no Adolfo, à rua da Assembleia,[194] onde aos poucos temos conseguido reunir uma roda de poetas, literatos, jornalistas, médicos, advogados, a viver na máxima harmonia, trocando ideias, conversando e bebendo sempre.

É uma casa por demais simpática, talvez a mais antiga no gênero, e que já conheceu duas gerações de poetas. Por ela, passaram o Gonzaga Duque, o saudoso Gonzaga Duque, o B. Lopes, o Mário Pederneiras, o Lima Campos, o Malagutti[195] e outros pintores que completavam essa brilhante sociedade de homens inteligentes.

Escura e oculta à vista da rua, é um ninho e também uma academia. Mais do que uma academia. São duas ou três. Somos tantos e de feições mentais tão diferentes, que bem formamos uma modesta miniatura do Silogeu.[196]

Não se fazem discursos à entrada: bebe-se e joga-se bagatela, lá ao fundo, cercado de uma plateia ansiosa por ver o Amorim Júnior fazer sucessivos dezoitos.

Fui encontrá-lo lá, mas o meu amigo se havia afastado do ruidoso cenáculo do fundo; e ficara só a uma mesa isolada.

Pareceu-me triste e a nossa conversa não foi logo abundantemente sustentada. Estivemos alguns minutos calados, sorvendo aos goles a cerveja consoladora.

O gasto de copos aumentou e ele então falou com mais abundância e calor. Em princípio, tratamos de coisas gerais de arte e letras. Ele não é literato, mas gosta das letras, e as acompanha com carinho e atenção. Ao fim de digressões a tal respeito, ele me disse de repente:

— Sabes por que não me mato?

Não me espantei, porque tenho por hábito não me espantar com as coisas que se passam no chope. Disse-lhe muito naturalmente:

— Não.

— És contra o suicídio?

— Nem contra, nem a favor; aceito-o.

— Bem. Compreendes perfeitamente que não tenho mais motivo para viver. Estou sem destino, a minha vida não tem fim determinado. Não quero ser senador, não quero ser deputado, não quero ser nada. Não tenho ambições de riqueza, não tenho paixões nem desejos. A minha vida me aparece de uma inutilidade de trapo. Já descri de tudo, da arte, da religião e da ciência.

O Manoel serviu-nos mais dois chopes, com aquela delicadeza tão dele, e o meu amigo continuou:

— Tudo o que há na vida, o que lhe dá encanto, já não me atrai, e expulsei do meu coração. Não quero amantes, é coisa que sai sempre uma caceteação; não quero mulher, esposa, porque não quero ter filhos, continuar assim a longa cadeia de desgraças que herdei e está em mim em estado virtual para passar aos outros. Não quero viajar; enfada. Que hei de fazer?

Eu quis dar-lhe um conselho final, mas abstive-me, e respondi, em contestação:

— Matar-te.

— É isso que eu penso; mas...

A luz elétrica enfraqueceu um pouco e cri que uma nuvem lhe passava no olhar doce e tranquilo.

— Não tens coragem? — perguntei eu.

— Um pouco; mas não é isso o que me afasta do fim natural da minha vida.

— Que é, então?

— É a falta de dinheiro!

— Como? Um revólver é barato.

— Eu me explico. Admito a piedade em mim, para os outros; mas não admito a piedade dos outros para mim. Compreendes bem que não vivo bem; o dinheiro que tenho é curto, mas dá para as minhas despesas, de forma que estou sempre com cobres curtos. Se eu ingerir aí qualquer droga, as autoridades vão dar com o meu cadáver miseravelmente privado de notas do Tesouro. Que comentários farão? Como vão explicar o meu suicídio? Por falta de dinheiro. Ora, o único ato lógico e alto da minha vida, ato de suprema justiça e profunda sinceridade, vai ser interpretado, através da piedade profissional dos jornais, como reles questão de dinheiro. Eu não quero isso...

Do fundo da sala, vinha a alegria dos jogadores de bagatela; mas aquele casquinar não diminuía em nada a exposição das palavras sinistras do meu amigo.

— Eu não quero isso — continuou ele. Quero que se dê ao ato o seu justo valor e que nenhuma consideração subalterna lhe diminua a elevação.

— Mas escreve.

— Não sei escrever. A aversão que há na minha alma excede às forças do meu estilo. Eu não saberei dizer tudo o que de desespero vai nela; e, se tentar expor, ficarei na banalidade e as nuanças fugidias dos meus sentimentos não serão registradas. Eu queria mostrar a todos que fui traído; que me prometeram muito e nada me deram; que tudo isso é vão e sem sentido, estando no fundo dessas coisas pomposas, arte, ciência, religião, a impotência de todos nós diante de augusto mistério do mundo. Nada disso nos dá o sentido do nosso destino; nada disto nos dá uma regra exata de conduta, não nos leva à felicidade, nem tira as coisas hediondas da sociedade. Era isso...

— Mas vem cá: se tu morresses com dinheiro na algibeira, nem por tal...

— Há nisso uma causa: a causa da miséria ficaria arredada.

— Mas podia ser atribuído ao amor.

— Qual. Não recebo cartas de mulher, não namoro, não requesto mulher alguma; e não podiam, portanto, atribuir ao amor o meu desespero.

— Entretanto, a causa não viria à tona e o teu ato não seria aquilatado devidamente.

— De fato, é verdade; mas a causa-miséria não seria evidente. Queres saber de uma coisa? Uma vez, eu me dispus. Fiz uma transação, arranjei uns quinhentos mil-réis. Queria morrer em beleza; mandei fazer uma casaca; comprei camisas etc. Quando contei o dinheiro, já era pouco. De outra, fiz o mesmo. Meti-me em uma grandeza e, ao amanhecer em casa, estava a níqueis.

— De forma que é ter dinheiro para matar-te, zás, tens vontade de divertir-te.

— Tem me acontecido isso; mas não julgues que estou prosando. Falo sério e franco.

Nós nos calamos um pouco, bebemos um pouco de cerveja, e depois eu observei:

— O teu modo de matar-te não é violento, é suave. Estás a afogar-te em cerveja e é pena que não tenhas quinhentos contos, porque nunca te matarias.

— Não. Quando o dinheiro acabasse, era fatal.

— Zás, para o necrotério na miséria; e então?

— É verdade... Continuava a viver.

Rimo-nos um pouco do encaminhamento que a nossa palestra tomava.

Pagamos a despesa, apertamos a mão ao Adolfo, dissemos duas pilhérias ao Quincas e saímos.

Na rua, os bondes passavam com estrépido; homens e mulheres se agitavam nas calçadas; carros e automóveis iam e vinham...

A vida continuava sem esmorecimentos, indiferente que houvesse tristes e alegres, felizes e desgraçados, aproveitando a todos eles para o seu drama e a sua complexidade.

Ele e suas ideias[197]

Conheci-o no tempo em que trabalhava na *Fon-Fon*.[198] Era um homem pequeno, magro, com um reduzido *cavaignac*, bem tratado; mas a sua tragédia íntima e interior só a vim conhecer perfeitamente mais tarde. Não foram precisos muitos dias, mas foram precisos alguns.

Andávamos por esse tempo na febre dos melhoramentos, das construções; e, a todo o momento, ele lembrava a este ou aquele jornal uma ideia.

Um dia, era uma avenida; outro dia, era uma ponte, um jardim; e, de tal modo, a mania de ter ideias o tomou, que não se limitava a deixá-las pelos jornais. Ia além. Procurava em ministros, fazia requerimentos aos corpos legislativos, propondo tais e tais medidas.

Era um pingar de ideias diário, constante e teimoso.

É de crer que, após o almoço, ele dissesse à mulher: "Filha, hoje tenho quatro ideias", e saísse contente a procurar redações, deputados, proprietários, ministros, chefes de serviço, escorrendo ideias.

Nos jornais, ele propunha melhoramentos na folha, sessões, "enquetes", autores para folhetim.

Os secretários já o temiam; e, quando ele apontava na porta da sala, coçava a cabeça e lá diziam consigo: — "lá vem o homem que tem ideias".

E ele não tinha nenhuma piedade; abancava-se ao lado do redator e, zás, duas ideias. Para aquela fecundidade, não havia quase tempo de gestação. Certas vezes, mesmo, entre duas ideias, brotava outra; e, se esta era de um melhoramento urbano, enquanto a primeira era de coisa jornalística, ele deixava o secretário e corria ao prefeito.

O prefeito e o seu gabinete já conheciam o extraordinário e fecundo homem; e, logo que ele se fazia anunciar, o chefe da cidade dizia para o secretário: "Esse diabo! Lá temos o homem das ideias".

As suas ideias eram as mais disparatadas possíveis. Quase sempre eram inviáveis ou inúteis. Ele tinha viajado, de modo que queria ver no Rio todas as coisas soberbas do mundo: os jardins do Píncio, a torre Eiffel, o túnel sobre o Tâmisa.

E ao acudir-lhe, por exemplo, a ideia de desviar o Paraíba para a baía de Guanabara, corria às nossas autoridades em engenharia e pedia o parecer delas.

Ficaram os mesmos engenheiros atarantados, atordoados, apavorados, diante das extravagantes inutilidades do homenzinho. Mas não se pode executar? Perguntava ele à menor objeção. Se tivesse resposta favorável, a sua fisionomia irradiava. Era de vê-lo nos momentos de concentração ou senão quando expendia as suas cogitações. Tinha então uma poderosa beleza, que empolgava e a tornava simpática.

Para levar os dias a destilar ideias, ele tinha que passar as noites a pensar. Creio que dormia pouco: todo ele se encontrava na função de ter ideias. E era pródigo, e era generoso, e era desperdiçado: pensava, tinha ideias e dava aos outros.

Em sua casa, a sua mania se propagara. A mulher, os filhos, os criados também tinham ideias. Quando lhe faltavam, recorria a eles.

Uma vez, o cozinheiro até lhe dera uma muito interessante: a dos bondes restaurantes; e ele correra logo à Light para lembrar a coisa.

Ocasiões havia que ele ficava desolado, desesperado e aflito: era quando não tinha nenhuma e da família nada podia sacar.

— Ah! Chiquinha — dizia ele —, hoje saio sem nenhuma ideia. Que vão dizer de mim? Estou desmoralizado...

Quando, porém, lhe vinham muitas, que alegria! Que regozijo! A manhã ficava-lhe sorridente; cantarolava, arreliava...

No bonde, logo ao encontrar o primeiro amigo, agitava a conversa e pespegava:

— Aurélio, se o prefeito quisesse, podia fazer um grande melhoramento.
— Qual é? Indagava o amigo.
— Estabelecer um imenso foco elétrico no alto do Corcovado. Devia, por isso, a iluminação da cidade ficar mais perfeita.

E dizia a coisa bem alto, para que os vizinhos ouvissem. Após ter dito, observava uma por uma as fisionomias e tomava-lhes o espanto pela admiração causada pelo arrojo de sua imaginação.

Este homem singular, este homem que, no seu gênero era um Edison ou um Marconi, nunca foi apreciado. Os poderes públicos não tomaram na devida consideração os seus projetos: os jornais não o apontavam à admiração do público, e ele vive hoje — triste, abandonado, desolado, em uma pequena cidade do interior.

Estive com ele há dias, lá; e senti-me confrangido, diante de sua desolação, do seu abatimento. Conversamos sossegados debaixo de uma jaqueira úmida, e lembrei-lhe o seu passado e a glória que lhe escapou. Ele me ouviu triste, olhou-me depois longamente e me disse:

— Que se há de fazer? Esta terra não estima seus filhos...
— Não é só aqui — disse-lhe eu — em toda a parte é assim.
— Mas nas outras terras, na França, na Inglaterra, nos Estados Unidos, há esperança de uma recompensa final; mas, no Brasil, que nos pode sustentar na luta?

E abaixou a cabeça para o chão ingrato da pátria, que o havia criado, mas que não o soubera animar no árduo trabalho de ter ideias. Não era um Mário nas ruínas de Cartago, porque afinal ele estava em sua pátria; era alguma coisa mais angustiosa, como que o próprio desalento em pessoa. Eu lhe respeitei a dor; fugi ao assunto e tivemos a conversar sobre umas várias e sem importância.

Entardecia e o crepúsculo vinha lentamente, pondo nas coisas a sua poesia dolente e a sua deliquescência.

Levantei-me para me despedir e ele veio até a porteira. Estivemos ainda parados, a ver a imensa sebe de bambus, curvados em nervuras de ogivas. Uma cigarra começou a estridular e os bambus agitaram-se em pouco, a um leve vento. Despedi-me afinal; mas, quando ia partir de vez, o homem me disse, de repente cheio de contentamento:

— Acabo de ter uma ideia.
— Qual é? — perguntei-lhe.

— O aproveitamento do bambu para encanamento d'água, nas cidades. Há economia e será uma fonte de renda para o Brasil.

Olhei-o atento, nada lhe disse e segui devagar pela estrada em fora.

Numa e a ninfa[199]

Na rua não havia quem não apontasse a união daquele casal.
Ela não era muito alta, mas tinha uma fronte reta e dominadora, uns olhos de visada segura, rasgando as cabeças, o busto erguido, de forma a possuir não sei que ar de força, de domínio, de orgulho; ele era pequenino, sumido, tinha a barba rala, mas todos lhe conheciam o talento e a ilustração.

Deputado há bem duas legislaturas, não fizera em começo grande figura; entretanto, surpreendendo todos, um belo dia fez um "brilhareto", um lindo discurso tão bom e sólido que toda a gente ficou admirada de sair de lábios que até então ali estiveram hermeticamente fechados.

Foi por ocasião do grande debate que provocou, na Câmara, o projeto de formação de um novo estado, com terras adquiridas por força de cláusulas de um recente tratado diplomático.

Penso que todos os contemporâneos ainda estão perfeitamente lembrados do fervor da questão e da forma por que a oposição e o governo se digladiaram em torno do projeto aparentemente inofensivo. Não convém, para abreviar, relembrar aspectos de uma questão tão dos nossos dias; basta que se recorde o aparecimento de Numa Pompílio de Castro, deputado pelo estado de Sernambi, na tribuna da Câmara, por esse tempo.

Esse Numa, que ficou, daí em diante, considerado parlamentar consumado e ilustrado, fora eleito deputado, graças à influência do seu sogro, o senador Neves Cogominho, chefe da dinastia dos Cogominhos que, desde a fundação da República, desfrutava empregos, rendas, representações, tudo o que aquela mansa satrapia possuía de governamental e administrativo.

A história de Numa era simples. Filho de um pequeno empregado de um hospital militar do Norte, fizera-se, à custa de muito esforço, bacharel em direito. Não que houvesse nele um entranhado amor ao estudo ou às letras jurídicas. Não havia no pobre estudante nada de semelhante a isso. O estudo de tais coisas era-lhe um suplício cruciante; mas Numa queria ser bacharel, para ter cargos e proventos; e arranjou os exames da maneira mais econômica. Não abria livros; penso que nunca viu um que tivesse relação próxima ou remota com as disciplinas dos cinco anos de bacharelado. Decorava apostilas, cadernos; e, com esse saber mastigado, fazia exames e tirava distinções.

Uma vez, porém, saiu-se mal; e foi por isso que não recebeu a medalha e o prêmio de viagem. A questão foi com o arsênico, quando fazia prova oral de medicina legal. Tinha havido sucessivos erros de cópia nas apostilas, de modo que Numa dava como podendo ser encontradas na glândula tireoide dezessete gramas de arsênico, quando se tratam de dezessete centésimos de miligrama.

Não recebeu distinção e o rival passou-lhe a perna. O seu desgosto foi imenso. Ser formado já era alguma coisa, mas sem medalha era incompleto!

Formado em direito, tentou advogar; mas, nada conseguindo, veio ao Rio, agarrou-se à sobrecasaca de um figurão, que o fez promotor da justiça do tal Sernambi, para livrar-se dele.

Aos poucos, com aquele seu faro de adivinhar onde estava o vencedor — qualidade que lhe vinha da ausência total de emoção, de imaginação, de personalidade forte e orgulhosa —, Numa foi subindo.

Nas suas mãos, a justiça estava a serviço do governo; e, como juiz de direito, foi na comarca mais um ditador que um sereno apreciador de litígios.

Era ele juiz de Catimbau, a melhor comarca do Estado, depois da capital, quando Neves Cogominho foi substituir o tio na presidência de Sernambi.

Numa não queria fazer mediocremente uma carreira de justiça de roça. Sonhava a Câmara, a Cadeia Velha, a rua do Ouvidor, com dinheiro nas algibeiras, roupas em alfaiates caros, passeio à Europa; e se lhe antolhou, como meio seguro de obter isso, aproximar-se do novo governador, captar-lhe a confiança e fazer-se deputado.

Os candidatos à chefatura de polícia eram muitos, mas ele, de tal modo agiu e ajeitou as coisas, que foi o escolhido.

O primeiro passo estava dado; o resto dependia dele. Veio a posse, Neves Cogominho trouxera a família para o Estado. Era uma satisfação que dava aos seus feudatários, pois havia mais de dez anos que lá não punha os pés.

Entre as pessoas da família, vinha a filha, a Gilberta, moça de pouco mais de vinte anos, cheia de prosápias de nobreza, que as irmãs de caridade de um colégio de Petrópolis lhe tinham metido na cabeça.

Numa viu logo que o caminho mais fácil para chegar a seu fim era casar-se com a filha do dono daquela "marca" longínqua do desmedido império do Brasil.

Fez a corte, não deixava a moça, trazia-lhe mimos, encheu as tias (Coquinho era viúvo) de presentes; mas a moça parecia não atinar com os desejos daquele bacharelinho baço, pequenino, feio e tão roceiramente vestido. Ele não desanimou; e, por fim, a moça descobriu que aquele homenzinho estava mesmo apaixonado por ela. Em começo, o seu desprezo foi grande; achava até ser injúria que aquele tipo a olhasse; mas vieram o aborrecimento da vida de província, a sua falta de festas, o tédio daquela reclusão em palácio, aquela necessidade de namoro que há em toda a moça, e ela deu-lhe mais atenção.

Casaram-se, e Numa Pompílio de Castro foi logo eleito deputado pelo estado de Sernambi.

Em começo, a vida de ambos não foi das mais perfeitas. Não que houvesse rusgas; mas, o retraimento dela e a *gaucherie* dele toldavam a vida íntima de ambos.

No casarão de São Clemente, ele vivia só, calado a um canto; e Gilberta, afastada dele, mergulhada na leitura; e, não fosse um acontecimento político de certa importância, talvez a desarmonia viesse a ser completa.

Ela lhe havia descoberto a simulação do talento e o seu desgosto foi imenso porque contava com um verdadeiro sábio, para que o marido lhe desse realce na sociedade e no mundo. Ser mulher de deputado não lhe bastava; queria ser mulher de um deputado notável, que falasse, fizesse lindos discursos, fosse apontado nas ruas.

Já desanimava, quando, uma madrugada, ao chegar da manifestação do senador Euphonias, naquele tempo o mais poderoso chefe da política nacional, quase chorando, Numa dirigiu-se à mulher:

— Minha filha, estou perdido!...
— Mas que há, Numa?
— Ele... O Euphonias...
— Que tem? que há? por quê?

A mulher sentia bem o desespero do marido e tentava soltar-lhe a língua. Numa, porém, estava alanceado e hesitava, vexado em confessar a verdadeira causa do seu desgosto. Gilberta, porém, era tenaz; e, de uns tempos para cá, dera em tratar com mais carinho o seu pobre marido.

Afinal, ele confessou quase em pranto:

— Ele quer que eu fale, Gilberta.
— Mas você fala...
— É fácil dizer... Você não vê que não posso... Ando esquecido... Há tanto tempo... Na faculdade, ainda fiz um ou outro discurso; mas era lá, e eu decorava, depois pronunciava.
— Faz agora o mesmo...
— É... Sim... Mas preciso de ideias... Um estudo sobre o novo Estado! Qual!
— Estudando a questão, você terá ideias...

Ele parou um pouco, olhou a mulher demoradamente e lhe perguntou de sopetão:

— Você não sabe aí alguma coisa de história e geografia do Brasil?

Ela sorriu indefinidamente com os seus grandes olhos claros, apanhou com uma das mãos os cabelos que lhe caíam sobre a testa; e depois de ter estendido molemente o braço meio nu sobre a cama, onde a fora encontrar o marido, respondeu:

— Pouco... Aquilo que as irmãs ensinam; por exemplo: que o rio São Francisco nasce na serra da Canastra.

Sem olhar a mulher, bocejando, mas já um tanto aliviado, o legislador disse:

— Você deve ver se arranja algumas ideias, e fazemos o discurso.

Gilberta pregou os seus grandes olhos na armação do cortinado, e ficou assim um bom pedaço de tempo, como a recordar-se. Quando o marido ia para o aposento próximo, despir-se, disse com vagar e doçura:

— Talvez.

Numa fez o discurso e foi um triunfo. Os representantes dos jornais, não esperando tão extraordinária revelação, denunciaram o seu entusiasmo, e não lhe pouparam elogios. O José Vieira escreveu uma crônica; e a glória do representante de Sernambi encheu a cidade. Nos bondes, nos trens, nos cafés, era motivo de conversa o sucesso do deputado dos Cogominhos: — Quem diria, hein? Vá a gente fiar-se em idiotas. Lá vem um dia que eles se saem. Não há homem burro — diziam —, a questão é querer...

E foi daí em diante que a união do casal começou a ser admirada nas ruas. Ao passarem os dois, os homens de altos pensamentos não podiam deixar de olhar agradecidos aquela moça que erguera do nada um talento humilde; e as meninas olhavam com inveja aquele casamento desigual e feliz.

Daí por diante, os sucessos de Numa continuaram. Não havia questão em debate na Câmara sobre a qual ele não falasse, não desse o seu parecer, sempre sólido, sempre brilhante, mantendo a coerência do partido, mas aproveitando ideias pessoais e vistas novas. Estava apontado para ministro e todos esperavam vê-lo na secretaria do largo do Rossio,[200] para que ele pusesse em prática as suas extraordinárias ideias sobre instrução e justiça.

Era tal o conceito de que gozava que a câmara não viu com bons olhos furtar-se, naquele dia, ao debate que ele mesmo provocou, dando um intempestivo aparte ao discurso do deputado Cardoso Laranja, o formidável orador da oposição.

Os governistas esperavam que tomasse a palavra e logo esmagasse o adversário; mas não fez isso.

Pediu a palavra para o dia seguinte e o seu pretexto de moléstia não foi bem aceito.

Numa não perdeu tempo: tomou um tílburi, correu à mulher e deu-lhe parte da atrapalhação em que estava. Pela primeira vez, a mulher lhe pareceu com pouca disposição de fazer o discurso.

— Mas, Gilberta, se eu não o fizer amanhã, estou perdido!... E o ministério? Vai-se tudo por água abaixo... Um esforço... É pequeno... De manhã, eu decoro... Sim, Gilberta?

A moça pensou e, ao jeito da primeira vez, olhou o teto com os seus grandes olhos cheios de luz, como a lembrar-se, e disse:

— Faço; mas você precisa ir buscar já, já dois ou três volumes sobre colonização... Trata-se dessa questão, e eu não sou forte. É preciso fingir que se tem leituras disso... Vá!

— E os nomes dos autores?

— Não é preciso... O caixeiro sabe... Vá!

Logo que o marido saiu, Gilberta redigiu um telegrama e mandou a criada transmiti-lo.

Numa voltou com os livros; marido e mulher jantaram em grande intimidade e não sem apreensões. Ao anoitecer, ela recolheu-se à biblioteca e ele ao quarto.

No começo, o parlamentar dormiu bem; mas bem cedo despertou e ficou surpreendido em não encontrar a mulher a seu lado. Teve remorsos. Pobre Gilberta! Trabalhar até àquela hora, para o nome dele, assim obscuramente! Que dedicação! E — coitadinha! — moça ter que empregar o seu tempo em leituras árduas! Que boa mulher ele tinha! Não havia duas... Se não fosse ela... Ah! onde estaria a sua cadeira? Nunca seria candidato a ministro... Vou fazer-lhe uma mesura, disse ele consigo. Acendeu a vela, calçou as chinelas e foi pé ante pé até ao compartimento que servia de biblioteca.

A porta estava fechada; ele quis bater, mas parou a meio. Vozes abafadas... Quem seria? Talvez a Idalina, a criada... Não, não era; era voz de homem. Diabo! Abaixou-se e olhou pelo buraco da fechadura. Quem era? Aquele tipo... Ah! Era o tal primo... Então, era ele, era aquele valdevinhos, vagabundo, sem eira nem beira, poeta sem poesias, frequentador de chopes; então, era ele quem lhe fazia os discursos? Por que preço?

Olhou ainda mais um instante e viu que os dois acabavam de beijar-se. A vista se lhe turvou; quis arrombar a porta; mas logo lhe veio a ideia do escândalo e refletiu. Se o fizesse vinha a coisa a público; todos saberiam do segredo da sua "inteligência" e adeus câmara, ministério e — quem sabe? — a presidência da República. Que é que se jogava ali? A sua honra? Era pouco. Que se jogava ali eram a sua inteligência, a sua carreira; era tudo! Não, pensou ele de si para si, vou deitar-me.

No dia seguinte, teve mais um triunfo.

Uma conversa[201]

— Disse-te ainda há pouco, falou o Zeca Magalhães, na mesa de chopes em que estávamos, que não tinha certeza das minhas sensações e, portanto, não tinha nenhuma das minhas ideias. Não é o momento de te citar filósofos, nem organizar raciocínios rimados. Conto-te somente um caso ilustrativo, cheio de proveitosos ensinamentos.

Pegou do copo e sorveu um segundo chope, enquanto eu via, numa mesa ao lado, um gordo alemão com um focinho de porco Yorkshire, acompanhado da mais linda alemã que foi dado aos olhos de um carioca, que nunca saiu da sua cidade natal, ver e contemplar.

— Zeca, disse eu, a meia-voz, vê que alemã bonita.
— Era disso mesmo que eu queria falar, fez ele descansando o copo.
— Da alemã?
— Relaciona-se. Eu estava no teatro... Foi há vinte anos, ou mais. Estava no teatro, no jardim, quando vi uma mulher. Que beleza era! Tinha uns olhos, um nariz! E que boca!
— Pintura.
— Qual! Ouve. Olhei-a demoradamente, analisei traço por traço, via-a na luz, pus-me mais perto e a impressão continuava a mesma, e até crescia. Ao sair, acompanhei-a... tu sabes o resto? Pela manhã, quando acordei e contemplei a

mulher, sob a luz do sol, não era a mesma! Cos diabos! fiz eu. Querem ver que me trocaram a mulher? Nada disso, despedi-me com toda a conveniência e saí. O caso não me saiu da cabeça. Eu a tinha visto no teatro, em plena integridade dos meus sentidos; tinha analisado detalhadamente — como era então que a mulher que eu via, às oito horas da tarde, não era a mesma de quem me despedi às seis da manhã do dia seguinte? Pintura? Não foi, eu tinha reparado bem. Voltei à sua casa dias seguintes. Examinei-a bem, traço a traço, comparei-a com as duas imagens que tinha dela — a das oito da tarde e a das seis da manhã. Nada lembrava a primeira, sendo exatamente igual à segunda. Voltei ao teatro, estive a lhe falar — era ainda a segunda imagem, a mais próxima. Estava doido naquela noite! pensei. Rememorei o que fizera naquele dia e nos precedentes ao meu encontro com a tal italiana.

Lembrei-me que tinha recebido umas estampas de grandes obras de escultura e, na sua contemplação, gastara horas seguidas de uma atenção absorvente. Estava aí a causa do erro! Sobre os seus traços verdadeiros, ou antes, os mais reais, eu tinha depositado a imagem anterior da grande beleza que me ficara do livro; e, quando de manhã, com a fadiga etc., ela se esvaiu, ficou mais ou menos a mulher comum, fugindo por completo a ideia anterior com que eu a revestira. Daí concluí, não sem ligeireza, que essa nossa mania de beleza é um contágio dos delirantes sonhos de alguns homens, dados a loucuras de Arte, exacerbados com os delírios das tradições de antigas raças e sofrendo a tirania dos ideais belos; é que as nossas sensações são interpretadas pelo nosso entendimento, de acordo com as imagens de certos padrões, que já estamos predispostos a recebê-las...

— Concordo em parte; mas daí podias concluir que a Arte é útil, estimula o Amor, a eternidade da vida...

— Quanto a isto, não; há nas boticas outros sucedâneos menos perigosos.

Não havia uma hora que eu o tinha visto terno; agora estava desabusado, cinicamente brutal, cobrindo com um sarcasmo o que sempre o vira engrandecer.

— Entretanto, observei, para que a visses assim, era preciso que ela tivesse alguma coisa da tal estampa que se te gravara no cérebro.

— Estava talhada para isso... No momento, possui uma disposição qualquer, nos seus elementos fisionômicos, capaz de suscitar e de emitir a imagem que eu já tinha, nos seus traços vivos.

Bebíamos o quinto chope, e, embora por estas alturas, eu sempre fique mais inteligente e animado, naquela noite, a fadiga não permitiu. Despedi-me.

A cartomante[202]

Não havia dúvida que naqueles atrasos e atrapalhações de sua vida, alguma influência misteriosa preponderava. Era ele tentar qualquer coisa, logo tudo mudava. Esteve quase para arranjar-se na Saúde Pública; mas, assim que obteve um bom "pistolão", toda a política mudou. Se jogava no bicho, era sempre o grupo seguinte ou o anterior que dava. Tudo parecia mostrar-lhe que ele não devia ir para adiante. Se não fossem as costuras da mulher, não sabia bem como poderia ter vivido até ali. Há cinco anos que não recebia vintém de seu trabalho. Uma nota de dois mil-réis, se alcançava ter na algibeira por vezes, era obtida com auxílio de não sabia quantas humilhações, apelando para a generosidade dos amigos.

Queria fugir, fugir para bem longe, onde a sua miséria atual não tivesse o realce da prosperidade passada; mas, como fugir?

Onde havia de buscar dinheiro que o transportasse, a ele, a mulher e aos filhos? Viver assim era terrível! Preso à sua vergonha como a uma calceta, sem que nenhum código e juiz tivessem condenado, que martírio!

A certeza, porém, de que todas as suas infelicidades vinham de uma influência misteriosa, deu-lhe mais alento. Se era "coisa feita", havia de haver por força quem a desfizesse. Acordou mais alegre e se não falou à mulher alegremente era porque ela já havia saído. Pobre de sua mulher! Avelhantada precocemente, trabalhando que nem uma moura, doente, entretanto a sua fragilidade transformava-se em energia para manter o casal.

Ela saía, virava a cidade, trazia costuras, recebia dinheiro, e aquele angustioso lar ia se arrastando, graças aos esforços da esposa.

Bem! As coisas iam mudar! Ele iria a uma cartomante e havia de descobrir o que e quem atrasavam a sua vida.

Saiu, foi à venda e consultou o jornal. Havia muitos videntes, espíritas, teósofos anunciados; mas simpatizou com uma cartomante, cujo anúncio dizia assim: "Madame Dadá, sonâmbula, extralúcida, deita as cartas e desfaz toda espécie de feitiçaria, principalmente a africana. Rua etc.".

Não quis procurar outra; era aquela, pois já adquirira a convicção de que aquela sua vida vinha sendo trabalhada pela mandinga de algum preto mina, a soldo do seu cunhado Castrioto, que jamais vira com bons olhos o seu casamento com a irmã.

Arranjou, com o primeiro conhecido que encontrou, o dinheiro necessário, e correu depressa para a casa de Madame Dadá.

O mistério ia desfazer-se e o malefício ser cortado. A abastança voltaria à casa; compraria um terno para o Zezé, umas botinas para Alice, a filha mais moça; e aquela cruciante vida de cinco anos havia de lhe ficar na memória como passageiro pesadelo.

Pelo caminho tudo lhe sorria. Era o sol muito claro e doce, um sol de junho; eram as fisionomias risonhas dos transeuntes; e o mundo, que até ali lhe aparecia mau e turvo, repentinamente lhe surgia claro e doce.

Entrou, esperou um pouco, com o coração a lhe saltar do peito.

O consulente saiu e ele foi afinal à presença da pitonisa. Era sua mulher.

O cemitério[203]

Pelas ruas de túmulos, fomos calados. Eu olhava vagamente aquela multidão de sepulturas, que trepavam, tocavam-se, lutavam por espaço, na estreiteza da vaga e nas encostas das colinas aos lados. Algumas pareciam se olhar com afeto, roçando-se amigavelmente; em outras, transparecia a repugnância de estarem juntas. Havia solicitações incompreensíveis e também repulsões e antipatias; havia túmulos arrogantes, imponentes, vaidosos e pobres e humildes; e, em todos, ressumava o esforço extraordinário para escapar ao nivelamento da morte, ao apagamento que ela traz às condições e às fortunas.

Amontoavam-se esculturas de mármore, vasos, cruzes e inscrições; iam além; erguiam pirâmides de pedra tosca, faziam caramanchéis extravagantes, imaginavam complicações de matos e plantas — coisas brancas e delirantes, de um mau gosto que irritava. As inscrições exuberavam; longas, cheias de nomes, sobrenomes e datas, não nos traziam à lembrança nem um nome ilustre sequer; em vão procurei ler nelas celebridades, notabilidades mortas; não as encontrei. E de tal modo a nossa sociedade nos marca um tão profundo ponto, que até ali, naquele campo de mortos, mudo laboratório de decomposição, tive uma imagem dela, feita inconscientemente de um propósito, firmemente desenhada por aquele acesso de túmulos pobres e ricos, grotescos e nobres, de mármore e pedra, cobrindo vulgaridades iguais umas às outras por força estranha às suas vontades, a lutar...

Fomos indo. A carreta, empunhada pelas mãos profissionais dos empregados, ia dobrando as alamedas, tomando ruas, até que chegou à boca do soturno buraco, por onde se via fugir, para sempre do nosso olhar, a humildade e a tristeza do contínuo da Secretaria dos Cultos.

Antes que lá chegássemos, porém, detive-me um pouco num túmulo de límpidos mármores, ajeitados em capela gótica, com anjos e cruzes que a rematavam pretensiosamente.

Nos cantos da lápide, vasos com flores de *biscuit* e, debaixo de um vidro, à nívea altura da base da capelinha, em meio-corpo, o retrato da morta que o túmulo engolira. Como se estivesse na rua do Ouvidor, não pude suster um pensamento mau e quase exclamei:

— Bela mulher!

Estive a ver a fotografia e logo em seguida me veio à mente que aqueles olhos, que aquela boca provocadora de beijos, que aqueles seios túmidos, tentadores de longos contatos carnais, estariam àquela hora reduzidos a uma pasta fedorenta, debaixo de uma porção de terra embebida de gordura.

Que resultados teve a sua beleza na terra? Que coisas eternas criaram os homens que ela inspirou? Nada, ou talvez outros homens, para morrer e sofrer. Não passou disso, tudo mais se perdeu; tudo mais não teve existência, nem mesmo para ela e para os seus amados; foi breve, instantâneo, e fugaz.

Abalei-me! Eu que dizia a todo o mundo que amava a vida, eu que afirmava a minha admiração pelas coisas da sociedade — eu meditar como um cientista profeta hebraico! Era estranho! Remanescente de noções que se me infiltraram e cuja entrada em mim mesmo eu não percebera! Quem pode fugir a elas?

Continuando a andar, adivinhei as mãos da mulher, diáfanas e de dedos longos; compus o seu busto ereto e cheio, a cintura, os quadris, o pescoço, esguio e modelado, as espáduas brancas, o rosto sereno e iluminado por um par de olhos indefinidos de tristeza e desejos...

Já não era mais o retrato da mulher do túmulo; era de uma, viva, que me falava.

Com que surpresa, verifiquei isso.

Pois eu, eu que vivia desde os dezesseis anos, despreocupadamente, passando pelos meus olhos, na rua do Ouvidor, todos os figurinos dos jornais de modas, eu me impressionar por aquela menina do cemitério! Era curioso.

E, por mais que procurasse explicar, não pude.

Na janela[204]

— Você sabe: o Alfredo não me trouxe o broche.
— Que desculpa ele deu?
— Que o 7 não tinha dado a noite toda...
— Vai ver, Mercedes, que ele foi gastar com a Candinha... Ah! os homens! São uns malandros!
— Não sei, mas... enfim todos eles são iguais.
— No começo é aquilo, parece que a gente é pouca ou que eles são muito mais. Vivem atrás de nós, descobrem, adivinham os nossos pensamentos; depois... não sei o que dá neles... esfriam, esfriam...
— Meu marido foi assim. No tempo de noivo, nem sabia falar quando estava perto de mim; olhava-me só e o seu olhar parecia que me vestia, que me beijava, que me ameigava... Meses depois de casada, deixou-me só, sem dinheiro, sem parentes, nesta cidade tão grande... Bem fez você que não se casou!
— Mas namorei...
— Muitos?
— Sem conta!
— Você não amou nenhum?
— Não sei... Creio que todos me agradavam o bastante para casar.

— É difícil compreender.

— Ora, é fácil... Eu fui sempre engraçada. Aos treze anos, quando saía com meu pai, todos na rua me olhavam. Um dia até, no bonde, uma senhora de aparência rica, muito grande, muito alta, perguntou a meu pai: é sua filha? Sim, respondeu ele. A senhora olhou-nos muito, a mim e a ele, virou a cara e sorriu duvidosa. Aos quatorze, tive o primeiro namorado. Era o caixeiro da venda... Um portuguesinho louro, que dizia "binho", "benda", mas com uns olhos azuis cor do céu pelas bonitas manhã. E daí não parei mais. Tive um segundo, um terceiro... quando cheguei ao quinto já escrevia cartas. Minha mãe pegou uma e deu-me uma surra; mas não me emendei — continuei. Não sabia resistir... Eles choravam, juravam.., e eu namorava quase ao mesmo tempo. Era como se — em grande riqueza inesgotável — não negasse esmolas. Você sabe: quando se tem muito vai se dando. Parece que não acaba; mas acaba e então chora-se pitanga. Fui assim: pediam-me beijos, abraços, cabelos; e eu dava por pena, unicamente. Se eu tivesse sido mais sovina, não estava "nesta vida"... E a sorte, que se há de fazer?

— Mas, e o "tal"?

— É verdade! Um dia fui a um baile, como sempre, tinha lá uma chusma de adoradores; mas apareceu um novo. Não sabia quem era, muito diferente de todos. Educado, parecia doutor ou estudante de verdade, de estudos difíceis. Olhou-me e eu olhei, e namorei-o. Não troquei palavra. Dancei com ele e o ouvi falar a um outro. Que voz! Antes da meia-noite saiu. No outro ano, em dia de festa na mesma casa, já não pude ir lá mais; tinha vindo a tal encrenca... corpo de delito... Você sabe... Não deu em nada; ou antes: deu "nisto".

— Nunca mais você viu "ele"?

— O "tal"? Há dois anos que sempre o vejo na rua do Ouvidor nos teatros...

— Ele não fala com você?

— Não. Olha-me um instante e baixa a cabeça.

— Engraçado! Outro qualquer...

— É verdade! Perguntei quem era, disseram é um doutor fulano de tal e é solteiro.

— Mas nunca você procurou falar com ele?

— Só uma vez. Cheguei-me e sem mais aquela sentei-me à mesa em que estava. Perguntei-lhe se não me conhecia. De vista, respondeu. Se não tinha ido a um baile assim, assim. Nunca! afirmou. Contei-lhe então a história e indaguei-lhe se, de fato, fosse ele não se daria a conhecer. Hesitou e, por fim, respondeu-me umas coisas embrulhadas que, afinal, me pareceu quererem dizer que eu, a menina do baile, era outra coisa que não sou eu mesma atualmente; e quem me tinha visto no baile não me via ali, num jardim de teatro.

— Era um tolo; um...

— Não. Eu o vi, mais tarde, muito alegre, com uma outra no automóvel...

Nos elétricos que passavam, os passageiros que olhavam aquelas duas mulheres com olhares cheios de desejos não seriam capazes de adivinhar a inocência de sua conversa, na janela de uma casa suspeita.

Despesa filantrópica[205]

— Quando ele me chegou à porteira de casa, acompanhado de outro sujeito mal-encarado, não o reconheci. Ele entrou a meu convite para a sala; sentou-se mais o companheiro e mandei servir-lhes café. Enquanto o café era esperado, ele se deu a conhecer. Aí é que foi a minha surpresa.

— Por quê? acudiu o amigo que ouvia o fazendeiro.

— Por quê?... Porque era um dos mais famosos assassinos do lugar.

— Diabo! Que visitante recebias tu com tanta distinção!

— Foi mesmo o diabo! E fiquei contrariado em recebê-lo em casa. Se soubesse quem era, teria dado "pouso" em qualquer dependência da fazenda e evitado que ele me entrasse em casa; mas... o que estava feito, estava feito, tanto mais...

— Sim; porque se fizesse qualquer jeito de contrariedade, ele talvez te desfeiteasse.

— Com toda a certeza! E, conquanto já estivesse habituado à vida daqueles lugares bravios, onde a coragem pessoal, mesmo com certa jactância, é indispensável, não me convinha absolutamente ter questão com semelhante sujeito que era o tipo acabado do interior do Brasil.

— Há esse tipo?

— Há, pois não.

— Qual é o traço característico?

— É a futilidade dos móveis do crime e a capacidade de matar a mandado de outrem. No interior, a mais simples rixa por causa de uma questão de compra e venda leva um sujeito ao assassinato. Uma frase assim, assim, que o Fagundes ouvia da boca do Antônio, como tendo, sobre ele, sido proferida por seu inimigo Orestes, determina que o Fagundes mate Orestes. Conto-te um caso: o Madruga se havia separado da mulher que se prostituíra e fora morar numa cidade distante. Passam-se anos e Madruga vai prosperando com o seu negócio no vilarejo. Parecia esquecido de sua infelicidade conjugal, quando lhe chega aos ouvidos que a sua mulher tresmalhada, no auge daquelas grosseiras orgias sertanejas, o injuriava com frases pesadas.

Ele que faz? Arma-se, monta a cavalo e vai procurar a mulher na sua triste residência. Engabela-a e a mata. Consegue escapar, volta ao vilarejo, onde tinha negócio; espalha a "boa-nova" do que fizera; publica, no jornal local, o seu retrato e o da mulher, a peso de dinheiro; e espera tranquilamente a ação da justiça.

— É incrível!

— Pois é, meu caro Felício. O caipira, o matuto, o Jeca, como se diz atualmente depois de Monteiro Lobato, mata mais por vaidade do que mesmo por vingança, crueldade ou por tara. De forma que ser valentão, matador, é lá um título de honra e os assassinatos cometidos são como condecorações de ordens reais e imperiais. Sendo assim, nada mais fácil do que achar quem aceite encomendas de "mortes".

— O teu visitante quantas já tinha?

— Três; e era bem moço, de mais ou menos vinte e cinco anos.

— Como te livraste dele?

— Vou te contar. Estivemos conversando e ele me narrava proezas, expondo, ao mesmo tempo, a maldade de seus inimigos e a vingança que havia de tirar deles. Hás de supor que falava com raiva.

— Não?

— Qual! Falava com a calma mais natural deste mundo, empregando os mais lindos modismos do dialeto caipira. Num dado momento sacou da cinta uma imensa pistola parabélum e disse: "esta bicha tá virge, mas ela corre que nem veado". Era uma magnífica arma de treze tiros, com alcance de mais de mil metros. Pedi-lhe que ma deixasse ver. Examinei-a, pensando tristemente no esforço da inteligência que representava aquele aparelho, e que, entretanto, estava destinado a tão má aplicação. De repente perguntei ao assassino: "Aluísio, você quer vender esta arma? Dou trezentos mil-réis". Ele não pensou — porque Jeca está sempre disposto a fazer negócio, barganha e rifas — e disse: "Dotô, nós faz negoço". Dei-lhe o dinheiro, fiquei com a arma; e ele se foi, para voltar mais tarde. Voltou, de fato; mas, sabes o que ele trazia quando voltou?

— Não.

— Um rifle Winchester que comprara por duzentos mil-réis. Eis em que deu minha despesa filantrópica.

O caçador doméstico[206]

O Simões era descendente de uma famosa família dos Feitais, do estado do Rio, de que o 13 de Maio arrebatou mais de mil escravos.

Uma verdadeira fortuna, porque escravo, naquelas épocas, apesar da agitação abolicionista, era mercadoria valorizada. Valia bem um conto de réis a cabeça, portanto os tais de Feitais perderam cerca ou mais de mil contos.

De resto, era mercadoria que não precisava muitos cuidados. Antes da lei do ventre livre, a sua multiplicação ficava aos cuidados dos senhores e depois... também.

Esses Feitais eram célebres pelo sadio tratamento de gado de engorda que davam aos seus escravos e também pela sua teimosia escravagista.

Se não eram requintadamente cruéis para com os seus cativos, tinham, em oposição, um horror extraordinário à carta de alforria.

Não davam uma, fosse por que pretexto fosse.

Conta-se até que o velho Feital, tendo um escravo mais claro que mostrava aptidões para os estudos, dera-lhe professores e o matriculara na Faculdade de Medicina.

Quando o rapaz ia terminar o curso, retirara-o dela, trouxera-o para a fazenda, da qual o fizera médico, mas nunca lhe dera carta de liberdade, embora o tratasse como homem livre e o fizesse tratar assim por todos.

Simões vinha dessa gente que empobrecera de uma hora para outra.

Muito tapado, não soubera aproveitar as relações de família, para formar-se em qualquer coisa e arranjar boas sinecuras, entre as quais a de deputado, para a qual estava a calhar, pois, de família do partido escravagista-conservador, tinha o mais lindo estofo para ser um republicano do mais puro quilate brasileiro.

Fez-se burocrata; e, logo que os vencimentos deram para a coisa, casou com uma Magalhães Borromeu, de Santa Maria Madalena,[207] cuja família também se havia arruinado com a abolição.

Na repartição, o Simões não se fez de trouxa. Aproveitou as relações e amizades de família, para promoções, preterindo toda a gente.

Quando chegou, aí, por chefe de seção, lembrou-se que descendia de gente de lavoura e mudou-se para os subúrbios, onde teria alguma ideia da roça, onde nascera.

Os restos de matas que há por aquelas paragens deram-lhe lembranças saudosas da sua mocidade nas fazendas de seus tios. Lembrou-se que caçava; lembrou-se da sua matilha para caitius e pacas; e deu em criar cachorros que adestrava para a caça, como se tivesse de fazer alguma.

No lugar em que morava, só havia uma espécie de caça rasteira: eram preás nos capinzais; mas, Simões, que era da nobre família dos Feitais de Pati e adjacências, não podia entregar-se a torneio tão vagabundo.

Como havia de empregar a sua gloriosa matilha?

À sua perversidade inata acudiu-lhe logo um alvitre: caçar os frangos e outros galináceos da vizinhança que, fortuitamente, lhe iam ter no quintal.

Era ver um frango de qualquer vizinho, imediatamente estumava a cachorrada que estraçalhava em três tempos o bicharoco.

Os vizinhos acostumados com os pacatos moradores antigos estranharam a maldade de semelhante imbecil que se fazia mudo às reclamações da pobre gente que lhe morava em torno.

Cansados com as proezas do caçador doméstico de frangos e patos resolveram pôr termo a elas.

Trataram de mal-assombrar a casa. Contrataram um moleque jeitoso que se metia no forro da casa, à noite e lá arrastava correntes.

Simões lembrou-se dos escravos dos seus parentes Feitais e teve remorsos. Um dia assustou-se tanto que correu espavorido para o quintal, alta noite, em trajes menores, com o falar transtornado. Os seus molossos[208] não o conheceram e o puseram no estado em que punham os incautos frangos da vizinhança: estraçalharam-no.

Tal foi o fim de um dos últimos rebentos dos poderosos Feitais de Barra Mansa.

Uma academia da roça[209]

Na botica do Segadas — Farmácia Esperança — que pompeava a sua enorme tabuleta, na principal rua de Itaçaraí, cidade do estado de...,[210] cabeça da respectiva comarca, reunia-se todas as tardes um grupo seleto dos habitantes do lugarejo, para discutir letras, filosofia e artes.

Era esse grupo formado das seguintes pessoas: doutor Aristogen Tebano das Verdades, promotor público; doutor Joaquim Petronilho, médico clínico na comarca; Sebastião Canindé, sacristão da matriz; e o doutor Francisco Carlos Kauffman, austríaco e alveitar de uma grande fazenda de criação nos arredores. Dele, também fazia parte o proprietário da botica — o Segadas.

O espanhol Santiago Ximénez, principal barbeiro da localidade, proprietário do Salão Verdun, aparecia, às vezes, na tertúlia; recitava um pouco de Campoamor[211] ou citava Escrich; mas despedia-se logo, a fim de ir para o botequim do Cunha, onde podia unir o útil ao agradável, isto é, juntar o parati ou a genebra ao poeta de sua paixão — Campoamor — ou ao romancista de sua admiração — Pérez Escrich.[212] Na botica, não havia disso e a sua literatura necessitava de um acompanhamento de beberiques.

O presidente do grupo era espontaneamente o promotor que sempre tinha versos a recitar e questões literárias a propor. A bem querida dele era indagar se mais valia a forma que o fundo ou vice versa; inclinava-se pelo último, por isso gostava muito de Casimiro de Abreu e de Fagundes Varela.

O doutor Petronilho não tinha opinião segura sobre o caso, tanto mais que, a não ser Bilac, ele não suportava outro poeta; entretanto, vivia possuído de particular admiração por Aristogen e a sua versalhada desenxabida. Coisas...

Sebastião Canindé era, pela forma, parnasiano da gema; mas os versos que publicava no jornal da localidade eram horrivelmente errados e rimados a martelo; eram piores do que os de Aristogen. Tinha as charadas por especialidade.

O austríaco não sabia nada dessas coisas. Lera os poetas de sua pátria, alguns alemães e italianos, a Bíblia, Shakespeare e o *Dom Quixote*.

Não percebia nada dessa história de épocas e escolas literárias. Ia à reunião para distrair-se.

Um belo dia, Aristogen lembrou aos companheiros:

— Vamos fundar uma Academia de Letras?

Canindé indagou:

— Daqui, do município?

— Sim, respondeu Aristogen. Vamos?

O doutor Petronilho observou:

— Quantos membros?

Aristogen acudiu logo:

— Quarenta, por certo!

O doutor Kauffman refletiu:

— Oh! Eu acho muito.

Aristogen objetou:

— Muito! Não há tal! Há, além dos residentes nascidos ou não no lugar, muito filho do município ilustre que anda por aí.

Olhe: o doutor Penido Veiga, nosso representante na Câmara Federal, é um fino intelectual; pode, portanto, fazer parte dela. O tenente Barnabé, que aqui nasceu, acaba de fazer com brilho o curso de aviação; pode também fazer parte. O Jesuíno, filho do Inácio, ali do "armazém", vive em destaque no Tribunal de Contas, para onde entrou depois de um concurso brilhante: está naturalmente indicado a ser um dos membros.

E, assim, muitos outros.

Com sujeitos portadores de semelhantes títulos literários, Aristogen organizou a sua academia de letras de quarenta membros, porque ela não podia ficar por baixo das outras, inclusive a brasileira, tendo menos imortais que elas.

Veio o dia da instalação solene que, em falta de local mais adequado, teve lugar na barraca de lona do circo de cavalinhos que trabalhava na cidade, por aquela ocasião.

Os acadêmicos presentes, inclusive o barbeiro Ximénez e o austríaco Kauffman, que eram do número deles, sentaram-se ao redor de uma longa mesa, que fora colocada no centro do picadeiro.

Os convidados especiais tomaram lugar nas cadeiras, arrumadas na linha da circunferência que fechava o círculo das acrobacias, peloticas e correrias de cavalos. As arquibancadas, para o povo miúdo, entrada franca.

Uma charanga, a Banda Flor das Dores de Nossa Senhora, tocava à entrada da barraca, dobrados estridentes e polcas chorosas.

Aristogen tomou a presidência, tendo ao lado direito o presidente da câmara, coronel Manuel Pafúncio; e, à esquerda, o secretário-geral, o sacristão Canindé.

Depois de lido o expediente, começou a pronunciar o seu discurso em linguagem castigada, porque, se não o era no verso, na prosa ele era parnasiano e clássico.

Começou:

— Senhores: Após longo decurso de tempo, lamentavelmente riçado por dificuldades, impedimentos, estorvos grandes, que adversaram a instituição definitiva desta Academia — é possível, alfim, realizar o ato de posse de sua diretoria, e eu procurarei salientar a determinante fundamental deste Instituto.

Logo neste período, o doutor Petronilho observou baixinho ao austríaco:

— É castiço. Fala que nem o Aluísio. Não achas?

O austríaco respondeu em voz baixa também:

— Oh! Eu não sape essas coisas.

Aristogen continuou:

— Basta que, à fé sincera, eu vo-lo afirme: há, dentre os eleitos para esta Egrégia Companhia, os que desalentaram em meio da jornada; há os que se deixaram empolgar de tanta vaidade que já se sentem sobrelevados aos que lhes foram pares na eleição; há os que do alto do seu valor, gozando a convicção própria de serem olímpicos, supremos, sorriram, num sorriso complacente de superior condescendência, aos pigmeus que lhes buscaram a honra eminente do convívio. É, pois, urgente, inadiável detergir esta Academia. Petronilho, ainda cochichando, confidenciou aos ouvidos do alemão:

— Não te dizia? É mais que o Aluísio; é o próprio Rui.[213]

A assistência estava embasbacada com fraseado tão bonito, que, na sua maioria, ela mal compreendia.

Chegava ao final com este período:

— Se procedermos concorde ao padrão que ora vos proponho, embora fosse ele discutido às rebatinhas, estou certo que ganharão timbre de verdade as palavras refregentes [sic] de Canindé, de Barnabé, de Kauffman e outros, quando, d'alma inspirada, anteviram no apogeu esta Academia, qual nem eu quisera!

Não teve tempo de sentar-se o orador, porque, no exato momento em que acabava a sua oração, os cavalos do circo, livrando-se das prisões que os subjugavam, invadiram a arena em que estavam os acadêmicos, e os afugentaram a todos eles, unicamente por ação de presença.

Nunca mais a Academia de Letras de Itaçaraí se reuniu.

A mulher do Anacleto[214]

Este caso se passou com um antigo colega meu de repartição.

Ele, em começo, era um excelente amanuense, pontual, com magnífica letra e todos os seus atributos do ofício faziam-no muito estimado dos chefes.

Casou-se bastante moço e tudo fazia crer que o seu casamento fosse dos mais felizes. Entretanto, assim não foi.

No fim de dois ou três anos de matrimônio, Anacleto começou a desandar furiosamente. Além de se entregar à bebida, deu-se também ao jogo.

A mulher muito naturalmente começou a censurá-lo.

A princípio, ele ouvia as observações da cara-metade com resignação; mas, em breve, enfureceu-se com elas e deu em maltratar fisicamente a pobre rapariga.

Ela estava no seu papel, ele, porém, é que não estava no dele.

Motivos secretos e muito íntimos talvez explicassem a sua transformação; a mulher, porém, é que não queria entrar em indagações psicológicas e reclamava. As respostas a estas acabaram por pancadaria grossa. Suportou-a durante algum tempo. Um dia, porém, não esteve mais pelos autos e abandonou o lar precário. Foi para a casa de um parente e de uma amiga, mas, não suportando a posição inferior de agregada, deixou-se cair na mais relaxada vagabundagem de mulher que se pode imaginar.

Era uma verdadeira "catraia" que perambulava suja e rota pelas praças mais reles deste Rio de Janeiro.

Quando se falava a Anacleto sobre a sorte da mulher, ele se enfurecia doidamente:

— Deixe essa vagabunda morrer por aí! Qual minha mulher, qual nada!

E dizia coisas piores e injuriosas que não se podem pôr aqui.

Veio a mulher a morrer, na praça pública; e eu que suspeitei, pelas notícias dos jornais, fosse ela, apressei-me em recomendar a Anacleto que fosse reconhecer o cadáver. Ele gritou comigo:

— Seja ou não seja! Que morra ou viva, para mim vale pouco!

Não insisti, mas tudo me dizia que era a mulher do Anacleto que estava como um cadáver desconhecido no necrotério.

Passam-se anos, o meu amigo Anacleto perde o emprego, devido à desordem de sua vida. Ao fim de algum tempo, graças à interferência de velhas amizades, arranja um outro, num estado do Norte.

Ao fim de um ano ou dois, recebo uma carta dele, pedindo-me arranjar na polícia certidão de que sua mulher havia morrido na via pública e fora enterrada pelas autoridades públicas, visto ter ele casamento contratado com uma viúva que tinha "alguma coisa", e precisar também provar o seu estado de viuvez.

Dei todos os passos para tal, mas era completamente impossível. Ele não quisera reconhecer o cadáver de sua desgraçada mulher e para todos os efeitos continuava a ser casado.

E foi assim que a esposa do Anacleto vingou-se postumamente. Não se casou rico, como não se casará nunca mais.

Dentes negros e cabelos azuis[215]

A Edgard Hasselman

Era dos mais velhos, o conhecimento que eu mantinha com esse rapaz. Iniciadas na rua, nos ligeiros encontros dos cafés, as nossas relações se estreitavam dia a dia. Nos primeiros tempos, ele sempre me apareceu como uma pessoa inalteravelmente jovial, indiferente às pequeninas coisas do mundo, céptico a seu modo; mas, em breve sob essa máscara de polidez, fui percebendo nele um queixoso, um amargo a quem uma melancolia, provinda de fugitivas aspirações impossíveis, revestia de uma tristeza coesa. Depois o seu caráter e a sua organização muito concorriam para sua dorida existência. Muito inteligente para amar a sociedade de que saíra, e muito finamente delicado para se contentar de tolerado em outra qualquer, Gabriel vivia isolado, bastando-se a si e aos seus pensamentos, como um estranho anacoreta que fizesse, do agitado das cidades, ermo para seu recolhimento.

Às vezes ele nos surgia com uns ares de letrado chinês, lido em Sai-Tsê, calmo, superior, seguro de si e contente de se sacrificar à lógica imanente das coisas. Não dava um ai, não se lamentava, talvez temendo que o alarido de seus queixumes não desassossegasse a viagem do seu espírito *"par-delà du soleil, par-delà de l'éther, par-delà des confins de sphères étoilées"*.[216]

Um dia o encontramos, eu e mais alguns da roda, e a um deles que lhe perguntava: "Que tu vais fazer agora?" aludindo às consequências do último desastre da sua vida, Gabriel respondeu:

— Nada! O soberano bem não é agir.

Dias depois confessava-me o contemplativo que seguia idiotamente, pelas ruas e pelos bondes, os belos olhos negros de uma preceptora francesa.

Sua natureza era assim, dual, bifronte, sendo que os seus aspectos, por vezes, chocavam-se, guerreavam-se sem nunca se colarem, sem nunca se justaporem, dando a crer que havia entre as duas partes um vazio, uma falha a preencher, que à sua união se opunha um forte obstáculo mecânico...

Esta maneira biface de sua organização, a sua sensibilidade muito pronta e uma tentação delirante, para as satisfações materiais, tinham transformado a sua vida num acúmulo de desastres; pelo que, em decorrer dela, de todo se lhe fora aquela película cética, faceta, gaiata, ficando-lhe mais evidente a alegria e o sainete do filósofo pessimista, irônico, debicando a mentira por ter conhecimento da verdade, que é uma das povoadoras da imagem sem validade que é o mundo. Pelos seus trinta e quatro anos, eu o procurava em sua casa, uma pequena casinha, numa rua da ponta do Caju, junto daquele mar de morte que beija as praias desse arrabalde, olhando defronte o cinzelado panorama das montanhas.

Não vivia mal, o emprego exigia pouco e dava relativamente muito; e solteiro, habitava a casinha com um africano velho, seu amigo, seu oráculo e seu cozinheiro; e um desgraçado poetastro das ruas, semilouco e vagabundo.

Era uma colônia de *ratés* animados pela resignação africana.

Quando eu entrei em sua casa naquela tarde, a sua fisionomia radiava. Pareceu-me que a iluminação interior que há muito sentíamos nele ia afinal exteriorizar-se. Seu rosto afinara-se, sua testa alongara-se, havia pelo seu olhar faiscações novas; era como se a graça descesse até ele, povoasse-lhe a alma e a enchesse de tal modo que se extravasasse pelo seu olhar brilhante, bondoso e agora calmo.

— Que tens hoje, fui lhe dizendo, a tua apaixonada rendeu-se ou achaste... o teu destino?

— Qual paixão, qual destino! interrompeu ele. O sábio não tem paixões para melhor poder contemplar a harmonia do universo.

E depois dessa sentença, não sei de que filósofo hindu ou chinês, ele me leu o seguinte, escrito com letra miúda e irregular em duas dezenas de tiras de papel almaço, cheias de paixão.

Morava eu nesse tempo em rua remota de uma estação de subúrbio afastado. Sem calçamento e mal iluminada, eu a trilhava a desoras em busca da casa reconfortante. Afazeres, e, em geral, a exigência do meu temperamento pelo bulício, pela luz da cidade, faziam-me demorar nas ruas centrais. A esmo, por elas à toa, passeava, vagava horas e horas, olhando e conversando aqui, ali; e quando inteiramente fatigado, buscava o trem e durante uma meia hora, tímido, covarde, encostado a um canto, pensava, sofria à menor risota e o mais imbecil dito cortava-me a alma. Era a constante preocupação das minhas ideias passar meu sofrimento, a outra pessoa, evitá-lo detidamente a alguém.

Sob a pressão daquela mágoa eterna, no meu íntimo ficava o seu segredo exigente de comunicação, fosse mesmo a quem não tivesse o refinamento do meu espírito e que a substância imortal lhe animasse a vida, não tivesse sido adivinhado e me sentia impelido a comunicá-lo. Era nessas ocasiões que eu pensava no amor, mas... Bem depressa, porém, meu espírito se perdia, caía em devaneio, não encontrava deleite, sorria. Do homem ia aos cães, aos gatos, às aves, às plantas, à terra, em busca de confidente.

Uma vez, em frente ao mar augusto, verde e translúcido, tive desejos de lhe contar o meu segredo, mas logo o temor me veio de que os ventos voltassem, e trouxessem para a vasta cidade as minhas palavras, tal como a planta que nasceu à confidência feita à terra do feitio das orelhas do rei Midas.

Quando a percepção do meu estado, da maneira da minha existência, era mais clara aos meus olhos, arquitetava planos de fugas para lugares longínquos, livros vibrantes como indignações de Deus; mas nada disso executei. Qualquer coisa muito obscura na minha estrutura mental, talvez mesmo o sentimento da lógica da hostilidade de que me via cercado, impedia-me de reagir ativa ou passivamente. Agachava-me por detrás do meu espírito e então bebia em largos prantos o fogo claro, claro que enche os límpidos espaços e, por instantes, era feliz porque:

> *Heureux celui qui peut d'une aile vigoureuse*
> *S'élancer vers les champs lumineux et sereins,*
>
> *Celui dont les pensées comme des alouettes*
> *Vers les cieux le matin prennent un libre essor*
> *Qui plane sur la vie et comprend sans effort*
> *Le langage des fleurs et des choses muettes.*[217]

Depois de ter carinhosamente ouvido essa linguagem, a amargura aumentava. O espírito dirigia, reclamava, queria qualquer coisa, não se bastava a si mesmo, esperava na sua prisão, no seu cárcere; e, para o meu caso, oh! que blasfêmia, o provérbio se modificara: "não é só de espírito que vive o homem...".

Certa noite, demorando-me mais do que de costume, fui saltar à estação pelas duas horas da madrugada. Tudo era mudo e ermo. Um ventinho constante soprava, inclinando as árvores das chácaras e agitando as amareladas luzernas de gás como espectros aterradores. As casas imóveis, caiadas, hermeticamente fechadas pareciam sepulcros com portas negras. A escuridão aconchegava os morros nas suas dobras. Pus-me a andar rapidamente. A rua pouco larga, bordada de bambuais de um e outro lado, iluminada frouxamente e abobadada no nevoeiro, era como uma longa galeria de museu. Em meio do caminho, alguém saltou-me na frente e, de faca em punho, disse-me:

— Olá! Passe o "bronze" que tem.

Não tinha francamente grande prática desses encontros, contudo me portei na altura da sua delicadeza. Calmamente tirei das algibeiras o pouco dinheiro que tinha e, de mistura com alguns cupons de bonde, pálido, mas sem tremer, entreguei-o ao opressor daquele minuto fugaz.

O gesto foi belo e impressionou o bandido, a tal ponto que nem por sonhos desconfiou que eu poderia ter deixado algum oculto pelos forros. Há, já se disse, mais ingenuidade nos grandes criminosos do que a gente em geral supõe. Quase com repugnância ele recebeu o maço que lhe estendia; e já se retirava quando a uma onda de luz que em um vaivém da chama de gás lançou-me, percebeu alguma coisa nos meus cabelos e com ironia indagou:

— Tens penas? És azul? Que diabo! Estes teus cabelos são especiais.

Ouvindo isso, eu o fitei com as pupilas em brasa e minha fisionomia devia ter tão estranha expressão de angústia que o ladrão fechou a sua e estremeceu. É que as suas palavras relembravam-me toda a minha existência envenenada por aquele singular acidente; as desastrosas hesitações de que ela ficara cheia; o azedume perturbador, ressaibo do ódio e de amarguras de que estava tisnado. Os suplícios a que meu próprio espírito impunha. E de uma só vez, baralhado tudo isso se ofereceu aos olhos como uma obsessão demoníaca, algo premente, cruel, vivendo em tudo, em todas as coisas, em qualquer boca, na boca de um ladrão.

— Pois até tu! Que mais queres de mim? disse-lhe eu. Acaso além do dinheiro que trazem nas algibeiras, mais alguma coisa te interessa nos transeuntes? És também da sociedade? Movem-te as considerações dela?

Olhei-o interrogativamente. O homem tinha o ar mudado. Os lábios estavam entreabertos, trêmulos, pálidos, o olhar esgazeado, fixo, cravado no meu rosto. Olhava-me como se olhasse um duende, um fantasma. Contendo porém a comoção, pôde dizer:

— Dentes negros! Meu Deus! É o diabo! É uma alma penada, é um fantasma.

E o rosto dele dilatava-se, as pupilas estendiam-se; tinha os cabelos eriçados o homem que me assaltava; e desandaria a correr se o medo não lhe pusesse pesadas toneladas nas pernas.

Esteve assim minutos até que percebeu que a expressão do meu rosto era de choro e que nele havia a denúncia de uma grande mágoa fatal. O meu interlocutor transmudou as contrações de horror estampadas nas suas feições, abrindo-as num dúlcido sorriso de bondade.

— Desculpa-me. Desculpa-me. Não sabia. Quem não sabe é como quem não vê.

E sem ligação continuou:

— Não me creias um miserável gatuno de estradas, um comum assaltante de ruas. Foi o momento que me fez. Emprego-me em mais altos "trabalhos", mas preciso de uns "miúdos" e, para obtê-los, o meio se impunha. Se me demorasse, a ocasião perdia-se. Bem sabes, a vida é um combate; se não se fere logo, morre-se. Mas... Deus me ajudará. Toma o teu dinheiro. Arranjarei sem ele como iniciar o meu grande "trabalho", aquele que é a mira, o escopo da minha existência, que me vai dar, enfim, o descanso (resplandecia), a consideração dos meus semelhantes e o respeito da sociedade. Vai... Tu és sem esperança. Vai-te... Desculpa-me.

Aqueles meus cabelos azuis, cabelos que eram o suplício da minha vida, e aqueles meus dentes negros compuseram-se, dignificaram-se para sorrir ao herói jovialmente, de reconhecimento e ternura.

— Mas quem te faz sofrer, rapaz? perguntou-me o desconhecido.

— Ninguém, falei-lhe eu, ninguém. É o meu espírito, meu entendimento, é a representação que ele faz do mundo circundante.

Íamos nos separar, quando ainda ele insistia:

— Com isso deves sofrer muito?

Dessa vez, antes de lhe responder pensei ligeiramente. Quem seria aquele homem? Vê-lo-ia ainda uma vez? Nunca mais, era certo. Depois daquele minúsculo incidente de sua carreira, continuaria inflexivelmente na sua grande missão sobre a terra. Teria todo o interesse em me fugir, em desaparecer dos meus olhos, ou senão, reconhecido, se eu encontrando não o denunciasse, ligar-se-ia a mim pela gratidão. Por que, sendo assim, não havia eu de lhe contar o meu segredo? Ouviria, não compreenderia bem; se o quisesse contar a outrem as palavras me faltariam. Certo disso e de que naquele indivíduo a ternura não era um jogo de sociedade, nem uma forma de elegância, quase espontaneamente, pus-me a lhe narrar a minha desventura:

— Dói-me, sim! Dói-me muito. É o demônio que me persegue, é o perverso desdobramento da minha pessoa. É uma companhia má, amarga, tenaz que me esporeia e que me retalha. Ela vai junto a mim, bem junto, no caminho que trilho, haja luz ou haja trevas, seja povoada ou deserta a estrada. Não me abandona, não me larga. Dorme comigo, sonha comigo; se me afasto um instante dela ela volta logo, logo, dizendo-me ao ouvido baixinho, com um cicio cortante: estou aqui! É um símio irritante que me faz carantonhas e me vai às costas, pula na minha frente, dança, esperneia.

O ladrão tinha agora outra espécie de espanto: era o espanto das palavras, das altas palavras. A sua grosseria nativa, primacial, sem limitações de qualquer educação, ia por elas alto, entendendo-as a meio, seu espírito aguçava-se e penetrava melhor no meu.

— Se, em dia claro e azulado, continuei, vou por entre árvores, crendo-me só, e feliz, o miserável rafeiro que passa deixa a inexorável busca do osso descarnado, para olhar as caretas do símio em que me desdobro, e ri-se de mim, meio espantado, mas satisfeito. Então, como por encanto o caminho se povoa. Há por toda parte zumbidos, alaridos, risotas. Do farfalho das árvores ouço: Olá, tingiste a cabeça no céu; mas onde enlameaste a boca? Os seixos rolam, crepitam, e na sua vileza não escolhem palavras, não ensaiam deboches, gritam: monstrengo, vergonha da terra.

O gatuno analisava-me a fisionomia. Detinha-se nos meus olhos, no meu nariz, nos meus lábios, até as minhas mãos, os meus pés mereceram a análise do seu olhar inquieto. Foi por esse tempo que me lembrou reparar quem estava na minha frente. Era um homem alto, de largas espáduas, membrado, e que em "sotaque" espanhol, me falou ainda:

— Tu és poeta. Fantasias... Vês demais.

— Talvez que a minha sensibilidade... Mas não, não! Meu organismo não mente, fala a verdade: é como o microscópio a descobrir um mundo hostil onde nada se vê, retorqui eu...

— Não andas por aí, pelos teatros, pelos cafés — como então é possível isso? inquiriu ele.

A pergunta me atrapalhava; era da minha natureza, estas contradições ostensivas, entretanto pude lhe responder:

— É verdade..., mas palmilho tais lugares escravo do meu gênio, servo dos meus sentidos, que são inimigos do meu corpo; posso fugir deles, mas muito me custa seguir o curso imperioso dos meus nervos. Não sei... Não sei... Eu devia fugir, desaparecer, pois mal ando passos, mal me esgueiro numa travessa, das gelosias, dos mendigos, dos cocheiros, da gente mais vil e da mais alta, só uma coisa ouço: lá vai o homem de cabelos azuis, o homem de dentes negros... É um suplício! Tudo se apaga em mim. Isso unicamente brilha. Se um amigo quer referir-se a mim em conversa de outros, diz: aquele, aquele dos dentes negros... Os meus sonhos, as minhas leituras são povoados pelos momos do símio. Se escrevo e faltam sílabas nas palavras, se estudo e não compreendo logo, o sagui salta-me na frente dizendo com escárnio: — fui eu que a "cumi", fui eu que não te deixei compreender...

Meu peito arfava, meus olhos deviam brilhar desusadamente. A animação passava de mim ao ouvinte. Ele todo vibrava às minhas palavras...

— Mas trabalha, sê grande... combate, aconselhou-me.

— Bom conselho, bom... Ah! Como és mau estratego! Não percebes que não me é dado oferecer batalha; que sou como um exército que tem sempre um flanco aberto ao inimigo? A derrota é fatal. Se ainda me houvesse curvado ao estatuído, podia... Agora... não posso mais. No entanto tenho que ir na vida pela senda estreita da prudência e da humildade, não me afastarei dela uma linha, porque à direita há os espeques dos imbecis, e à esquerda, a mó da sabedoria mandarinata ameaça triturar-me. Tenho que avançar como um acrobata no arame. Inclino-me daqui; inclino-me dali; e em torno recebo a carícia do ilimitado, do vago, do imenso. Se a corda estremece acovardo-me logo, o ponto de mira me surge recordado pelo berreiro que vem de baixo, em redor aos gritos: homem de cabelos azuis, monstro, neurastênico. E entre todos os gritos soa mais alto o de um senhor de cartola, parece oco, assemelhando-se a um grande corvo, não voa, anda chumbado à terra, segue um trilho certo cravado ao solo com firmeza — esse berra alto, muito alto: "Posso lhe afirmar que é um degenerado, um inferior, as modificações que ele apresenta correspondem a diferenças bastardas, desprezíveis de estrutura física; vinte mil sábios alemães, ingleses, belgas, afirmam e sustentam"... Assim vivo. É como se todo dia, delicadamente, de forma a não interessar os órgãos nobres da vida, me fossem enterrando alfinetes, um a um aumentando cada manhã que viesse... Até quando será? Até quando? fiz eu exuberante.

Uma rajada mais forte do vento que soprava quase apagava o combustor próximo. Ao cantar dos galos já se juntava a bulha do rolar de carroças na rua próxima. O subúrbio ia despertar. Despedi-me do salteador. Andara alguns passos e como me parecesse que me chamavam, voltei-me e dei com a figura retangular do ladrão, agitando-se ao meneio de sua cabeça, como a venerável bandeira de misericórdia das execuções.

Pelos anos em fora, pelos dias iguais e monótonos que minha vida presenciou, mais fundo que essa incurável mágoa muito sofrida na mocidade, doeu-me à minha alma mais, muito mais a sincera piedade que inspirei àquele homem.

A doença do Antunes[218]

A fama do doutor Gedeão não cessava de crescer.
Não havia dia em que os jornais não dessem notícia de mais uma proeza por ele feita, dentro ou fora da medicina. Em tal dia, um jornal dizia: "O doutor Gedeão, esse maravilhoso clínico e excelente *goal-keeper*, acaba de receber um honroso convite do Libertad Futebol Club, de São José da Costa Rica, para tomar parte na sua partida anual com o Airoca Futebol Club, de Guatemala. Todo o mundo sabe a importância que tem esse desafio internacional e o convite ao nosso patrício representa uma alta homenagem à ciência brasileira e ao futebol nacional. O doutor Gedeão, porém, não pôde aceitar o convite, pois a sua atividade mental anda agora norteada para a descoberta da composição da Pomada Vienense, específico muito conhecido para a cura dos calos".

O doutor Gedeão vivia mais citado nos jornais que o próprio presidente da república e o seu nome era encontrado em todas as seções dos cotidianos. A seção elegante de *O Conservador*, logo ao dia seguinte da notícia acima, ocupou-se do doutor Gedeão da seguinte maneira: "O doutor Gedeão Cavalcanti apareceu ontem no Lírico inteiramente *fashionable*. O milagroso clínico saltou do seu *coupé* completamente nu. Não se descreve o interesse das senhoras e o maior ainda de muitos homens. Eu fiquei babado de gozo".

A fama do doutor corria assim desmedidamente. Deixou em instantes de ser médico do bairro ou da esquina, como dizia Mlle. Lespinasse, para ser o médico da cidade toda, o lente sábio, o literato à João de Barros,[219] o herói do *football*, o obrigado papa-banquetes diários, o Cícero das enfermarias, o mágico dos salões, o poeta dos acrósticos, o dançador dos bailes de bom-tom etc. etc.

O seu consultório vivia tão cheio que nem a avenida em dia de Carnaval, e havia quem dissesse que muitos rapazes preferiam-no, para as proezas de que os cinematógrafos são o teatro habitual.

Era procurado sobretudo pelas senhoras ricas, remediadas e pobres, e todas elas tinham garbo, orgulho, satisfação, emoção na voz quando diziam: — Estou me tratando com o doutor Gedeão.

Moças pobres sacrificavam os orçamentos domésticos para irem ao doutor Gedeão e muitas houve que deixavam de comprar o sapato ou o chapéu da moda para pagar a consulta do famoso doutor. De uma, eu sei que lá foi com enormes sacrifícios para curar-se de um defluxo; e curou-se, embora o doutor Gedeão não lhe tivesse receitado um xarope qualquer, mas um específico de nome arrevesado, grego ou copta, Anakati Tokotuta.

Porque o maravilhoso clínico não gostava das fórmulas e medicamentos vulgares; ele era original na botica que empregava.

O seu consultório ficava em uma rua central, bem perto da avenida, ocupando todo um primeiro andar. As antessalas eram mobiliadas com gosto e tinham mesmo pela parede quadros e mapas de coisas da arte de curar.

Havia mesmo, no corredor, algumas gravuras de combate ao alcoolismo e era de admirar que estivessem no consultório de um médico, cuja glória o obrigava a ser conviva de banquetes diários, bem e fartamente regados.

Para se ter a felicidade de sofrer um exame de minutos do milagroso clínico, era preciso que se adquirisse a entrada, isto é, o cartão, com antecedência, às vezes de dias. O preço era alto, para evitar que os viciosos do doutor Gedeão não atrapalhassem os que verdadeiramente necessitavam das luzes do célebre clínico.

Custava a consulta cinquenta mil-réis; mas, apesar de tão alto preço, o escritório da celebridade médica era objeto de uma verdadeira romaria e toda a cidade o tinha como uma espécie de Aparecida médica.

José Antunes Bulhões, sócio principal da firma Antunes Bulhões & Cia., estabelecido com armazém de secos e molhados, lá pelas bandas do Campo dos Cardosos, em Cascadura, andava sofrendo de umas dores no estômago que não o deixavam comer com toda liberdade o seu bom cozido, rico de couves e nabos, farto de toucinho e abóbora vermelha, nem mesmo saborear, a seu contento, o caldo que tantas saudades lhe dava da sua aldeia minhota.

Consultou mezinheiros, curandeiros, espíritas, médicos locais e não havia meio de lhe passar de todo aquela insuportável dorzinha que não o permitia comer o cozido, com satisfação e abundância, e tirava-lhe de qualquer modo o sabor do caldo que tanto amava e apreciava.

Era ir para a mesa, lá lhe aparecia a dor e o cozido com os seus pertences, muito cheiroso, rico de couves, farto de toucinho e abóbora, olhava-o, namorava-o e ele namorava o cozido sem ânimo de mastigá-lo, de devorá-lo, de engoli-lo com aquele ardor que a sua robustez e o seu desejo exigiam.

Antunes era solteiro e quase casto.

Na sua ambição de pequeno comerciante, de humilde aldeão tangido pela vida e pela sociedade para a riqueza e para a fortuna, tinha recalcado todas as satisfações da vida, o amor fecundo ou infecundo, o vestuário, os passeios, a sociabilidade, os divertimentos, para só pensar nos contos de réis que lhe dariam a forra mais tarde do seu quase ascetismo atual, no balcão de uma venda dos subúrbios.

À mesa, porém, ele sacrificava um pouco do seu ideal de opulência e gastava sem pena na carne, nas verduras, nos legumes, no peixe, nas batatas, no bacalhau que, depois do cozido, era o seu prato predileto.

Desta forma, aquela dorzita no estômago o fazia sofrer extraordinariamente. Ele se privava do amor; mas que importava se, daqui a anos, ele pagaria para seu gozo, em dinheiro, em joia, em ☐ carruagem, em casamento até, corpos macios, veludosos, cuidados, perfumados, os mais caros que ☐ houvesse, aqui ou na Europa; ele se privava de teatros, de roupas finas, mas que importava se, dentro de alguns anos, ele poderia ir aos primeiros teatros daqui ou da Europa, com as onze mais caras mulheres que escolhesse; mas deixar de comer — isto não! Era preciso que o corpo estivesse sempre bem nutrido para aquela faina de quatorze ou quinze horas, a servir o balcão, a ralhar com os caixeiros, a suportar desaforos dos fregueses e a ter cuidado com os calotes.

Certo dia, ele leu nos jornais a notícia que o doutor Gedeão Cavalcanti tinha tido permissão do governo para dar alguns tiros com os grandes canhões do "Minas Gerais".

Leu a notícia toda e feriu-lhe o fato da informação dizer: "Esse maravilhoso clínico e, certamente, um exímio artilheiro...".

Clínico maravilhoso! Com muito esforço de memória, pôde conseguir recordar-se de que aquele nome já por ele fora lido em qualquer parte. Maravilhoso clínico! Quem sabe se ele o não curaria daquela dorzita ali, no estômago? Meditava assim, quando lhe entra pela venda adentro o senhor Albano, empregado na Central, funcionário público, homem sério e pontual no pagamento.

Antunes foi-lhe logo perguntando:

— Senhor Albano, o senhor conhece o doutor Gedeão Cavalcanti?

— Gedeão — emendou o outro.

— Isto mesmo. Conhece-o, senhor Albano?

— Conheço.

— É bom médico?

— Milagroso. Monta a cavalo, joga xadrez, escreve muito bem, é um excelente orador, grande poeta, músico, pintor, *goal-keeper* dos primeiros...

— Então é um bom médico, não é, senhor Albano?

— É. Foi quem salvou a Santinha, minha mulher. Custou-me caro... Duas consultas... Cinquenta mil-réis cada uma... Some.

Antunes guardou a informação, mas não se resolveu imediatamente a ir consultar o famoso taumaturgo urbano. Cinquenta mil-réis! E se não ficasse curado com uma única consulta? Mais cinquenta...

Viu na mesa o cozido, olente, fumegante, farto de nabos e couves, rico de toucinho e abóbora vermelha, a namorá-lo e ele a namorar o prato sem poder amá-lo com o ardor e a paixão que o seu desejo pedia. Pensou dias e afinal decidiu-se a descer até a cidade, para ouvir a opinião do doutor Gedeão Cavalcanti sobre a sua dor no estômago, que lhe aparecia de onde em onde.

Vestiu-se o melhor que pôde, dispôs-se a suportar o suplício das botas, pôs o colete, o relógio, a corrente e o medalhão de ouro com a estrela de brilhantes, que parece ser o distintivo dos pequenos e grandes negociantes; e encaminhou-se para a estação da estrada de ferro.

Ei-lo no centro da cidade. Adquiriu a entrada, isto é, o cartão, nas mãos do contínuo do consultório, despedindo-se dos seus cinquenta mil-réis com a dor do pai que leva um filho ao cemitério. Ainda se o doutor fosse seu freguês... Mas qual! Aqueles não voltariam mais...

Sentou-se entre cavalheiros bem-vestidos e damas perfumadas.

Evitou encarar os cavalheiros e teve medo das damas. Sentia bem o seu opróbrio, não de ser taberneiro, mas de só possuir de economias duas miseráveis dezenas de contos... Se tivesse algumas centenas — então, sim! — ele poderia olhar aquela gente com toda a segurança da fortuna, do dinheiro, que havia de alcançar certamente, dentro de anos, o mais breve possível.

Um a um, iam eles entrando para o interior do consultório; e pouco se demoravam. Antunes começou a ficar desconfiado... Diabo! Assim tão depressa?

Teriam todos pago cinquenta mil-réis?

Boa profissão, a de médico! Ah! Se o pai tivesse sabido disso... Mas qual!

Pobre pai! Ele mal podia com o peso da mulher e dos filhos, como havia ele de pagar-lhe mestres? Cada um enriquece como pode...

Foi, por fim, à presença do doutor. Antunes gostou do homem. Tinha um olhar doce, os cabelos já grisalhos, apesar de sua fisionomia moça, umas mãos alvas, polidas...

Perguntou-lhe o médico com muita macieza de voz:

— Que sente o senhor?

Antunes foi-lhe dizendo logo o terrível mal no estômago de que vinha sofrendo, há tanto tempo, mal que desaparecia e aparecia mas que não o deixava nunca. O doutor Gedeão Cavalcanti fê-lo tirar o paletó, o colete, auscultou-o bem, examinou-o demoradamente, tanto de pé como deitado, sentou-se depois, enquanto o negociante recompunha a sua modesta *toilette*.

Antunes sentou-se também, e esperou que o médico saísse de sua meditação.

Foi rápida. Dentro de um segundo, o famoso clínico dizia com toda segurança:

— O senhor não tem nada.

Antunes ergueu-se de um salto da cadeira e exclamou indignado:

— Então, senhor doutor, eu pago cinquenta mil-réis e não tenho nada! Esta é boa! Noutra não caio eu!

E saiu furioso do consultório que merecia, da cidade, uma romaria semelhante à da milagrosa Lourdes.

A indústria da caridade[220]

Era dia de moda. A confeitaria regurgitava. Aqueles móveis de falsa laca, muito pechisbeques e pernósticos, davam a tudo um ar de fatuidade e presunção. A frequência especial de cavadores, gigolôs, "melindrosas", "guitarristas", bobos alegres etc. enchiam o salão, sentados ao redor das mesinhas, olhando, de quando em quando, de soslaio os espelhos que o circundavam.

A um canto, abancados a uma mesa, tendo uma garrafa de Canadian em frente, dois amigos conversavam. Eram sibaritas desses lugares. Gozam em contar um ao outro o que sabem da vida faustosa dessa gente que, rica de uma hora para outra, se empavesa de repente com coisas caras, tal e qual um régulo africano que, nos salvados de um naufrágio, achando um fardão de oficial de marinha, o veste, põe o chapéu armado e fica de pés no chão. Os dois amigos tinham esse prazer, esse "gozo" de andar pelas reuniões públicas, tidas como da moda, para "biografar" os frequentadores.

Já tinham passado em revista a toda a sala e, com desgosto, viram que todo o pessoal era "conhecido".

Afinal, deram com uma família "desconhecida" que procurava esconder as suas maneiras de Catumbi, com uma morgue procurada e sob trajes caros no rigor da moda.

O mais velho, o Chichorro, perguntou ao mais moço, o Veiga:

— Quem é aquela gente? Tu conheces?

— Sim; conheço, Chichorro; aquela gente é típica, é a mais pura representação da época. É a família do major Almério que é aquele de cinzento.

— Major! então não é dos "novos"?

— Qual! É da Guarda Nacional, filho!

— Quem é aquele que tem uma pasta, no último mês de gravidez, e está ao lado do tal Almério?

— Aquilo não é uma pasta; é uma "guitarra". Aquele sujeito é um advogado que anda metido com contrabandistas e gente que tal.

— Compreendo... Ele, o tal Almério, é "guitarrista" também?

— Não. É homem honesto; exerce legalmente a Indústria da Caridade.

— Indústria da Caridade! Tens cada uma — livra!

— Lembras-te dos da Renée Mauperin?[221]

— Lembro-me; e como não me havia de lembrar desse livro que me causou tanta emoção?

— Pois bem. Há lá um personagem, cujo nome não me recorda agora, que diz: o furto é a maior indústria do nosso tempo. Os autores do Renée dizem que estudam, nesse livro, a burguesia ou um povo burguês de 64; há, portanto, quase sessenta anos que isso era corrente. Hoje ainda continua a ser; mas uma indústria nova apareceu ultimamente.

— Qual é?

— A da Caridade.

— Meu Deus! Isto é uma blasfêmia!

— Mas é uma verdade.

— ?...

— Vou te mostrar como o é. Este Almério, há menos de dez anos passados, morava em Bonsucesso, numa casinha, pela qual pagava trinta ou quarenta mil-réis. Vivia sabe Deus como. O aluguel da casa era pago com o produto das costuras da mulher e da filha mais velha, que tinha, por esse tempo, dezesseis anos; e o resto os vizinhos e amigos forneciam. Ele vinha todo dia à cidade, a ver se arranjava alguma coisa, qualquer lugar, mesmo de servente em qualquer repartição pública. Era, porém, caipora, nada obtinha; mas não desanimava. Veio uma agitação política, por ocasião de uma sucessão presidencial, e ele viu bem que o "caminho do burro" era ser do partido do candidato popular. Recordas-te da anedota de Diderot com Rousseau?

— Qual?

— Aquela da resposta a dar à Academia de Dijon: — "se o progresso das ciências e artes tinha contribuído para a felicidade do gênero humano?".

— Sim; lembro-me, pois não. Rousseau queria responder afirmativamente; mas Diderot disse-lhe que seria burrice: devia responder negativamente.

— Foi o que fez o nosso major. No negócio presidencial, respondeu — não; foi contra a opinião geral e acertou. Entrou para uma junta a favor do candidato execrado; fizeram-no major da Guarda Nacional e recebia uma diária pelo serviço de *meetings* etc. Começou a jantar e a almoçar diariamente, e a família também. Os seus horizontes se alargaram. Não quis mais emprego, fosse qual fosse. Pensou coisa melhor.

— Que fez?

— Planejou um hospital de crianças. Interessou jornalistas e repórteres do partido da coisa. Recebeu donativos, o governo federal cedeu-lhe o velho edifício do hospital da brigada e casas adjacentes, restauradas, deu-lhe uma subvenção; o governo municipal, outra. Ele se instalou num palacete, mobiliado com remanescentes das subvenções, que lhe dão também para comer e vestir-se luxuosamente, ele, mulher e filhas.

— Como se mantém nessa "mamata"?

— À custa de manifestações a tudo quanto é impopular, portanto, do agrado do "poder".

— Talvez tenha razão, porque nem tudo o que é popular é justo.

— Não há dúvida, caro Chichorro. Noto um fato social e mais nada.

— O papai Basílio fez pior, com o seu asilo de Santa Rita de Cássia — caso que muito contribuiu para a fama do nosso atual desembargador Ataulfo... Como o tempo corre, hein?

— É verdade. Valha-nos isto: Almério não repetiu o papai Basílio.

Sorveram um trago de uísque e, com o pensamento longe, puseram-se a olhar a sala sem nada ver ao centro e sem trocarem palavra.

A família do major levantou-se e todo o rancho passou por perto dos amigos que sonhavam, mergulhados naquele burburinho de vaidades.

O homem da "guitarra" disse bem alto e cheio de suficiência:

— Consinto em ir jantar com "vocês"; mas com uma condição: eu pago o automóvel.

Casa de poetas[222]
(Comédia em um ato)

> A Carlos Pereira de Carvalho, meu tio, e a
> Marques Pinheiro, meus iniciadores no teatro.

PERSONAGENS

Filgueiras, poeta célebre. . . . . 35 anos
Dr. Clarimundo, juiz aposentado . . . . 52 anos
Luís, seu copeiro. . . . . 30 anos
D. Mariana, sua mulher . . . . 45 anos
Clarinda, sua filha. . . . . 18 anos

A cena representa uma sala de visitas de gente de condição média. Cortinas nas janelas de frente, à direita, e porta de entrada, ao meio delas.

No 1º plano, à esquerda, sofá e cadeiras, sendo uma delas de balanço. As portas que comunicam com os quartos e com o interior, à esquerda. Ao fundo, janelas que dão para uma rua lateral. Estão abertas e vê-se um cenário de montanhas, através das cortinas. Piano, tamborete, estante de música, dunquerques com bibelots, quadros, tudo disposto do melhor modo. Cinco horas. Abril. Época atual.

CENA I

Ao erguer-se o pano, o dr. Clarimundo está sentado na cadeira de balanço; tem sobre as pernas vários jornais e acaba de beber um copo d'água que lhe serve o copeiro. Luís está de pé, com a salva na mão. Clarinda, vestida de branco, com certo gosto e donaire, está a uma janela dos fundos.

CLARIMUNDO (*acabando de beber água*) Então, Luís, viste o soneto que saiu hoje na Gazeta?
LUÍS (*categórico, recebendo o copo*) É parnasiano... Não gosto...
CLARIMUNDO (*paternalmente*) É boa!... Não gostas... Como se fosses capaz de fazer melhor!
LUÍS (*seguro de si*) Como não sou? Se o doutor visse o poemeto que fiz hoje...
CLARIMUNDO Dize lá.
LUÍS (*recitando*) O barulho dos pratos.
CLARIMUNDO (*esperando*) Como é?
LUÍS (*com confiança*) O barulho dos pratos.
CLARIMUNDO (*bondoso*) Continua. É inspiração do ofício. Continua.
LUÍS (*recitando*)
Na pia os pratos fazem tec-tec,
Ao encontro dos garfos e das facas.
CLARINDA (*voltando-se*) Deixe o rapaz... A poesia perde todos... Vamos, Luís, continua.
LUÍS (*que até então ficara aterrado, continua*) É a sina da gente...
CLARINDA (*interrompendo, sem sair da janela*) Vá, Luís, deixa isso para mais tarde. Vá tratar de pôr a mesa.
LUÍS (*obediente e saindo*) A senhora é quem perde... Quem não sabe a arte não a estima. (*ao sair*) E era uma lindeza!

Sai o copeiro, Clarimundo volta a ler os jornais e a moça continua na janela. Pausa.

CENA II

(*Clarimundo e Clarinda*)

CLARINDA (*falando da janela*) Papai, como é ele? É louro? É alto?
CLARIMUNDO (*sem interromper a leitura*) Quem, filha?
CLARINDA (*docemente*) O poeta, papai.
CLARIMUNDO (*continuando a leitura*) Não é alto, nem baixo; é antes baixo que alto... Bem: você há de vê-lo.
CLARINDA (*na janela ainda*) Virá mesmo, papai?
CLARIMUNDO (*deixando cair o jornal, impaciente*) Vem, filha; vem... Espere um pouco.

CENA III

(*Os mesmos e d. Mariana*)

D. MARIANA (*entrando; é gorda e feia*) Você tem cada ideia, "seu" Clarimundo... Convidar esses poetas; ainda outro dia o tal Romualdo...
CLARIMUNDO (*com os olhos no jornal*) Já vem você. Querias que ele te namorasse, não é?
D. MARIANA (*sentando-se*) De certo, não; mas tratar-me assim... isto é... sem atenção particular, sem uma amabilidade, é demais! Você não diz que eles gostam das senhoras?
CLARIMUNDO (*titubeante e deixando o jornal*) É... sim... As senhoras... É... As moças, sim.
D. MARIANA (*agastada*) Por acaso, eu sou alguma velha coroca, ou um monstro para que eles fujam de mim? A sinhá Bandeira é mais feia e velha que eu, e já tem um soneto que lhe foi dedicado. (*categórica*) Eu não sou uma velha de oitenta anos!
CLARIMUNDO (*irônico*) Você está na flor da idade.
D. MARIANA (*irônica*) Não tanto quanto você meu lindo poeta. (*pausa*) Ainda por cima, esses tais poetas se fazem esperar... Olhe: o jantar já está pronto.
CLARIMUNDO (*familiar e persuasivo*) Filha, isto não vai assim... Um homem, como ele, uma notabilidade, um grande poeta, tem direito a essas atenções.

CLARINDA (*chegando-se ao grupo e sentando-se*) Como é o nome do livro dele, papai?

CLARIMUNDO (*como quem se recorda*) Nu... Nuvens... Brumas... Não sei. Não tenho boa memória.

D. MARIANA (*que fora arranjar uns bibelots, ao sentar-se*) É boa! (*ri devagar*) É boa!... Você nem sabe o nome do livro! Como é então que você admira o homem?

CLARIMUNDO (*sentencioso*) Mulher, os poetas têm direito à nossa admiração, mesmo quando não lhes lemos os versos — fique certa disso!

Soa uma campainha.

CLARINDA (*erguendo-se precipitada*) Está aí.

Todos se erguem e Clarimundo vai receber o poeta à porta de entrada.

CENA IV

(*Os mesmos e Filgueiras*)

CLARIMUNDO (*apresentando*) O doutor Filgueiras... Minha filha e minha mulher.

Trocam-se os cumprimentos.

FILGUEIRAS (*com afetação*) Encantado em conhecê-las.

D. MARIANA (*polidamente*) Sente-se, doutor. Deixe-me ver o seu chapéu, doutor. (*agarra o chapéu e vai descansá-lo numa cadeira ao fundo enquanto os outros vão sentar-se*)

CLARIMUNDO (*sentando-se*) Então, doutor, tem feito muitos versos?

FILGUEIRAS (*sentando-se e olhando de soslaio Clarinda, que não cessa de medi-lo da cabeça aos pés*) Alguma coisa... O doutor sabe, na nossa terra, não se tem vontade de trabalhar. Não temos recompensa para o nosso esforço.

D. MARIANA (*sentando-se*) Os seus livros são grandes?

FILGUEIRAS (*dissimulando o espanto*) Alguns são, minha senhora; outros não. Não gosto muito das grandes composições, nem dos grandes livros.

CLARINDA (*ingênua*) Mas um livro não deve ser volumoso, grande?

FILGUEIRAS (*sorridente*) O que vale não é o peso, é o conteúdo.

CLARIMUNDO (*superior*) Eu também sou como o doutor, não gosto dos livros grandes. Esse tal Camões...

D. MARIANA (*interrompendo*) Como é que você anda sempre com aquele *livrão* enorme?

CLARIMUNDO (*amolado*) Aquilo é o dicionário, filha.

CLARINDA (*ingênua*) Então, o dicionário serve para fazer versos?

FILGUEIRAS (*apressado*) Às vezes, para ver um termo ou outro. Compreende, a senhora, que nem sempre sabemos...

CLARIMUNDO (*interrompendo*) Não sabe o doutor de que poesia gosto mais?

FILGUEIRAS (*com falsa modéstia*) "A tentação de Xenócrates", do Bilac.[223]

CLARIMUNDO (*expansivo*) Qual isso, qual nada! É de uma poesia muito pequena.

CLARINDA (*com segurança*) É bem bonita... Conhece... É o "Beijo".

D. MARIANA (*solícita*) Não é aquela que você cortou e pregou no livro de seu pai. Não é, Clarimundo?

CLARIMUNDO (*acudindo*) Esta mesma... Veio até no *Malho*, do ano passado.

FILGUEIRAS De quem é?

CLARIMUNDO Eulino Breves — conhece?

FILGUEIRAS (*com desdém*) Nunca lhe ouvi o nome.

D. MARIANA É muito bonita! Que lindeza, doutor! (*para Clarinda*) Você não a sabe de cor?

CLARINDA Não, mamãe.

CLARIMUNDO Vá buscar o livro, minha filha, para o doutor ver.

Clarinda sai.

CENA V

(*Os mesmos, menos Clarinda*)

FILGUEIRAS (*a Clarimundo*) É essa moça o único filho que o doutor tem?

D. MARIANA (*precipitando-se*) Temos mais um, o Inácio...

FILGUEIRAS Não tem nenhum gosto pelas artes, esse seu filho, minha senhora?

CLARIMUNDO (*desgostoso*) Qual! É só negócio de remos, tiro ao alvo, futebol... Um bruto!

D. MARIANA Qual! Não diga isso, Clarimundo. É até um rapaz estimado. *O Esporte* trouxe o seu retrato e tem tirado dois campeonatos; e só não tirou o deste ano, porque esteve doente e não pôde cotejar bastante. Quantas medalhas tem ele, chi! Quando põe tudo aquilo no peito parece até o duque de Caxias! Então, um rapaz desses é um bruto, doutor?

FILGUEIRAS (*distraído*) De certo que não. (*tirando um cigarro*) A senhora dá licença que fume?

D. MARIANA Pois não, doutor.

FILGUEIRAS Fumo muito. (*acende o cigarro, vai atirar o palito do fósforo pela janela do fundo, volta e fica de pé*) A tarde está bela, não é doutor? (*Clarinda vem entrando*) Parece que o céu, de tão fino, quer ficar transparente e mostrar o seu mistério. (*Clarinda fica a ouvi-lo, calada e admirada*)

CENA VI

(*Os mesmos e Clarinda*)

CLARINDA (*entrando*) Está aqui, papai, o livro.

CLARIMUNDO Dê-me cá. (*põe os óculos e folheia o livro de recortes e poesias manuscritas*) Quer ver uma composição minha, doutor?

FILGUEIRAS De muita boa vontade.

CLARINDA Lê aquela, papai: "A Partida".

D. MARIANA (*desdenhosa*) Não sei como você pode gostar de semelhante coisa... Seu pai, um homem velho, a ter derriços... Ora!

CLARIMUNDO É poesia, mulher!

FILGUEIRAS Se a senhora consente, eu pedia licença para que o doutor lesse.

D. MARIANA (*risonha*) Já que deseja...

CLARIMUNDO Então vou ler. (*lendo*) "Quando te foste numa barca triste" (*interrompendo*) O doutor não acha que barca está bem aí?

FILGUEIRAS (*hesitando*) É... É... Está.

CLARINDA Mas não foi em barca papai; foi num paquete. Não se lembra? Até...

D. MARIANA (*interrompendo, zangada*) Então, isto é verdade, hein? (*erguendo-se*) Seu peralvilho! Seu bilontra! Seu patife! Então?

FILGUEIRAS Minha senhora...

CLARINDA (*nervosa*) Mamãe...

CLARIMUNDO (*atrapalhado*) Juro que...

D. MARIANA (*continuando, zangada*) Diante dos meus olhos, hein? Quem diria que este velho, esse jagodes... Que canalha! Não me verás mais! (*sai arrebatadamente*)

CLARINDA Mas, mamãe...

CENA VII

(*Os mesmos, menos d. Mariana*)

CLARIMUNDO (*depois de uma pausa*) Doutor, não há de reparar, não é? Minha mulher é muito zangada... Tem gênio, mas passa logo... Foi você, Clarinda, quem arranjou tudo isso...

CLARINDA (*titubeando*) Eu me tinha esquecido que...

FILGUEIRAS Oh, doutor! Eu sei que são essas coisas...

CLARIMUNDO Em todo o caso, vou lá... É bom acalmá-la, não acham? (*levanta-se e dirige-se à porta. Quase lá, vira-se*) Desculpe-me, sim, doutor. Clarinda, converse com o doutor... Toque piano...

Clarimundo sai.

CENA VIII

(*Filgueiras e Clarinda*)

FILGUEIRAS (*depois de um silêncio, embaraçado*) Toca muito, dona Clarinda?

CLARINDA (*sonhando*) Ultimamente, pouco. (*pausa; outro tom*) Não sei, doutor; não sei por quê, depois que papai meteu-se nessas coisas de poesia, tudo aqui anda levado da breca.

FILGUEIRAS Mas ele não gosta disso há muito tempo?

CLARINDA Não. De uns tempos para cá, é que lhe deu na telha... Mamãe há dias que fala, que diz mal; há outros que gosta... Ela diz que os poetas não lhe prestam atenção. (*ingênua*) Eu não sei o que ela quer dizer com isto... (*entristece*) Meu irmão não há meio de querer saber disso. Enfurece-se, grita, diz que papai está doido. O doutor acha que ele está?

FILGUEIRAS (*ameno*) Qual! É uma pequena preocupação, mais nada.

CLARINDA (*tristonha*) Mas ele nunca foi assim. Lá no Estado, quando juiz, não tinha senão livros de direito... Agora, leva atracado com poetas, dicionários, revistas... Não sei! Quem sabe? Eu também fico às vezes a pensar que não estou com juízo. Procuro entender isso, penetrar bem, compreender, mas a coisa me foge. Às vezes, sinto bem um trecho, um verso, uma quadra. A minha alegria é grande; mas quero ir adiante, a coisa me escapa e tudo o que aquelas palavras dizem não entra na minha cabeça. É assim como se eu quisesse (*gesto*) apanhar a luz, o ar, o perfume das flores com as mãos... Eu não sei... O doutor não me poderia dizer, como é, hein, doutor?

FILGUEIRAS (*compassivo*) A senhora é muito moça, tem visto pouco a vida. O tempo dar-lhe-á essa penetração que deseja, e então verá a beleza toda inteira, que lhe escapa agora.

CLARINDA Eu lhe digo francamente: eu não acredito que meu pai entenda também. Ele às vezes dorme sobre os versos que está lendo... Quando se amam as coisas — não é doutor...? — só podemos ter prazer com elas... Ainda há pouco o doutor olhou o céu e disse que ele estava tão fino que parecia querer revelar o seu mistério, não foi?

FILGUEIRAS (*enternecido*) Foi.

CLARINDA (*poética*) Pois bem. Eu não queria dizer essas coisas como o doutor, mas queria olhar as árvores, o mar, o céu e as estrelas, e ver mais do que árvores, mar, céu, estrelas, como os senhores. Então, talvez, eu entendesse...

Os dois calam-se. A moça fica a olhar o ocaso sanguíneo, pela janela do fundo; e o poeta a olhá-la cheio de espanto.

CENA IX

(*Os mesmos e D. Mariana*)

D. MARIANA (*entrando*) Estão jogando o sério?
CLARINDA (*senhora de si*) Então, mamãe, não se janta? O doutor Filgueiras deve ter fome.
FILGUEIRAS Não, ainda é cedo. Janto sempre tarde, com luzes... É mais agradável.
D. MARIANA O doutor há de ter paciência. Esperamos o Inácio, o meu filho. (*outro tom*) Clarinda, onde estão as chaves do armário?
CLARINDA Lá em cima do guarda-comidas.
D. MARIANA Vá mostrar ao Luís, que não há meio de achá-las.

Clarinda sai.

CENA X

(*Filgueiras, d. Mariana e mais tarde Clarimundo*)

D. MARIANA O Clarimundo manda pedir-lhe desculpas se tem demorado um pouco. Eu também lhe peço desculpas se...
FILGUEIRAS (*delicado*) Não há motivos para isto... Eu sei bem o que são essas coisas e...
D. MARIANA Que o doutor faça versos apaixonados, vá. É moço, é solteiro, mas um carcaça como meu marido, um lambisgoia, é indecente...
FILGUEIRAS Isso não quer dizer nada. Muitos poetas...
D. MARIANA (*interrompendo e faceira*) O doutor ainda não teve ocasião de dizer algumas das suas poesias.
FILGUEIRAS (*sorrindo, orgulhoso*) Logo mais tarde, não acha?
D. MARIANA (*sedutora*) O doutor deve ter belos versos... Tão moço! tão belo! Diga um pequeno, o último... gosto tanto... (*chega-se para ele*) Vamos, doutor!
FILGUEIRAS (*esgueirando-se*) Não são próprios... A senhora sabe, versos de poeta moço...

D. MARIANA Sou casada, que tem?

FILGUEIRAS Se a senhora permite...

D. MARIANA (*chegando a cadeira*) Como se chama, doutor?

FILGUEIRAS (*afastando um pouco a cadeira*) "Quero beijar-te."

D. MARIANA (*aproximando mais a sua*) Deve ser lindo. Que título feliz!

FILGUEIRAS (*atarantado*) Por que não deixamos isso para mais tarde?

D. MARIANA (*sedutora*) Oh! doutor! Eu teria tanto prazer... Diga, doutor!

FILGUEIRAS (*tosse e começa*) "Quero beijar a tua boca ardente..."

D. MARIANA (*cheia de si*) Como é doce de ouvir... Oh!

FILGUEIRAS (*continuando*) "Quero beijar o teu sedoso colo."

D. MARIANA (*envaidecida, chega-se mais e toma as mãos do poeta*) Como seria bom, meu Deus!

CLARIMUNDO (*entrando e parando na porta*) Então, Mariana, você já gosta de poesia? Eu não dizia... Isto é casa de poetas.

Cai o pano.

Os negros[224]
(*Esboço de uma peça*)

> *Segundo, ou antes, trilhando*
> Maurice Maeterlinck[225]

> .... *a dor poreja,*
> *Quando o chicote do simum dardeja*
> *O teu braço eternal.*
>   Castro Alves

Aos irmãos João, Antônio e Carlos Noronha dos Santos.

O. D. e C.
O Autor.

PERSONAGENS

Um velho negro
1º negro
2º negro
3º negro
Uma negra com um filho ao colo
Outra negra mais moça

Cena nos tempos da escravidão. No recanto de um penhasco abrupto, aberto como uma concha de mão, para o mar infinito, acocorados e sentados, há um grupo de negros. Quase todos olham o augusto mar translúcido, cujas vagas alçam-se em curvas voluptuosas e quebram-se na praia, espadanando em espuma clara. A sucessão das ondas acaba por parecer uma única, enorme, contínua, a se transbordar da direita para a esquerda, beijando a areia e fazendo tilintar os seixos e as conchas. À esquerda e à direita, pontas de rocha negra, requeimada e nua de vegetação, avançam para o mar, caindo a prumo sobre as águas, interrompendo a praia durante muitos metros e fechando o caminho para os lados. Às costas, o forte declive do penhasco chapa-se repentinamente; e, embaixo, à flor do solo, na anfractuosidade do monolito, abre-se uma cavidade escura, vagamente perceptível por entre as frinchas das árvores que a tampam.

Ergue-se a penedia, alta, escarpada, balizada de coqueiros; e, como um traço de giz, ondula por ela acima, cheio de precipícios e perigos, um estreito caminho vigiado de um e outro lado pela Morte. Um negro velho, barbado, de barbas brancas, tendo o lanhudo cabelo branco emaranhado como algodão em pasta, está sentado sobre um pedaço de rocha. De quando em quando, levanta o olhar para a linha distante onde o mar se confunde com o céu num esbatido de flocos de nuvens. Mal se lhe sente viver. Os olhos estão parados nas órbitas; não há neles nem amor, nem ódio, nem esperança, nem temor. Movendo-os, fica rígido; é como se fosse uma tosca escultura talhada na adusta rocha em que se senta.

Os negros estão ao seu lado, de um e outro, e, rasando com o olhar a praia, olham enigmaticamente o mar. Uma negra tem o filhinho ao colo, dormindo. Os traços grosseiros da criança, no sono, se adelgaçam, afinam-se e acabam por emanar a misteriosa beleza da ingenuidade, da inocência.

Ao mugir das vagas, ao tilintar dos seixos na praia, juntam-se o frêmito da floresta e o pio nostálgico das aves. No silêncio, tudo é ruído confuso, ininteligível; e, de longe em longe, um canto estrídulo rebenta como marcos naquela triste viagem pelo Sonho. Os anuns pintalgam de negro, esvoaçando, o costão verde da penedia. Já não se vê mais o sol; sumiu-se de há muito por detrás do alto penedo. É boca da noite. Em breve ela cai seguida de segunda cúpula negra de tempestade, que se ergue vagamente dos cumes garfados do Norte.

1º NEGRO Não há mais mariscos; a areia está vazia.

2º NEGRO A areia está vazia! E a rocha, não tem ostras?

1º NEGRO A rocha não tem mais nada. (*silêncio*) Eles virão?

3º NEGRO Virão, sim. Custarão; procurarão aqui, ali, e hão de nos achar.

NEGRA VELHA 'Stamos muito longe da fazenda?

2º NEGRO Muito, pois quase andamos quatro dias pelos matos. (*a brisa começa a soprar*)

NEGRA MOÇA Quantos espinhos há pelo mato! E os cipós? Não dávamos dez passos que não caíssemos. Andávamos como numa casa às escuras... A todo instante batíamos nas paredes... E as cobras! Pisei numa jararaca, parecia gelo... Era fria, macia... Foi Deus que me salvou. De noite, havia fogo, luzes, sombras no mato. Experimentávamos as árvores, descansávamos. Pássaros chamejantes passavam junto a nós...

NEGRO VELHO As cobras são boas. Só mordem a quem as persegue. Sei falar com as cobras. E os pássaros acendem fogo para nos ensinar o caminho. (*silêncio*)

1º NEGRO Se uma cobra aparecesse, tínhamos o que comer hoje.

NEGRA VELHA Antes morrer de fome. Veneno de cobra mata a gente num abrir e fechar de olhos...

NEGRO VELHO Veneno de cobra cura-se.

3º NEGRO Toda carne é boa de comer, desde que se tenha fome...

NEGRO VELHO Toda carne é boa de comer... Toda carne é boa, é boa de comer... (*a brisa mais forte faz redemoinhar em torno deles folhas secas. As embaúbas inclinam-se e estalam. O céu começa a turvar-se. Grandes nuvens negras galopam, rolam e a lua, temerosa em aparecer, filtra-se através dos novelos negros com mágoa e raiva*)

1º NEGRO Passa um navio; lá, ao longe. Como corre! Parece uma porção de patos juntos, ligados, unidos um ao outro.

3º NEGRO Os navios, que não nos vejam eles... Quando vim, da minha terra, dentro deles... Que coisa! Era escuro, molhado... Estava solto e parecia que vinha amarrado pelo pescoço. Melhor vale a fazenda...

2º NEGRO É longe a tua terra? Lá só há negro?

3º NEGRO Não sei... Não sei... Era pequeno. Andei uma porção de dias. As pernas doíam-me, os braços, o corpo, e carregavam muito peso. Se queria descanso, lá vinham uns homens com chicotes. Vínhamos muitos, de vários lugares. Cada qual falava uma língua. Não nos entendíamos. Todo o dia, morriam dois, quatro; e os urubus acompanhavam-nos sempre.

— Minha terra... Não sei... Era perto de um rio, muito largo, como o mar, mas roncava mais... Sim! Tudo era negro lá... Um dia, houve um grande estrépito, barulho, tiros e quando dei acordo de mim estava atado, amarrado e... marchei... Não sei... Não sei... (*tudo agora é escuro. As nuvens fecharam-se. O luar não as pôde mais atravessar*)

NEGRA VELHA E eu não sei nada mais donde vim. Foi dos ares ou do inferno? Não me lembro... Do que me lembro, foi do desembarque. Havia muito mar. Fomos para o barracão. Davam-nos uma gamela e nela comíamos todos, ao mesmo tempo. Depois, vieram homens. Escolheram dentre nós alguns. Experimentavam os dentes, os braços, faziam abrir as pernas, examinavam a nós, com cuidado; e, ao fim, andávamos por muitas terras. Eu fui comprada pelo coronel. (*silêncio*)

2º NEGRO O coronel não é mau; mas o feitor... Que homem! Tem o coração de pedra. Um dia me pôs no tronco... Eu respondi-lhe mal... Ele me deu uma ordem, eu não cumpri... Fiquei dois dias no tronco, a pão e água. No fim, parecia que não tinha mais pernas. Elas estavam tão dormidas, esquecidas! Quando me levantei, cambaleei... Caí...

1º NEGRO O tronco... O tronco...

NEGRO VELHO O tronco faz a gente sonhar. (*as nuvens fecham-se cada vez mais. A atmosfera pesa. Está como que saturada pela fumaça de um milhão de forjas*)

NEGRA MOÇA O tempo muda... Se ao menos chovessem gafanhotos...

3º NEGRO Gafanhotos! Bolas! Vamos subir o morro. Deve haver caça.

NEGRA VELHA Eles podem estar lá. Ontem, ouvi um cão latir daqueles lados. Esperemos. (*as nuvens se acumulam em torno da cabeça do penhasco*) Amanhã, depois...

1º NEGRO Esperemos. (*levantando-se, olha o mar coberto de negrume. As ondas altas, negras, debruam-se de fosforescências, quebrando a praia. Volta-se; olha o penhasco. Pequenas línguas de fogo, a meia encosta, sobem e descem, ocultam-se e surgem de novo. Brilham com um brilho azulado, lívido; uma maior ergue-se. A escuridão povoa-se. Há cavalos enormes, de vinte pés, homens de decâmetros*) Almas! Almas do outro mundo! (*senta-se*)

3º NEGRO Lá... Lá... (*silêncio*) Descem...

2º NEGRO São demônios... Perseguem-nos... Fujamos.

NEGRA MOÇA Na fazenda havia desse fogo; e nunca fugimos.

NEGRA VELHA O morro vai cair... (*a escuridão envolve o penhasco, faz corpo com ele e agitação, que o vento, já forte, leva às nuvens e às árvores, parecendo abalar a imensa penedia*) Vamos para a praia... Vamos... (*todos se levantam. O negro velho, indiferente, vai ao centro do grupo. Marcha empurrado pelos outros. O vento agita-lhes as roupas esfrangalhadas. À borda do mar, quase roçando a marca das vagas, sentam-se na areia. O negro é intenso. Nada se vê*)

CRIANÇA Mamãe... Mamãe... As portas estão fechadas?

NEGRA VELHA Sim, meu filho... Estão todas...

CRIANÇA E as janelas também, mamãe?

NEGRA VELHA Sim, meu filho... Estão todas...

CRIANÇA Como é que o vento entra, mamãe?

NEGRO VELHO Os ventos entram pelas portas e janelas fechadas...

2º NEGRO Um bote... Um barco...

3º NEGRO Um barco... Um bote...

1º NEGRO Sinhô-moço contava que não sei que santo salvou-se engolido por uma baleia, que depois deixou-o numa praia.

NEGRA MOÇA Era um, um só...

3º NEGRO É um peixe muito grande.

2º NEGRO A boca é do tamanho de uma casa.

1º NEGRO Podia levar a todos nós pra longe.

NEGRA VELHA Podia... Podia...

3º NEGRO Olhem! E vem! (*pelo alto-mar, passam formas vagas. Grandes barcos, monstruosos peixes espadanam à tona*)

1º NEGRO Onde? Ali? E vem...

NEGRA VELHA Ê vem... Ali... Ali... Ali...

2º NEGRO Caberá a todos nós...

NEGRA VELHA Todos nós. (*olha*) Nada... Nada... Foi-se... (*o mar começa a subir. A maré aos poucos vai fazendo caminhar pela praia acima. Já tocam a orla da vegetação e olham o mar em frente, cravando o olhar desesperadamente. De repente, abre-se um relâmpago. Um ronco fortíssimo segue-se*)

TODOS (exceto o VELHO) Santa Bárbara! São Jerônimo! (*persignam-se*)

CRIANÇA (*despertando*) Mamãe, por que não deixa a candeia acesa? (*silêncio*)

1º NEGRO Já chove... (*grossos bagos de chuva caem espaçados. Caem como se fossem pedrinhas atiradas pelos garotos*)

CRIANÇA O teto está furado, mamãe? Chove dentro de casa...

NEGRO VELHO Na nossa casa, sempre chove. (*silêncio*)

1º NEGRO Há passos, parece uma tropa em marcha... Espoucam tiros...

3º NEGRO Lá vem muita gente... Não ouvem como as folhas choram? Elas estão sendo esmagadas, coitadinhas!

NEGRA MOÇA São tantos! Tantos! Que barulho! Mas vem longe!...

1º NEGRO Não tardam... Não tardam...

3º NEGRO Não custarão... E vêm! E vêm!

2º NEGRO Por onde passará tanta gente? Não há caminho.

NEGRA VELHA Descem. É como se fossem bagos de café, a cair numa lata de folha.

CRIANÇA Mamãe, mamãe... Que barulho é esse?

NEGRA VELHA Não sei... É a chuva...

1º NEGRO Tio! Tio! Que é isso? (*o negro velho caiu. A criança chora, chora muito*)

2º NEGRO Tio! Tio!

3º NEGRO Que é isso, tio, tio?

NEGRA MOÇA Ele morre, ele morre... (*silêncio*) Tio, tio... (*a criança chora cada vez mais*)

NEGRA VELHA Tragam água... Ele morre... Tio... Tio... (*a criança chora. E, durante uma pausa, ouve-se um tiro próximo*)

Laus Deo!
21 de setembro de 1905.

PARTE IV
CONTOS ARGELINOS QUE INTEGRAM A 2ª EDIÇÃO
DE *HISTÓRIAS E SONHOS*, 1951[226]

S. A. I. Jan-Ghothe[227]

Abu-al-Dhudut gozava placidamente o trono do país de Al-Patak, que ele tinha usurpado da maneira mais inconcebível.

Sabia que era impopular, que o povo ridicularizava com canções satíricas a sua pessoa desgraciosa, e proclamava também os seus méritos intelectuais com anedotas hilariantes.

Isto, porém, não o aborrecia, porque, tendo a mesa farta, um harém sortido e sobretudo honras das tropas, dos *caides* e presentes dos príncipes estrangeiros, ele se satisfazia e se julgava um grande sultão, igual àqueles que ilustraram o trono de Al-Patak.

De quando em quando, tinha desejos de se fazer notável e tomava alvitres singulares. Certa vez quis ser protetor das letras e fundou uma Academia no seu palácio. Nem de propósito: Dhudut juntou nela tudo quanto foi mau rimador da cidade.

Em outra, entendeu em dar casas baratas a toda a gente e gastou na construção delas tanto dinheiro que foi preciso lançar pesados impostos para que o Tesouro não ficasse vazio. Tal coisa veio redundar no seguinte: o artífice pagava mais barata a casa, mas comprava pelo dobro a passagem e os alimentos. Assim mesmo, os engrossadores proclamaram-no el Mezuar, que quer dizer, segundo alguns: o pai dos operários.

Para uma única coisa ele tinha jeito: era para criar aduladores. Calcularam os sábios que cada adulador custava, uns pelos outros, ao Tesouro Público, cinco libras por dia e que, com eles, Abu-al-Dhudut gastou no seu curto reinado cerca de 20 mil contos na nossa moeda.

Impopular e odiado, por causa de suas vexações e crueldades, quis ter dedicações; e, para isso, abriu as portas das prisões aos criminosos condenados e não prendia os que eram apanhados em flagrante.

A capital do Estado ficou assim entregue aos malfeitores que, não contentes com a espórtula que recebiam do chefe de polícia — *kaïa* —, extorquiam, sob ameaça, dinheiro aos mercadores.

Para os cargos do governo, para os principados vassalos, ele nomeava parentes obscuros e sem saber, chegando até a fazer ulemá do Beit el-Mal, juiz das heranças, um seu primo que não sabia ler o Alcorão.

O povo de Al-Patak é manso e ordeiro. Por isso ele vivia sossegado, tramando violências com o seu vizir Pkent-Phin', um homem cruel e violento, que fora na sua mocidade criador e castrador de cavalos.

Não contava, portanto, com nenhum levante do povo e passava a vida na mesa e no harém, em passeio e festas, sem cuidados nem incômodos.

Os seus parentes também levavam a vida da mesma forma, tanto mais que haviam ficado ricos com as riquezas do Estado e com os presentes que recebiam em troca de proteção a este ou àquele.

Um dia veio, porém, que, não se sabe como, o povo se levantou, levou a tropa de vencida, varou as muralhas que cercavam o palácio de Abu-al-Dhudut e tratou de pô-lo na rua.

Embora o sultão tivesse ficado com muito medo, não quis logo sair pelo caminho escuso que lhe ensinara o seu fiel eunuco Brederodes. Quis ainda carregar algumas riquezas e correu aos subterrâneos do palácio.

Esperava encontrar lá cequins de ouro, aos sacos; diamantes, pérolas, rubis, topázios, safiras, barras de ouro, enfim, riquezas sem-número amontoadas pela longa geração de vinte sultões.

Desceu escadas secretas, sempre acompanhado do seu fiel Brederodes, enquanto o povo ululava diante das portas do palácio e as mulheres do harém ganiam e soltavam gritos estridentes, os quais não lhe davam nenhuma pena. Descia com febre e obsedado.

Chegado que foi ao Tesouro, o guarda veio abrir-lhe a porta chapeada, couraçada e lenta de mover nos gonzos.

O sultão logo perguntou:

— Onde estão os diamantes, escravo?

O guarda respondeu:

— Saberá Vossa Majestade que o vosso sublime irmão, Sua Alteza Imperial, Jan-Ghothe, levou-os todos?

— E os cequins? e a prata? e as pedrarias?

O guarda, com todo o respeito e muita calma, respondeu:

— Saberá Vossa Majestade que o vosso sublime irmão, Sua Alteza Imperial Jan-Ghothe, levou tudo?

Abu-al-Dhudut quase desmaiou; e, chorando, disse para o eunuco:

— Brederodes, como sou desgraçado! Não ficou nada para mim!

El-Kazenadji[228]

O reinado de Abu-al-Dhudut foi curto, mas cheio de episódios interessantes que o cronista argelino Sidi-Mohammed-ben-Allah conta do modo mais ingênuo e, ao mesmo tempo, florido, capaz de fazer o delicioso encanto dos mais habituados à literatura árabe.

A tradução que vamos dando, além de resumida, fana muito o viço da luxuriante floração do original; mas, se tempo houver e editor, havemos de dar uma completa, respeitando o mais possível as palavras do autor argelino, assim como o seu rendilhado pensamento. Contemos.

Escolheu Abu-al-Dhudut, nos últimos dias de seu reinado, para ser o seu Kazenadji (ministro dos negócios internos do reino), um levantino de nome Sidi-Ercu-ben-Lanod, muito estimado pelas suas letras e sabido nelas como o mais douto ulemá.

Sidi-Ercu-ben-Lanod tinha vivido muito tempo em Marselha, como cônsul de Abu-al-Dhudut; e, fosse pela sua origem infiel, fosse pelo tempo que levou naquela cidade de França, o certo é que contraiu todos os vícios dos cristãos, especialmente dos francos. Feito Kazenadji, ganhando muitos presentes e dispondo do Tesouro do sultão, era de esperar que Sidi-Ercu-ben-Lanod aumentasse as mulheres do seu harém e vivesse sabiamente entre elas, como mandam o Profeta e os livros sagrados. Não tinha em grande conta os preceitos do Alcorão e, apesar dos conselhos de um dos seus sogros, Sidi-Glei-ben-Serio, continuou nos seus sacrílegos hábitos de passar as noites fora de sua casa, em visitas amaldiçoadas a certos lugares da feitoria francesa que ficava perto da capital de Al-Patak.

Não contente com ir ele a tão daninhos lugares, seduziu muitos bons muçulmanos a fazer o mesmo. Um destes era o *kaïa*, Pessh-ben-Hôa, que vem a ser entre nós o chefe da polícia militar. Não deixava este funcionário de, todas as noites, acompanhar Sidi-Ercu-ben-Lanod nas suas profanações às regras e preceitos do Profeta.

Ambos, chegados que eram à feitoria, logo se encaminhavam para uma grande casa de uma velha francesa, de nome Suzah-Hana, a que chamavam — Cidade das Flores; e entregavam-se a todos os pecados que a religião proíbe.

Deixavam-se arrastar pelo vício de beber licores espirituosos, coisa que mais depressa faz com que entreguemos as nossas almas aos espíritos malfazejos; e cercavam-se de mulheres infiéis, mediante alguns cequins de ouro, com as quais tinham propósitos mais próprios de se os ter com as verdadeiras esposas.

A religião do Profeta dá a tal respeito tão grande liberdade que não se podia acreditar que aqueles fiéis tivessem prazer em fazer semelhante coisa, fora da comunhão dos crentes.

Mas Sidi-Ercu-ben-Lanod tinha tomado tal gosto por aquele vinho dos francos que borbulha e ferve como os gases danados das entranhas da terra, que não havia meio de deixar de ir uma noite à casa da velha Suzah-Hana.

O *kaïa* (o chefe de polícia militar) também se havia habituado e não deixava de acompanhar o Kazenadji.

Certa noite, em que eles tinham bebido bem doze odres do tal vinho, estando, como de costume, na "Cidade das Flores", Sidi-Ercu-ben-Lanod deu em altercar com o seu companheiro:

— Tua tropa não presta p'ra nada! Os franceses sim é que têm tropa.

O *kaïa*, que era um chefe orgulhoso e patriota, ficou indignado com o despropósito do ministro e respondeu:

— Se tu queres ver, Sidi-Ercu-ben-Lanod, vou agora mesmo formá-la e cercar o palácio de Abu-al-Dhudut.

— Quero ver — disse o outro.

O *kaïa*, meio trôpego e balançando-se que nem uma fragata franca no porto de Argel, levantou-se, veio até à porta, chamou um *spahi* (soldado de cavalaria) e deu as suas ordens.

Os dois ficaram dormindo e a força do *kaïa* cercou o *kashah* (palácio do sultão), como lhe tinha sido ordenado.

Foi um espanto geral e as tropas do *agha* (ministro da Guerra) acudiram; houve combate, morrendo de parte a parte cerca de dois mil homens.

Sidi-Ercu-ben-Lanod e o *kaïa*, Sirdar-Pessh-ben-Hôa, despertaram na tarde seguinte e nunca a cidade pôde saber por que motivo as tropas do último tinham cercado o *kashah* e guarnecido as estradas que iam ter a ele.

O juramento[229]

Logo que Abu-al-Dhudut se apossou do trono de Al-Patak, todos os seus companheiros e amigos quiseram também fazer o mesmo nos reinos vassalos, embora muitos dos soberanos destes tivessem ajudado Abu na sua usurpação.

O primeiro *agha* (ministro da Guerra) ansiava por ocupar o governo do khanato de Al-Sugar, região rica e vasta, que até ali era governada pelo Kham-Ross-al-Xeiroso. Este príncipe não se incomodava muito com a administração dos seus domínios e vivia em passeios e festas, fora da capital.

Poderoso e rico, tinha ajudado muito Abu-al-Dhudut a subir ao trono de Al-Patak, de forma que todos supunham que as pretensões do *agha* não seriam favorecidas pelo novo sultão.

O *agha*, porém, não se incomodou com os serviços que Ross-al-Xeiroso tinha prestado a seu amo e senhor e tratou de encher o khanato de Al-Sugar de *spahis*, bombardeiros e outras tropas irregulares, sob o pretexto de que as tribos do deserto ameaçam a capital do khanato e Ross-al-Xeiroso nada fazia, deixando-se ficar entregue aos prazeres e folguedos.

Este príncipe, vendo que o *agha* continuava nos seus propósitos de usurpação, pediu uma audiência a Abu-al-Dhudut, no que foi imediatamente atendido.

Recebeu-o Abu no divã do *kasbah* (palácio imperial) e fez todas as promessas ao príncipe vassalo:

— Ross-al-Xeiroso, juro pelos santos livros, pelo Alcorão, que prefiro pôr termo aos meus dias do que te ver fora do governo de Al-Sugar.

Ross-al-Xeiroso saiu seguro de que continuaria no governo e que o seu filho herdaria a sua coroa de príncipe, mantendo a sua descendência nela.

Em breves dias, porém, soube que o *agha* tinha mandado mais tropas para os seus domínios.

Correu de novo a Abu-al-Dhudut, que lhe reiterou as promessas feitas.

Ross-al-Xeiroso voltou a divertir-se alguns dias, quando teve notícias que o *agha*, à frente das tropas que para lá tinha enviado, tomara conta do governo de Al-Sugar e, como Khan, fora reconhecido por todos, inclusive por Abu-al--Dhudut.

Esperou ainda alguns dias a ver se o sultão se matava; ele, porém, continuou a viver a melhor das saúdes.

Ross-al-Xeiroso, contudo, espera até hoje que Abu-al-Dhudut cumpra a sua palavra santa de sultão e chefe dos crentes.

A firmeza de Al-Bandeirah[230]

Abu-al-Dhudut não usurpou o trono de Al-Patak sem que houvesse grande oposição por parte de espíritos eminentes e mesmo de províncias inteiras do país.

A todas estas, ele subjugou e dominou, excetuando o khanato de Al-Bandeirah, cuja riqueza e prosperidade eram muito admiradas no país.

Esse khanato era governado por quatro ou cinco famílias que, sob o pretexto de terem feito a independência de Al-Patak e proclamado o sultanato, se sucediam no governo da província e a exploravam em seu proveito, tanto nos altos cargos, como no monopólio de bancos, indústrias e a exportação de tâmaras.

Sob o disfarce de auxiliar a lavoura desse fruto, os membros dessas quatro ou cinco famílias conseguiam dos soberanos privilégios e auxílios pecuniários que engrandeciam as suas indústrias, tornavam sem concorrentes os seus produtos e favoreciam grandes lucros nas suas explorações agrícolas.

Temendo que Abu-al-Dhudut não continuasse, como os seus antecessores, a lhes dar tudo o que pediam, armaram uma grande oposição ao seu governo, agitaram os espíritos e fizeram com que muita gente perdesse haveres, cargos e até a vida.

Abu-al-Dhudut, quando se viu seguro no trono, tratou de invadir a província e castigá-la, conforme entendesse.

Organizou tropas e dispôs as coisas de forma a vencer os recalcitrantes de Al-Bandeirah.

O povo dessa província pôs-se como uma só pessoa ao lado dos oligarcas que o governavam com muita habilidade e tal era esta que ninguém podia supor que o que eles defendiam eram os seus interesses particulares de donos de bancos, de chefes de casas comerciais, de proprietários de minas e fábricas, de ricos cultivadores de tâmaras.

O entusiasmo e o ardor da população pela causa de sua autonomia eram tais que tudo fazia esperar que a guerra civil rebentasse. Mas, como os membros das famílias que governavam Al-Bandeirah eram antes de tudo homens de negócios, de especulação comercial e não tinham interesse em guerrear, mas sim amedrontar Abu-al-Dhudut de modo a que este não perturbasse as suas existências regaladas, trataram de arranjar as coisas de modo mais cômodo, tanto mais que o sultão continuava no seu propósito de intervenção.

Pondo de parte tudo o que tinham afirmado com tanta altivez, procuraram um príncipe da família de Abu e arranjaram, por alguns milhares de piastras e outros dons, que não houvesse a invasão projetada.

Dessa maneira, eles continuaram a fruir e a aumentar as suas riquezas, embora tivessem arrastado, com a agitação que fizeram, com os juramentos que juraram, muita gente à miséria, à enxovia e à morte.

O desconto[231]

Como foi contado, o khanato de Al-Bandeirah, depois de arrotar muita farofa, que fazia e acontecia, acabou por comprar a não invasão das tropas de Abu-al-Dhudut por bom dinheiro.

Essa província de Al-Bandeirah, como se sabe já, é governada por vários magnatas e algumas famílias, entre aqueles conta-se o *sidi* Cinsin-ben-Nhato que é, a bem dizer, o general da oligarquia do khanato.

Ele, quando os tais cultivadores de tâmaras gastam à vontade e ficam encalacrados, corre ao sultão e diz cheio de choro e lábia:

— Majestade; os cultivadores de tâmaras estão morrendo à fome; o produto da venda não paga as despesas que dá o seu cultivo; os grandes empregam toda a sua fortuna para que ele baixe.

Aí ele faz uma pausa e continua alteando a voz:

— É preciso que Vossa Majestade vá ao encontro das necessidades dessa pobre gente que tanto concorre para a grandeza do reino que é de Vossa Majestade.

— Mas como, *sidi*?

— Como? Dando-lhes dinheiro, Majestade.

— Não tenho. O meu tesouro está esgotado.

— Majestade: o poder de Vossa Majestade é grande e há um meio.

— Qual?

— Vossa Majestade decrete um imposto sobre os mendigos do reino, que haverá dinheiro para socorrer os miseráveis cultivadores de tâmaras.

Os sultões todos lhe fazem a vontade e os de Al-Bandeirah se blasonam de ricos e trabalhadores.

Há outros casos que hei de contar-lhes, mas agora quero lembrar um muito típico.

Os tais de Al-Bandeirah tinham, como já foi narrado, comprado um príncipe irmão de Abu-al-Dhudut, para que este não invadisse com as suas tropas o khanato.

O príncipe, que era seguro, foi em pessoa buscar o preço do negócio.

Trotou várias e muitas léguas em camelo e chegou à capital da província ex-semirrebelde.

Falou ao *khan* e este mandou ordem ao seu tesoureiro, para que lhe pagassem 350 mil piastras.

O irmão de Abu foi logo à presença do funcionário, que lhe disse:

— Príncipe: Vossa Alteza poderá ir para o palácio de Vossa Alteza que o dinheiro irá lá ter.

De fato, assim foi e um empregado do tesouro lá chegou com os sacos de ouro.

Esperou este que o príncipe contasse o dinheiro. Acabou e exclamou furioso:

— Mas faltam trinta e cinco mil piastras.

— Príncipe: é a minha porcentagem. Dez por cento.

O irmão de Abu calou-se.

A solidariedade de Al-Bandeirah[232]

Dos principados vassalos, que constituíam o reino de Al-Patak, não foi só Al-Bandeirah que não quis reconhecer Abu-al-Dhudut como sultão.

O khanato de Hbaya também, por intermédio do seu príncipe reinante, sempre protestou contra a usurpação. Ao contrário do primeiro, esse principado era trabalhado por grandes dissenções internas. Havia mais de cinco ou seis pretendentes ao seu trono e não existia entre os seus habitantes nenhuma harmonia de vistas.

A população, com o seu gênio vivaz, com a sua queda para a eloquência, com a sua ligeireza de espírito, muito concorria para essas divisões e ela é de gênio muito oposto à de Al-Bandeirah, cuja gente é tardia, taciturna e cheia de um ingênuo orgulho de que são os primeiros de Al-Patak. Explorado habilmente, pelos governantes, esse último sentimento da população daquela província, foi-lhes sempre fácil obter dela uma quase unanimidade. Faziam uma ponte, uma torre, um bueiro e logo mandavam proclamar que era o primeiro de Al-Patak. O povo do khanato, que é ingênuo, como um alemão, acreditava na coisa, ficava muito contente e escolhia para as altas funções os membros de três ou quatro famílias, que o exploravam.

Dessa forma, toda a resistência à usurpação de Abu-al-Dhudut estava centralizada em Al-Bandeirah.

Acontece, porém, que, ao contrário do que era de esperar, Hbaya demonstrou mais firmeza e o seu governo chegou a resistir às tropas que o invadiram, com armas na mão.

A coisa foi dolorosa e triste, pois a capital de Hbaya foi bombardeada, as suas casas incendiadas, o príncipe reinante andou daqui para ali, fugindo à sanha dos soldados de Abu-al-Dhudut.

Infelizmente, devido às facções que dividiam a gloriosa província, a resistência não pôde ser eficaz e foi quase nula em resultados.

Esse episódio comovedor do bombardeamento da capital de Hbaya se deu justamente no dia em que o príncipe irmão de Abu-al-Dhudut recebia no tesouro de Al-Bandeirah 350 mil piastras, que, como já é sabido, ficavam reduzidas a 315 mil.

O reconhecimento[233]

A organização política do Al-Patak não é assim tão absoluta como se pode supor.

Em tese, o sultão tem todos os poderes, mas devido à tradição, à liberalidade de alguns soberanos, o reino possui tribunais e juízes independentes, que decidem soberanamente sobre os assuntos que lhes são afetos.

Além disto, Al-Patak possui uma espécie de parlamento — o Divã — que representa ao rei sobre as necessidades dos povos.

Cada província, conforme a população, dá um certo número de representantes, que o são durante alguns anos, uns durante mais anos e outros menos.

Logo que Abu-al-Dhudut usurpou o trono, tratou de reformar essa espécie de conselho de Estado.

Não há quem não queira fazer parte dele, não só pelos vencimentos que percebem os seus membros, como também pelos presentes que recebem, graças à influência que possuem, podendo obter dos soberanos tudo o que desejam.

O príncipe irmão de Abu-al-Dhudut foi logo eleito membro do Divã e feito chefe dele.

Sendo homem esperto e sagaz, conhecendo perfeitamente os desejos de todos os habitantes de Al-Patak de pertencerem ao famoso conselho, tratou de regular a entrada nele, ao jeito mais propício aos seus interesses.

Com este, negociava isto; com aquele, barganhava aquilo.

Ia fazendo o seu negócio, quando se tratou do reconhecimento de Sidi Pen-ben-forte. Tinha sido esse ulemá juiz durante muito tempo, de forma que conhecia o irmão do sultão, quando advogava.

O seu direito à entrada no Divã era inconcusso, mas o príncipe queria dez mil piastras para tornar efetivo o seu direito.

Pen-ben-forte não esteve pelos autos e lembrou a S. A. o fato de ter ele obtido, revelando uma sentença dele, Sidi, dinheiro ao mercador — sentença mais tarde reformada.

Pen-ben-forte tinha disso documentos e prometeu publicá-los, se não entrasse no Divã.

Não é preciso contar mais; basta dizer que o antigo juiz entrou e foi reconhecido membro do Conselho.

O oráculo[234]

Quando Pelino notou que a vista se lhe ia escurecendo, procurou um oculista famoso, timbrado pelo governo, assegurado por várias academias, inclusive a de Letras, cujo nome, precedido da mais clara fama, era garantia do milagre que o cliente esperava da ciência do doutor.

Este, porém, não pudera fazer a luz aumentar nos seus olhos que, a pouco, se iam apagando numa treva indistinta.

Pelino que, durante vinte e tantos anos, ajudara, na sua banca humilde, os ministros a cumprir as leis e os regulamentos, resolveu consultar um curandeiro.

Procurou os jornais, leu os anúncios e visitou então muitos que se anunciavam com grandes gabos.

Leu o do professor Im-Ra, sacerdote da Magia Natural ou Ortológica, capaz de dar saúde, beleza, amor, por um processo psicológico, ainda desconhecido etc. etc.

Leu outros, mas aquele que mais lhe agradou foi o do Ergonte Ribeiro, ocultista explícito, curador de doenças da virtude, por meio de uniformes adequados, cintos de castidade, manchões e outros instrumentos mecânicos esotéricos, cuja eficácia estava comprovada com 1 452 atestados que possuía.

Entre estes, ele publicava um em que o cidadão Freitas, de Umbu de Baixo, gabava o cinto que lhe havia mandado, com o qual pôde o referido cidadão impedir que sua mulher adulterasse enquanto ele andava no campo em trabalhos de criação.

Além de tais dotes, o professor Lemos Ribeiro curava a cegueira e outras moléstias, por meio de consultas a oráculos antigos, cujas receitas ele possuía em grande número.

Pelino, que precisava ficar com a sua vista em perfeito estado, para o escritório de Lemos partiu imediatamente.

Era uma vasta peça quadrada, precedida de uma antessala meio escura. Toda a peça estava forrada de livros, em altas estantes. Havia o trípode das velhas religiões da Grécia e Roma a queimar um tênue incenso.

Ouvida a consulta, Lemos Ribeiro começou a remexer os livros da sua abundante biblioteca.

Tirou, primeiro, da estante, as *Peregrinações*, de Fernão Mendes e citou: "a que os moradores logo acudiam com muitas bestas e lanças, bradando a grandes vozes: Navacaranguê, navacaranguê".

Em seguida, agarrou um volume da *História de França*, por H. Martin, e leu um trecho sobre Luís XIV.

E depois de ter lido assim e citado a esmo, o sabichão expectorou a sua transcendente receita: lave os olhos com a água do banho da mulher que tenha sido sempre fiel a seu marido.

Pelino pagou, porque se pagava, e saiu a pensar no récipe que lhe dera o curandeiro. Quem seria a mulher? Pensou mais ainda e concluiu, com muita razão, que devia ser a sua.

Chegou em casa e, dentro em breve, pôde experimentar o remédio.

Apanhou um bom bocado de água do banho da esposa, e com ela lavou abundantemente os olhos uma, duas, três vezes; e neles a luz não se fez absolutamente.

A chegada[235]

Quando o senador Bastos voltou de Poços, onde esteve a espiar a maré dos acontecimentos e a ler pela décima segunda vez *As democracias da América*, de García Calderón — o evangelho da ditadura militar — e chegou à Cascadura, esperou que os seus amigos o fossem buscar acompanhados da banda de música da linha de tiro 69.

Tal, porém, não aconteceu e só o foi buscar o seu amado discípulo Anófeles que estudava com Sua Excelência direito constitucional e a criação de galos de briga.

O senador disfarçou o aborrecimento e continuou a viagem olhando os subúrbios sem encanto que a locomotiva atravessava.

Em dado momento, Anófeles, dirigiu a palavra ao paredro:

— Vossa Excelência certamente imaginava que outros admiradores o viessem buscar, não é verdade?

O solerte discípulo dissera isto para bem realçar a sua dedicação ao antigo chefe poderoso.

Bastos impertigou-se melhor no banco e respondeu com aquela sua voz sacerdotal:

— Menino, quem é coerente com os princípios republicanos não se admira de levar coices.

Ele gostava muito dessas coisas de cavalos e sempre que podia fazia comparações e metáforas com os fatos que lhes dizem respeito.

— Como devemos entender esses princípios republicanos?

Bastos tossiu, acendeu o cigarro de palha mais uma vez e explicou:

— Primeiro: devemos entendê-los como sendo eu chefe absoluto do país, tal e qual o czar das Rússias; segundo: considerando que somos no Brasil um único povo, um estado tem o direito de reter cereais de que não precisa, para esfomear os outros; terceiro: para favorecer a liberdade, temos a obrigação de decretar um estado de sítio permanente; quarto (e este é o mais importante dos itens): as eleições ou a escolha dos representantes da nação não devem ser feitas pelo povo, mas por uma camarilha que vela como muezins na catedral gótica da República. Podia dizer mais; creio, porém, que isto basta.

O trem chegava à *gare* da Central e Bastos foi ultimar a sua *toilette* de desembarque. Quando voltou e olhou pela portinhola, viu que só o esperavam duas dúzias de correligionários.

Pôde ainda dizer a Anófeles:

— Antes fosse como em Cartago, meu caro Anófeles. Lá, ao menos, se enforcavam os generais derrotados.

E não pôde olhar o céu, porque a abóbada de zinco da estação escondia-o dos seus olhos.

Um candidato[236]

Um dia destes, encontrei um senhor vestido de ganga, com um chapéu de sol, de cabo de volta, rosto tostado pelo sol, que me perguntou qual o bonde próprio para ir ao morro da Graça. Ouço muito falar em tal morro, mas não sei se há bonde próprio para lá ir. Pelo que tenho ouvido dizer, creio mesmo que o veículo mais próprio são os nossos pés e devemos subi-lo, como os devotos sobem os degraus da Penha: de joelhos.

É punição bastante digna quando se está diante de Deus, mas pouco decente quando se trata de ir à presença de qualquer mortal por mais poderoso que seja.

Disse ao matuto isto e ele não se espantou.

Continuou a conversar comigo e notei que aquele candidato à vítima do conto do vigário era um espertalhão de marca. Contou-me que era candidato a deputado. Perguntei:

— Foi diplomado?
— Fui.
— Por que junta?
— Pela minha.
— É a legal?
— A minha junta é sempre legal.

Gostei imensamente do critério de legalidade do futuro legislador e indaguei:

— Que pretende fazer na Câmara?

— Eu? Não pretendo fazer nada, mesmo porque não entendo desses negócios de "falação", nem de "leizes," nem de "franciú". Olhe, menino, quer que lhe conte as coisas tais quais são? Ouça.

Acendeu um enorme cigarro e emendou:

— Eu tinha alguns cobres e sempre trabalhei nas "inleição" pelo senador Chavantes. Trabalho há muitos anos. Ultimamente perdi muito dinheiro na "campista". Apareceu lá pela terra o demônio de um turco que ganhava a mais não poder. Quero tampar o rombo e só achei um caminho; fazer-me deputado por meu distrito.

— Teve grande votação?

— Que votação, menino! Isso é lá preciso!... Eu tenho atas e atas, livros e livros... Não preciso mais nada.

— Mas o seu rival talvez tivesse eleitores e...

— Que eleitores! Pra quê? Eleitores são as assinaturas dos mesários e arranjei um espanhol que faz "elas" tão bem como cada um deles.

— E o reconhecimento?

— É disso que vou tratar com o general. Vou lhe dizer que, se ele arranjar o meu reconhecimento, ponho até cabestro e barbicacho.

— Então vai ao morro da Graça?

— Vou.

— A pé e subi-lo-á de joelhos?

— Não. "Inté" o morro, vou de "intumove", mas para a casa do "home" subo de quatro. "Inté" logo, moço.

Um bom diretor[237]

Estranhou o prefeito, ao ler a folha oficial, naquela manhã, que o seu diretor de Instrução Pública tivesse designado um inspetor escolar para reger uma escola elementar em Campo Grande.

Estranhou e não era possível que tal não se desse, mas quis atribuir o fato a injunções políticas.

Em Campo Grande, no castelo feudal do Caroba, cercado de cemitérios povoados, reside o poderoso senador Rapadura, prócer do P. R. C. e dono da cidade e arredores.

Ele mesmo, prefeito, tinha que lhe obedecer as ordens; e, certamente, o seu diretor da Instrução Pública designou um inspetor escolar para reger uma escola de *a-b-c* em obediência a pedidos do poderoso perturbador da paz dos campos-santos.

Mas, por que seria que Rapadura queria em Campo Grande um sábio inspetor escolar?

Vaidade de habitante do lugarejo, que o desejava ver assim honrado e exaltado?

Não era possível. O profanador dos túmulos, o desinquietador do sono dos defuntos, não tinha nenhum amor pelo lugar que habitava. Não pedira para ele nenhum melhoramento, e isto há vinte anos. Como é, então, que tinha tido esse assomo de vaidade? Era inexplicável. Ah... Era isto. O senador era conhecido pelas suas poucas letras e tinha mesmo dificuldades em ler os jornais, de modo que, ao crescer-lhe a idade, teve o capricho de aperfeiçoar a sua instrução primária.

Há trelas na velhice que bem parecem de menino. Os extremos tocam-se.

Sendo assim, não era decente que um senador, um legislador, fosse recapitular o quanto diz a aritmética de Trajano, sob os olhos de uma moça. O discípulo exigia um professor mais respeitável e graduado. Estava explicado o ato do seu diretor.

O prefeito almoçou, tomou o automóvel que o esperava no portão e partiu célere para o palácio da prefeitura.

Quando chegou a seu gabinete, que a muito custo pôde alcançar, o seu mesureiro secretário adiantou-se e antes de mais nada foi dizendo:

— Doutor, o novo diretor da instrução quer provocar uma revolução.

— Como?

— Com a tal nomeação de um inspetor escolar para professor elementar em Campo Grande.

— Revolução?

— Sim. Vossa Excelência não viu como as moças estão aí nos corredores amotinadas? Elas se dizem lesadas e os outros inspetores estão magoados e as atiçam contra Vossa Excelência.

O prefeito pensou e disse:

— Vá chamar-me o doutor Café.

O secretário foi em pessoa e em breve o diretor voltava, tendo atravessado as antessalas entre alas de professoras, adjuntas, estagiárias, normalistas, quase debaixo de vaia.

O prefeito perguntou-lhe logo com o sobrecenho carregado:

— Doutor Café, como é que o senhor nomeia para uma escola elementar um inspetor escolar?

— Que tem isso?

— E o regulamento?

— Vossa Excelência sabe perfeitamente que sou médico, entendo de patologia e algumas outras coisas mais...

— O Abel Parente já me havia dito.

— ... de instrução pública do município, pois, nada entendo.

— Como?

Disse isto a Vossa Excelência no meu discurso de posse, não se lembra? Veio até nos jornais. Disse bem claro: "não entendo de instrução pública no Distrito Federal".

— É verdade. Continuei.

Os quatro filhos d'Aymon[238]

O chefe político do distrito de Anunciação, Felizardo José Senomenho, teve a ventura de obter do seu casal quatro filhos varões: Manoel, José, Otávio e Carlos.

Lido como era nos *Doze pares de França*, o coronel sonhou logo com os quatros filhos célebres d'Aymon e desejou para os seus a glória dos paladinos filhos deste.

Infelizmente, o nosso tempo não pede guerreiros esforçados e invencíveis que andem pelo mundo a batalhar em prol de um qualquer Carlos Magno.[239] Pensou bem e viu que os quatro deviam ser encaminhados para a política, porque só na política, atualmente, se obtêm glórias retumbantes e proventos magníficos, mais magníficos do que os despojos de reis mouros com suas mulheres estonteantes.

O primeiro trabalho de Felizardo foi fazer os seus quatro descendentes bacharéis em direito ou coisa que o valha — o que não lhe foi difícil, graças à vivacidade dos pequenos e a importância social do coronel.

Sua mulher viu um a um chegarem em casa formados nisto ou naquilo, em "escadinha", com a regularidade anual do nascimento deles.

Este fato contentou os dois velhos de tal forma que, nos primeiros anos, os rapazolas nada mais fizeram que divertir-se à grande nas fazendas dos pais e na capital do estado.

Um belo dia, porém, Felizardo chamou o mais velho e disse:

— Maneco, já falei ao Magalão. Sabes quem é? O presidente do estado. Tu vais ser o seu oficial de gabinete e na próxima legislatura serás deputado.

Maneco fez malas, pois estava na fazenda do papai e, em breve, sorria bondosamente aos pedintes, nas antessalas do Palácio das Graças, na capital.

Não tardou que Felizardo viesse a ver o seu notável rebento em lugar de tanta importância. Satisfez-se com os modos, a um tempo doces e majestosos do filho, dentro do seu fraque talhado no Rio, e tratou de encaminhar o José.

Este andava pela capital a publicar versos inócuos em revistas de grandes descortinos. Procurou-o o pai no seu aposento de solteiro e disse-lhe:

— Rapaz, esta vida não te serve. Precisas fazer-te gente.

— Trabalho, papai.

— Em quê?

— Na arte.

— Que é isto? Nada; vais entrar para a redação da *Folha Independente*.

— Como? Se ela é da oposição e o senhor é do governo?

— Não tem nada. Vais entrar e trabalhar com o senador Mariano. Veste-te.

O José queria muito entrar para um grande jornal e seguiu contente. Felizardo entendeu-se com Mariano e, no dia seguinte, o filho estreava com uma formidável descompostura ao presidente do estado.

O coronel tinha já encaminhado os dois; restava a outra metade. Resolveu-se a esperar. Acontece, semanas depois da colocação do Zeca, que o chefe de polícia, por causa de um assassinato, prende o principal capanga do senador estadual Juventino, amigo íntimo de Magalão.

Juventino não obtém o "abafamento" do processo; zanga-se com Magalão, por essa falta de consideração aos seus amigos e briga. Houve a cisão no partido situacionista, devido a divergências sobre os cardeais princípios da política republicana.

Felizardo, que era sabido, determinou ao terceiro que aderisse a Juventino, sem detença. A coisa foi feita. Estava encaminhado.

Restava o quarto. Como havia de ser? Esperou uns tempos. Veio a dar-se que Brochado, deputado federal, grande amigo de Mariano, rompe com este e funda na capital do estado uma folha, para combater Mariano, Magalão e Justino. Felizardo agarra no último dos filhos e coloca na folha de Brochado.

Estavam, afinal, os quatro encaminhados. Vieram as eleições federais. Manoel, José, Otávio e Carlos foram apresentados candidatos a deputado, respectivamente, por Magalão, Mariano, Juventino e Brochado. Houve acordo no reconhecimento; e os filhos de Felizardo, a um só tempo, sentaram-se na Câmara dos Deputados.

Não chegaram a paladinos; mas foram pais da pátria.

A consulta[240]

O prefeito de polícia estava naquele dia muito atarefado em providenciar a captura do Elefante Branco e, por isso, não pudera dar começo à audiência pública que tinha marcado.

Sua Excelência ainda conferenciava com o diretor das investigações, que lhe mostrava as impressões digitais do imenso paquiderme, impressões obtidas em um casebre abandonado do bairro da Saúde.

Pondo uma imensa lente sobre os desenhos que o diretor lhe apresentava, o prefeito perguntou:

— Doutor, elefante tem dedos?

O sábio diretor titubeou e por fim concordaram, o prefeito e o seu subordinado, que esse animal não possui dedos.

— Resolveram encaminhar as pesquisas para outros pontos e a audiência teve começo.

A primeira pessoa a entrar foi uma senhora. Dizemos senhora porque em estilo administrativo e comercial todas as mulheres são senhoras. A diferença de tratamento entre elas fica reservado para outras ordens de estilo, entre as quais os daqueles que frequentam os clubes "chics" e os bares noturnos.

Tratava-se de Mme. Déchue, que foi logo dizendo ao prefeito:

— Vossa Excelência há de saber que ando pior do que o judeu errante.

— Quem é a senhora? — perguntou a poderosa autoridade colocando melhor o *pince-nez*.

— Eu sou Madame Déchue.

— Ahn!

— Não tenho onde morar.

— A senhora sabe que Lustosa, Garibaldi, Manzini e outros dão essa função à polícia?

— De andar tocando os viventes daqui para ali?

— A senhora é espirituosa.

— Não me creio assim, embora leia com atenção os seus despachos publicados nos jornais.

— Afinal... Nós não estamos aqui a trocar espírito... Que quer a senhora?

— Quero saber onde devo morar.

— Onde não houver famílias. Isto está em Rimato, Salvador Rosa e outros.

— Mas, doutor, em toda a parte há famílias. Já morei no Méier[241] e a polícia fez-me mudar de lá porque era lugar de famílias. Mudei-me para a tal rua, porque não era de famílias... Agora...

— Pode ficar certa de que com isso nada tenho. A polícia só faz mudar; o resto é lá com vocês.

Que rua é esta?[242]

Tendo sido nomeado prefeito de polícia, o dr. Secundino, chefe político muito estimado em Tefé, estado do Amazonas, trouxe ele para seu delegado auxiliar o dr. Fagundes, que há tantos anos não saía daquela longínqua localidade brasileira.

Em toda a parte, os cargos policiais são dados a quem conhece perfeitamente as localidades que vão policiar; entre nós, porém, esse critério obsoleto não é obedecido, de modo que o dr. Fagundes tomou conta do seu cargo, para felicidade da população carioca e da cidade do Rio de Janeiro que ele completamente desconhecia.

Fagundes, apesar dos seus trinta anos de Tefé ou Ega, não era bronco e tinha as suas luzes; procurou, portanto, exercer o seu cargo com a máxima honestidade e clarividência.

Pôs-se logo nos primeiros meses a estudar as coisas policiais e consultou com mão diurna e noturna as obras do dr. Elísio, principalmente a gíria da gatunagem que o atraía, tanto pelo lado filológico como pela sua utilidade policial.

Como bom alto funcionário de polícia, Fagundes não deixava o automóvel. Ia para a prefeitura de polícia de automóvel, voltava para a casa de automóvel. Se fazia compras com Mme. Fagundes... Que interessante senhora! O seu chapéu tinha dois metros de altura e uma tonelada de enfeites... E a saia? Na cintura, fazia um chumaço, que bem parecia um salva-vidas aperfeiçoado... Dizíamos: se fazia compras com Mme. Fagundes, o auto parava à porta das casas de fazendas, dos armarinhos, dos armazéns, das casas de chapéus, açougues etc.

Ao teatro e às diligências, Fagundes só ia de automóvel; e era assim.

Ao fim de seis meses, Fagundes estava de fato inteirado da polícia científica do dr. Elísio, conhecia os regulamentos e gozava com requintado prazer a velocidade inebriante de um auto.

Não correra pelo seu cartório nada importante, nada de chamar a atenção do público e dos jornais, de modo que a alta autoridade, se não recebia elogios, não recebia ataques.

Fagundes desfrutava o cargo com a mansidão de uma jiboia que digere o boi que engoliu. Juntava dinheiro até, pois nem comprava jornais. As redações se encarregavam de mandá-los de graça a S. Ex.ª

Ele os lia no seu gabinete com o vagar provinciano, especialmente as notícias de polícia. Lendo-os, se por exemplo caía-lhe sob os olhos "ontem, houve um incêndio na rua da Misericórdia", logo ele perguntava ao contínuo, a um guarda, ao escrivão: onde é essa rua? Ensinavam-lhe e ele continuava a ler. Certo dia, Fagundes foi levar um alto personagem a bordo e resolveu, na volta, subir a avenida a pé. Foi vindo, olhando sempre os guardas que o cumprimentavam respeitosamente. Subia, cruzando uma porção de ruas estreitas.

Chegou a uma destas, em que havia um movimento extraordinário. Pensou em alguma *grève,* pensou em revolução. Aproximou-se de um guarda e perguntou:

— Que rua é esta?

O guarda, descobrindo-se a meio, respondeu:

— Vossa Excelência não sabe? É a rua do Ouvidor.[243]

Abertura do Congresso[244]

*F*esta nacional. Descoberta do Brasil e abertura do Parlamento. Noite. Salão do restaurant *do Club Épatant. Cortinas sovadas nas janelas, quadros de pacotilha pelas paredes. Os garçons vão e vêm. Ouve-se o chiar dos quitutes na cozinha próxima. Das salas de jogo, chega até ali o ruído especial das fichas de madrepérola. Com graves cavalheiros, pelas mesas, há cocottes em grande toilette. Pequenos "toques" na moda. Fala-se um calão de todas as línguas, inclusive o português. O Congresso tem na casa uma porção de representantes. Todas as mesas ocupadas.*

UMA MESA À ESQUERDA

O DEPUTADO BREDERODES Fanny, não sabes quanto me custou o reconhecimento.

FANNY Um conto de réis?

B. A unidade de moeda de vocês é um conto...

F. Que é que você diz?

B. Digo que vocês só começam a contar o dinheiro de um conto de réis para cima. Quer mais vinho?

F. *Merci*. Mas quanto custou o reconhecimento de você?

B. Não posso dizer... É segredo de Estado.

UMA MESA À DIREITA

O DEPUTADO X. Amo-te muito, minha querida Concha.

CONCHA *Usted* bebeu *mucho hoy*.

X. É de alegria; fui reconhecido.

C. Então *usted* paga aquela conta da modista. *À la vôtre!* (*erguem as taças*)

UMA MESA AO FUNDO

O DEPUTADO Z. Se não tivesse sido reconhecido, diria que andava de cábula.

EMMA *Perchè?*

Z. Fiz doze paradas no 15 e não acertei nem uma vez.

E. Não faz mal. *Voi* não está deputado?

Z. Estou.

E. Então *tutto va bene*.

UMA MESA JUNTO À JANELA

O CANDIDATO INFELIZ Logo vi que aqueles idiotas de Minas haviam de hostilizar a minha candidatura... Carneiros de Panúrgio!

O DEPUTADO H. Você não falou ao Pinheiro?

MME. WALENSKA Eu disse a Almada que devia ela fala Pinheiro, mas ela não quis fala Pinheiro e foi isso.

O CANDIDATO INFELIZ Você, Sofia, não entende de política. O Pinheiro não podia me favorecer para hostilizar o Costa... Ambos nós somos seus amigos.

H. Lá isso é verdade.

MME. W. Mas que diaba de amiga é essa Pinheira... Não entenda isso.

O CANDIDATO INFELIZ É assim, minha filha; é assim a política... Precisava bem ser reconhecido... Ando atrapalhado... Queria ir à Europa... Não queres mais vinho, H.?

H. Aceito.

H. bebe um pouco e continua:

H. Acho que não deves desanimar... O Pinheiro faz-te governador do estado.
MME. W. Oh! Não! Eu não quera que Almada sai daqui...
CANDIDATO INFELIZ Não quero também... Lá não posso viver com ela... Lugar pequeno!...

A ceia acaba e H. sai com a sua companheira de momento, Mme. Wronsky, que até ali estivera muda. Ao sair, ela observa:

W. Popre homem, aquela tua amiga. Não fizeram ela deputada... Tão pom!... Coitada!

A legislatura continua mais ou menos assim até o dia de são Silvestre.

Medidas de Sua Excelência[245]

Aconselham todas as autoridades que têm tratado do assunto, que é conveniente procurar os governantes de um estado, de um país, de uma cidade, entre as pessoas que conheçam o presente e o passado, portanto, a história desse estado, desse país, dessa cidade.

Durante algum tempo, esse critério foi obedecido; mas desde que as várias partes do país quiseram ter uma maior autonomia e governadores, que as conhecessem perfeitamente, o país começou a ter à testa do seu governo os mais ignorantes e desconhecedores de sua vida passada, dentre os magnatas que sempre acompanham os grandes chefes.

Vinham hindus, tabajaras, gregos, árabes e até um chinês a governá-lo, sem conhecer sequer a capital.

Em certa ocasião, veio dirigi-lo uma bela pessoa, mas que, da capital, só conhecia as ruas principais, o bairro *chic* e os conventos.

Nascera em província longínqua e nela passara apenas a mocidade, e parte da virilidade, passou-as em Portugal.

Nem pela planta conhecia a cidade; nem pelos antigos conhecia a sua história; mas, como não havia quem quisesse o lugar, fizeram-no governador do país e ele se entronizou no governo com a maior boa vontade.

Os nossos governantes quando querem mostrar atividade fazem-se estadistas visitantes. Mal tomam posse, mal se sentam na curul governamental erguem-se logo, arrepanham meia dúzia de "toma-larguras",[246] sorridentes e mesureiros, e põem-se a visitar este ou aquele estabelecimento.

O novo governante, para não desmentir a tradição, deu logo em visitar os principais estabelecimentos que dependiam de sua autoridade.

É um modo de governo fácil hoje, em que há automóvel e ruas asfaltadas, mas que seria agradável há um século, quando se andava de sege, traquitana,[247] liteira ou mesmo nas costas dos machos.

O gerente da metrópole, portanto, não sofreu muito com seus constantes deslocamentos e fez descobertas na cidade que era sede do governo, imprevistas e nunca suspeitadas por ele.

A primeira coisa que ele notou foi que a cidade era muito maior que aquela em que nascera. Ele a julgava assim duas vezes e pico; viu, porém, que o era cem vezes.

Outra coisa que notou foi que os subúrbios[248] tinham casas de pedra e cal. O presidente imaginava que neles só houvesse choupanas, palhoças e barracões. Isso alegrou-o muito porque podia aumentar os impostos.

Observou ainda o governador do país que, nos arredores, nas freguesias distantes, não havia cafezais, como acontecia nas circunvizinhanças da sua terra natal.

Não gostou muito da coisa, pois lhe parecia que em toda a parte devia haver fazendas de café e engenhos de açúcar. Fatalidade da imagem que se grava na infância...

Depois de ter visitado o seu governo, deu em visitar sociedades sábias. Foi até aos arquivos especiais que eram dirigidos por um funcionário competente, zeloso e conhecedor do ofício como poucos.

Logo este funcionário quis mostrar à alta autoridade os papéis mais curiosos que havia. Como o alcaide-mor era especialista em coisas de eleições, o chefe dos arquivos disse:

— Quer V. Ex.ª ver as atas de eleições dos tempos coloniais?

— Como? Eleições nos tempos coloniais! O regime representativo só foi instituído depois da Independência...

— V. Ex.ª se esquece do Senado da Câmara.

— Senado da Câmara! Senado é uma coisa e Câmara é outra.

— V. Ex.ª há de me permitir...

— Qual, doutor! Se o senhor tem esses papéis, deve mandá-los para o governo central. Vou falar ao seu chefe para mandar tudo isso para o Arquivo Geral da Nação. É a ele que compete guardar coisas do Senado e da Câmara. Mande-os quanto antes.

O funcionário caiu das nuvens e nada disse. Ainda rondou a suprema autoridade pela repartição; dado momento, perguntou, olhando uma vitrine:

— Que vara é aquela?

— É uma vara de almotacé![249]

— Isto não deve estar aqui.

— Por quê, Ex.ª?

— Por quê? A Igreja não está separada do Estado? Aquilo é negócio de padre, de procissão... Mande já tudo para o cardeal.

Após tomar tão sábias medidas, o presidente saiu e continuou com as suas boas intenções a assinar os decretos que o esperavam sobre a sua mesa.

Uma anedota[250]

Na legislatura passada, quando chegavam ao auge as proezas e violências do Dudu e o seu amigo Pinheiro, foi um dia anunciado que o sr. I. Machado falaria. Os populares se moveram e, apesar das ameaças dos cacetes e navalhas dos secretas e capangas, encheram as galerias. O parlamentar tomou a palavra e, em breve, desandou uma formidável catilinária em ambos.

Disse dos dois o que Mafoma não dissera do toucinho.

O senhor Pinheiro Machado — pronunciou o orador em certo ponto do seu discurso — está habituado a governar alimárias e pensa que o somos também. Nero, aquela crueldade, feito imperador de Roma, também se picava do bom cocheiro. A aproximação é eloquente... Não se compreende, senhor presidente, que este povo brasileiro se deixe assim governar como uma parelha de caminhão; que consinta que os mais baixos temperamentos de sua raça subam ao poder e deem expansão às suas inclinações de magarefe, de almocreve e senhor de senzala.

Apesar dos capangas e dos cacetes, os populares das galerias desandaram em palmas entusiásticas.

O orador continuou:

Senhor presidente, temos visto dominando povos a espada que vai à guerra, a astúcia que domou as feras ao tempo que o homem era fraco diante da força delas, a coragem, a inteligência, o saber, a beleza; mas nunca se viu dominando, esmagando, comprimindo um povo, o laço do domador de potros associado ao pontaço do sangrador dos matadouros. Era preciso que...

Houve palmas nas galerias, e o presidente da Câmara, conforme tinha ameaçado anteriormente, mandou que os polícias evacuassem as arquibancadas.

O orador continuou e terminou o seu interessante discurso tão somente para os seus pares, para os gordos funcionários da Câmara, sem esquecer no meio destes os serventes e contínuos.

Desceu da tribuna e foi muito cumprimentado. Um dos deputados disse-lhe ao ouvido:

— Irineu, estiveste feroz com o Pinheiro. Não é do trato... Ele fica zangado...

— Ora! Dirás a ele que não se apoquente... Estamos nas vésperas da reeleição... É para uso externo.

— Assim mesmo, ele se aborrece.

— Qual! Eu já lhe tinha mandado dizer que hoje ia dobrar a parada... Ele já está prevenido.

Separaram-se e ainda vieram até à janela ver como os populares levavam pancada dos capangas, da polícia, a mais não poder.

Houve quem dissesse:

— Este povo é muito burro...

— Por quê? Porque leva pancada?

— Não; porque acredita no Irineu.[251]

A nova glória[252]

Quando morreu o grande estadista Vicente, logo todos os espíritos do reino começaram a se preocupar com a pessoa que devia substituí-lo.

Vicente tinha feito grandes e meritórias obras de alcance incalculável e era justo que todos se esforçassem para encontrar um digno substituto para ele.

Damas da corte, ministros, velhacos, doutores, agiotas, agricultores, todos tinham o seu candidato.

Um queria o Jagodes porque era alto; outro queria o Zeca porque dançava bem; outro ainda desejava o Chico porque entendia de música; afinal foi achado o Maneco, que teve por si o grande título de ser mais ou menos ruivo.

Todo o reino exultou com a escolha e ele foi encarado como substituto eficaz de Vicente.

Esse reino é vasto e pouco povoado. É dividido em várias satrapias[253] que se guerream entre si. De onde em onde, uma delas se arma até aos dentes e parte em guerra contra a vizinha. As damas de uma e outra se vestem de branco, põem uma cruz vermelha ao peito e dispõem-se a ir curar os feridos. Chama-se isto patriotismo regional e ele é cultivado e cantado por literatos e poetas de fama. Muitos espíritos, porém, protestavam contra tal coisa e esperavam que Maneco resolvesse essa enfermidade do reino.

Maneco prometeu que iria tratar dos casos vitais da nacionalidade e havia de resolvê-los eficazmente.

Fez um discurso a respeito que foi impresso em papelão para ter mais volume e intitulou-o: "Problemas vitais".

Todos gabaram a obra e ele entrou para todas as sociedades sábias da terra.

Neste ponto, ele já se parecia com Vicente. Restava o resto, isto é, a ação política.

Esperavam todos por ela, quando certo dia a *Gazeta do Reino* publicou o seu primeiro grande ato. Ele tinha nomeado embaixador do Reino junto a uma nação vizinha, por trinta dias, uma das notabilidades da nação.

Houve quem dissesse: este Maneco é o Vicente das nomeações; mas a gritaria dos jornais não permitiu que todos vissem a insignificância do ato.

E o homem continuou a ser encarado como perfeito substituto do falecido estadista.

Vieram os dias que se passaram, e nada de Maneco fazer qualquer coisa de novo.

Um dia, porém, os jornais anunciaram a seguinte grande obra do homem: Maneco vai viajar acompanhado de vários rapazes pelos países amigos.

Foi, voltou e continuou a ser um digno substituto do grande Vicente.

Era preciso...[254]

O seu medíocre desejo era subir, fosse como fosse; e entendia por isso fazer-se deputado, embora não tivesse uma qualquer ideia política ou social a propor, tornar-se membro desta ou daquela sociedade sábia, embora não tivesse demonstrado qualquer forma de sabedoria.

Fora sempre esse o seu sonho, a sua ânsia, ânsia semelhante à daquele que quer ter fortuna sem ganhá-la no comércio ou na indústria ou mesmo na loteria.

Pensou em distinções marcadas, estabelecidas, carimbadas e fez-se doutor. Há um milhão de doutores de toda a sorte, dentistas, agrimensores, engenheiros, calistas, médicos, advogados e mesmo os da Escola Normal; ele, porém, feito doutor, já se julgou mais alguma coisa, por ter obtido tão corriqueira distinção.

Ainda assim não era bem subir, mas já era qualquer coisa. Precisava mais e tratou de cercar-se de amigos para transformá-los em admiradores.

Quando, por intermédio destes, conseguia outros mais poderosos, abandonava aqueles e explicava assim o abandono:

— Não os posso suportar! São umas bestas! Eu, um sábio! E os novos e os antigos convenciam-se cada vez mais de que o homem era mesmo um portento. Graças à complacência dos alfaiates, viu-se razoavelmente vestido, imaginou-se um Apolo de palmo e meio, e levava a gritar pelas esquinas:

— Eu sou um mármore de Praxíteles![255] Tenho todas as proporções das estátuas clássicas.

Os amigos ou aqueles que precisavam da sua estulta audácia, para arranjar qualquer coisa, ecoavam:

— O Quitério é mesmo o Apolo de Belvedere![256] O seu corpo respeita o cânon escultural do v século da Hélade imortal![257] E o seu espírito... E os ritmos novos!

Mas não falavam na voz, pois os mármores não falam e ele era mesmo de mármore, sem ser esculturado.

Houve, porém, quem julgasse que o rapaz não era nenhum mármore grego do v ou IV século nem tampouco sábio, como afirmavam os seus amigos.

Ele, entretanto, continuava a fazer a sua *tapage*,[258] a não conceder mérito a ninguém, senão quando se tratava daqueles que tinham influência e poder.

A sua preocupação primordial era saber o que tal ou qual pessoa podia na vida, então o mármore se curvava reverente e submisso; e, se acontecia tratar mal a um cujo valor social não medira bem, logo passava ao extremo oposto sem transição.

Assim, vivendo deste para passar àquele, depois abandonar, se era conveniente, ia subindo, como é de costume dizer-se.

A subida, porém, não lhe pareceu vertiginosa e muito menos segura; e ele tratou de ver de que forma os outros se tinham firmado bem nas posições que adquiriram. Examinou as nossas assembleias e câmaras. X tinha matado a mulher; B armara uma emboscada nas eleições e matara dois; L tinha matado um rival animoso com auxílio de capangas; Z matara a tia; H respondia a júri por ter mandado assassinar um seu competidor eleitoral etc. etc.

"Não há dúvida", pensou ele, "eu devo matar, para ficar garantido."

Armou-se, e ao primeiro desafeto que encontrou, sem mais aquela, deu-lhe uns tiros que o prostraram sem vida. Hoje, está firme na vida e, de quando em quando, ao lembrar-se do incidente, diz: "Era preciso...".

Faustino I[259]

Lendo à toa um dicionário biográfico, temos às vezes surpresas bem agradáveis e revelações inéditas.

Há dias folheando o velho *Dicionário dos contemporâneos*, de Vapereau,[260] encontrei a biografia de um curioso imperador do Haiti, Faustino I, mais conhecido por Suluque.[261]

Não sei o que de atual descobri na sua vida que não me posso furtar ao desejo de comunicá-la aos leitores, em largos traços. Se a história se repete, as biografias dos seus grandes homens também. Vejam só.

Suluque era general de divisão em 1846, quando uma moléstia súbita prostrou sem vida o presidente da república haitiana, Riché. Dividiu-se a opinião entre dois candidatos, os generais Souffrau e Paul, e o Senado, a fim de sair-se do embaraço, escolheu um terceiro general, Suluque, escolha que ninguém esperava.

Cheio de medo, o futuro Faustino I tomou as rédeas do governo.

Tímido em excesso, seguro de sua ignorância, foi no começo dócil aos bons conselhos; mas bem depressa as suas superstições africanas e falta de cultura se mostraram patentemente nos seus atos.

Tornou-se, por isso, objeto de risada para as pessoas esclarecidas do país e um jornal, *Folha do Comércio*, tendo ido, por intermédio de um dos seus colaboradores, mais longe na crítica, foi sequestrado e o autor do artigo, Courtois, apesar de senador, condenado à morte.

Daí em diante, Suluque não viu por toda a parte senão conspiração e, em certo dia, fez tocar alarme e proceder à matança indistinta de todos aqueles que ele julgava seus inimigos.

Seguido de sua guarda, dias depois, foi para o interior da ilha e continuou o Saint-Barthélemy.

Voltou triunfalmente à capital e uma "súplica humilde" do povo às câmaras fez com que estas o aclamassem imperador.

Suluque tomou o nome de Faustino I, instituiu uma família imperial, criou uma nobreza e atribuiu-se uma lista civil de 800 mil francos, cerca de um sétimo da renda total do país.

No ano seguinte, fuzilou sem dó nem piedade os mais proeminentes membros do partido que o elevava à dignidada imperial.

Teve azedas questões com os grandes dignitários de sua corte, entre os quais Bobo, príncipe e ex-forçado.

Durante toda essa sangrenta palhaçada, Faustino não cuidou de um só melhoramento público, deixou arruinarem-se os que havia, foi derrotado pela república vizinha de São Domingos e empregou os soldados do seu exército na exploração de suas plantações de café e cana-de-açúcar. Tratava de matar e fingir de imperador.

Não podendo o Haiti rir-se dele, porque Faustino cortava cabeças sem dó nem piedade, a Europa riu-se a valer desse soberano durante anos. Destronado em 1859, morreu em 1867.

É bem bom ler-se a esmo um dicionário biográfico...

O rico mendigo[262]

Não sei como vos conte a coisa. A história passou-se em sonho, creio eu. Sonhei uma noite destas que tinha encontrado na rua um senhor cheio de brilhantes, cheio de roupas, bengala de castão de ouro, botinas das mais finas, que me estendeu a mão:

— Uma esmola, pelo amor de Deus!

Admirei-me de tal fato, espantei-me e lhe dei a esmola. Ia seguir o meu caminho, quando o mendigo bem-vestido me chamou e disse-me:

— Venha cá, por favor.

Voltei e ele me convidou a ir a uma confeitaria. Houve da minha parte novo espanto. Como é que o homem me pedia uma esmola, a mim, de recursos reduzidos, cheio de "encrencas" na vida, e, minutos após, convidava-me a beber em uma confeitaria? Fui ao bar mais próximo e ele, sem mais delongas, explicou-se:

— Deve o senhor admirar-se de que eu, bem-vestido, com joias, com bengala de luxo, com um Patek[263] no bolso, lhe tivesse pedido uma esmola. Eu lhe explico.

Fez uma pausa, sorvemos alguns goles de cerveja e continuou:

— Sou rico e digo isto a todo o mundo. Moro em uma grande casa, tenho lindos e caros móveis, tenho alfaias, tenho carros, tenho numerosa criadagem, tenho um banheiro que é uma verdadeira terma romana e custeio tudo isto sem o menor esforço; mas peço esmolas.

— Por quê?

— Porque quero ganhar mais e mais. Peço até aos meus irmãos mais pobres, mesmo àqueles que vivem com dificuldades. Quero sempre ter mais, ganhar mais, para proclamar a todos a minha riqueza; e as esmolas me servem para as despesas miúdas. Às vezes até, elas me proporcionam especulações felizes.

— Mas quem é o senhor?

— Não sabe? Eu sou o Café.

Projeto de lei[264]

Um belo dia, na Câmara dos Deputados de certo país, um dos seus augustos e digníssimos representantes, ergueu-se e pediu a palavra:

Meus senhores. A pátria está em perigo; o Tesouro está exausto; os recursos da nação estão esgotados.[265] Urge que tomemos providências, a fim de evitar a bancarrota. O que mais pesa no nosso orçamento são os funcionários públicos. É preciso acabar com essa chaga que corrói o organismo do país. Eles podem muito bem ir plantar batatas. Se ainda não fiz o mesmo, como aquele general romano chamado Cincinato, é porque não arranjei algumas centenas de contos, para comprar uma fazenda rendosa, onde eu pegasse a uma enxada e fosse agricultor.

Mas não há funcionário público por aí que não o possa fazer.

É-lhes fácil obter isso, como me é difícil, porquanto eu tenho relações com os banqueiros e eles não têm. Devemos tirar da agricultura a base da nossa vida; é o que eu sempre aconselho aos outros, a todos, principalmente àqueles que me pedem empregos.

Dizem que árdua é a vida, mas isso é quando se trata de pequenos agricultores, para os quais não peço auxílio algum. Sou pelos grandes latifúndios, pelas vastas propriedades, que podem sustentar grandes famílias na opulência.

Sendo assim, tenho a honra de apresentar à consideração dos meus pares o seguinte projeto de lei:

Art. 1º — É o governo autorizado a emprestar aos bancos acreditados até à quantia de 200 mil contos, para auxiliar os cultivadores de tâmaras.

Art. 2º — Revogam-se as disposições em contrário.

O deputado sentou-se e foi muito cumprimentado.

O projeto passou, o dinheiro foi emprestado aos bancos, que, no prazo marcado, pagaram ao Estado em títulos do próprio Estado, comprados na praça com abatimento de vinte por cento.

Ainda hoje, o deputado se gaba de ter protegido o cultivo das tâmaras no país, que ele estima e venera.

Firmeza política[266]

Bentes, professor de Anófoles, é, como toda a gente sabe, de uma firmeza política a toda a prova.

Tem dado disso as mais bastas provas que correm mundo e estão na boca de todos.

Uma delas foi a que se conta aqui. O pastor presbiteriano Alpido era senador e chefe supremo da política da província dos Cocos. Como tal, Alpido gozava da estima de Bastos, prestando aquele a este todo o apoio.

Veio, porém, a presidência de Bentes, e o dr. Melro, amigo do presidente, tantas fez que se meteu na política dos Cocos.

No começo, Melro e Alpido se harmonizaram, mas bem depressa se desavieram por questão da apresentação de novos deputados.

Alpido queria Bernardo, Chico e Juca; Melro queria Alfredo, Mané e Totó.

Não houve meio de harmonizá-los, e Alpido correu a implorar o poder excepcional de Bastos:

— Não tenha medo, reverendo. O Melro não arranja nada. Você continua na chefia dos Cocos.

O pastor presbiteriano ficou contente e foi para a casa, disse missa no seu templo; mas... veio a saber que Melro partia em guerra para o estado. Que fez? Tratou também de ir.

Bastos soube e disse:

— Não vá. Preciso que fique para você oficiar por ocasião de um parente meu. Fique você certo que não acontece nada.

O pastor não foi e ficou quieto cá na grande cidade, confiante nas palavras de Bastos.

O dr. Melro chegou a Cocos, levou tudo de vencida, fez quantos deputados quis e deixou o pastor a ver navios.

O mais engraçado, porém, é que Alpido não brigou com Bastos. Ficaram até mais amigos.

Cincinato, o romano[267]

Todos os compêndios de história romana não se fartam de gabar as virtudes e a austeridade de vida desse famoso ditador.

Contam mesmo que, em uma das duas vezes em que foi escolhido pelo povo para ditador, os eleitores o encontraram arando ele próprio o seu campo.

Washington, que o imitava muito, chegou a criar uma ordem com o nome do ditador romano, para galardoar os altos serviços que os oficiais e praças do Exército da Independência dos Estados Unidos prestassem à causa que defendiam.

Cincinato foi ditador pelo v século antes de Jesus, portanto há cerca de 25 séculos que essa sua fama dura.

Um sábio alemão, porém, acaba de destruí-la por completo.

O sr. Karl von Bielgler, professor da Universidade de Bonn, baseado em documentos descobertos na Dácia (Romênia), como sejam inscrições e mesmo fragmentos de manuscritos, fixou definitivamente a fisionomia de Cincinato.

Começa o professor von Bielgler por estabelecer, com as mais sólidas provas, que o ditador nunca pegou na rabiça de um arado. Essa tradição vem, diz ele, de falar sempre o poderoso patrício romano, quer no Senado, quer em outros comícios, em causas de agricultura.

Aconselhava sempre a todos que se dedicassem a ela, levava para o Senado a miniatura de uma charrua,[268] que punha a seus pés, quando se sentava na curul.[269] Além, como se sabe, os senadores romanos tinham o dever de ter seus clientes. Eram destes patronos e distribuíam todas as manhãs dez sertécios — a espórtula — o que equivale, mais ou menos, na nossa moeda, a 1$600.

Juvenal,[270] que foi um grande satírico, viveu durante muito tempo da espórtula[271] e descreve como se a recebia, com amargor extraordinário.

Cincinato, sendo senador, tinha que atender a esse curioso costume e aborrecia-se muito por isso, quando recebia os seus clientes gritava:

— Plantem couves! Dediquem-se à agricultura!

Por essas e outras é que ele passou como sendo um amador da agricultura, mas de fato pouco pisava nas suas terras, deixando-as entregues aos escravos e libertos.

O dr. Karl von Bielgler diz que a tal lenda de terem os eleitores, quando o foram chamar para ditador, encontrado a arar em pessoa o seu campo, bem pode ter sido um ardil dele para impressionar a plebe romana.

O que é certo é que ele gostava muito de fazer o Senado votar subvenções aos federados e tudo faz crer que já, naquela data, ele tinha ideias de banco e especulações bancárias, pois há disso bastas provas nos documentos descobertos.

É em resumo o que nos conta o professor de Bonn, na acreditada revista alemã *Universum*, no artigo que tem o título simples de "Cincinnatus".

O ideal[272]

Assim que Irene soube que a sua amiga Inês se havia casado, imaginou logo que o tivesse feito com um grande poeta, uma jovem notabilidade.

Irene estava em Paris há muitos anos e raramente se correspondia com sua amiga, de forma que não podia fazer um juízo certo de quem fosse o marido de Inês.

Entretanto, sabia aquela das ideias de casamento de sua antiga colega.

No colégio em que ambas cursaram, quando tratavam desse assunto palpitante para o coração das moças — o casamento —, era hábito de Inês dizer à amiga:

— Eu me hei de casar com um grande poeta.

Ao que a amiga respondia:

— Esta gente não serve para marido; são estroinas, volúveis...

— Qual! Nem todos... E mesmo que assim seja, eu quero que o meu nome corra mundo junto ao nome do meu marido...

Moça feita, Inês sempre se interessou por essas coisas de letras e seguia todos os poetas que surgiam, com vagar, ardor e uma ingênua admiração.

Conferência deste ou daquele não era anunciada que lá não estivesse; aos salões da literatura elegante e decorativa, estava sempre presente.

Muitos esperaram dela uma literata e houve um ironista que a crismou mesmo de próxima futura poetisa ou... romancista.

Tudo isto fez ver à sua amiga Irene que ela se houvesse casado com um jovem poeta de grande talento.

Aconteceu que o marido desta última, com medo dos azares da guerra, deixasse a sua residência em Paris e viesse para o Rio.

Logo que as duas se avistaram, Irene imediatamente perguntou pressurosa:

— Já vi que o teu marido é um grande poeta.

— Não; é campeão do *football*.

A fraude eleitoral[273]

Desde muito que várias personalidades da República, próceres de vários partidos e facções que se propunham salvar a pátria, mediante medidas inócuas ou simplórios cortes sistemáticos na arraia-miúda; desde muito, dizíamos, que várias personalidades se reuniam para resolver o problema da verdade eleitoral.

A comissão, como fazia há seis anos, se congregou naquela tarde para apresentar ideias tendentes a obter da exata manifestação das urnas a legítima representação nacional.

O senador Brederodes apresentou as suas ideias, o seu colega Marcondes as suas opiniões; Machado Malagueta aventou alguma coisa; enfim toda a comissão trabalhou a valer, e os alvitres mais sutis, mais severos, mais saudáveis, foram sugeridos para que a fraude fosse evitada nas eleições federais.

Despediram-se amáveis, sorridentes. E, ao famoso "secretário" da comissão, o oficial da Secretaria do Senado, Raide, pareceu que, daquela confabulação, ia sair obra de grande valia e alcance.

O seu desgosto, ao supor isto, era de não poder ele também assinar o projeto. Seria a imortalidade...

Brederodes, que era econômico, desceu a pé até às ruas centrais. Atravessou o Campo de Santana apreensivo.

Chegou à chapelaria Watson e encontrou logo o seu adepto Fulgêncio, deputado desconhecido.

Falou-lhe este com todo o respeito devido ao chefe supremo do seu partido.

— Como vai Vossa Excelência?

— Não estou bom hoje, Fulgêncio.

— Por quê?

— Aborreci-me no Senado, na reunião da comissão.

— Que houve?

— Escuta aqui.

E trouxe o seu asseclas para um canto.

— Aquele canalha do Malagueta parece que anda de mãos dadas com o Dourado e os meus adversários no estado.

— Por quê?

— Não é que ele propôs que, na reforma eleitoral a fazer-se, não houvesse voto cumulativo? Estou derrotado...

Enquanto isso se passava, Malagueta, que viera de bonde, já se havia encontrado com a mulher e as filhas em uma confeitaria. Uma destas lhe disse:

— Papai parece que está contrariado.

— Pudera!

— Que houve, Chico? — perguntou-lhe a mulher.

O tratante do Marcondes propôs na comissão que só houvesse um deputado por distrito e que estes fossem equivalentes ao número de deputados que cada estado dá.

— Que tem?

— Que tem? É que não faço nem quatro lá na nossa terra...

Marcondes não ouviu certamente o tratamento que lhe deu o seu amável colega, mesmo porque ele tinha corrido do Senado para a casa de uma adorável criatura, a Manon, francesa nascida nos arredores de Varsóvia.

— Marcondes não está bom hoje — disse-lhe esta.

— É verdade. O patife do Brederodes propôs medidas que acabam com as atas falsas nas eleições.

— Que tem isso?

— É que, se eu assinar o projeto, o Juca, o chefão, não me reelege.

O projeto, como era de esperar, não foi apresentado ao plenário, e a comissão ainda estuda os meios eficazes de acabar com a fraude eleitoral.

As teorias do dr. Caruru[274]

O sábio dr. Caruru da Fonseca despertou naquele dia com o humor igual com que despertava em todos os outros.

Mme. Caruru ainda ficou na cama, muito certa de que a Inácia daria o café ao seu ilustre marido. Era este uma sumidade em matéria de psiquiatria, criminologia, medicina legal e outras coisas divertidas.[275]

Tinha, na nossa democracia, por ser sumidade e doutor, direito a exercer quatro empregos.

Era lente da Escola de Medicina, era chefe do Gabinete Médico da Polícia, era subdiretor do Manicômio Nacional e também inspetor da Higiene Pública.[276]

Caruru tinha mesmo publicado várias obras, entre as quais se destacava *Os caracteres somáticos da degenerescência*[277] — livro que fora muito gabado pelo estilo saborosamente clássico. Um crítico disse:

> O milagre que, no seu livro, conseguiu o dr. Caruru obter, foi exprimir ideias e concepções modernas com a sã e enérgica linguagem dos quinhentistas e mesmo dos seus antecessores. Seguiu, portanto, André Chénier, que desejava fazer poesias modernas com versos antigos. Cito de memória. Não há como louvar etc.

Caruru, como esperava a sua dorminhoca mulher, foi logo servido do café pela dedicada Inácia e não tardou que lhe viessem os jornais.

Leu o primeiro que lhe caiu sob os olhos e quase teve um ataque quando deu com um "controlava".

— Que gente! — disse de si para si. — Estão a esbodegar esta maravilhosa língua.

Apanhou outro, desprezou a parte política e correu ao noticiário policial. Deparou-se-lhe a seguinte notícia:

Ontem, ao atravessar a avenida Central, foi acometido de um ataque o pintor Francisco Murga, morrendo repentinamente. Murga, que era ainda moço, pois contava pouco mais de trinta anos, estreou-se com grande brilho há uns dez anos passados, tendo obtido o prêmio de viagem[278] e tudo fazia crer que ele continuaria a dar-nos obras-primas, ou quase isso, como foi o seu primeiro quadro, *O banzo*.[279] Entretanto, tendo se entregado à mais desordenada boemia, tal não fez, embora não deixasse sempre de produzir etc. etc.

O dr. Caruru exultou. Que caso! Devia ser um exemplar típico de dipsomaníaco, de degenerado superior e ele, o doutor, como chefe do Gabinete da Polícia, ia ter o seu cadáver às ordens, para bem verificar as suas teorias mais ou menos à Lavater ou Gall.[280] A diferença entre ele e estes dois últimos é que Caruru encontrava seguros indícios do caráter, da inteligência etc. dos indivíduos em todas as partes do corpo.

O doutor pediu mais uma xícara de café e não se pôde conter:

— Gertrudes! — gritou para a mulher. — Tenho hoje um caso excelente.

A mulher apareceu em trajes matinais e ele narrou toda a sua alegria.

Caruru vestiu-se e correu à faculdade. Aos primeiros estudantes que lá apareceram, Caruru os convidou para irem ao necrotério verificar a certeza das asserções que fazia no seu célebre livro, escrito no estilo de Rui de Pina[281] e, por pouco, que não o era no da *Notícia de partiçam*.

Foram estudantes de medicina, de farmácia, de dentista e até uma dama que estudava para parteira.

Chegado que foi ao necrotério, o dr. Caruru armou-se de uma bateria de compassos graduados, de uma porção de réguas, de todo um arsenal de instrumentos de antropométrica e começou a preleção diante do cadáver:

— Meus senhores. Estamos certamente diante de um caso típico de degenerado...

A sua linguagem falada era diferente da escrita. Ele escrevia clássico ou pré-clássico, mas falava como qualquer um de nós.

— O indivíduo que está aqui, bêbedo incorrigível, vagabundo, incapaz de afeições, de dedicações, vai demonstrar com as injeções que lhe vou fazer, a verdade das minhas teorias. Vejamos os pés...

Caruru armou-se de uma das tais réguas, enquanto um servente chorava. Aplicou-a aos pés do defunto e, pouco depois, exclamou triunfante:

— Vejam só! O pé direito mede quase mais um centímetro que o esquerdo. Não é o que eu dizia? É um degenerado! Essa assimetria dos pés...

O servente que chorava interrompeu-o:

— Vossa Excelência só por causa dos pés do senhor Murga não pode dizer isto. Ele não nasceu assim.

— Como foi então?

— Fui seu amigo e devo-lhe muitos favores. Eu conto a Vossa Excelência... "Seu" Murga teve um tumor no pé direito e foi obrigado a andar com chinelo num pé, durante cerca de dois meses, enquanto o esquerdo estava calçado. Naturalmente aquele aumentou enquanto o outro ficava parado. Foi por isso.[282]

O anel de Perdicas[283]

O reino não era completamente independente, mas era quase como se assim fosse. Dependia do Império em tudo que tocasse as relações com os países estrangeiros e não podia ter exército próprio.

O rei não era escolhido por força da primogenitura. Alguns sujeitos avançados tinham mostrado a desvantagem do filho suceder ao pai no trono, e resolveram que o herdeiro fosse indicado por uma assembleia de notáveis, a que chamaram — a Dieta.

Governava nesse tempo o reino El-Sulida, príncipe velho, de pouca barba, curto de pernas, rico de muitas fazendas, que desejava do fundo da alma povoadas [sic] de escravos.

Sulida tinha encaminhado bem os filhos nos cargos do reino e do Império e vivia, a contento de todos, distribuindo governo mais ou menos com sabedoria.

Além do desgosto que lhe ia na alma por não ter mais escravos negros nas suas propriedades agrícolas, um dos seus pesares íntimos era não passar ao filho o trono que ocupava.

Ninguém suspeitava dessa sua mágoa secreta, por isso todos diziam que Sulida era um príncipe perfeito, respeitador das leis e desejoso da igualdade de seus povos, porque, se bem que aquilo lá fosse reino, era legal que ninguém tivesse privilégios.

Uma bela manhã, fosse devido à idade avançada do soberano, fosse devido a outro qualquer motivo, el-rei Sulida amanheceu muito doente e os médicos que foram chamados declararam que o príncipe poucos dias tinha de vida.

Os seus ministros trataram de reunir logo a Dieta, para que ela escolhesse o sucessor.

Reunida a tal Dieta, não chegaram os seus membros a acordo algum. Todos eram candidatos, de modo que ninguém podia escolher o sucessor de Sulida, a não ser que o sucessor fosse o próprio eleitor, isto é: o desejo de cada um era votar em si mesmo.

Resolveram então apelar para a assembleia das cidades e vilas, isto é, para uma convenção maior, composta de representantes de todos os municípios do reino.

Reuniu-se essa convenção, mas não chegaram a acordo algum, após temíveis bate-bocas. Afinal, no fito de conciliar as várias correntes da política do reino, concordaram em deixar a escolher ao alvitre do soberano moribundo. Foram a ele a falaram-lhe. Ele respondeu:

— Quem deve ser o rei é o Sancho.

Foi geral o espanto. Poucos conheciam esse Sancho e ninguém atinava com o motivo da escolha. Afinal vieram a saber que o obscuro Sancho estava noivo ou coisa parecida da filha de Sulida.

Está aí como um bom pai de família procede: não podendo deixar o trono ao filho, deixou-o ao futuro marido da filha.

Houve muito barulho no reino, apesar de não dizerem os cronistas se Sancho casou-se mesmo com a princesa, filha de Sulida.

O congraçamento[284]

A cidade de L. era uma cidade muito pobre que vivia sempre a pedir dinheiro emprestado, usando de expedientes dignos dos mais célebres "facadistas" de rua.

Dinheiro depositado nos cofres, era dinheiro sumido e ninguém sabia para onde ele ia.

Entretanto, para servir aos interesses do chefe político Leitão, a sua municipalidade possuía um exército de funcionários e até os seus vereadores eram pagos regiamente.

Justificava-se esse pagamento pela carência absoluta de homens ricos que quisessem ocupar os lugares de edis, de modo que só os pobres concorriam a eles e precisavam do subsídio para manter-se.

Como esses pobres tivessem muitos parentes, naturalmente também pobres, os vereadores tinham necessidade de colocar os filhos, sobrinhos, primos, netos, genros etc.

Para isso, não encontravam outro caminho senão criar lugares na secretaria do conselho e o faziam com abundância e tenacidade.

A cada conselho novo correspondia nova reforma na secretaria e a criação de mais meia dúzia de oficiais, amanuenses, redatores de debates, taquígrafos etc., e de tal forma que a Câmara Municipal de L. veio a ter mais empregados na sua secretaria que o Senado e a Câmara federais nas deles.

Lembrem-se bem de que esses dois últimos corpos legislativos não são parcimoniosos em tal assunto, embora estejam sempre dispostos a censurar a burocratomania do Executivo e do Judiciário.

Não havia, portanto, Câmara Municipal mais homogênea e unânime, conquanto seja da essência das assembleias a heterogeneidade de opiniões dos seus membros.

As suas sessões eram marcadas, regradas, como cenas de opereta, e traíam o ensaiador, o contrarregra e outros úteis auxiliares de peças de teatro.

Aconteceu um dia que o chefe dos chefes políticos do país, uma espécie do falecido general Pinheiro Machado,[285] veio a falecer e Leitão perdeu consequentemente todo o prestígio, pois não tinha outro senão aquele que lhe emprestava o tal chefe dos chefes.

Logo que tal fato se deu, os fabricantes de delegados do povo se insubordinaram e os vereadores de L. começaram a palpitar qual deles seria o mais poderoso. Um tratou de agradar Cunegundes; outro namorou Bernardino; um outro requestou Bertoldo; e todos brigaram entre si.

O fato é que as sessões que eram até aí harmoniosas como as representações de óperas, passaram a ser um charivari de todos os diabos.

Houve bate-bocas terríveis e descomposturas de mercado.

Toda a gente imaginou que o diabo tinha entrado no corpo daquela gente, mas logo se soube a explicação natural da profunda desavença que surgiu entre os vereadores de L.

Aproximava-se a terminação da sessão ordinária e cada um dos edis desejava a prorrogação em extraordinária, para poderem vencer o respectivo subsídio.

Estavam todos brigados e houve temor de que o respectivo projeto não fosse aprovado.

Um mais ousado, porém, apresentou-o e, ao contrário da expectativa, a coisa passou por unanimidade.

Estava feito o congraçamento dos partidos.

Nós! Hein?[286]

— Quando eu fui amanuense da Secretaria de... — contava-me um amigo —, certa vez aconteceu-me um fato bem interessante. Era tido eu como empregado vagabundo, relapso e, como particular, poeta e boêmio, de modo que eles me preteriam em toda a vaga de promoção que se viesse a dar. No começo, exasperei-me; mas, no fim, conformei-me, e fiquei ainda mais relapso e vagabundo. O diretor era o conselheiro Flores Teles, que vinha do tempo do Império: e também era, talvez, o funcionário público mais antigo da República. Não tinha faltas, nem licenças; era pé de boi. Entrava às dez e saía às três. Quando ele fazia anos, havia zumbaias na Secretaria: quando completava 45 anos de serviço — bumba! —, festanças, discursos; quando era aniversário de sua entrada na secretaria, festas; de modo que ele andava no noticiário dos jornais, durante o ano inteiro, e toda a gente pensava cá fora que fosse mesmo uma sumidade. Concorri várias vezes para a sua glória, pois mais de uma vez fiz-lhe discursos por ocasião dos seus variados aniversários; mas isso não impediu que...

— Engrossava? — perguntei eu.

— Talvez — respondeu-me o camarada —, mas não a ele, certamente a meu chefe de seção que era meu amigo: escondia-me as faltas. Um belo dia, o conselheiro que parecia não querer morrer, adoece e morre. Eu tinha deixado de ir à repartição, durante os primeiros dias de sua moléstia, porque sabia que não me seria descontado nada; mas cansando-me de vadiar, certa manhã cismei e fui. Despertei muito tarde e só tive tempo de lavar o rosto, mudar o colarinho e ir para lá. Entrei e, logo que penetrei nas seções, tive a impressão de que havia alguma coisa de anormal. Grupos de empregados cochichavam; outros estavam de luto fechado; o substituto do diretor, quando entrou, veio envolvido numa respeitável sobrecasaca e deu-nos bons-dias com uma cartola imprevista, na sua habitual modéstia. Soube afinal que tinha morrido o conselheiro e todos faziam roda em torno do seu imediato, lembrando providências: carros, coroas, comissão etc. Um lembrou: é preciso escrever alguma coisa no livro do ponto. É verdade, acudiram todos. Quem escreve? Lembraram o dr. Aldovrando, bacharel tido como pessoa competente da redação de mensagens e outras difíceis peças oficiais; o dr. Aldovrando, porém, excusou-se, porquanto tinha muito serviço. Lembraram em seguida o dr. Samuel Ponte, cirurgião-dentista, que acabara o seu curso de medicina. Como o dr. Aldovrando, o dr. Samuel excusou-se porque não era dado a essas tolices e futilidades de literatura. Ele só cuidava de ciência e até hoje eu estou à espera dos seus trabalhos a tal respeito. Foi quando alguém se lembrou de mim, cuja disposição para isso era nenhuma. Acedi, sentei-me a uma mesa e redigi o rascunho. Reli, emendei e vi que a coisa não estava má.

— Como era?

— Não posso me recordar aqui, mas tenho a coisa num retalho do *Diário do Congresso*.

— Aí?

— É verdade. Explico-me. No dia seguinte ao do enterro, o senador P. solicitou da sua câmara a inserção de um voto de pesar, pela morte do conselheiro, fazendo dele, senador, as palavras do substituto de Flores Teles, na Secretaria de...

— Eram as de você, não?

— Eram.

— Engraçado!

— Você vai ouvir o resto.

— Ainda há?

— Há. Quando fui assinar o ponto, no dia seguinte, encontrei-me logo com o substituto de Flores Teles que foi logo gritando para mim: viste T., como nós fizemos figura no Senado. Nós! hein? Demos a letra!

— Que disse você?

— Eu?... Nada.

Um debate acadêmico[287]

No cenotáfio[288] acadêmico se haviam reunido vários conspícuos imortais, para tratar do termo "manicofa", usado pelo baixo povo do país.

O estudo tinha sido dividido, de acordo com a pergunta do acadêmico Kalendal Patagão, em duas partes:

a) a origem do vocábulo;

b) a sua significação;

c) autores de valor que o tivessem empregado.

A primeira parte do estudo já tinha sido iniciada, mas as opiniões divergiam.

O acadêmico Frânio Julius (descendente de Júlio César) era de opinião que "manicofa" vinha do idioma inca. Ele não sabia nada de inca, como, talvez, ninguém; mas, com auxílio da medicina legal, afirmava peremptoriamente que a palavra se originava do idioma falado pelos antigos habitantes do Peru.

A isso, com considerações tiradas do Jornini, na *Arte militar*, o general Von Bambuh era de parecer que a palavra vinha do idioma muísca.[289]

Estavam as coisas nesse pé, quando, naquele dia, os acadêmicos se reuniram no cenotáfio, para ouvir o sapiente relatório do acadêmico Ghama, homem de altas luzes e grandes posições, que opinava ser o vocábulo originário do idioma polinésico.

Como os dois seus colegas anteriores, ele ignorava esse idioma mas tinha grandes argumentos tirados das portentosas obras da baronesa de Staffe.

Foi aberta a sessão.

O presidente anunciou a ordem do dia. Nisto o acadêmico Pedroca pede a palavra pela ordem:

— Senhor presidente, eu não recebo mais dinheiro. O Halves não nos deixou a cobreira para que nos locupletemos com ela, pois...

Carlito — V. Ex.ª só agora é que viu isto?

Pedroca — Um testamento é coisa mais difícil de decifrar que a pedra de Roseta.²⁹⁰ Já os célebres juristas Artaxerxes, Anaxágoras,²⁹¹ Friné diziam...

Carlito — Deixa disso, meu Pedroca! Você deve receber mesmo a pelega. Você quer bancar o Limack? Deixa disso, meu Pedroca! Receba a pelega que não faz mal!

Pedroca — Carlito, você sabe que não morro de amores pelo Limack. Ele está por aí nos ridicularizando e atacando que nem um poeta de botequim... Não quero a pelega de cem!

Carlito — Acho que você podia fazer uma coisa: instituir um prêmio com o produto das pelegas, em um ano de sessões.

Um acadêmico — É o mesmo que receber...

Pedroca — Talvez... mas... Vou seguir o conselho do Carlito. Não recebo, mas instituo o prêmio. Está acabado.

Um acadêmico — (*em voz baixa dirigindo-se a outros*) — *Avec le Ciel*...

E a sessão foi suspensa, sendo adiada a discussão do plebismo "manicofa", para quando se anunciar.

Coisas parlamentares[292]

> *O projeto legisla para um posto, que se esqueceu de criar — o de subtenente.*
> *Na hierarquia militar ele é desconhecido.*
> Do *Jornal* de 16

Quando se anunciou que o deputado Floduardo ia assumir a tribuna, para apresentar um projeto regulando as promoções no Exército, toda a Câmara estremeceu.

Militar demissionário lido em tratadistas de coisas de militança, pontificando sobre a arte da guerra com os termos próprios e técnica, falando em balística e artilharia como ninguém, não havia quem não se embasbacasse, ao dogmatizar ele sobre plano de fogo, ângulo de sítio, fogo de enfiada, de barragem, marchas de flanco, alvo móvel e fixo etc. etc.

Trepou na tribuna arrogante e seguro de si. Começou fazendo um exórdio sobre a função das forças armadas nas sociedades modernas, sobre o papel das nossas, na história nacional: e, afinal, disse que a alma dos exércitos é a hierarquia, e esta só pode ser eficaz com uma boa lei de promoções. Entrou então no assunto:

— Senhor presidente: até hoje tem sido uma injustiça a passagem do primeiro posto para o segundo. Há decuriões que levam vinte e mais anos nesse posto, enquanto outros, em menos de cinco, estão centuriões. Sendo assim, há de se refletir tão grave irregularidade na constituição da coorte, pois, como se sabe, é esta constituída de três manípulos, formados de duas centúrias. Se os comandantes destas não tiverem a confiança dos seus subalternos, porque os perseguiram, preterindo-os, todo o edifício militar, não já da coorte, mas da própria legião, ficará abalado. Os legados e os tribunos nada poderão fazer para corrigir um tal estado de coisas. Penso que se deve considerar isso bem, porquanto os *fabri*...

Um sr. deputado — V. Ex.ª para que exército está legislando?

O orador — Para o nacional, naturalmente.

Um sr. deputado — Onde é que V. Ex.ª viu *fabri*, tribunas, no nosso exército?

O sr. presidente — Peço toda a atenção. Quem está com a palavra é o deputado Floduardo.

O orador — Como ia dizendo: porquanto os *fabri* e os vexilários...

Um sr. deputado — Isto é o exército de Roma Antiga!

Toda a Câmara ri-se e riem-se as galerias, os taquígrafos e das outras divisões do edifício chega gente para rir-se.

O deputado Floduardo não se escandaliza com a tempestade de riso que provocara. Logo que ela cessou, desce da tribuna e confidencia a um amigo:

— Li a coisa num livro; mas esqueci-me de adaptar, a ponto de não me lembrar de que não temos mais centuriões etc. Para outra vez, faço coisa mais limpa...

E acabou assim o incidente parlamentar. *Tout est bien*...

Os Kalogheras[293]

O sucesso do Polemaska Kalogheras na retumbante mobilização das tropas nacionais para a gloriosa expedição da Bahia causou pasmo a todos, inclusive o basileus Epitaphio.

Entretanto, a nós, um tal acontecimento não trouxe nenhuma surpresa, porquanto conhecíamos de há muito as virtudes guerreiras dos Kalogheras, desde o mais remoto ancestral do atual ministro que foi o fulminante Alexandre da Macedônia, cuja fama ainda enche o mundo e aborrece os meninos estudantes de história na indagação de saber se ele foi ou não foi o maior general de todos os tempos.

Os Kalogheras são originários da Macedônia e os outros gregos, inclusive Plutarco, falam neles aqui e ali, louvando-lhes as virtudes guerreiras.

Há alguns, porém, da Beócia.

Cremos mesmo que já o velho Homero, na *Ilíada*, tem um verso em que se alude a altos feitos dessa família predestinada; o certo, porém, é que, nas épocas últimas, eles sempre se mostraram guerreiros de primeira ordem. Quando os turcos conquistaram e tomaram o Império Bizantino e suas restantes províncias, os Kalogheras, não tendo a quem oferecer as suas aptidões bélicas, puseram-se a serviço dos osmanlis, pelo que os sultões respectivos deram-lhes grandes honras e muitos cequins de ouro.

Corre que, entre as proezas do Kalogheras, há a de ter ajudado a bombardear o Partenon de Atenas, feito glorioso que toda a gente atribui a sua autoria tão somente aos turcos, mas que, na verdade, nela tomaram parte muitos gregos.

Com a emancipação grega, os Kalogheras, não podendo suportar a admiração de um rei estrangeiro, imposto pela Inglaterra e pela França, emigraram, uns, e outros entregaram-se à guerra nacional de perturbar o comércio marítimo dos mares do Levante, sobretudo no do arquipélago.

As duas únicas grandes potências marítimas daquelas épocas, a França e a Inglaterra, fizeram uma guerra feroz e inumana a esses patriotas gregos, e a maioria dos Kalogheras foi morta, sem julgamento nem outra qualquer formalidade, nos navios de guerra ingleses e franceses, quando neles caíam como prisioneiros.

Uma raça guerreira dessas, em cujo sangue há certamente muitas gotas do sangue do turco combativo, não podia deixar de revelar no nosso atual ministro da Guerra, que dela descende, uma capacidade extraordinária e uma forte alegria que mal se faz inteirar, na tática e feroz, na estratégia de uma guerra civil.

Quem sai aos seus, não degenera.

Conservou o fez[294]

Não se pode deixar de admirar suficientemente o modo por que o eminente *sirdar* Ben-Zuff Kalogheras vai conseguindo de modo eficaz e rápido a eficiência do nosso Exército.

Em começo, ele estudou a disposição das forças nacionais, segundo cartas mineralógicas e geológicas.

S. Ex.ª, o *sirdar*, em chefe, é, como se sabe, muito bom engenheiro de minas.

Em seguida, continuou nas suas inovações militares e tratou da indumentária, não só dos soldados e oficiais, como da dele.

Da primeira parte, sempre os *sirdar*-ministros tiveram o cuidado de tratar como dos primeiros atos dos seus ministérios, por isso que julgaram sempre que, mudando o hábito, faziam mudar o monge; da segunda, entretanto, eles nunca julgaram coisa imprescindível, mesmo quando eram oficiais.

Ben-Zuff Kalogheras, porém, achou necessário experimentar modelos em sua própria pessoa.

Primeiramente, pôs à prova um uniforme de viajante inglês em visita às pirâmides: um chapéu de cortiça e um fichu azul. Feito isto, montou num camelo. Parece coisa imprópria; mas, a muitos, pareceu o contrário.

Não contente com isto e, também, porque lhe disseram que o tal fichu era para evitar as oftalmias, produzidas pelo revérbero da luz do sol nas areias do deserto, tratou de arranjar um outro mais adequado ao Rio de Janeiro.

Encomendou a um adelo um vestuário de *cowboy* ou, antes, de vaqueiro mexicano, pelo qual mandou fazer um novo, de excelente brim cáqui.

Completo o indumento, pôs o vestuário, perneiras, um par de grandes esporas de rosetas, um chapéu cômico cheio de guizos; e foi embarcar as tropas que partiam para uma expedição. Até aí não parou a fúria do seu amor à novidade de uniformização ministerial.

Reparando que o traje de rigor, para conferenciar com o quediva-presidente, não era bastante distinto ou original, apareceu-lhe em conferência de calças brancas, sem colete, camisa à mostra e paletó de alpaca.

O quediva formalizou-se e mastigou censuras.

Por fim, disse o soberano:

— *Sirdar!*

— Alteza!

— É nesse traje que os seus amanuenses se apresentam perante V. Ex.ª, em serviço?

— Não, Alteza. Por quê?

— Por quê? Porque julguei lhe tivessem ensinado essa moda de vestuário, para falar aos superiores.

Ele, o *sirdar*, encafifou, voltou a usar sobrecasaca com fez vermelho, que ele deixava na antessala, quando ia ao despacho. Assim, sem merecer censuras, conservava a sua originalidade... militar.

Arte de governar[295]

Quando o príncipe Epi subiu ao trono de rajá de Bengabul, toda a gente exultou, porque um cidadão da América, chamado Vilsão, tinha em grande conta os seus méritos de cantor de modinhas. Ele ia fazer grandes coisas, inclusive a felicidade do povo.

Vivia este na mais atroz desgraça. Não tinha casas em que morasse e os gêneros de primeira necessidade andavam pela hora da morte. Segundo propalava, ele iria dar remédio a isso tudo e a fartura havia de reinar nos lares pobres.

Epi era pequenino e vaidoso. Mais pequeninos e vaidosos do que ele, porém, os que o cercavam. Gostavam de festas e macumba e, logo que o viram no trono, trataram de arrumar muita festança.

Depois de sua ascensão, não havia dia em que, por este ou aquele motivo, não houvesse um bródio[296] suculento.

E os seus auxiliares diziam:

— Isto é que é governo! Epi sabe governar!

Não contente com festas caseiras, tratou de arranjar outras com príncipes estrangeiros.

Chamou para visitar o país o príncipe das ilhas Aleutianas,[297] que imediatamente veio visitá-lo.

O príncipe era um rapagão reforçado e sabia remar em canoa como ninguém. Epi fez uma despesa louca para recebê-lo e em pessoa cuidou de todos os aprestos.

Durante a sua estadia no país que foi de um mês, por delicadeza, todos se calaram; mas, mesmo assim, o rajá meteu na cadeia cinco mil pobres-diabos.

Isto tudo, ele fazia para o rei ver.

Os trinta dias, em que o soberano esteve no país, foram de grossa pagodeira.

Passeios, cantorias etc. encheram o vazio da significação da visita e o povo até parecia contente.

Com esta simulação de felicidade, Epi ganhou foros de bem saber a arte de governar.

O destino do Chaves[298]

Trouxe Chaves, quando nasceu, o nome de Felismino. Seus padrinhos, a pedido dos pais, conservaram-lhe o nome do santo do dia do seu nascimento; mas acrescentaram a este, o de Felicíssimo. Veio a chamar-se, portanto, Felismino Felicíssimo Chaves da Costa.

Antes do batismo, sua mãe, senhora duplamente crente, tanto na Igreja católica como nas práticas de adivinhação e feitiçaria, mandou chamar algumas pessoas conspícuas e entendidas nestas últimas misteriosas coisas e pediu-lhes que dissessem o futuro da criança. A mãe de Chaves ainda estava de resguardo; e as "fadas" locais disseram a *"buena-dicha"* do pequeno.

Falou em primeiro lugar a Victoria, uma velha indiática, originária da raça extinta dos caetés, aqueles indígenas sacrílegos que, logo nos primórdios da colonização do Brasil, não trepidaram em cremar as carnes sagradas do primeiro bispo do nosso país, dom Pero Fernandes Sardinha.

A velha cabocla falou em primeiro lugar e com brevidade:

— Yayá, ele vai longe; vai ser grande coisa.

Disse isto, após ter feito algumas gatimonhas, caretas e cuspinhar nos quatro cantos do aposento, que ainda rescendia a alfazema.

Seguiu-se à velha índia, a não menos velha Maria Ângela, uma preta de raça cabinda, rainha do terreiro e respeitada por toda aquela redondeza, pelo poder de seus bruxedos e feitiços.

Era aparecer alguém com moléstia tenaz, queixar-se de atrasos de vida ou desgraças domésticas, todos aconselhavam *a una voce*:

— Isto, dona Dadá — por exemplo — é "uma coisa feita". Não há que ver! Por que a senhora não procura a "tia" Maria Ângela, para "cortar"?

Sendo assim famosa e respeitada, indo ler o horóscopo do infante Felismino, esperava ser a primeira ouvida. Não o foi, porém; e agastou-se. Contudo, não deixou trair o seu despeito.

Quando chegou a sua vez de deitar o vaticínio, preliminarmente fez uns passos de jongo, em melopeia horrível e profética:

— Sim, menino, meu anjinho: "vancê" será grande coisa... Mamãe é bem boa... Eu não "corta"... Mas "vancê" não será feliz naquilo que "vancê" e os seus "quisé".

A mãe não se conteve e perguntou:

— Em que será então?

A velha negra não teve tempo de responder.

"Pai" Luís, um velho preto congo, também entendido nessas coisas transcendentes de adivinhar o futuro dos outros, e que viera prognosticar a vida a vir de Felismino, apressou-se, um tanto amuado, em afirmar:

— Eu não "gunguria ningror", não "qué botá biongo" nem "Mangá"; mas eu "diz" que criança "sê macota" no que "ele" não "sabe".

Chaves fez-se rapazola e foi matriculado na Escola Militar do Ceará, porque em criança andava de chapéu armado, feito com jornal, tendo uma espada de bambu na cinta e corria pela chácara paterna, montado num cabo de vassoura. Era um bom augúrio para uma bela carreira militar...

Não acabou o curso e foi desligado por falta de pontos. Terminou, mal ou bem, aos tombos, os preparatórios, e foi mandado estudar medicina, na Bahia. Foi logo reprovado, em botânica e zoologia, no primeiro ano. Tomou então a resolução de estudar direito. Formou-se afinal. Fez-se promotor, juiz, ganhou influência na comarca. Guindaram-no a deputado. Ele viveu, na Câmara Federal, calado e, por isso mesmo, logo foi feito senador pelo seu estado natal.

Veio a governar a República o imperador Pechisbeque. Um belo dia, sem saber como, Felismino Felicíssimo Chaves da Costa deitou-se senador e levantou-se da cama ministro de Estado dos Negócios da Marinha.

Todos os horóscopos dos feiticeiros de sua terra se haviam cumprido exatamente.

Uma opinião de peso[299]

Na sala familiar de sua vasta casa, mais cheia de bugigangas novas e esquisitas do que a Exposição da Arte Retrospectiva, o venerável estadista, senador Faltanho da Consideração, conversava com o seu amigo e discípulo Arantes Borromeu sobre os graves problemas políticos, econômicos e sociais da nossa terra.

Sua filha Brunehilda, sentada a uma cadeira de balanço, ouvia a conversa ou melhor contemplava o bacharel Borromeu, cujo talento fora muito gabado na Academia, mas que adiava a sua estreia na Câmara, por motivos que ele claramente confessava.

— Você, Borromeu, por que não estreia na Câmara? Tem havido tantas questões interessantes... Você deve aproveitar.

Ao amigo que assim lhe falava, Arantes respondia:

— Estou ainda aprendendo.

— Como? Pois se você era o primeiro orador do seu tempo, na faculdade? Como é isso?

— Aquilo era oratória de estudante. Na Câmara, preciso outro estilo... Estou perdendo o ranço de "acadêmico", por ora!

A srta. Brunehilda, porém, sabia perfeitamente que são os deputados obscuros os que mantêm duradouramente o mandato e, muitas vezes, sobem, além do que se espera.

De resto, seu pai mandava no estado de...; e, sendo seu marido Borromeu, naturalmente ela seria durante toda a vida mulher de deputado, se não fosse de senador, de ministro e — quem sabe? — de presidente da República.

Os dois políticos continuavam a conversar naquele vasto salão de uma vasta casa; e a moça ao lado permanecia calada.

Borromeu observou:

— Uma das dificuldades para um bom governo nesta terra é não haver um regular serviço de estatística. Não acha V. Ex.ª?

— É; não há dúvida! Era preciso que os dados fossem fornecidos com mais constância e fossem mais completos e variados... Nos Estados Unidos...

— Não é preciso ir aos Estados Unidos; São Paulo possui um belo serviço; e, se o Cincinato brilha com os seus discursos de verdadeiro ministro do Fomento, ele o deve à perfeição de tal serviço.

— Concordo contigo, Borromeu; mas é preciso ver o campo de ação de um estado e o da União.

— V. Ex.ª tem razão. O governo federal, em face de qualquer estado, abrange um mundo.

— Há, entretanto, um serviço de estatística, mantido pela União, que é digno de elogios.

— Qual é?

— É o de estatística comercial. Conhecia?

— A repartição, de nome: mas, publicações dela não vi jamais uma sequer.

— Pois tenho aqui, organizado por ela, um boletim estatístico do comércio do Brasil com a França, durante os nove primeiros meses de 1920.

— Aumentou a nossa exportação? V. Ex.ª que leu...

— Ao contrário: diminuiu de 194 milhões de francos, em período idêntico de 1919.

— E a importação?

— Aumentou terrivelmente, principalmente em objetos de luxo. Nos nove primeiros meses do ano anterior havíamos comprado à França sedas no valor de cinco milhões; e, em igual período de 1920, a importação foi de fr. 2 milhões.

— É incrível!

— Pois é verdade, meu caro filho. E joias, então?

— Devia, como já foi lembrado, ser proibida a importação desses artigos.

Até aí a filha do senador se havia mantido calada. Mas, quando o Licurgo Arantes aventou a medida de tal proibição, ela o aparteou com veemência:

— Com que nós nos havíamos de vestir? Isso não pode passar!

Arantes não apresentou projeto algum a respeito, e casou meses após, para felicidade dele, dela e do... povo, com a srta. Brunehilda da Consideração. Houve mirra e prédica.

O poderoso dr. Matamorros[300]

Naquela noite, cheguei ao meu palacete, bem tarde. Lembro-me perfeitamente.

Minha mulher tinha vindo a dormir no automóvel Packard, da repartição, que eu dirigia. O espetáculo acabava muito depois de meia-noite; fomos ainda tomar chocolate e atravessamos a "Cidade Nova", o Mangue, quando já havia passado muito de uma hora. Olhei com tristeza as casas do Mangue, as da "Cidade Nova" nas ruas transversais; as do morro da Favela, eu apenas entrevia. Pensei de mim para mim: por que não se acabava com "aquilo"? Seria necessário aquele *repoussoir*, para afirmar a beleza dos bairros chamados *chics*?

Apesar de engenheiro, eu não tinha atividade ou especialidade técnica ou profissional qualquer; era "doutor". Porém, como me havia casado bem e os meus parentes fossem influentes, na política, eu pleiteara e arranjara ser diretor-geral das Águas Medicinais do Brasil, de que nada entendia.

Tinha um gordo ordenado, ajuda de custo para viajar de automóvel oficial (marca imposta pelo ministro) da minha casa, na Tijuca, para a sede da minha repartição, em uns cubículos da rua 1º de Março, 2º andar.

No meu cargo não havia nada que ver com saneamento de cidades, nem com coisas correlatas; mesmo, verdadeiramente, com águas virtuosas, tinha pouco ou quase nada; mas, naquele momento, deu-me em pensar nas dores dos outros.

O meu serviço era mandar compilar relatórios sobre Carlsbad, Tíflis, Ems e outras estações afamadas de águas medicinais de todo o mundo; e, postos no vernáculo, assiná-los e mandá-los ao ministro.

Mesmo assim, tinha por meu maior desejo deixar o cargo, para criar galinhas; mas, via-me obrigado a tentear nele, até poder ocupar um de mando efetivo, onde viesse a sentir a alegria de governar, de algum modo, a vida de outros muitos. Era atiçado nisso por minha mulher que sempre me dizia:

— Encerrabodes, você é um trouxa, um molenga!

Porque, minha mulher, apesar de figurar no Gota das seções elegantes e mundanas dos jornais e revistas, gostava de falar em calão. Ela tinha sido torcedora de *football*.

Quando lhe ouvia tais palavras, acudia humilde:

— Por quê, minha filha?

— Você não arranja um cargo de destaque! Não há meio!

— Não tenho elementos, Nepomucena.

— Qual! O Chico Neves é filho de um "bombeiro" e já foi governador do Juruá.

— Se o Albino tivesse vindo presidente... Então, sim!

— Estás mesmo à espera dele... Hum!... Se eu não tratar...

Esses diálogos eram constantes entre nós; mas nunca passavam daí.

Ela mesmo, quando cismava, é que dava os passos para a minha ascensão; eu, a bem dizer, não fazia nada, nunca!

Dormindo como ela estava no automóvel, mergulhado na misteriosa grandeza de uma noite negra e estrelada, muito só no seio do seu silêncio grandioso, pus-me a pensar na sorte daqueles que residiam naquelas casas pobres. Certamente, imaginei, pagavam aluguéis exorbitantes! Aquilo era uma injustiça e o fundamento da sociedade (tinha lido não sei onde) é a justiça. Se eu estivesse no lugar do Matamorros, já tinha dado um remédio a um tal estado de coisas!

Afinal, o meu Packard quase presidencial parou em frente ao meu palacete, na Tijuca. Despertei Maria Nepomucena, a minha mulher, e, em breve, dormíamos na santa paz do Senhor.

Sonhei que era autoridade; que era o Matamorros; que a Constituição, as leis, os regulamentos, os avisos, as portarias, os acórdãos, as decisões, os decretos, as ordenações, as cartas régias, os alvarás, as decretais papalinas, as lupercais, as saturnais e mais institutos de Justiniano e de sua virtuosa mulher Teodora —

todo esse acervo de disposições legais presentes e passadas me dava poder para fazer o que prometesse, tanto mais quando se tratasse do benefício geral.

Foi com a macia carícia desse sonho no meu pensamento que despertei.

Também não me havia passado na mente a impressão das casas pobres, a vencer exorbitantes aluguéis.

Tomei uma simples xícara de café, adiei o banho morno para mais tarde e pus-me a ler os jornais.

No primeiro que peguei, topei com este artigo: "Casas populares e o governo civil". Li-o e encontrei este trecho:

> Iam as coisas nesse pé e todos estavam exuberantemente esperançados, quando o dr. Matamorros, o nosso ilustre governador civil, esquecido do seu anterior pronunciamento favorável e público, fulminou o projeto dos vereadores, sobre casas populares, com seu veto.
>
> O interessado corre ao gabinete do governador, sem compreender a sua atitude. Este nega que o houvesse feito, mas lhe é mostrado o jornal oficial. Movimenta-se o gabinete, buscam-se os autógrafos. O caso não pôde ficar suficientemente esclarecido. O governador ou alguém por ele vetara o projeto, o que certamente não foi a primeira vez, nem será a última.

Diabo! — exclamei eu. — Que governador de cidade é este que não sabe o que assina? Livra! E falam dos jurados!

Continuei a leitura:

> Mas o sr. Matamorros prometeu que, no dia seguinte, retificaria seu ato sancionando o projeto!
>
> Ao invés, porém, comunicou ao interessado que lhe era impossível cumprir a promessa da véspera.

Minha mulher, por aí, entrou no aposento em que estava, e eu, o dr. Encerrabodes, descansando o jornal, disse-lhe com ar zombeteiro:

— Queres ver um fiasco que fez o Matamorros?

— Qual foi? — indagou ela.

— Prometeu aprovar uma coisa, mas não só não a aprovou como deixou que alguém a reprovasse por ele. Fresca autoridade!

— Mas mesmo assim é governador...

(Das "Notas de um aspirante à presidência de qualquer coisa".)

Um fiscal de jogo[301]

Conheci e conheço Antunes Segadas Bustamante. Quando, porém, o conheci, há anos, era um pronto mais pronto ainda do que eu. Era cuidadoso com o seu corpo e a sua roupa e tinha meios e modos de sempre andar com ternos novos e bengalas de apuro. Ninguém sabia como ele arranjava aquilo, tanto mais que todos o sabíamos honesto.

Ele viera ao Rio estudar qualquer coisa, mas não se formara em nada. E, como quem não se forma em nada tem a mania de que é poeta e jornalista, ele deu em frequentar as rodas de poetas e jornalistas. Não tinha jeito para a coisa, aos poucos foi deixando de publicar sonetos nas revistas e crônicas insulsas nos jornais de pouca circulação. Não era nem mau, nem bom rapaz; era um simples e tolerável companheiro. Não fumava, não bebia. Sentava-se no café, ouvia o que os mais sábios diziam, guardava-lhes as opiniões e ia repeti-las em outro grupo como sendo dele.

A sua ambição era um emprego e casar bem; e, para casar bem, era preciso ter um bom emprego. Uma coisa era função da outra. Por isso, ele desdenhava os empregos de amanuense e escriturário e "cavava" coisa melhor. Era tenaz e nunca cedeu em tal propósito, no que fez bem, como veremos.

Veio a agitação nacionalista e ele logo se alistou num dos muitos clubes que têm esse qualificativo. Com a força que dá falso entusiasmo, Antunes conseguiu sobressair na "causa". Aproximou-se das altas personagens da República, fez-se conhecido delas, não deixava de cumprimentá-las na rua, frequentava-as e procurava sempre; enfim, mostrava-se.

Surgiu a regulamentação do jogo, com impostos sobre as respectivas casas, fiscais e todo um aparelho de sociedade, para tornar sério o pano verde e dar dinheiro ao Estado severo e paternal.

Bustamante logo ambicionou um lugar de fiscal, cargo rendoso; e, para obtê-lo, pôs em campo todas as suas relações e toda a sua tenacidade.

Interessou fulano na sua pretensão, rogou a beltrano, falou a sicrano e conseguiu a coisa.

Depois de nomeado, foi há dias que o encontrei; e, após os cumprimentos, perguntei-lhe:

— Como te tens dado com o lugar?

— Magnificamente! Ceio lautamente todas as noites, vejo lindas mulheres e bebo *champagne* a rodo. Tudo isto de graça. Não é bom?

Boa medida[302]

O faustoso sultão de Kambalu, Abbas I, que tinha por avós em linha direta Manuel José Fernandes, de Trás-os-Montes, reino de Portugal, e Japira, índia de nação potiguara, a qual nação habitou antigamente o Império do Brasil e desapareceu, à vista da penúria do seu povo e da fome e da peste que o dizimavam, resolveu certo dia reunir em conclave as pessoas mais gradas do reino, fossem elas de que credo fossem, professassem as teorias que professassem, a fim de se aconselhar e resolver a situação. Vieram um bispo, um mago oriental, um sábio doutor em medicina, uma cartomante, um jurista, um engenheiro e um brâmane.

Abbas I assim falou, abrindo a sessão:

— Meus senhores: todos vós sabeis o motivo da nossa reunião. É a dor e a piedade pelo meu querido povo que me movem a pedir-vos conselho, para lhe dar lenitivo. Falai com franqueza que vos ouvirei com prazer. Falai!

O bispo levantou-se, fez o sinal da cruz, orou durante alguns minutos, contando as contas do rosário e começou:

— *Ad victum quae flagitat usus* — *Omnia jam mortalibus esse parata.*[303] Precisamos de igrejas, conventos, recolhimentos — Majestade!

O mago — Não concordo. A luz é tudo, de luz é feito o mundo, é feito Deus. Precisamos mais luz elétrica.

O doutor — Isto tudo é delírio; é pura paranoia, temperada com psicastenia, frenastenia. Na etiologia da peste há duas frases: primeira, a do aparecimento, dúbio, auroral, das auroras claras de maio, que é imperceptível; depois: manifestação ostensiva, horrível, de um belo horrível que só os médicos conhecem. Keats diz: *"Our songs are..."*.

O engenheiro — Que diabo é isto? Uma encampação é mais útil...

A cartomante — Vou deitar as cartas...

O jurista — Cuidado com a polícia! O Código Penal, no seu livro v, art. 1824, parágrafo...

O brâmane — Tudo o que vem de mim. O boi, a vaca...

Abbas I — Ora bolas! Vocês não me aconselham coisa alguma... São uns tagarelas aborrecidos. Vou decidir por mim; vou construir um palácio magnífico. Vão-se embora, e já!

Abbas I cumpriu a sua palavra. Cobriu o reino de impostos; mandou vir jaspe e ouro e mármore e pórfiro; contratou no estrangeiro hábeis arquitetos e operários; e construiu o palácio, para enriquecimento de seu povo e extinção das moléstias que o dizimavam.

Acabada a construção, meteu-se nele. Daí a dias, porém, nem mais um criado tinha para servi-lo. Toda a gente do país havia morrido de fome e de moléstia; e ele veio também a morrer de fome porque não havia mais quem plantasse, quem colhesse, quem criasse etc. etc.

Falar inglês[304]

A amizade, que eu mantinha com o dr. Serapião Fortunato Cosme Damião, era antiga e sólida. Sempre ele me protegeu de todas as formas que pôde, embora não dispusesse de grandes recursos. Há anos passados, andava eu muito atrapalhado da vida, desempregado, quando recebi um telegrama de Serapião, nestes termos: "Venâncio — Corre cá em casa. — Serapião". Assim fiz; e só não fui de táxi porque não me sobrava dinheiro. Chegando em casa dele, fui entrando e gritando pela mulher do amigo:

— Dona Miloca! Dona Miloca!

Ela respondeu.

— Sou eu, o Venâncio.

— Oh! "seu" Venâncio! Entre, entre! O Serapião está à sua espera, no gabinete.

Conhecendo a casa, dirigi-me com toda a liberdade, para o aposento em que estava o meu camarada. Ao dar com ele, mal cumprimentei-o e perguntei-lhe logo:

— Que há?

— Boa coisa.

— O que é?

— Vou ter uma boa empreitada, no estado de Ibiturana, e vais trabalhar comigo.

— Que vais fazer lá?

— Vou sanear o vale do Ipitiranga, um dos lugares mais férteis do Brasil, e que se presta admiravelmente para a cultura da oliveira.

— Há lá oliveira, já?

— Nunca houve; mas observações climatológicas, geológicas, análises químicas dos terrenos etc. etc. permitem identificar o solo e a semelhança daquela parte do Brasil com os melhores trechos da Europa em que crescem árvores de azeitonas. Todas as observações, experiências e análises foram feitas nos laboratórios do Ministério da Agricultura, por operadores de ambos os sexos, e "controladas" por sumidades alemãs, belgas, suíças e japonesas.

— Mas... azeitonas!

— Que tem azeitonas? São um excelente alimento. É o fruto da sabedoria que Minerva fez brotar na terra. Na Europa, nos lugares em que elas são abundantes, os camponeses, dias e dias, unicamente se alimentam com elas, acompanhando-as com pão duro ou bolacha. Aqui, os bufarinheiros sírios, turcos — tens visto? Demais, e o azeite?

— Como arranjaste isto?

— Eu te conto. Dou-me com doutor Karl Ten Kantayo, que foi meu lente, e é hoje governador de Ibiturana. Ele está aqui, pois veio tratar-se. Não me aparecendo comissão nenhuma de engenharia e como, com as moléstias constantes da mulher e dos filhos, eu ia entrando no grosso do capital, era urgente obter qualquer trabalho. De resto, depois que consegui falar com desembaraço inglês, comecei a aborrecer-me com o Rio. Queria...

— Foste tenaz, não há dúvida!

— Fui. Levei quatro anos e posso te garantir que o falo bem, como tu vais ver. Queria ir para o campo. Resolvi procurar o doutor Ten Kantayo, para que ele me arranjasse alguma coisa no estado que administra. Fiz-me anunciar, dando o meu cartão. Fui logo introduzido. O doutor Karl fez-me sinal para que o esperasse e me sentasse.

Sentei-me e ele continuou a conversar com um americano de olhos esbugalhados e queixo quadrado que lhe estava à direita. Falavam em inglês e eu lhes entendia perfeitamente a palestra. Tratavam do tal saneamento. Dizia o americano que já propusera tal serviço, no governo de Prudente de Morais, em... Não pôde dizer o ano; fui em seu socorro e disse-lhe, em inglês, todos os anos do período governamental daquele presidente. O dr. Karl ficou espantado e ordenou:

— Então, Serapião, você fala inglês?

— Falo, respondi com modéstia, mal; mas falo.

Daí em diante conversamos os três em inglês. Convencionamos que eu seria sócio de Mr. Cecil Sharp (o tal americano), na sua empreitada de sanear o vale do Ipitiranga, pois era bom figurar na empresa um brasileiro. Objetei que não tinha capital. O dr. Karl explicou-me que o seu estado entrava com o dinheiro, à proporção que as obras se realizassem, pagando-nos ordenado e porcentagens.

— Mas, opus eu, se por qualquer circunstância não pudermos acabar o trabalho?

O dr. Karl, então, elucidou:

— Vocês, administradores, receberão, em tal caso, a indenização de cinco por cento, calculados sobre o custo total das obras que teriam de concluir para a execução plena do contrato. Eis aí.

Pensei um pouco e atrevi-me — com que medo! — atrevi-me a indagar:

— E a opinião pública?

— Fecho-lhe a boca, fez com império o governador, dizendo que se vocês acabassem as obras, as comissões de dez e meio por cento, fariam o estado gastar muitas vezes mais. Vou mandar lavrar o contrato. Depois de amanhã, vocês venham assiná-lo.

— De modo, Serapião — perguntei eu — o teu interesse está em não acabar a obra?

— Por certo! Nem mesmo ela foi projetada para ser ultimada.

— Para que, então, foi?

— És ingênuo! Obras como essa, meu caro, sempre tiveram um escopo.

— Qual é?

— Fornecer matéria-prima para indenizações.

— É uma indústria?

— É, das mais nacionais.

— Tens sorte.

— Por que não aprendes a falar inglês?

— Devia fazê-lo. Não há dúvida que o inglês é um instrumento próprio para... realizar altos trabalhos.
— Tolo!
E tirou uma longa fumaça do charuto.

Manifestações políticas[305]

A propósito de recentes e ruidosas manifestações políticas, contou-me um plácido filósofo o seguinte:

"Em eras passadas e bem distantes da nossa, houve num país longínquo da Ásia uma guerra sangrenta que teve, do lado de um dos partidos, como general em chefe o cabo de guerra pouco conhecido chamado Brederodes. Este cabo de guerra não foi feliz nas operações, fosse por incapacidade própria, fosse por outro qualquer motivo. Naquele tempo, não havia jornais, mas todos murmuravam contra a sua conduta, nas lojas de comércio e outros lugares públicos em que se reuniam pessoas de todas as condições sociais. O rei ou imperador do país nada dizia nem tomava providência alguma. O povo, porém, insistia; e o soberano, para não desgostar o seu fiel Brederodes, tomou um alvitre salvador e conciliador: resolveu fazer as pazes com o inimigo de qualquer modo. Isto desgostou o povo de uma maneira profunda; mas, ao invés de acusar o rei, a população atribuiu o desastre da campanha ao general Brederodes e, quando ele aportou à capital do país, fez-lhe uma imponente manifestação de desagrado.

Na rua principal, alguns admiradores do general, no intuito de diminuírem a indignação do povo, haviam erguido coretos e outros adornos festivos, muito pouco próprios de um triunfo negativo, como era o do general Brederodes, mediante essas falsas demonstrações de entusiasmo. Além disso, para abafarem os esperados apupos, os seus fiéis amigos e apaniguados haviam alugado uma coorte de homens de duvidosa condição e reputação ainda mais duvidosa para o aclamarem. O general Brederodes chegou", continuou o meu amigo, "depois de sua estrondosa derrota; e, como era de esperar, sofreu uma vaia homérica. Além disto, não contente com tal, queimou o povo coretos, as anexas, rasgou retratos; enfim, fez o diabo na 'Via Ápia' da cidade, na intenção de desfeitear o herói negativo e falsificado.

Brederodes, à vista de tal, muito a propósito, recolheu-se à vida privada, numa casa de campo, onde cultiva cenouras e couves.

Passaram-se anos e surgiu uma nova guerra do seu país com um outro vizinho. Nomearam uma porção de generais e todos eles foram derrotados. O povo começou a dar sinais de impaciência, reclamando do imperador providências enérgicas, a fim de que o país não continuasse a ser humilhado. Todos os principais cabos de guerra da nação já haviam sido experimentados e nenhum deles obtinha vantagem. Brederodes era o único que o não havia sido. Resolveram experimentá-lo; e — coisa singular! — Brederodes foi vitorioso, transformando-se em ídolo do país. Voltou e recebeu as mais estrondosas aclamações do povo da capital. Atravessou a rua principal, a cavalo, tendo ao lado diversos garbosos ajudantes de ordens.

Vendo e ouvindo aquilo, o general Brederodes dirigiu-se a um dos seus ajudantes, perguntou:

— Quem é essa gente que me aclama assim?

— É a mesma que o vaiou, não há muitos anos, Excelência.

— Como mudou!

— É porque ela mudou de vestuário. Há nisso uma questão de moda e de sucesso, Excelência.

Nisto um bêbedo ou um maluco, antepassado certamente de Quincas Borba, gritou bem alto:

— Ao vencedor, batatas!"[306]

O meu amigo rematou assim o apólogo:

— Está aí a filosofia das manifestações políticas, toda ela.

Na avenida[307]

— Quem é aquele sujeito alto, tão solene, que fala naquele grupo com tanta gravidade?

— É o doutor Paniatércski.

— É doutor em quê?

— Em medicina.

— Naturalmente é um grande operador.

— Não é.

— Então é um clínico conceituado.

— Não é.

— Estou disposto a crer que é um especialista afamado em olhos, garganta, nariz e ouvido.

— Não é.

— Se não é isto, é um professor admirado pelos seus discípulos. Com certeza, ele professa zoologia ou botânica — não é?

— Qual o quê! Nunca lhe passou pela cabeça ensinar ciências naturais.

— Se não é isso e o mais que já perguntei, certamente ele abandonou a medicina e arredores e meteu-se pela literatura. É talvez um prosador nefelibata um símile — clássico — não será isso?

— Qual o quê! Estou convencido que não serás capaz de advinhar onde se baseia a sua celebridade e por que já tem ido à Europa, várias vezes, à custa do governo. Adivinha, se és capaz!

— Certamente que não; pois não consigo atinar que um médico célebre possa sê-lo, fora da medicina e adjacências; e, quando não a exerça fora das letras. Então, dize lá de uma vez: donde vem o ar de autoridade com que fala, aquela suficiência!

— É sabichão no *football*.[308] Eis aí!

— *Proh pudor!*[309]

Rocha, o guerreiro[310]

Este Rocha, quando nasceu, os pais levaram-lhe à pia com o intuito de que ele fosse general. Ele era descendente de gente brava que se tinha batido valentemente nos campos do Paraguai.

Quiseram meter-lhe na Escola Militar, mas não houve meio de Rocha aprender aritmética. A mãe, como ele dizia ter vocação militar e ser neto ou bisneto do barão de Jacutinga, herói da guerra do Paraguai, resolveu requerer-lhe praça, a fim de ser reconhecido cadete.

Rocha era medroso que nem um jacu; e quando foi metido num regimento da Quinta da Boa Vista, ao primeiro trote, pôs-se a chorar.

Queixou-se ao capitão de sua companhia, a quem pediu licença para escrever à sua velha mãe. O capitão, atendendo que ele não tinha nenhuma enfibratura para a vida militar, consentiu.

A velha veio, e ele, mal ela chegou, disse-lhe:

— Mamãe, quero mamar.

Está aí em que deu o general futuro — o Rocha das Arábias.

Um do povo[311]

Conheço em Anchieta, subúrbio longínquo desta cidade, um grande músico. Chama-se Felismino Xubregas e nasceu no Maranhão. Sentou praça no Pará, foi metido na banda de música do batalhão; e, vendo o respectivo comandante que ele tinha grande vocação para a "Arte", arranjou-lhe a transferência para o Rio de Janeiro. Isto foi em 1887. Aqui chegado, o nosso pistom, pois era esse o instrumento que ele tocava, captou a simpatia do atual marechal Faria, então simples comandante de esquadrão, que sempre gostou de música e de músicos. O então capitão Faria conseguiu que ele frequentasse as aulas do Conservatório de Música, para aperfeiçoar os seus estudos. Em boa hora isso fez, porque Xubregas estudou a valer e acabou sabendo música a fundo. Acabado o seu tempo de serviço militar, não quis reengajar-se e deu baixa. Andou por aí em "tocatas", nas quais mal ganhava para comer. Deu em escrever valsas e polcas; mas, mesmo assim, não obtinha o dinheiro necessário para viver. A vida, porém, e a sua continuidade têm tanto império sobre nós que Xubregas, apesar de tudo, casou-se e veio a ser pai de muitos filhos.

Chefe de família, não podia continuar na música, que quase nada lhe dava. Que fez então? Procurou toda a espécie de empregos mais acessíveis. Foi lenhador em Costa Barros, caixeiro de botequim em Maxabomba, servente de pedreiro em Sapopemba; hoje, o seu ofício habitual é o de construtor de "fossas", nas redondezas de Anchieta, onde reside.

Há dias, indo até lá, encontrei-o e perguntei-lhe simplesmente:

— Que há, Xubregas? Como vais?

— Vou bem; mas ando aborrecido.

— Por que, Xubregas?

— É coisa da prefeitura.

— Como? Estás metido na política do Brandão, do Pio ou do grande e inolvidável Nestor Areas Mackenzie?

— Não, caro amigo. É questão do teatro.

— Não atino.

— Eu te explico.

— Bem, vá lá!

— Não está aí uma afamada orquestra vienense?

— Está, sei bem; e trabalha no Municipal.

— É verdade o que dizes; e eu, por ser "um do povo" e, além de tudo, músico, tive desejo de ouvir tão famosa orquestra. Escovei a minha roupa e fui até lá, julgando que a coisa era ao alcance das minhas algibeiras.

— Que te aconteceu?

— Quando lá cheguei, tudo era caro, isto é, qualquer lugar era tão caro que, se eu alugasse um, ficava sem comer uma semana.

— Pois não sabias disso?

— Não. Sempre li que a prefeitura tinha erguido aquele teatro para educação do povo.

— Que engano! Ele deve estar por quinze mil contos, extorquidos ao povo; mas foi feito para educação dos ricos. Eis aí!

Xubregas não me disse mais nada; e, ao despedir-se, ergueu um heroico:

— Viva a República!

Hóspede ilustre[312]

Todos os dias, anunciam as folhas a chegada de um hóspede ilustre, estampando-lhe algumas vezes o retrato. O Rio de Janeiro, se não está ficando o Instituto de França ou a Royal Society de Londres, pode bem ficar sendo o Museu do Trocadero.

Não me canso de ler tais notícias e causa-me assombro que semelhantes sumidades não figurem no Larousse e em outras publicações congêneres.

Não vem isto, porém, ao caso. O que estas linhas tencionam é protestar contra a omissão que eles fizeram, do nome do ilustre marroquino Mulay Málek ben-Bélek.

Ele vem superintender a construção do pavilhão de Marrocos, que será erguido no estilo original daquele próspero império.

Os materiais empregados, como se sabe, são caniços e uma argamassa feita de bosta de camelo e lã de carneiro. Como aqui não havia camelos, portanto, o primeiro elemento da aludida argamassa, o imperador de Marrocos fretou um barco suíço e atestou-o daquele primordial elemento dos Partenons dos seus domínios. Vai ser uma lindeza, debaixo da *feérie* iluminativa que o sr. Carlos Sampaio contratou com os seus amigos americanos e vai nos custar os olhos da cara. Diz-se mesmo que as experiências realizadas, no morro da Favela, mostraram de que forma mágica iluminações *yankees* transformam, em palácios de "Mil e uma noites", cubatas africanas.

O emir Mulay Málek ben-Bélek é especialista em agricultura. Ele já ensinou ao sr. Carlos a fazer brotar do caroço da uva pés de algodão do mais estimável fio.

Além disto, conhece os outros gregos da mais alta antiguidade do que ele lê, não só em grego, como em árabe, tais como Aristóteles, Ptolomeu, Estrabão etc., até dos propriamente árabes, persas e hindus.

Uma tal sabedoria está a indicá-lo para professor de "relatividade", na Escola Politécnica, ao lado das "Máquinas" do sr. Frontin.

O emir Mulay tem 83 mulheres e 150 concubinas. Não as trouxe por dois motivos: a) por não haver grande necessidade; b) porque supôs que, aqui, não houvesse carros "especiais" em que as suas mulheres e concubinas pudessem passear pela cidade, islamicamente enclausuradas como manda o Alcorão. Desconhecia que, entre nós, há os carros-fortes da polícia...

Este homem eminente, entretanto, segundo dizem, está disposto a fazer-se bufarinheiro,[313] no Rio.

Interesse público[314]

O senador Victoman era conhecido pela sua grande severidade na fiscalização dos dinheiros públicos. Nenhum outro era como ele inimigo dos burocratas que, no seu julgar, sugavam o melhor das rendas públicas, vivendo à larga, sem prestar serviço algum ao país e ao Estado.

A sua implicância por essa classe dos servidores do governo, em certas ocasiões, levava-o a explosões de cólera que metiam medo a todo mundo.

Por isso, quando ele falava no Senado, no dia seguinte, os modestos lares dos funcionários públicos eram abalados com a tempestade que as suas palavras desencadeavam.

A esposa de um amanuense que via seu marido sair toda a manhã para o trabalho e voltar à tarde, sabendo que Victoman chamara todos os funcionários públicos de madraços, punha-se a desconfiar do emprego que seu marido dava ao tempo que levava fora de casa e recriminava-o com meias palavras.

Algumas mesmo excediam e diziam francamente aos maridos que eles se metiam em pândegas nas horas que afirmavam passarem nas repartições.

Sendo assim, o senador Victoman quando, naquele dia, subiu à tribuna para falar, todos estremeceram, e as repartições públicas, ao saberem do caso, encheram-se de pavor.

Entretanto, não havia motivo para isso.

O senador pediu a palavra e disse, em resumo, o seguinte que nada tem a ver com o funcionalismo do Estado:

"Meus senhores. Há dias comprei dez bois e algumas vacas que enviei para as minhas fazendas.

Devido à pouca importância que a administração liga aos meus bois e às minhas vacas, eles chegaram às propriedades agrícolas com alguns arranhões insignificantes.

Tal coisa não se teria dado se o governo acolchoasse convenientemente os carros da estrada de ferro destinados ao transporte dos meus bois e das minhas vacas.

Julgo, portanto, do meu dever apresentar a esta casa um projeto de lei, concedendo um crédito de 2 mil contos para acolchoar os carros das estradas federais que tiverem de transportar o meu gado vacum."

O orador, dizia a ata, foi muito cumprimentado por ter tratado de caso de tanto interesse público.

PARTE V
CONTOS QUE INTEGRAM A 4ª EDIÇÃO DA OBRA
VIDA E MORTE DE M. J. GONZAGA DE SÁ, 1949

O falso dom Henrique V[315]
(*Episódio da história da Bruzundanga*)

Nas notas da minha viagem à República da Bruzundanga, que devem aparecer brevemente, eu me abstive, para não tornar enfadonho o livro, de tratar da sua história. Não que ela deixe, por isso ou aquilo, de ser interessante; mas por ser trabalhosa a tarefa, à vista das muitas identificações das datas de certos fatos, que exigiam uma paciente transposição de sua cronologia para a nossa e também porque certas formas de dizer e de pensar são muito expressivas na língua de lá, mas que numa tradução instantânea para a de cá ficariam sem sal, sem o sainete próprio, a menos que não quisesse eu deter-me anos em tal afã.

Conquanto não seja rigorosamente científico, como diria um antigo aluno da École Nationale des Chartes, de Paris; conquanto não seja assim, eu tomei a resolução heroica de aproximar, *grosso modo*, nesta breve notícia, os mais peculiares à Bruzundanga dos nossos nomes portugueses e nomes típicos assim como, do nosso calendário usual, as datas da cronologia nacional da República da Bruzundanga, que seria obrigado a fazer referência.

É assim que o nome do principal personagem desta narração não é bem o germano-luso Henrique Costa; mas, no falar da República de que trato, Henbe-en-Rhinque.

Avisados disso os eruditos, estou certo de que não tomarão por inqualicável ignorância da minha parte esse traduzir fantástico às vezes, mesmo, só se baseando na simples homofonia dos vocábulos.

A história do falso d. Henrique, que foi imperador da Bruzundanga, é muito semelhante à daquele falso Demétrio que imperou na Rússia onze meses. Mérimée contou-lhe a história em um livro estimável.

O imperador d. Sajon (Shah-Jehon) reinava desde muito e o seu reinado parecia não querer tomar termo. Todos os seus filhos varões tinham morrido e a sua herança passava para os seus netos varões, os quais nos últimos anos do seu governo se haviam reduzido a um único.

Lá, convém lembrar, havia uma espécie de lei sálica que não permitia princesa no trono, embora, em falta do filho do príncipe varão, pudessem os filhos delas governar e reinar.

O imperador d. Sajon, conquanto fosse despótico, mesmo, em certas vezes, cruel e sanguinário, era amado do povo, sobre o qual a sua cólera quase nunca se fazia sentir.

Tinha no coração que a sua gente pobre fosse o menos pobre possível; que no seu império não houvesse fome; que os nobres e príncipes não esmagassem nem espoliassem os camponeses. Espalhava escolas e academias e, aos que se distinguiam, nas letras ou nas ciências, dava as maiores funções do Estado, sem curar-lhes da origem.

Os nobres fidalgos e mesmo os burgueses enriquecidos do pé para a mão murmuravam muito sobre a rotina do imperante e o seu viver modesto. Onde é que se viu, diziam eles, um imperador que só tem dois palácios? E que palácios imundos! Não têm mármores, não têm "frescos", não têm quadros, não têm estátuas... Ele, continuavam, que é dado à botânica, não tem um parque, como o menor do rei da França, nem um castelo, como o mais insignificante do rei da Inglaterra. Qualquer príncipe italiano, cujo principado é menos do que a sua capital, tem residências dez vezes mais magníficas do que esse bocó de Sanjon.

O imperador ouvia isso da boca dos seus esculcas e espiões, mas não dizia nada. Sabia o sangue e a dor que essas construções opulentas custam aos povos. Sabia quantas vidas, quantas misérias, quanto sofrimento custou à França Versalhes. Lembrava-se bem da recomendação que Luís xiv, arrependido, na hora da morte, fez a seu bisneto e herdeiro, pedindo-lhe que não abusasse das construções e das guerras, como ele o fizera.

Serviu assim o velho imperador o seu longo reinado sem dar ouvidos aos fidalgos e grandes burgueses, desejosos todos eles de fazer parada das suas riquezas, títulos e mulheres belas, em grandes palácios, luxuosos teatros, vastos parques, construídos, porém, com o suor do povo.

Vivia modestamente, como já foi dito, sem fausto, ou antes com um fausto obsoleto, tanto pelo seu cerimonial propriamente quanto pelos apetrechos de que se servia. O carro de gala tinha sido do seu bisavô e, ao que diziam, as librés dos palafreneiros ainda eram da época do pai, vendo-se até em algumas os remendos mal postos.

Perdeu todas as filhas, por isso veio a ficar sendo, afinal, o único herdeiro o seu neto d. Carlos (Khárlithos). Era este um príncipe bom como o avô, mas mais simples e mais triste do que Sanjon.

Vivia sempre afastado, fora da corte e dos fidalgos, num castelo retirado, cercado de alguns amigos, de livros, de flores e árvores. Dos prazeres reais e feudais só guardava um: o cavalo. Era a sua paixão e ele não só os tinha dos melhores, como também ensaiava cruzamentos, para selecionar as raças nacionais.

Enviuvara dois anos após um casamento de conveniência e do seu enlace houvera um único filho — o príncipe d. Henrique.

Apesar de viúvo, nada se dizia sobre os seus costumes, que eram os mais puros e os mais morais que se podem exigir de um homem. O seu único vício era o cavalo e os passeios a cavalo pelos arredores do seu castelo, às vezes com um amigo, às vezes com um criado, mas quase sempre só.

Os amigos íntimos diziam que o seu sofrimento e a sua tristeza vinham de pensar em ser um dia imperador. Ele não disse, mas bem se podia admitir que raciocinasse como aquele príncipe do romance que confessa ao primo: "Pois você não vê logo que eu tenho vergonha, nesta época, de me fingir de Carlos Magno, com o tal manto de arminho, abelhas, coroas, cetro — você não vê mesmo? Fique você com a coroa, se quiser!".

D. Carlos não falava assim, pois não era dado a *blagues*, nem a *boutades*; mas, de quando em quando, ao sair dos rápidos acessos de mutismo e melancolia a que era sujeito, no meio da conversação, dizia como num suspiro:

— No dia em que for imperador, o que farei, meu Deus!

Um belo dia, um príncipe tão bom como este aparece assassinado num caminho que atravessa uma floresta do seu domínio de Cubahandê, nos arredores da capital.

A dor foi imensa em todos os pontos do império e ninguém sabia explicar por que pessoa tão boa, tão ativamente boa, seria trucidada assim misteriosamente.

Naquela manhã, saíra a cavalo, na Hallumatu, a sua égua negra, de um ébano reluzente, como carbúnculo; e ela voltava desbocada, sem o cavaleiro, para as estrebarias. Procuraram-no e foram encontrá-lo cadáver com uma punhalada no peito.

O povo perquiriu os culpados e boquejou que o assassínio devia ter sido a mando de uns parentes longínquos da família imperial, em nome da qual, há vários séculos, o seu chefe e fundador tinha desistido das suas prerrogativas e privilégios feudais, para traficar com escravos malaios. Enriquecidos, aos poucos, entraram de novo na hierarquia de que se tinham degradado voluntariamente, mas não obtiveram o título de príncipes imperiais. Eram somente príncipes.

O assassinato ficou esquecido e o velho rei Sanjon teimava em viver. Fosse enfraquecimento das faculdades, originado pela velhice, fosse o emprego de sortilégios e feitiços, como querem os incrédulos cronistas de Bruzundanga, o fato é que o velho imperador entregou-se de corpo e alma ao mais evidente representante da família aparentada, a dos Hjanlhianes, o tal que se havia degradado. Fazia este e desfazia no império; e falou-se mesmo em permiti-los voltar às dignidades imperiais, mediante um *senatus consultum*. A isso, o povo e sobretudo o exército se opuseram e começaram a murmurar. O exército era republicano, queria uma república de verdade, na sua ingenuidade e inexperiência política; os Hjanlhianes logo perceberam que, por aí, podiam chegar a altas dignidades e muitos deles se fizeram republicanos.

Entretanto, o bisneto de Sanjon continuava sequestrado no castelo de Cubahandê. Devia ter sete ou oito anos.

Quando menos se esperava, num dado momento em que se representava, no Teatro Imperial da Bruzundanga, o *Brutus* de Voltaire, vinte generais, seis coronéis, doze capitães e cerca de oitenta alferes proclamaram a república e saíram para a rua, seguidos de muitos paisanos que tinham ido buscar as armas de flandres, na arrecadação do teatro, a gritar: Viva a República! Abaixo o tirano! etc. etc.

O povo, propriamente, vem assim, àquela hora, nas janelas para ver o que se passava; e, no dia seguinte, quando se soube da verdade, um olhava para o outro e ambos ficavam estupidamente mudos.

Tudo aderiu; e o velho imperador e os seus parentes, exceto os Hjanlhianes, foram exilados. Ficou também o pequeno príncipe d. Henrique como refém e sonhou que os imperiais parentes dele não tentariam nenhum golpe de mão contra as instituições populares, que acabavam de trazer a próxima felicidade da Bruzundanga.

Foi escolhida uma junta governativa, cujo chefe foi aquele Hjanlhianes, Tétrech, que era favorito do imperador Sanjon.

Começou logo a construir palácios e teatros, a pôr casas abaixo, para fazer avenidas suntuosas. O dinheiro da receita não chegava, aumentou os impostos, e vexações, multas etc. Enquanto a constituinte não votava a nova Constituição, decuplicou os direitos de entrada de produtos estrangeiros manufaturados. Os espertos começaram a manter curiosas fábricas de produtos nacionais da seguinte forma, por exemplo: adquiriam em outros países solas, sapatos já recortados. Importavam tudo isso, como matéria-prima, livre de impostos, montavam as botas nas suas singulares fábricas e vendiam pelo triplo do que custavam os estrangeiros.

Outra forma de extorquir dinheiro ao povo e enriquecer mais ainda os ricos eram as isenções de direitos alfandegários.

Tétrech decretou isenções de direitos para maquinismos etc., destinados a usinas-modelos de açúcar, por exemplo, e prêmios para a exportação dos mesmos produtos. Os ricos somente podiam mantê-los e trataram de fazê-lo logo. Fabricaram açúcar à vontade, mas mandavam para o exterior, pela metade do custo, a quase totalidade da produção, pois os prêmios cobriam o prejuízo e o encarecimento fatal de produto, nos mercados da Bruzundanga, também. Nunca houve tempo em que se inventassem com tanta perfeição tantas ladroeiras legais.

A fortuna particular de alguns, em menos de dez anos, quase que quintuplicou; mas o Estado, os pequenos-burgueses e o povo, pouco a pouco, foram caindo na miséria mais atroz.

O povo do campo, dos latifúndios (fazendas) e empresas deixou a agricultura e correu para a cidade atraído pela alta dos salários; era, porém, uma ilusão, pois a vida tornou-se caríssima. Os que lá ficaram, roídos pelas doenças e pela bebida, deixavam-se ficar vivendo num desânimo de agruras.

Os salários eram baixíssimos e não lhes davam com o que se alimentassem razoavelmente; andavam quase nus; as suas casas eram sujíssimas e cheias de insetos parasitas, transmissores de moléstias terríveis. A raça da Bruzundanga tinha por isso uma caligem de tristeza que lhe emprestava tudo quanto ela continha: as armas, o escachoar das cachoeiras, o canto doloroso dos pássaros, o cicio da chuva nas cobertas de sapê da choça — tudo nela era dor, choro e tristeza. Dir-se-ia que aquela terra tão velha se sentia aos poucos sem viver...

Antes disso, porém, houve um acontecimento que abalou profundamente o povo. O príncipe d. Henrique e o seu preceptor, d. Hobhathy, foram encontrados numa tarde, afogados num lago do jardim do castelo de Cubahandê. A nova correu célere por todo o país, mas ninguém quis acreditar no fato, tanto mais que Tétrech Hjanlhianes mandou executar todos os servidores do palácio. Se ele os mandou matar, considerava a gente humilde, é porque não queria que ninguém dissesse que o menino tinha fugido. E não saiu daí. Os padres das aldeias e arraiais, que se viam vexados e perseguidos — os das cidades sempre dispostos a esmagar aqueles, para servir os potentados nas suas violências e opressões contra os trabalhadores rurais — não cessavam de manter veladamente essa crença da existência do príncipe Henrique. Estava oculto, havia de aparecer...

Sofrimentos de toda a ordem caíram sobre o pobre povo da roça e do sertão; privações de toda a natureza caíram sobre ele; e colaram-lhe a fria sanguessuga, a ventosa dos impostos, cujo produto era empregado diretamente, num fausto governamental de opereta, e, indiretamente, numa ostentação ridícula de ricos sem educação nem instrução. Para benefício geral, nada!

A Bruzundanga era um sarcófago de mármore, ouro e pedrarias, em cujo seio, porém, o cadáver mal embalsamado do povo apodrecia e fermentava.

De norte a sul, sucediam-se epidemias de loucuras, umas maiores, outras menores. Para debelar uma, foi preciso um verdadeiro exército de 20 mil homens. No interior era assim; nas cidades, os hospícios e asilos de alienados regurgitavam. O sofrimento e a penúria levavam ao álcool, "para esquecer"; e o álcool levava ao manicômio.

Profetas regurgitavam, cartomantes, práticos de feitiçaria, abusos de toda a ordem. A prostituição, clara ou clandestina, era quase geral, de alto a baixo; e os adultérios cresciam devido ao mútuo engano dos nubentes em represália, um ao outro, fortuna ou meios, de obtê-la. Na classe pobre, também, por contágio. Apesar do luxo tosco, bárbaro e bronco, dos palácios e "perspectivas" cenográficas, a vida das cidades era triste, de provocar lágrimas. A indolência dos ricos tinha abandonado as alturas dela, as suas colinas pitorescas, e os pobres, os mais pobres, de mistura em toda espécie de desgraçados criminosos e vagabundos, ocupavam as eminências urbanas com casebres miseráveis, sujos, frios, feitos de tábuas de caixões de sabão e cobertos com folhas desdobradas de latas em que veio acondicionado o querosene.

Era a coroa, o laurel daquela glacial transformação política...

As dores do país tiveram eco num peito rústico e humilde. Surgiu num domingo o profeta, que gemia por todo o país.

Rapidamente, pela nação toda, foram conhecidas as profecias, em verso, do professor Lopes. Quem era? Numa aldeia da província de Aurilândia, um velho mestiço que tivera algumas luzes de seminário e vivera muito tempo a ensinar as primeiras letras, apareceu alistando profecias, umas claras, outras confusas. Em instantes, espalharam-se pelo país e foram do ouvido do povo crédulo ao entendimento do burguês com algumas luzes. Todos os que tinham "a fé no coração" ouviram-nas; e todos queriam o reaparecimento d'Ele, do pequeno imperador d. Henrique, que não fora assassinado. A tensão espiritual chegava ao auge; a miséria batia em todos os pontos, uma epidemia desconhecida de tal forma foi violenta que, na capital da Bruzundanga, foi preciso apelar para a caridade dos galés, a fim de enterrar os mortos!...

Desaparecida que ela foi, muito tempo, a cidade, os subúrbios, até as estradas rurais cheiravam a defunto...

E quase todas recitavam como oração, as profecias do professor Lopes:

Este país da Bruzundanga
Parece de Deus deslembrado.
Nele, o povo anda na canga
Amarelo, pobre, esfaimado.

Houve fome, seca e peste
Brigas e saques também
E agora a água investe
Sem cobrir a guerra que vem.

No ano que tem dois sete
Ele por força voltará
E oito ninguém sofrerá.

Pois flagelos já são sete
E oito ninguém sofrerá.

Estes toscos versos eram sabidos de cor por toda a gente e recitados em uma unção mística. O governo tentou desmoralizá-los, por intermédio dos seus jornais, mas não conseguiu. O povo acreditava. Tentou prender Lopes mas recuou, diante da ameaça de uma sublevação em massa da província de Aurilândia. As coisas pareciam querer sossegar, quando se anunciou que, nesta penúria, aparecera o príncipe d. Henrique. Em começo, ninguém fez caso; mas o fato tomou vulto. Todos por lá recebiam-no como tal, desde o mais rico até o mais pobre. Um velho servidor do antigo imperador jurou reconhecer, naquele mancebo de trinta anos, o bisneto do seu antigo imperial amo.

Os Hjanlhianes, com estes e aquele nome, continuavam a suceder-se no governo, espenicando o saque e a vergonha do país em regra. Tinham, logo que esgotavam as forças dos naturais, apelado para a imigração, a fim de evitar velhaduras nos seus latifúndios. Vieram homens mais robustos e mais cheios de ousadia, sem mesmo dependência sentimental com os dominadores, pois não se deixavam explorar facilmente, como os naturais. Revoltavam-se continuadamente; e os Hjanlhianes, esquecidos do mal que tinham dito dos seus patrícios pobres, deram em animar estes e a tanger o chocalho da pátria e do patriotismo. Mas era tarde! Quando se soube que a Bruzundanga tinha declarado guerra ao império dos Oges para que muitos Hjanlhianes se metessem em grandes comissões e gorjetas, que os banqueiros da Europa lhes davam, não foi mais a primazia de Aurilândia que se conheceu naquele mancebo desconhecido, o seu legítimo imperador d. Henrique v, bisneto do bom d. Sajon: foi todo país, operários, soldados, cansados de curtir miséria também; estrangeiros, vagabundos, criminosos, prostitutas, todos enfim, que sofriam.

O chefe dos Hjanlhianes morreu como um cão, envenenado por ele mesmo ou por outros, no seu palácio, enquanto os seus criados e fâmulos queimavam no pátio, em auto de fé, os tapetes que tinham custado misérias e lágrimas de um povo dócil e bom. A cidade se iluminou; não houve pobre que não pusesse uma vela, um coto, na janela do seu casebre...

D. Henrique reinou durante muito tempo e, até hoje, os mais conscienciosos sábios da Bruzundanga não afirmam com segurança se ele era verdadeiro ou falso.

Como não tivesse descendência, quando chegou aos sessenta anos, aquele sábio príncipe proclamou por sua própria boca a República, que é ainda a forma de governo da Bruzundanga, mas para a qual, ao que parece, o país não tem nenhuma vocação. Ela espera ainda a sua forma de governo...

Três gênios da secretaria[316]

O meu amigo Augusto Machado, de quem acabo de publicar uma pequena brochura aliteratada — *Vida e morte de M. J. Gonzaga de Sá* — mandou-me algumas notas herdadas por ele desse seu amigo, que, como se sabe, foi oficial da Secretaria dos Cultos. Coordenadas por mim, sem nada pôr de meu, eu as dou aqui, para a meditação dos leitores:[317]

"Estas minhas memórias, que há dias tento começar, são deveras difíceis de executar, pois se imaginarem que a minha secretaria é de pequeno pessoal e pouco nela se passa de notável, bem avaliarão em que apuros me encontro para dar volume às minhas recordações de velho funcionário. Entretanto, sem recorrer à dificuldade, mas ladeando-a, irei, sem preocupar-me com datas nem tampouco me incomodando com a ordem das coisas e fatos, narrando o que me acudir de importante, à proporção de escrevê-las. Ponho-me à obra.

Logo no primeiro dia em que funcionei na secretaria, senti bem que todos nós nascemos para empregado público. Foi a reflexão que fiz, ao me julgar tão em mim, quando, após a posse e o compromisso ou juramento, sentei-me perfeitamente à vontade na mesa que me determinaram. Nada houve que fosse surpresa, nem tive o mínimo acanhamento. Eu tinha vinte e um para vinte e dois anos; e nela me abanquei como se de há muito já o fizesse. Tão depressa foi a minha adaptação que me julguei nascido para ofício de auxiliar o Estado, com a minha reduzida gramática e o meu péssimo cursivo, na sua missão de regular a marcha e a atividade da nação.

Com familiaridade e convicção, manuseava os livros — grandes montões de papel espesso e capas de couro, que estavam destinados a durar tanto quanto as pirâmides do Egito. Eu sentia muito menos aquele registro de decretos e portarias e eles pareciam olhar-me respeitosamente e pedir-me sempre a carícia das minhas mãos e a doce violência da minha escrita.

Puseram-me também a copiar ofícios, e a minha letra tão má e o meu desleixo tão meu, muito papel fizeram-me gastar, sem que isso redundasse em grande perturbação no desenrolar das coisas governamentais.

Mas, como dizia, todos nós nascemos para funcionário público. Aquela placidez do ofício, sem atritos, nem desconjuntamentos violentos; aquele deslizar macio durante cinco horas por dia; aquela mediania de posição e fortuna, garantindo inabalavelmente uma vida medíocre — tudo isso vai muito bem com as nossas vistas e os nossos temperamentos. Os dias no emprego do Estado nada têm de imprevisto, não pedem qualquer espécie de esforço a mais para viver o dia seguinte. Tudo corre calma e suavemente, sem colisões nem sobressaltos, escrevendo-se os mesmos papéis e avisos, os mesmos decretos e portarias, da mesma maneira, durante todo o ano, exceto os dias feriados, santificados e os de ponto facultativo, invenção das melhores da nossa República. De resto, tudo nele é sossego e quietude. O corpo fica em cômodo jeito; o espírito aquieta-se, não tem efervescências nem angústias; as praxes estão fixas e as fórmulas já sabidas.

Pensei até em casar, não só para ter uns bate-bocas com a mulher, mas, também, para ficar mais burro, ter preocupações de 'pistolões', para ser promovido. Não o fiz; e agora, já que não digo a ente humano, mas ao discreto papel, posso confessar por quê. Casar-me no meu nível social, seria abusar-me com a mulher, pela sua falta de instrução e cultura intelectual; casar-me acima, seria fazer-me lacaio dos figurões, para darem-me cargos, propinas, gratificações, que satisfizessem às exigências da esposa. Não queria uma nem outra coisa. Houve uma ocasião em que tentei solver a dificuldade, casando-me, ou coisa que o valha, abaixo da minha situação. É a tal história da criada... Aí foram a minha dignidade pessoal e o meu cavalheirismo que me impediram.

Não podia, nem devia ocultar a ninguém e de nenhuma forma, a mulher com quem eu dormia e era mãe dos meus filhos. Eu ia citar santo Agostinho, mas deixo de fazê-lo para continuar a minha narração...

Quando de manhã, novo ou velho no emprego, a gente se senta na sua mesa oficial, não há novidade de espécie alguma e, já da pena, escreve devagarinho: 'Tenho a honra' etc. etc.; ou, republicanamente, 'Declaro-vos, para os fins convenientes' etc. etc. Se há mudança, é pequena e o começo é já bem sabido: 'Tenho em vistas'... — ou 'Na forma do disposto'...

Às vezes o papel oficial fica semelhante a um estranho mosaico de fórmulas e chapas; e são os mais difíceis, nos quais o dr. Xisto Rodrigues brilhava como mestre inigualável.

O dr. Xisto já é conhecido dos senhores, mas não é dos gênios da Secretaria dos Cultos. Xisto é estilo antigo. Entrou honestamente, fazendo um concurso decente e sem padrinhos. Apesar da sua pulhice bacharelesca e a sua limitação intelectual, merece respeito pela honestidade que põe em todos os atos de sua vida, mesmo como funcionário. Sai à hora regulamentar e entra à hora regulamentar; não bajula, nem recebe gratificações.

Os dois outros, porém, são mais modernizados. Um é 'charadista', o homem que o diretor consulta, que dá as informações confidenciais, para o presidente e o ministro promoverem os amanuenses. Este ninguém sabe como entrou para a secretaria; mas logo ganhou a confiança de todos, de todos se fez amigo e, em pouco, subiu três passos na hierarquia e arranjou quatro gratificações mensais ou extraordinárias. Não é má pessoa, ninguém se pode aborrecer com ele: é uma criação do ofício que só amofina os outros, assim mesmo sem nada estes saberem ao certo, quando se trata de promoções. Há casos muito interessantes; mas deixo as proezas dessa inferência burocrática, em que o seu amor primitivo a charadas, ao logogrifo e aos enigmas pitorescos pôs-lhe sempre na alma uma caligem de mistério e uma necessidade de impor aos outros adivinhação sobre ele mesmo. Deixo-a, dizia, para tratar do 'auxiliar de gabinete'. É este a figura mais curiosa do funcionalismo moderno. É sempre doutor em qualquer coisa; pode ser mesmo engenheiro hidráulico ou eletricista. Veio de qualquer parte do Brasil, da Bahia ou de Santa Catarina, estudou no Rio qualquer coisa; mas não veio estudar, veio arranjar um emprego seguro que o levasse maciamente para o fundo da terra, donde deveria ter saído em planta, em animal e, se fosse possível, em mineral qualquer. É inútil, vadio, mau e pedante, ou antes, pernóstico.

Instalado no Rio, com fumaças de estudante, sonhou logo arranjar um casamento, não para conseguir uma mulher, mas para arranjar um sogro influente, que o empregasse em qualquer coisa, solidamente. Quem como ele faz de sua vida tão somente caminho para o cemitério, não quer muito: um lugar em uma secretaria qualquer serve. Há os que veem mais alto e se servem do mesmo meio; mas são a quintessência da espécie.

Na Secretaria dos Cultos, o seu típico e célebre 'auxiliar de gabinete', arranjou o sogro dos seus sonhos, num antigo professor do seminário, pessoa muito relacionada com padres, frades, sacristães, irmãs de caridade, doutores em cânones, definidores, fabriqueiros, fornecedores e mais pessoal eclesiástico.

O sogro ideal, o antigo professor, ensinava no seminário uma física muito própria aos fins do estabelecimento, mas que havia de horripilar o mais medíocre aluno de qualquer estabelecimento leigo.

Tinha ele uma filha a casar e o 'auxiliar de gabinete' logo viu no seu casamento com ela o mais fácil caminho para arranjar uma barrigazinha estufadinha e uma bengala com castão de ouro.

Houve exame na Secretaria dos Cultos, e o 'sogro', sem escrúpulo algum, fez-se nomear examinador do concurso para o provimento do lugar e meter nele 'o noivo'.

Que se havia de fazer? O rapaz precisava.

O rapaz foi posto em primeiro lugar, nomeado, e o velho sogro (já o era de fato) arranjou-lhe o lugar de 'auxiliar de gabinete' do ministro. Nunca mais saiu dele e, certa vez, quando foi, *pro forma*, se despedir do novo ministro, chegou a levantar o reposteiro para sair; mas, nisto, o ministro bateu na testa e gritou:

— Quem é aí o doutor Mata-Borrão?

O homenzinho voltou-se e respondeu, com algum tremor na voz e esperança nos olhos:

— Sou eu, Excelência.

— O senhor fica. O seu 'sogro' já me disse que o senhor precisa muito.

É ele assim, no gabinete, entre os poderosos; mas, quando fala a seus iguais, é de uma prosápia de Napoleão, de quem se não conhecesse a Josefina.

A todos em que ele vê um concorrente, traiçoeiramente desacredita: é bêbedo, joga, abandona a mulher, não sabe escrever 'comissão' etc. Adquiriu títulos literários, publicando a *Relação dos padroeiros das principais cidades do Brasil*; e sua mulher quando fala nele, não se esquece de dizer: 'Como Rui Barbosa, o Chico' ou 'Como Machado de Assis, meu marido só bebe água'.[318]

Gênio doméstico e burocrático, Mata-Borrão, não chegará, apesar da sua maledicência interesseira, a entrar nem no inferno. A vida não é unicamente um caminho para o cemitério; é mais alguma coisa e quem a enche assim, nem Belzebu o aceita. Seria desmoralizar o seu império; mas a burocracia quer desses amorfos, pois ela é das criações sociais aquela que mais atrozmente tende a anular a alma, a inteligência, e os influxos naturais e físicos ao indivíduo. É um expressivo documento de seleção inversa que caracteriza toda a nossa sociedade burguesa, permitindo no seu campo especial, com a anulação dos melhores da inteligência, de saber, de caráter e criação, o triunfo inexplicável de um Mata--Borrão por aí.

Pela cópia, conforme."

Manel Capineiro[319]

Quem conhece a Estrada Real de Santa Cruz?[320] Pouca gente do Rio de Janeiro. Nós todos vivemos tão presos à Avenida,[321] tão adstritos à rua do Ouvidor, que pouco ou nada sabemos desse nosso vasto Rio, a não ser as coisas clássicas da Tijuca, da Gávea e do Corcovado.

Um nome tão sincero, tão altissonante, batiza, entretanto, uma pobre azinhaga, aqui mais larga, ali mais estreita, povoada, a espaços, de pobres casas de gente pobre, às vezes, uma chácara mais assim ali, mas tendo ela em todo o seu trajeto até Cascadura[322] e mesmo além, um forte aspecto de tristeza, de pobreza e mesmo de miséria. Falta-lhe um debrum de verdura, de árvores, de jardins. O carvoeiro e o lenhador de há muito tiraram os restos de matas que deviam bordá-la; e, hoje, é com alegria que se vê, de onde em onde, algumas mangueiras majestosas a quebrar a monotonia, a esterilidade decorativa de imensos capinzais sem limites.

Essa estrada real, estrada de rei, é atualmente uma estrada de pobres; e as velhas casas de fazenda, ao alto das meias-laranjas, não escaparam ao retalho para casas de cômodos.

Eu a vejo todo dia de manhã, ao sair de casa e é minha admiração apreciar a intensidade de sua vida, a prestança do carvoeiro, em servir a minha vasta cidade.

São carvoeiros com as suas carroças pejadas que passam; são os carros de bois cheios de capim que vão vencendo os atoleiros e os "caldeirões"; as tropas e essa espécie de vagabundos rurais que fogem à rua urbana com horror.

Vejo-a no Capão do Bispo,[323] na sua desolação e no seu trabalho; mas vejo também dali os órgãos azuis dos quais toda a hora se espera que ergam aos céus um longo e acendrado hino de louvor e de glória.

Como se fosse mesmo uma estrada de lugares afastados, ela tem também seus "pousos". O trajeto dos capineiros, dos carvoeiros, dos tropeiros é longo e pede descanso e boas "pingas" pelo caminho.

Ali no "Capão", há o armazém "Duas Américas" em que os transeuntes param, conversam e bebem.

Para ali o "Tutu", um carvoeiro das bandas de Irajá,[324] mulato quase preto, ativo, que aceita e endossa letras sem saber ler nem escrever. É um espécimen do que podemos dar de trabalho, de iniciativa e de vigor. Não há dia em que ele não desça com a sua carroça carregada de carvão e não há dia em que ele não volte com ela, carregada de alfafa, de farelo, de milho, para os seus muares.

Também vem ter ao armazém o sr. Antônio do Açougue, um ilhéu falador, bondoso, cuja maior parte da vida se ocupou em ser carniceiro. Lá se encontra também o "Parafuso", um preto, domador de cavalos e alveitar estimado. Todos eles discutem, todos eles comentam a crise, quando não tratam estreitamente dos seus negócios.

Passa pelas portas da venda uma singular rapariga. É branca e de boas feições. Notei-lhe o cuidado em ter sempre um vestido por dia, observando ao mesmo tempo que eles eram feitos de velhas roupas. Todas as manhãs, ela vai não sei onde e traz habitualmente na mão direita um *bouquet* feito de miseráveis flores silvestres. Perguntei ao dono quem era. Uma vagabunda, disse-me ele.

"Tutu" está sempre ocupado com a moléstia dos seus muares. O "Garoto" está mancando de uma perna e a "Jupira" puxa de um dos quartos. O "seu" Antônio do Açougue, assim chamado porque já possuiu um muito tempo, conta a sua vida, as suas perdas de dinheiro, e o desgosto de não ter mais açougue. Não se conforma absolutamente com esse negócio de vender leite; o seu destino é talhar carne.

Outro que lá vai é o Manel Capineiro. Mora na redondeza e a sua vida se faz no capinzal, em cujo seio vive, a vigiá-lo dia e noite dos ladrões, pois os há mesmo de feixes de capim. O "Capineiro" colhe o capim à tarde, enche as carroças;

e, pela madrugada, sai com estas a entregá-lo à freguesia. Um companheiro fica na choupana no meio do vasto capinzal a vigiá-lo, e ele vai carreando uma das carroças, tocando com o guião de leve os seus dois bois "Estrela" e "Moreno".

Manel os ama tenazmente e evita o mais possível feri-los com a farpa que lhes dá a direção requerida.

Manel Capineiro é português e não esconde as saudades que tem do seu Portugal, do seu caldo de unto, das suas festanças aldeãs, das suas lutas a varapau; mas se conforma com a vida atual e mesmo não se queixa das cobras que abundam no capinzal.

— Ai! As cobras!... Ontem dei com uma, mas matei-a!

Está aí um estrangeiro que não implica com os nossos ofídios — o que deve agradar aos nossos compatriotas, que se indignam com essa implicância.

Ele e os bois vivem em verdadeira comunhão. Os bois são negros, de grandes chifres, tendo o "Estrela" uma mancha branca na testa, que lhe deu o nome.

Nas horas do ócio, Manel vem à venda conversar, mas logo que olha o relógio e vê que é hora da ração, abandona tudo e vai ao encontro daquelas suas duas criaturas, que tão abnegadamente lhe ajudam a viver.

Os seus carrapatos lhe dão cuidado; as suas "manqueiras" também. Não sei bem a que propósito me disse um dia:

— Senhor Fulano, se não fosse eles, eu não saberia como iria viver. Eles são o meu pão.

Imaginem que desastre não foi na sua vida a perda dos seus dois animais de tiro. Ela se verificou em condições bem lamentáveis. Manel Capineiro saiu de madrugada, como de hábito, com o seu carro de capim. Tomou a estrada para riba, dobrou a rua José dos Reis e tratou de atravessar a linha da estrada de ferro, na cancela dessa rua. Fosse a máquina, fosse um descuido do guarda, uma imprudência de Manel, um comboio, um expresso, implacável como a fatalidade, inflexível, inexorável, veio-lhe em cima do carro e lhe trucidou os bois. O capineiro, diante dos despojos sangrentos do "Estrela" e do "Moreno", diante daquela quase ruína de sua vida, chorou como se chorasse um filho uma mãe e exclamou cheio de pesar, de saudade, de desespero:

— Ai! mô gado! Antes fora eu!...

Milagre de Natal[325]

O bairro do Andaraí[326] é muito triste e muito úmido. As montanhas que enfeitam a nossa cidade aí tomam maior altura e ainda conservam a densa vegetação que as devia adornar com mais força em tempos idos. O tom plúmbeo das árvores como que enegrece o horizonte e torna triste o arrabalde.

Nas vertentes dessas mesmas montanhas, quando dão para o mar, este quebra a monotonia do quadro e o sol se espadana mais livremente, obtendo as coisas humanas, minúsculas e mesquinhas, uma garridice e uma alegria que não estão nelas, mas que se percebem nelas. As tacanhas casas de Botafogo se nos afigura assim; as bombásticas "vilas" de Copacabana,[327] também; mas, no Andaraí, tudo fica esmagado pela alta montanha e sua sombria vegetação.

Era numa rua desse bairro que morava Feliciano Campossolo Nunes, chefe de seção do Tesouro Nacional, ou antes e melhor: subdiretor. A casa era própria e tinha na cimalha este dístico pretensioso: "Vila Sebastiana". O gosto da fachada, as proporções da casa não precisam ser descritos: todos conhecem um e as outras. Na frente, havia um jardinzinho que se estendia para a esquerda, oitenta centímetros a um metro, além da fachada. Era o vão que correspondia à varanda lateral, quase a correr todo o prédio.

Campossolo era um homem grave, ventrudo, calvo, de mãos polpudas e dedos curtos.

Não largava a pasta de marroquim em que trazia para a casa os papéis da repartição com o fito de não lê-los; e também o guarda-chuva de castão de ouro e forro de seda. Pesado e de pernas curtas, era com grande dificuldade que ele vencia os dois degraus dos "Minas Gerais" da Light, atrapalhado com semelhantes cangalhas: a pasta e o guarda-chuva de "ouro". Usava chapéu de coco e cavanhaque.

Morava ali com uma mulher mais a filha solteira e única, a Mariazinha.

A mulher, d. Sebastiana, que batizara a vila e com cujo dinheiro a fizeram, era mais alta do que ele e não tinha nenhum relevo de fisionomia, senão um artificial, um aposto. Consistia num pequeno *pince-nez* de aros de ouro, preso, por detrás da orelha, com trancelim de seda. Não nascera com ele, mas era como se tivesse nascido, pois jamais alguém havia visto d. Sebastiana sem aquele adendo, acavalado no nariz, fosse de dia, fosse de noite. Ela, quando queria olhar alguém ou alguma coisa com jeito e perfeição, erguia bem a cabeça e toda d. Sebastiana tomava um entono de magistrado severo.

Era baiana, como o marido, e a única queixa que tinha do Rio cifrava-se em não haver aqui bons temperos para as moquecas, carurus e outras comidas da Bahia, que ela sabia preparar com perfeição, auxiliada pela preta Inácia, que, com eles, viera do Salvador, quando o marido foi transferido para São Sebastião. Se se oferecia portador, mandava-os buscar; e quando aqui chegavam e ela preparava uma boa moqueca, esquecia-se de tudo, até que estava muito longe da sua querida cidade de Tomé de Sousa.

Sua filha, a Mariazinha, não era assim e até se esquecera que por lá nascera: cariocara-se inteiramente. Era uma moça de vinte anos, fina de talhe, poucas carnes, mais alta que o pai, entestando com a mãe, bonita e vulgar. O seu traço de beleza eram os seus olhos de topázio com estivas negras. Nela, não havia nem invento, nem novidade como as outras.

Eram estes os habitantes da "Vila Sebastiana", além de um molecote que nunca era o mesmo. De dois em dois meses, por isso ou por aquilo, era substituído por outro, mais claro ou mais escuro, conforme a sorte calhava.

Em certos domingos, o sr. Campossolo convidava alguns dos seus subordinados a irem almoçar ou jantar com eles. Não era um qualquer. Ele os escolhia com acerto e sabedoria. Tinha uma filha solteira e não podia pôr dentro de casa um qualquer, mesmo que fosse empregado de fazenda.

Aos que mais constantemente convidava, eram os terceiros escriturários

Fortunato Guaicuru e Simplício Fontes, os seus braços direitos na seção. Aquele era bacharel em Direito e espécie de seu secretário e consultor em assuntos difíceis; e o último chefe do protocolo da sua seção, cargo de extrema responsabilidade, para que não houvesse extravio de processos e se acoimasse a sua subdiretoria de relaxada e desidiosa. Eram eles dois os seus mais constantes comensais, nos seus bons domingos de efusões familiares. Demais, ele tinha uma filha a casar e era bom que...

Os senhores devem ter verificado que os pais sempre procuram casar as filhas na classe que pertencem: os negociantes com negociantes ou caixeiros; os militares com outros militares; os médicos com outros médicos e assim por diante. Não é de estranhar, portanto, que o chefe Campossolo quisesse casar sua filha com um funcionário público que fosse da sua repartição e até da sua própria seção.

Guaicuru era de Mato Grosso. Tinha um tipo acentuadamente índio. Malares salientes, face curta, mento largo e duro, bigodes de cerdas de javali, testa fugidia e as pernas um tanto arqueadas. Nomeado para a alfândega de Corumbá, transferira-se para a delegacia fiscal de Goiás. Aí, passou três ou quatro anos, formando-se, na respectiva faculdade de Direito, porque não há cidade do Brasil, capital ou não, em que não haja uma. Obtido o título, passou-se para a Casa da Moeda e, desta repartição, para o Tesouro. Nunca se esquecia de trazer o anel de rubi, à mostra. Era um rapaz forte, de ombros largos e direitos; ao contrário de Simplício que era franzino, peito pouco saliente, pálido, com uns doces e grandes olhos negros e de uma timidez de donzela.

Era carioca e obtivera o seu lugar direitinho, quase sem pistolão e sem nenhuma intromissão de políticos na sua nomeação.

Mais ilustrado, não direi; mas muito mais instruído que Guaicuru, a audácia deste o superava, não no coração de Mariazinha, mas no interesse que tinha a mãe desta no casamento da filha. Na mesa, todas as atenções tinha d. Sebastiana pelo hipotético bacharel:

— Por que não advoga? — perguntou d. Sebastiana, rindo, com seu quádruplo olhar altaneiro, da filha ao caboclo que, na sua frente e a seu mando, se sentavam juntos.

— Minha senhora, não tenho tempo...

— Como não tem tempo? O Felicianinho consentiria — não é Felicianinho?

Campossolo fazia solenemente:

— Como não, estou sempre disposto a auxiliar a progressividade dos colegas.

Simplício, à esquerda de d. Sebastiana, olhava distraído para a fruteira e nada dizia. Guaicuru, que não queria dizer que a verdadeira razão estava em não ser a tal faculdade "reconhecida", negaceava:

— Os colegas podiam reclamar.

D. Sebastiana acudia com vivacidade:

— Qual o quê! O senhor reclamava, senhor Simplício?

Ao ouvir o seu nome, o pobre rapaz tirava os olhos da fruteira e perguntava com espanto:

— O quê, dona Sebastiana?

— O senhor reclamaria se Felicianinho consentisse que o Guaicuru saísse, para ir advogar?

— Não.

E voltava a olhar a fruteira, encontrando-se rapidamente com os olhos de topázio de Mariazinha. Campossolo continuava a comer e d. Sebastiana insistia:

— Eu, se fosse o senhor, ia advogar.

— Não posso. Não é só a repartição que me toma o tempo. Trabalho em um livro de grandes proporções.

Todos se espantaram. Mariazinha olhou Guaicuru; d. Sebastiana levantou mais a cabeça com *pince-nez* e tudo; Simplício que, agora, contemplava esse quadro célebre nas salas burguesas, representando uma ave, dependurada pelas pernas e fazendo *pendant* com a ceia do Senhor — Simplício, dizia, cravou resolutamente o olhar sobre o colega, e Campossolo perguntou:

— Sobre o que trata?

— Direito administrativo brasileiro.

Campossolo observou:

— Deve ser uma obra de peso.

— Espero.

Simplício continuava espantado, quase estúpido a olhar Guaicuru. Percebendo isto, o mato-grossense apressou-se:

— Você vai ver o plano. Quer ouvi-lo?

Todos, menos Mariazinha, responderam, quase a um tempo só:

— Quero.

O bacharel de Goiás endireitou o busto curto na cadeira e começou:

— Vou entroncar o nosso Direito administrativo no antigo Direito administrativo português. Há muita gente que pensa que no antigo regime não havia um Direito administrativo. Havia. Vou estudar o mecanismo do Estado nessa época, no que toca a Portugal. Vou ver as funções dos ministros e dos seus subordinados, por intermédio de letra morta dos alvarás, portarias, cartas régias e mostrarei então como a engrenagem do Estado funcionava; depois, verei como esse curioso Direito público se transformou, ao influxo de concepções liberais; e, como ele transportado para aqui com d. João vi, se adaptou ao nosso meio, modificando-se aqui ainda, sob o influxo das ideias da Revolução.

Simplício, ouvindo-o falar assim dizia com os seus botões: "Quem teria ensinado isto a ele?".

Guaicuru, porém, continuava:

— Não será uma seca enumeração de datas e de transcrição de alvarás, portarias etc. Será uma coisa inédita. Será coisa viva.

Por aí parou e Campossolo com toda a gravidade disse:

— Vai ser uma obra de peso.

— Já tenho editor!

— Quem é? — perguntou o Simplício.

— É o Jacinto. Você sabe que vou lá todo o dia, procurar livros a respeito.

— Sei; é a livraria dos advogados — disse Simplício sem querer sorrir.

— Quando pretende publicar a sua obra, doutor? — perguntou d. Sebastiana.

— Queria publicar antes do Natal, porque as promoções serão feitas antes do Natal, mas...

— Então há mesmo promoções antes do Natal, Felicianinho?

O marido respondeu:

— Creio que sim. O gabinete já pediu as propostas e eu já dei as minhas ao diretor.

— Devias ter-me dito — ralhou-lhe a mulher.

— Essas coisas não se dizem às nossas mulheres; são segredos de Estado — sentenciou Campossolo.

O jantar foi acabando triste, com essa história de promoções para o Natal.

D. Sebastiana quis ainda animar a conversa, dirigindo-se ao marido:

— Não queria que me dissesses os nomes, mas pode acontecer que seja o promovido o doutor Fortunato ou... o "seu" Simplício, e eu estaria prevenida para uma "festinha".

Foi pior. A tristeza tornou-se mais densa e quase calados tomaram café.

Levantaram-se todos com o semblante anuviado, exceto a boa Mariazinha, que procurava dar corda à conversa. Na sala de visitas, Simplício ainda pôde olhar mais duas vezes furtivamente os olhos topazinos de Mariazinha, que tinha um sossegado sorriso a banhar-lhe a face toda; e se foi. O colega Fortunato ficou, mas tudo estava tão morno e triste que, em breve, se foi também Guaicuru.

No bonde, Simplício pensava unicamente em duas coisas: no Natal próximo e no "Direito" de Guaicuru. Quando pensava neste, perguntava de si para si: "Quem lhe ensinou aquilo tudo? Guaicuru é absolutamente ignorante". Quando pensava naquilo, implorava: "Ah! Se Nosso Senhor Jesus Cristo quisesse...".

Vieram afinal as promoções. Simplício foi promovido porque era muito mais antigo na classe que Guaicuru. O ministro não atendera a pistolões nem a títulos de Goiás.

Ninguém foi preterido; mas Guaicuru, que tinha em gestação a obra de um outro, ficou furioso sem nada dizer.

D. Sebastiana deu uma consoada à moda do Norte. Na hora da ceia, Guaicuru, como de hábito, ia sentar-se ao lado de Mariazinha, quando d. Sebastiana, com *pince-nez* e cabeça, tudo muito bem erguido, chamou-o:

— Sente-se aqui a meu lado, doutor, aí vai sentar-se o "seu" Simplício.

Casaram-se dentro de um ano; e, até hoje, depois de um lustro de casados ainda teimam.

Ele diz:

— Foi Nosso Senhor Jesus Cristo que nos casou.

Ela obtempera:

— Foi a promoção.

Fosse uma coisa ou outra, ou ambas, o certo é que se casaram. É um fato. A obra de Guaicuru, porém, é que até hoje não saiu...

Foi buscar lã...[328]

A sua aparição nos lugares do Rio onde se faz reputação, boa ou má, foi súbita.

Veio do Norte, logo com a carta de bacharel, com solene pasta de couro da Rússia, fecho e monograma de prata, chapéu de sol e bengala de castão de ouro, enfim, com todos os apetrechos de um grande advogado e de um sábio jurisconsulto. Não se podia dizer que fosse mulato; mas também não se podia dizer que fosse branco. Era indeciso. O que havia nele de notável era o seu olhar vulpino, que pedia escuridão para brilhar com força; mas que, à luz, era esquivo e de mirada erradia.

Aparecia sempre em roda de advogados, mais ou menos célebres, cheio de *morgue*, tomando refrescos, chopes, mas pouco se demorando nos botequins e confeitarias. Parecia escolher com grande escrúpulo as suas relações. Nunca se o viu com qualquer tipo aboemiado ou malvestido. Todos os seus companheiros eram sempre gente limpa e de vestuário tratado. Além do convívio das notabilidades do *bureau* carioca, o dr. Felismino Praxedes Itapiru da Silva apreciava também a companhia de repórteres e redatores de jornais, mas desses sérios, que não se metem em farras, nem em pândegas baratas.

Aos poucos, começou a surgir seu nome, subscrevendo artigos nos jornais diários; até, no *Jornal do Commercio*, foi publicado um, com quatro colunas, tratando das "Indenizações por prejuízos resultantes de acidentes na navegação aérea".

As citações de textos de leis, de praxistas, de comentadores de toda a espécie, eram múltiplas, ocupavam, em suma, dois terços do artigo; mas o artigo era assinado por ele: dr. Felismino Praxedes Itapiru da Silva.

Quando passava solene, dançando a cabeça como cavalo de *coupé* de casamento rico, sobraçando a rica pasta rabulesca, atirando a bengala para adiante, muito para adiante, sem olhar para os lados, havia quem o invejasse, na rua do Ouvidor ou na avenida, e dissesse:[329]

— Este Praxedes é um "águia"! Chegou noutro dia do Norte e já está ganhando rios de dinheiro na advocacia! Esses nortistas...

Não havia nenhuma verdade nisso. Apesar de ter carta de bacharel pela Bahia ou por Pernambuco; apesar do ouro da bengala e da prata da pasta; apesar de ter escritório na rua do Rosário, a sua advocacia ainda era muito "mambembe". Pouco fazia, e todo aquele espetáculo de fraques, hotéis caros, táxis, *cocktails* etc. era custeado por algum dinheiro que trouxera do Norte e pelo que obtivera aqui, por certos meios de que ele tinha o segredo. Semeava, para colher mais tarde.

Chegara com o firme propósito de conquistar o Rio de Janeiro, fosse como fosse. Praxedes era teimoso e, até, tinha a cabeça quadrada e a testa curta dos teimosos; mas não havia na sua fisionomia mobilidade, variedade de expressões, uma certa irradiação, enfim, tudo o que denuncia inteligência.

Muito pouco se sabia dos seus antecedentes. Vagamente se dizia que Praxedes fora sargento de um regimento policial de um estado do Norte; e cursara como sargento a faculdade de Direito respectiva, formando-se afinal. Acabado o curso, deu um desfalque na caixa do batalhão com a cumplicidade de alguns oficiais, entre os quais alguns eram esteios do situacionismo local. Por único castigo, tivera baixa do serviço, enquanto os oficiais lá continuaram. Escusado é dizer que os "dinheiros" com que se lançava no Rio vinham em grande parte das "economias lícitas do batalhão tal da Força Policial do Estado ***".

Eloquente a seu modo, com voz cantante, embora um tanto nasalada, senhor de imagens suas e, sobretudo, de alheias, tendo armazenado uma porção de pensamentos e opiniões de sábios e filósofos de todas as classes, Praxedes conseguia mascarar a miséria de sua inteligência e a sua falta de verdadeira cultura, conversando como se discursasse, encadeando aforismos e foguetões de retórica.

Só o fazia, porém, entre os colegas e repórteres bem-comportados. Nada de boêmios, poetas e noctívagos, na sua roda!

Advogava unicamente no cível e no comercial. Isto de "crime", dizia ele com asco, "só para rábulas".

Pronunciava "rábulas" quase cuspindo, porque devem ter reparado que os mais vaidosos com os títulos escolares são os burros e os de baixa extração que os possuem.

Para estes, ter um pergaminho, como eles pretensiosamente chamam o diploma, é ficar acima e diferente dos que o não têm, ganhar uma natureza especial e superior aos demais, transformar-se até de alma.

Quando fui empregado da Secretaria da Guerra, havia numa repartição militar, que me ficava perto, um sargento amanuense com um defeito numa vista, que não cessava de aborrecer-me com as suas sabenças e literatices. Formou-se numa faculdade de Direito por aí e, sem quê nem por quê, deixou de me cumprimentar.

São sempre assim...

Praxedes Itapiru da Silva, ex-praça de pré de uma polícia provinciana, tinha em grande conta, como coisa inacessível, aquele banalíssimo trambolho de uma vulgar carta de bacharel; e, por isso, dava-se à importância de sumidade em qualquer departamento do pensamento humano e desprezava soberbamente os rábulas e, em geral, os não formados.

Mas, contava eu, o impávido bacharel nortista tinha um grande desdém pela advocacia criminal; à vista disso, certo dia, todos os seus íntimos se surpreenderam quando ele lhes comunicou que ia defender um dado criminoso, no júri.

Era um réu de crime hediondo, cujo crime deve estar ainda na lembrança de todos. Lá, pelas bandas de Inhaúma, num lugar chamado Timbó, vivia num "sítio" isolado, quase só, um velho professor jubilado da Escola Militar, muito conhecido pelo seu gênio estranhamente concentrado e sombrio. Não se lhe conheciam parentes; e isto, há mais de quarenta anos. Jubilara-se e metera-se naquele ermo recanto do nosso município, deixando mesmo de frequentar o seu divertimento predileto, por deficiência de condução. Consistia este no café--concerto, onde houvesse anafadas mulheres estrangeiras e saracoteios de raparigas no palco. Era um esquisitão, o dr. Campos Bandeira, como se chamava ele.

Vestia-se como ninguém se vestiu e se vestirá: calças brancas, em geral; colete e sobrecasaca curta, ambos de alpaca; chapéu mole, partido ao centro; botins inteiriços de pelica; e sempre com chapéu de chuva de cabo de volta. Era amulatado, com traços indiáticos e tinha um lábio inferior muito fora do plano do superior. Pintava e, por sinal, muito mal, os cabelos e a barba; e um pequeno *pince-nez*, sem aros, de vidros azulados, acabava-lhe a fisionomia original.

Todos o sabiam homem de preparo e de espírito; tudo estudava e tudo conhecia. Dele contavam-se muitas anedotas saborosas. Sem amigos, sem parentes, sem família, sem amantes, era, como examinador, de uma severidade inexorável. Não cedia a empenhos de espécie alguma, viessem donde viessem. Era o terror dos estudantes. Não havia quem pudesse explicar o estranho modo de vida que levava, não havia quem atinasse com a causa oculta que o determinava. Que desgosto, que mágoa o fizera assim? Ninguém sabia.

Econômico, lecionando, e muito particularmente, devia possuir um pecúlio razoável. Os rapazes calculavam em cento e tantos contos.

Se era tido como estranho, ratão original, mais estranho, mais ratão, mais original pareceu ele a todos, quando se foi estabelecer, depois de jubilado, naquele cafundó do Rio de Janeiro:

— Que maluco! — diziam.

Mas o dr. Campos Bandeira (ele não o era, mas assim o tratavam), por não os ter, não ouviu amigos e meteu-se no Timbó. Hoje, há lá uma magnífica estrada de rodagem, que a prefeitura em dias de lucidez construiu; mas, naquele tempo, era um atoleiro. A maioria dos cariocas não conhece essa obra útil da nossa municipalidade; pois olhem: se fosse em São Paulo, já os jornais e revistas daqui teriam publicado fotografias, com artigos estirados, falando da energia paulista, dos bandeirantes, de José Bonifácio e da valorização do café.

O dr. Campos Bandeira, apesar da péssima estrada que lá havia, por aquela época, e vinha trazê-lo ao ponto dos bondes de Inhaúma, lá se estabeleceu, entregando-se de corpo e alma aos seus trabalhos de química agrícola.

Tinha quatro trabalhadores para a roça e tratamento de animais; e, para o interior de casa, só tinha um serviçal. Era um pobre-diabo de bagaço humano, espremido pelo desânimo e pelo álcool, que acudia, nas vendas dos arredores, pelo apelido de "Casaca", por andar sempre com um fraque rabudo.

O velho professor o tinha em casa mais por consideração do que por qualquer outro motivo. Quase não fazia nada. Bastava-lhe possuir alguns níqueis, para que não voltasse a casa a fim de procurar serviço. Deixava-se ficar pelas bodegas. Pela manhã, mal varria a casa, fazia o café e moscava-se. Só quando a fome apertava aparecia.

Campos Bandeira, que fora tido, durante quarenta anos, por frio, indiferente, indolor, egoísta e, até, mau, tinha, entretanto, por aquele náufrago da vida ternuras de mãe e perdões de pai.

Uma manhã, "Casaca" despertou e, não vendo o seu amo de pé, foi até os seus aposentos receber ordens. Topou-o na sala principal, amarrado e amordaçado. As gavetas estavam revolvidas, embora os móveis estivessem nos seus lugares. "Casaca" chamou por socorro; vieram os vizinhos e desembaraçando o professor da mordaça, verificaram que ele ainda não estava morto. Fricções e todo o remédio que lhes veio à mente empregaram, até tapas e socos. O dr. Campos Bandeira salvou-se, mas estava louco e quase sem fala, tal a impressão de terror que recebeu. A polícia pesquisou e verificou que houvera roubo de dinheiro, e grosso, graças a um caderno de notas do velho professor. Todos os indícios eram contra o "Casaca". O pobre-diabo negou. Bebera, naquela tarde, até os botequins fecharem-se, por toda a parte, nas proximidades. Recolhera-se completamente embriagado e não se lembrava se tinha fechado a porta da cozinha, que amanhecera aberta. Dormira e, daí em diante, não se lembrava de ter ouvido ou visto qualquer coisa.

Mas... tamancos do pobre-diabo foram encontrados no local do crime; a corda, com que atacaram a vítima, era dele; a camisa, com que fizeram a mordaça, era dele.

Ainda mais, ele dissera a "seu" Antônio "do botequim" que, em breve, havia de ficar rico, para beber na casa dele, Antônio, uma pipa de cachaça, já que ele recusava fiar-lhe um "calisto". Foi pronunciado e compareceu a júri. Durante o tempo do processo, o dr. Campos Bandeira ia melhorando. Recuperou a fala e, ao fim de um ano, estava são. Tudo isto se passou no silêncio tumular do manicômio.

Chegou o dia do Júri. "Casaca" era o réu que o advogado Praxedes ia defender, quebrando o seu juramento de não advogar no "crime". A sala encheu-se para ouvi-lo.

O pobre "Casaca", sem pai, sem mãe, sem amigos, sem irmãos, sem parati, olhava tudo aquilo com o olhar estúpido de animal doméstico num salão de pinturas. De quando em quando, chorava. O promotor falou.

O dr. Felismino Praxedes Itapiru da Silva ia começar a sua estupenda defesa, quando um dos circunstantes, dirigindo-se ao presidente do Tribunal, disse com voz firme:

— Senhor juiz, quem me quis matar e me roubou, não foi este pobre homem que aí está, no banco dos réus; foi o seu eloquente e elegante advogado.

Houve sussurro; o juiz admoestou a assistência, o popular continuou:

— Eu sou o professor Campos Bandeira. Esse tal advogado, logo que chegou do Norte, procurou-me, dizendo-se meu sobrinho, filho de uma irmã, a quem não vejo desde quarenta anos. Pediu-me proteção e eu lhe pedi provas. Nunca mas deu, senão alusões a coisas domésticas, cuja veracidade não posso verificar. Vão já tantos anos que me separei dos meus... Sempre que ia receber a minha jubilação, ele me escorava nas proximidades do quartel-general e me pedia dinheiro. Certa vez, dei-lhe quinhentos mil-réis. Na noite do crime, à noitinha, apareceu-me, em casa, disfarçado em trajes de trabalhador, ameaçou-me com um punhal, amarrou-me, amordaçou-me. Queria que eu fizesse testamento em favor dele. Não o fiz; mas escapou de matar-me. O resto é sabido. O "Casaca" é inocente.

O final não se fez esperar; e, por pouco, o "Casaca" toma a si a causa do seu ex-patrono.

Quando este saía, entre dois agentes, em direitura à chefatura de polícia, um velho meirinho disse bem alto:

— E dizer-se que este moço era um "poço de virtudes"!

Um que vendeu a sua alma[330]

A anedota que lhe vou contar, tem alguma coisa de fantástica e parecia que, como homem de meu tempo, eu não devia dar-lhe crédito algum. Entra nela o Diabo e toda a gente de certo desenvolvimento mental está quase sempre disposta a acreditar em Deus, mas raramente no Diabo.

Não sei se acredito em Deus, não sei se acredito no Diabo, porque não tenho as minhas crenças muito firmes.

Desde que perdi a fé no meu Lacroix;[331] desde que me convenci da existência de muitas geometrias a se contradizerem nas suas definições e teoremas mais vulgares; desde então deixei que a certeza ficasse com os antropologistas, etnólogos, florianistas, sociólogos e outros tolos de igual jaez.

A horrível mania da certeza de que fala Renan[332] já a tive; hoje, porém, não. De modo que posso bem à vontade contar-lhes uma anedota em que entra o Diabo.

Se os senhores quiserem acreditem; eu, cá por mim, se não acredito, não nego também.

Narrou-me o amigo:

— Certo dia, uma manhã, estava eu muito aborrecido a pensar na minha vida. O meu aborrecimento era mortal. Um tédio imenso invadia-me. Sentia-me vazio. Diante do espetáculo do mundo, eu não reagia. Sentia-me como um toco de pau, como qualquer coisa de inerte.

Os desgostos da minha vida, os meus excessos, as minhas decepções, me haviam levado a um estado de desespero, de aborrecimento, de tédio, para o qual, em vão, procurava remédio. A morte não me servia. Se era verdade que a vida não me agradava, a morte não me atraía. Eu queria outra vida. Você se lembra do Bossuet,[333] quando falou por ocasião de Mlle. de La Vallière[334] tomar o véu?

Respondi:

— Lembro-me.

— Pois sentia aquilo que ele disse e censurou: queria outra vida. E então só me daria muito dinheiro. Queria andar, queria viajar, queria experimentar se as belezas que o tempo e o sofrimento dos homens acumularam sobre a terra, despertavam em mim a emoção necessária para a existência, o sabor de viver. Mas dinheiro! — como arranjar? Pensei meios e modos: Furtos, assassinatos, estelionatos — sonhei-me Raskólnikov[335] ou coisa parecida. Jeito, porém, não havia e a energia não me sobrava. Pensei então no Diabo. Se ele quisesse comprar-me a alma? Havia tanta história popular que contava pactos com ele que eu, homem cético e ultramoderno, apelei para o Diabo, e sinceramente! Nisto bateram-me à porta.

— Abri.

— Quem era?

— O Diabo.

— Como o conheceste?

— Espera. Era um cavalheiro como qualquer, sem barbichas, sem chavelhos, sem nenhum atributo diabólico. Entrou como um velho conhecimento e tive a impressão de que conhecia muito o visitante. Sem cerimônia sentou-se e foi perguntando: "Que diabo de *spleen* é esse?". Retorqui: "A palavra vai bem mas falta-me o milhão". Disse-lhe isso sem reflexão, e ele, sem se espantar, deu umas voltas pela minha sala e olhou um retrato.

Indagou: "É tua noiva?". Acudi: "Não. É um retrato que encontrei na rua. Simpatizei e...". "Queres vê-la já?", perguntou-me o homem. "Quero", respondi. E logo, entre nós dois sentou-se a mulher do retrato. Estivemos conversando e adquiri certeza de que estava falando com o Diabo. A mulher foi-se e logo o Diabo inquiriu: "Que querias de mim?".

"Vender-te minha alma", disse-lhe eu.

E o diálogo continuou assim:

Diabo — Quanto queres por ela?

Eu — Quinhentos contos.

Diabo — Não queres pouco.

Eu — Achas caro?

Diabo — Certamente.

Eu — Aceito mesmo a coisa por trezentos.

Diabo — Ora! Ora!

Eu — Então, quanto dás?

Diabo — Filho, não te faço preço. Hoje, recebo tanta alma de graça que não me vale a pena comprá-las.

Eu — Então não dás nada?

Diabo — Homem! Para falar-te com franqueza, simpatizo muito contigo, por isso vou dar-te alguma coisa.

Eu — Quanto?

Diabo — Queres vinte mil-réis?

E logo perguntei ao meu amigo:

— Aceitaste?

O meu amigo esteve um instante suspenso, afinal respondeu:

— Eu... Eu aceitei.

Carta de um defunto rico[336]

"Meus caros amigos e parentes. Cá estou no carneiro nº 7..., da 3ª quadra, à direita, como vocês devem saber, porque me puseram nele. Este cemitério de São João Batista da Lagoa[337] não é dos piores. Para os vivos, é grave e solene, com o seu severo fundo de escuro e padrasto granítico. A escassa verdura verde-negra das montanhas de roda não diminuiu em nada a imponência da antiguidade da rocha dominante nelas. Há certa grandeza melancólica nisto tudo; mora neste pequeno vale uma tristeza teimosa que nem o sol glorioso espanta... Tenho, apesar do que se possa supor em contrário, uma grande satisfação; não estou mais preso ao meu corpo. Ele está no aludido buraco, unicamente a fim de que vocês tenham um marco, um sinal palpável para as suas recordações; mas anda em toda a parte.

Consegui afinal, como desejava o poeta, elevar-me bem longe dos miasmas mórbidos, purificar-me no ar superior — e bebo, como um puro e divino licor, o fogo claro que enche os límpidos espaços.

Não tenho as dificultosas tarefas que, por aí, pela superfície da terra, atazanam a inteligência de tanta gente.

Não me preocupa, por exemplo, saber se devo ir receber o poderoso imperador do Beluchistã com ou sem colarinho; não consulto autoridades constitucionais para autorizar minha mulher a oferecer ou não lugares do seu automóvel a príncipes herdeiros — coisa, aliás, que é sempre agradável às senhoras de uma democracia; não sou obrigado, para obter um título nobiliárquico, de uma problemática monarquia, a andar pelos adelos, catando suspeitas bugigangas e pedir a literatos das antessalas palacianas, que as proclamem raridades de beleza, a fim de encherem salões de casas de bailes e emocionarem os ingênuos com recordações de um passado que não devia ser avivado.

Afirmando isto, tenho que dizer as razões. Em primeiro lugar, tais bugigangas não têm, por si, em geral, beleza alguma; e, se a tiveram, era emprestada pelas almas dos que se serviram delas. Semelhante beleza só pode ser sentida pelos descendentes dos seus primitivos donos.

Demais, elas perdem todo o interesse, todo o seu valor, tudo o que nelas possa haver de emocional, desde que percam a sua utilidade e desde que sejam retiradas dos seus lugares próprios. Há senhoras belas, no seu interior, com os seus móveis e as costuras; mas que não o são na rua, nas salas de baile e de teatro. O homem e as suas criações precisam, para refulgir, do seu ambiente próprio, penetrado, saturado das dores, dos anseios, das alegrias de sua alma; é com as emanações de sua vitalidade, é com as vibrações misteriosas de sua existência que as coisas se enchem de beleza.

É o sumo de sua vida que empresta beleza às coisas mortais; é a alma do personagem que faz a grandeza do drama, não são os versos, as metáforas, a linguagem em si etc. etc. Estando ela ausente, por incapacidade do autor, o drama não vale nada.

Por isso, sinto-me bem contente de não ser obrigado a caçar, nos belchiores e cafundós domésticos, bugigangas, para agradar futuros e problemáticos imperantes, porque teria que dar a elas alma, tentativa em projeto que, além de inatingível, é supremamente sacrílego.

De resto, para ser completa essa reconstrução do passado ou essa visão dele, não se podia prescindir de certos utensílios de uso secreto e discreto, nem tampouco esquecer determinados instrumentos de tortura e suplício, empregados pelas autoridades e grão-senhores no castigo dos seus escravos.

Há, no passado, muitas coisas que devem ser desprezadas e inteiramente eliminadas, com o correr do tempo, para a felicidade da espécie, a exemplo do que a digestão faz, para a do indivíduo, com certas substâncias dos alimentos que ingerimos...

Mas... estou na cova e não devo relembrar aos viventes coisas dolorosas.

Os mortos não perseguem ninguém; e só podem gozar da beatitude da superexistência aqueles que se purificam pelo arrependimento e destroem na sua alma todo o ódio, todo o despeito, todo o rancor.

Os que não conseguem isso — ai deles!

Alonguei-me nessas considerações intempestivas, quando a minha tenção era outra.

O meu propósito era dizer a vocês que o enterro esteve lindo. Eu posso dizer isto sem vaidade, porque o prazer dele, da sua magnificência, do seu luxo, não é propriamente meu, mas de vocês; e não há mal algum que um vivente tenha um naco de vaidade, mesmo quando é presidente de alguma coisa ou imortal da Academia de Letras.

Enterro e demais cerimônias fúnebres não interessam ao defunto; elas são feitas por vivos para vivos.

É uma tolice de certos senhores disporem nos seus testamentos como devem ser enterrados. Cada um enterra seu pai como pode — é uma sentença popular, cujo ensinamento deve ser tomado no sentido mais amplo possível, dando aos sobreviventes a responsabilidade total do enterro dos seus parentes e amigos, tanto na forma como no fundo.

O meu, feito por vocês, foi de truz. O carro estava soberbamente agaloado; os cavalos bem paramentados e empenachados; as riquíssimas coroas, além de ricas, eram lindas. Da Haddock Lobo,[338] daquele casarão que ganhei com auxílio das ordens terceiras, das leis, do câmbio e outras fatalidades econômicas e sociais que fazem pobres a maior parte dos sujeitos e a mim me fizeram rico; da porta dele até o portão de São João Batista, o meu enterro foi um deslumbramento. Não havia, na rua, quem não perguntasse quem ia ali.

Triste destino o meu, esse de, nos instantes do meu enterramento, toda uma população de uma vasta cidade querer saber o meu nome e dali a minutos, com a última pá de terra deitada na minha sepultura, vir a ser esquecido, até pelos meus próprios parentes.

Faço esta reflexão somente por fazer, porque, desde muito, havia encontrado, no fundo das coisas humanas, um vazio absoluto.

Essa convicção me veio com as meditações seguidas que me foram provocadas pelo fato de meu filho Carlos, com quem gastei uma fortuna em mestres, a quem formei, a quem coloquei altamente, não saber nada desta vida, até menos do que eu.

Adivinhei isto e fiquei a matutar como é que ele gozava de tanta consideração fácil e eu apenas merecia uma contrariedade? Eu, que...

Carlos, meu filho, se leres isto, dá o teu ordenado àquele pobre rapaz que te fez as sabatinas por tuta-e-meia; e contenta-te com o que herdaste do teu pai e com o que tem tua mulher! Se não fizeres... ai de ti!

Nem o Carlos nem vocês outros, espero, encontrarão nesta última observação matéria para ter queixa de mim. Eu não tenho mais amizade, nem inimizade.

Os vivos me merecem unicamente piedade; e o que me deu esta situação deliciosa em que estou, foi ter sido, às vezes, profundamente bom. Atualmente, sou sempre...

Não seria, portanto, agora que, perto da terra, estou, entretanto, longe dela, que havia de fazer recriminações a meu filho ou tentar desmoralizá-lo. Minha missão, quando me consentem, é fazer bem e aconselhar o arrependimento.

Agradeço a vocês o cuidado que tiveram com o meu enterro; mas, seja-me permitido, caros parentes e amigos, dizer a vocês uma coisa. Tudo estava lindo e rico; mas um cuidado vocês não tiveram. Por que vocês não forneceram librés novas aos cocheiros das caleças, sobretudo ao do coche, que estava vestido de tal maneira andrajosa que causava dó?

Se vocês tiverem que fazer outro enterro, não se esqueçam de vestir bem os pobres cocheiros, com o que o defunto, caso seja como eu, ficará muito satisfeito. O brilho do cortejo será maior e vocês terão prestado uma obra de caridade.

Era o que eu tinha a dizer a vocês. Não me despeço, pelo simples motivo de que estou sempre junto de vocês. É tudo isto do

José Boaventura da Silva.

N.B. — Residência, segundo a Santa Casa: cemitério de São João Batista da Lagoa; e, segundo a sabedoria universal, em toda a parte. — J.B.S."

Posso garantir que transladei esta carta para aqui, sem omissão de uma vírgula.

A sombra do Romariz[339]

— Dizer que não trabalho mais à noite, no jornal, não é bem verdade. Licenciei-me por alguns meses, para lá não ir à noite. Quando há desses turumbambas políticos, na cidade, fujo do trabalho noturno. E faço semelhante coisa principalmente quando vejo certos nomes metidos neles.

Quem expunha isto era o tipógrafo Brandão a seu colega Barbalho que tinha observado àquele a sua ausência das oficinas do *Diário Carioca*, naqueles últimos dias.

Brandão continuou:

— Quando vejo tais nomes fico cheio de pavor, meu ânimo se estiola, não tenho coragem para nada, toda a minha personalidade é atingida de seca. Há dias, a mulher me pediu que fosse reconhecer a firma de um papel necessário a ela, a fim de receber uma pensão. Fui para a oficina, de manhã, hesitei, tive medo, afinal dei uma gorjeta a um aprendiz, para ir ao tabelião.

— Então, sempre estás trabalhando de dia?

— Que fazer? Preciso de algum dinheiro para as despesas inadiáveis; mas, à noite, nunca.

— Por que isto?

— É a sombra do Romariz.

— Quem é ou quem foi esse Romariz?

— Eu te conto. Em 1890, acabava-se de proclamar a República. Isto há trinta anos. Eu tinha vinte e poucos. De dia, trabalhava na Casa Mont'Alverne; e, à noite, fazia uns bicos, na *Tribuna Liberal*.[340] Um jornal apaixonadamente monarquista que atacava o governo provisório sem peso, nem medida. A bem dizer, não o lia ou mal o lia, porque, quando deixava a oficina da *Tribuna*, para pegar o último bonde de Vila Isabel,[341] onde morava, ele ainda não estava impresso.

A campanha da *Tribuna* era superiormente feita e levada com rijeza, no dizer de todos. Começou-se a falar que iam empastelar a folha. O governo desmentiu, assinando que era seu ponto de honra manter a liberdade de pensamento e de imprensa.

Continuei a trabalhar com mais coragem e sossego. Vi senão quando, aí pelas oito ou nove horas, entrar pela oficina adentro o aprendiz assustado e avisando cheio de terror: "Fujam! Fujam! Lá vêm eles!". Perguntado o que havia, contou que descia pela rua do Ouvidor um magote de gente, fardados e outros à paisana, a gritar: "Morram os sebastianistas! Morra a *Tribuna Liberal*! Viva o marechal Deodoro!" etc. etc.

À vista da narração do pequeno, todos trataram de fugir. Em nenhuma seção do jornal ficou viva alma. Redatores, revisores, compositores, impressores — todos fugiram. Só ficou no edifício o Romariz, um pobre revisor que dormia profundamente, descansando a cabeça sobre os braços cruzados e estes sobre a mesa de trabalho.

Por mais que o sacudissem e o chamassem, não foi possível despertá-lo. O tempo urgia; e o infeliz revisor lá ficou abandonado. Ele vivia tresnoitado; trabalhava dia e noite para manter a mãe e os irmãos. Tinha um pequeno emprego na estrada de ferro, que mal lhe dava para pagar a casa em subúrbio longínquo; lançara mão do ofício de revisor de provas, para acrescentar sua renda. Saía tarde do jornal; havia poucos *trucks* naquele tempo; e, muitas vezes, só ia em casa para mudar o colarinho, comer um pouco e voltar à cidade, a fim de assinar o ponto na Central.

Como te disse, foi ele o único que ficou, devido a seu profundo sono, perfeitamente explicável como tu já viste. Os assaltantes foram entrando, quebrando balcões, máquinas, derramando as caixas de tipos no chão, enquanto outros subiam ao primeiro andar cheios de raiva que, neles, nada explicava. Topando com o Romariz dormindo, nem se deram ao trabalho de despertá-lo. Foram-no desancando de cacete e de coices de armas na cabeça e ele mesmo sem saber por quê. Vi-lhe o cadáver, estava hediondo; vi-lhe a família, que ficava na maior miséria; vi...

— E daí?

— Daí é que quando há desses turumbambas políticos, vejo a sombra do Romariz que me diz: "Não vás trabalhar à noite".

— És espírita?

— Não; mas há muito mistério nesta nossa triste vida terrena.

Quase ela deu o "sim"; mas...[342]

João Cazu era um moço suburbano, forte e saudável, mas pouco ativo e amigo do trabalho.

Vivia em casa dos tios, numa estação de subúrbios, onde tinha moradia, comida, roupa, calçado e algum dinheiro que a sua bondosa tia e madrinha lhe dava para os cigarros.

Ele, porém, não os comprava; "filava-os" dos outros. "Refundia" os níqueis que lhe dava a tia, para flores dar às namoradas e comprar bilhetes de tômbolas, nos vários "mafuás",[343] mais ou menos eclesiásticos, que há por aquelas redondezas.

O conhecimento do seu hábito de "filar" cigarros aos camaradas e amigos estava tão espalhado que, mal um deles o via, logo tirava da algibeira um cigarro; e, antes de saudá-lo, dizia:

— Toma lá o cigarro, Cazu.

Vivia assim muito bem, sem ambições nem tenções. A maior parte do dia, especialmente a tarde, empregava ele, com outros companheiros, em dar loucos pontapés numa bola, tendo por arena um terreno baldio das vizinhanças da residência dele ou melhor: dos seus tios e padrinhos.

Contudo, ainda não estava satisfeito. Restava-lhe a grave preocupação de encontrar quem lhe lavasse e engomasse a roupa, remendasse as calças e outras peças do vestuário, cerzisse as meias etc. etc.

Em resumo: ele queria uma mulher, uma esposa, adaptável ao seu jeito descansado.

Tinha visto falar em sujeitos que se casam com moças ricas e não precisam trabalhar; em outros que esposam professoras e adquirem a meritória profissão de "maridos da professora"; ele, porém, não aspirava a tanto.

Apesar disso, não desanimou de descobrir uma mulher que lhe servisse convenientemente.

Continuou a jogar displicentemente o seu *football* vagabundo e a viver cheio de segurança e abundância com os seus tios e padrinhos.

Certo dia, passando pela porteira da casa de uma sua vizinha mais ou menos conhecida, ela lhe pediu:

— "Seu" Cazu, o senhor vai até à estação?

— Vou, dona Ermelinda.

— Podia me fazer um favor?

— Pois não.

— É ver se o "seu" Gustavo da padaria "Rosa de Ouro", me pode ceder duas estampilhas de seiscentos réis. Tenho que fazer um requerimento ao Tesouro, sobre coisas do meu montepio, com urgência, precisava muito.

— Não há dúvida, minha senhora.

Cazu, dizendo isto, pensava de si para si: "É um bom partido. Tem montepio, é viúva; o diabo são os filhos!". D. Ermelinda, à vista da resposta dele, disse:

— Está aqui o dinheiro.

Conquanto dissesse várias vezes que não precisava daquilo — o dinheiro —, o impenitente jogador de *football* e feliz hóspede dos tios foi embolsando os Nicolaus, por causa das dúvidas.

Fez o que tinha a fazer na estação, adquiriu as estampilhas e voltou para entregá-las à viúva.

De fato, d. Ermelinda era viúva de um contínuo ou coisa parecida de uma repartição pública. Viúva e com pouco mais de trinta anos, nada se falava da sua reputação.

Tinha uma filha e um filho que educava com grande desvelo e muito sacrifício.

Era proprietária do pequeno *chalet* onde morava, em cujo quintal havia laranjeiras e algumas outras árvores frutíferas.

Fora o seu falecido marido que o adquirira com o produto de uma "sorte" na loteria; e, se ela, com a morte do esposo, o salvara das garras de escrivães, escreventes, meirinhos, solicitadores e advogados "mambembes", devia-o à precaução do marido que comprara a casa em nome dela.

Assim mesmo, tinha sido preciso a intervenção do seu compadre, o capitão Hermenegildo, a fim de remover os obstáculos que certos "águias" começavam a pôr, para impedir que ela entrasse em plena posse do imóvel e abocanhar-lhe afinal o seu chalezito humilde.

De volta, Cazu bateu à porta da viúva que trabalhava no interior, com cujo rendimento ela conseguia aumentar de muito o módico, se não irrisório montepio, de modo a conseguir fazer face às despesas mensais com ela e os filhos.

Percebendo a pobre viúva que era o Cazu, sem se levantar da máquina, gritou:

— Entre, "seu" Cazu.

Estava só; os filhos ainda não tinham vindo do colégio. Cazu entrou.

Após entregar as estampilhas, quis o rapaz retirar-se; mas foi obstado por Ermelinda nestes termos:

— Espere um pouco, "seu" Cazu. Vamos tomar café.

Ele aceitou e ambos se serviram da infusão da "preciosa rubiácea", como se diz no estilo "valorização".

A viúva, tomando café, acompanhado com pão e manteiga, pôs-se a olhar o companheiro com certo interesse. Ele notou e fez-se amável e galante, demorando em esvaziar a xícara. A viuvinha sorria interiormente de contentamento. Cazu pensou com os seus botões: "Está aí um bom partido: casa própria, montepio, renda das costuras; e além de tudo, há de lavar-me e consertar a roupa. Se calhar, fico livre das censuras da tia...

Essa vaga tenção ganhou mais corpo quando a viúva, olhando-lhe a camisa, perguntou:

— "Seu" Cazu, se eu lhe disser uma coisa, o senhor fica zangado?

— Ora, qual, dona Ermelinda?

— Bem. A sua camisa está rasgada no peito. O senhor traz "ela" amanhã, que eu conserto "ela".

Cazu respondeu que era preciso lavá-la primeiro; mas a viúva prontificou-

-se em fazer isso também. O *player* dos pontapés, fingindo relutância no começo, aceitou afinal; e doido por isso estava ele, pois era uma "entrada", para obter uma lavadeira em condições favoráveis.

Dito e feito: daí em diante, com jeito e manha, ele conseguiu que a viúva se fizesse a sua lavadeira bem em conta.

Cazu, após tal conquista, redobrou de atividade no *football*, abandonou os biscates e não dava um passo para obter emprego. Que é que ele queria mais? Tinha tudo...

Na redondeza, passavam como noivos; mas não eram, nem mesmo namorados declarados.

Havia entre ambos, unicamente, um "namoro de caboclo", com o que Cazu ganhou uma lavadeira, sem nenhuma exigência monetária e cultivava-o carinhosamente.

Um belo dia, após ano e pouco de tal namoro, houve um casamento na casa dos tios do diligente jogador de *football*. Ele, à vista da cerimônia e da festa, pensou: "Por que também eu não me caso? Por que eu não peço Ermelinda em casamento? Ela aceita, por certo; e eu...".

Matutou domingo, pois o casamento tinha sido no sábado; refletiu segunda e, na terça, cheio de coragem, chegou-se à Ermelinda e pediu-a em casamento.

— É grave isto, Cazu. Olhe que sou viúva e com dois filhos!

— Tratava "eles" bem; eu juro!

— Está bem. Sexta-feira, você vem cedo, para almoçar comigo e eu dou a resposta.

Assim foi feito. Cazu chegou cedo e os dois estiveram a conversar; ela, com toda a naturalidade, e ele, cheio de ansiedade e apreensivo.

Num dado momento, Ermelinda foi até à gaveta de um móvel e tirou de lá um papel.

— Cazu — disse ela, tendo o papel na mão — você vai à venda e à quitanda e compra o que está aqui nesta "nota". É para o almoço.

Cazu agarrou trêmulo o papelucho e pôs-se a ler o seguinte:

1 quilo de feijão. . . . . 600 rs.
1/2 de farinha . . . . 200 "
1/2 de bacalhau . . . . 1$200 "
1/2 de batatas . . . . 360 "
Cebolas . . . . 200 "

Alhos	100 "
Azeite	300 "
Sal	100 "
Vinagre	200 "
	3$260 rs.
Quitanda:	
Carvão	200 rs.
Couve	200 "
Salsa	100 "
Cebolinha	100 "
Tudo.	3$860 rs.

Acabada a leitura, Cazu não se levantou logo da cadeira; e, com a lista na mão, a olhar de um lado a outro, parecia atordoado, estuporado.

— Anda Cazu — fez a viúva. Assim, demorando, o almoço fica tarde...

— É que...

— Que há?

— Não tenho dinheiro.

— Mas você não quer casar comigo? É mostrar atividade meu filho! Dê os seus passos... Vá! Um chefe de família não se atrapalha... É agir!

João Cazu, tendo a lista de gêneros na mão, ergueu-se da cadeira, saiu e não mais voltou...

O tal negócio de "prestações"[344]

O sr. José de Andrade era contramestre de uma oficina do Estado, situada nos subúrbios.

Era ele o único homem da casa, pois, do seu casamento com d. Conceição, só lhe nasceram filhas, que eram quatro: Vivi, Loló, Ceci e Lili.

Era homem morigerado, sem vícios, exemplar chefe de família, que ele governava com acerto e honestidade. Só tinha um fraco: jogar no bicho; mas, isso mesmo, não era diariamente; fazia-o de longe em longe.

Um belo dia, ganhou na centena. Adquiriu, por quinhentos mil-réis, um terreno, em Inhaúma; comprou algumas peças de uso doméstico e distribuiu cem mil-réis, igualmente, entre a mulher e as quatro filhas. D. Conceição tinha visto nas mãos do Benjamim, vendedor ambulante, por prestações, uma saia de casimira muito boa. Quis comprá-la, mas não tinha de mão a quantia que devia dar de sinal. Entretanto, agora, com aqueles vinte mil-réis, estava de posse dela.

Nem de propósito! No dia seguinte, Benjamim passa, e ela adquire a saia, dando o sinal e obrigando-se a pagar doze mil-réis, mensalmente.

Vivi também tinha visto nas mãos de Sárak uns borzeguins de cano alto, de pelica, muito bons; mas não tivera o dinheiro na ocasião, para fazer o primeiro adiantamento.

Esperou Sárak e adquiriu dois pares: um preto e outro amarelo.

Estava no dever de pagar doze mil-réis por mês, que ela esperava obter com o produto de suas costuras.

Loló, essa gostava de joias e vivia sonhando com um relogiozinho-pulseira que o Nicolau lhe quisera vender a prestações de quinze mil-réis. Avisou a sua amiga Eurídice que, quando ele lhe fosse cobrar, o mandasse falar com ela, Loló.

Assim foi feito; e, no domingo seguinte, ia ao cinema com o adorno cobiçado que logo se desarranjou.

Pagaria as prestações com o dinheiro que os bordados lhe dariam.

Ceci e Lili não eram lá muito inclinadas para esse negócio de prestações; mas o exemplo das irmãs animou-as.

Ceci tinha uma linda saia de *voile* azul-marinho, que o papai lhe dera no mês passado, quando fizera dezessete anos; mas não gostava da blusa que era branca. Queria uma creme; e, justamente, o Ivã, um ambulante de prestações, que lhe não deixava a porta, tinha uma em condições, e magnífica. Ficou com ela; e a sua contribuição era modesta: seis mil-réis mensais, quantia ínfima que o pai lhe daria certamente.

Lili, a mais moça, não tendo ainda dezesseis anos, parecia resistir à atração, à fascinação de obter um adorno ou uma peça de vestuário, por meio de quotas mensais.

Guardou, durante uma semana, os vinte mil-réis intactos; mas apareceu-lhe no portão, pela primeira vez, um vendedor ambulante de joias, a prestações; e ela, dando-lhe o dinheiro, que tinha reservado, fez-se dona de umas "africanas" com a promessa de pagar dez mil-réis por mês. Chama-se o ambulante José Síky.

Ela ajudava a mais velha, a Vivi, nas costuras e, por isso, lhe dava esta uma parte do que ganhava.

O mês correu e não bem para os cálculos das moças, pois Vivi adoeceu e não pudera trabalhar na "Singer". A moléstia da mais velha refletiu-se em toda a economia da família, pois houve aumento de despesas com medicamentos, dieta etc. D. Conceição não pôde fazer economias nas compras, pois tinha que atender ao acréscimo de despesa com o aleitamento de Vivi; à segunda, Loló, tendo que cuidar da irmã, não foi permitido bordar; ao pai, devido aos dispêndios com o tratamento da mais velha, não foi dado oferecer qualquer dinheiro à sua filha de estimação, Ceci; e, finalmente, não tendo Vivi trabalhado, Lili não ganhava a gorjeta que a primogênita lhe dava.

No começo do mês seguinte, um atrás do outro, lá batiam à porta, Benjamim, Sárak, Nicolau, Ivã, José Síky, a cobrar as prestações de d. Conceição, de Vivi, de Loló, de Ceci e de Lili.

Desculparam-se do melhor modo e os homens se foram resignadamente.

No mês que se seguiu, as coisas não correram tão bem como elas esperavam. Fizeram alguma coisa, mas insuficiente para pagar aos russos [sic] das prestações.

Não ficaram estes contentes e procuraram indagar quem era o dono da casa. José de Andrade não sabia da história de prestações e ficou espantado quando eles o procuraram, para a cobrança. No começo pensou que era só um; mas quando viu que eram cinco, e que as prestações alcançavam a respeitável soma de cinquenta e nove mil-réis, o pobre homem quase ficou louco.

Ainda quis restituir os objetos; mas as peças de vestuário estavam usadas, o relógio desarranjado e até as "africanas" precisavam de consertos no fecho.

Não houve remédio senão pagar, e, ainda hoje, quando o modesto operário encontra um homem de prestações, diz com os seus botões:

— Não sei como a polícia deixa essa gente andar solta... Só se lembra de perseguir o "bicho" que é coisa inocente.

O meu Carnaval[345]

— Mas foste mesmo recrutado?
— Fui; e comi fogo que não foi graça.
— Como foi a história?
— Aproximava-se o Carnaval. Como era meu costume, vim para a oficina, onde trabalhava. Eu morava em Santa Alexandrina, pelas bandas do largo do Rio Comprido.

Ao chegar à oficina, na rua dos Inválidos, o mestre me disse: "Valentim, você hoje tem um serviço externo. Você vai até Caxambi, no Méier, para assentar as caixas-d'água de um prédio novo". Deu-me o dinheiro das passagens e parti. Conhecia aquela zona e, a fim de poupar níqueis, desprezei o bonde e fui a pé. Passava eu por uma rua transversal à Imperial, quando fui abordado por três ou quatro tipos fardados, do mais curioso aspecto. Eram de diversas cores, formando uma escolta, cujo comandante, um cabo, era um preto. E que preto engraçado! Desengonçado, pernas compridas e arqueadas, pés espalhados — era mesmo um macaco. A farda, blusa e calça, estava toda pingada; o cinturão subira-lhe até quase ao peito... Enfim, era um verdadeiro pagodes, um "Judas".

— Que é que eles te disseram?
— O cabo veio direito a mim e perguntou-me com toda a empáfia: "Onde é que você vai?". Disse-lhe; mas a feroz autoridade parecia ter implicado comigo,

tanto que me intimou: "Você vai à presença do senhor capitão Lulu". "Mas não fiz nada", objetei. Ele foi inabalável e não quis atender os meus rogos. Chorei, roguei, mas nada! Num dado momento, um dos soldados disse: "Seu cabo está com muitos luxos. Se fosse comigo, esse paisano ia já". E fez menção de desembainhar um enorme sabre de cavalaria que tinha à cinta.

— Mas que soldados eram estes?
— Não estás vendo logo? Eram guardas nacionais.
— Percebo. Foste?
— Fui. Que remédio?
— Que te fizeram?
— Vou contar-te tim-tim por tim-tim. Levaram-me à presença do oficial. Era um mulato forte, simpático, e o seria intensamente se não fosse a sua presunção e pernosticidade. Era assim o capitão Lulu. Muito apurado no seu uniforme, disse-me num tom imperativo: "Você é um reles desertor. É um ignóbil brasileiro que recusa servir a sua pátria". Objetei-lhe cheio de susto: "Mas, senhor capitão, nunca fui soldado, como posso ser desertor?". O capitão Lulu não respondeu diretamente à minha interrogativa, mas perguntou-me: "Como é que você se chama?". Disse-lhe. Indagou ainda: "Onde é que você mora?". Indiquei: "Rua tal, em Santa Alexandrina". Isto pareceu-lhe contrariar; mas nada disse. Pôs-se a escriturar num livro e, por fim, falou-me: "Encontrei os seus assentamentos. Você está há muito tempo qualificado neste batalhão — 01.723.436, regimento de cavalaria da Guarda Nacional. Apesar de reiteradas intimações, você não se tem apresentado. Está preso disciplinarmente por oito dias". Fiquei tonto, atordoado: "Mas senhor", fiz eu, a tremer. "Cabo", gritou o Lulu, "cumpra as ordens. Já sabe!"

— Puseram-te na cadeia?
— Não. Revistaram-me, tiraram-me as ferramentas e o dinheiro que levava. Isto tudo na presença do marcial Lulu. Quando este viu os cobres, gritou: "Dá cá! Esses cobres vão para a caixa do regimento". Após o quê, levaram-me para um outro compartimento, onde me fizeram despir a roupa e vestir uma calça e blusa do uniforme. Das peças que lá havia, a única blusa que me chegava tinha as divisas de cabo. Não quiseram arrancá-las e fui feito cabo de esquadra. Isto não impediu, porém, que me pusessem em serviço árduo.

— Qual foi?
— Meteram-me uma enxada na mão e fizeram-me capinar a chácara durante quase oito dias, passando fome.

— Como?

— A comida era café ralo e pão duro, pela manhã; e, às duas horas, um ensopado de mamão verde, muito malfeito, no qual encontrar uma hastilha de carne-seca era uma raridade de fazer alegria até chorar. Na sexta-feira que precedia o sábado, véspera do Carnaval, descansei. Ordenaram-me que lavasse a farda e a roupa branca, o que fiz vestindo em cima do corpo a fatiota com que fora preso. Mandaram passar a roupa lavada a ferro; e, no sábado, ordenaram-me que a envergasse e fosse à presença do comandante. Apresentei-me, fiz a continência que me haviam ensinado e esperei as ordens. O Lulu disse para o superior: "Está aí coronel, o desertor que capturei". O comandante, recostado na cadeira, acariciou o ventre proeminente com as duas mãos e disse com sotaque italiano: "Que vai ele fare?". O capitão Lulu respondeu: "Vai ser minha ordenança, no patrulhamento do Carnaval". O coronel ítalo-brasileiro só se limitou a dizer: "Bene!". À tarde, no sábado, Lulu, antes de sairmos, mandou-me chamar e aconselhou-me: "Você me parece boa pessoa, disciplinada. Procede muito bem. 'A submissão é a base do aperfeiçoamento', disse Victor Hugo.[346] Se sou oficial, se cheguei à posição em que estou, devo não só ao meu esforço, como também a ser obediente aos meus superiores. Você veio, acompanhou-me; porte-se bem que não terá de arrepender-se".

— O que era esse tipo, além de guarda nacional?

— Era servente do Senado.

— Que magnata!

— Não te rias. À hora marcada, saímos, eu e Lulu, para a ronda. Deu-me cinco mil-réis, para despesas; mas não os pude gastar em uma feijoada, porque o aguerrido Lulu não me dava tempo. Andamos pelas ruas e, à noite, fomos aos clubes, onde pude beber e comer à vontade. No domingo foi a mesma coisa e já tinha ganho a intimidade de Lulu, a ponto de bebermos os nossos calistos juntos. Na segunda-feira, deu-me licença de ir até em casa; e eu que já estava ensoberbado de ser guarda nacional, fui de farda, facão e tudo! Quando cheguei ao largo do Rio Comprido,[347] saltei para tomar alguma coisa. Topei logo com um conhecido que, surpreendido e cheio de espanto, me disse: "Valentim! Que é isso? Você pode ser 'pegado'!". "Por quê?" "Ninguém se pode fantasiar com os trajes militares do país." Mal tinha dito isto, quando fui preso imediatamente por um polícia que me levou à delegacia onde não me quiseram ouvir e me meteram no xadrez até Quarta-feira de Cinzas. Está em que deu a Guarda Nacional e como foi o meu Carnaval, naquele ano.

Lourenço, o Magnífico[348]

I

Quem conheceu, antes de 1914, o corretor Lourenço Caruru, hoje não o conhecerá mais.

Lembram-se todos que ele ia ali, ao Colombo, todas as tardes, tomar um ou dois *cocktails*; e, se lhe apareciam amigos, logo raspava-se para não pagar mais. Tinha horror aos filantes; hoje, ele os procura, mas aos de alta escola que aprendem com os modestos pilhérias e ditos.

Lourenço Caruru, só no ano de 1917, ganhou líquido oitocentos contos. Nos seus belos tempos dos dois *cocktails* por tarde de Colombo, Caruru era um homem morigerado que, das "francesas", só queria o cheiro; e, se por acaso, uma delas lhe sentava à mesa, logo punha-se a tremer com medo que a cara-metade lhe aparecesse.

Era homem da família.

Depois dos dois *cocktails* saía a bongar frutas, *bonbons* e quejandos, para levar para os filhos e netos.

Ganhando tanto dinheiro no curto espaço de um ano, Lourenço ficou estonteado e julgou-se um príncipe magnífico.

A primeira coisa que arranjou foi uma princesa — coisa que não lhe foi difícil nos mercados do Flamengo e do Catete.

Correu a um estofador e disse-lhe:

— Preciso mobiliar um *appartement* com gosto. É para uma senhora estrangeira de fino trato.

Essa "senhora estrangeira de fino trato" começara modestamente como caixeira de botequim em Estrasburgo, passara-se para Paris com a profissão e tudo; e, daí, tentara fazer a "América do Sul", no que foi muito feliz, como se está vendo.

O tapeceiro, depois de ouvir o homenzinho e pedir-lhe mais detalhes, disse-lhe o custo do *appartement*.

— Vinte contos.

O homenzinho indignou-se:

— Mas, então, o senhor pensa que eu sou um "pronto" por aí?! Que eu sou algum funcionário público?!

— Meu caro senhor — disse-lhe o negociante —, eu fiz o orçamento médio. Havia nele todo o mobiliário para os quartos de dormir, *boudoir*, sala de visitas etc. etc. Mas se o senhor quer coisa melhor...

— Por certo! — exclamou o corretor.

— Vou, então, organizar coisa mais requintada.

— Faça e mande a conta. A senhora virá examinar e combinar com o senhor tudo.

Dito e feito: o tapeceiro fez a mesma coisa ou pouco mais do que aquilo que ia custar-lhe vinte contos, cobrou-lhe cem, de acordo com a "madama", que levou vinte por cento na transação.

Mas Lourenço não estava satisfeito. Queria passar como homem de gosto junto da "madama". Queria quadros, estátuas... arte!

De vista, ele conhecia vários rapazes pintores; mas, por conhecê-los, não os julgava capazes de fazerem qualquer trabalho de préstimo.

"Então, aquele tipo que vive na porta da 'Galeria' pode fazer alguma coisa que preste? Qual!"

Nesse meio-tempo, desembarca um afamado pintor egípcio, Sádi Ben Álfari, cujos méritos os jornais gabam com os mais ternos adjetivos. Lourenço, que, naquele ano de 1918, ganhara, num negócio de cereais e praça de navios, cerca de mil contos, compra-lhe a carregação toda de quadros, ainda encaixotados na alfândega.

O tal pintor da terra dos faraós mosca-se logo; e, quando Lourenço manda desencaixotar os quadros, fica admirado de só encontrar neles, apesar de ser quase uma centena, a reprodução das pirâmides e da ilha de File, à tarde, ao meio-dia e pela manhã.

"Madama", que não tinha levado nada na transação, passa-lhe uma grande descompostura e refuga-lhe os quadros. Lourenço os distribui com os amigos, parentes e, até, leva alguns para a casa da família.

Meses depois, os jornais anunciam que o sr. Ramkjolk, de Estocolmo, ia expor uma grande coleção de mármores artísticos, dos mais célebres escultores da Suécia, no armazém de uma casa da avenida Central.

O magnífico Lourenço lê a notícia e a "madama" também.

Dias depois, resolvem ir ver os mármores suecos que fizeram o ingente sacrifício de atravessar tantos mares bravios, para nos edificar esteticamente; e os dois vão até eles, não só para receberem um *frisson* de arte superior, pois os nervos de Lourenço não suportavam outro, como também para adquirirem alguns.

Essa última parte foi logo alvitrada por "madama", que, a sós, já tinha examinado a exposição.

No automóvel de príncipes, vão arrulhando, ele e "madama". Chegam, "madama" quer este, Lourenço quer aquele; e ambos querem aqueloutro.

Resultado: gastam duzentos contos em estátuas.

Lourenço, o Magnífico, sai radiante com a revelação inesperada da sua cultura artística; mas, subitamente, ao transpor a porta de saída, lembra-se de alguma coisa e volta-se de repente, para reentrar.

"Madama" assusta-se.

— Que é Lourenço?

— É preciso pôr o meu cartão em cada um daqueles "calungas".

II[349]

Quando Lourenço Caruru, o corretor *nouveau-riche*, deu balanço dos seus lucros, em 1919, e viu que tinha ganho mais de mil contos, procurou gastar o mais que pudesse, com repercussão, porém, nos jornais e nas rodas. Vimos como ele gastou duzentos contos em mármores suecos, a que ele, pitorescamente, denominou — "calungas". Embora fizesse outros gastos tão avultados, a sua fortuna em nada ressentiu deles, pois os ganhos em especulações da "praça" de navios, de compra e venda de cereais, de carnes e, até, na declaração de guerra do Brasil à Alemanha, foram tais que cobriram todas as suas dissipações e as de "madama", a princesa de *brasserie*, para quem montara uma luxuosa moradia.

Verificando tão extraordinários lucros, Caruru pôs-se a pensar em que devia gastar dinheiro.

Ele estava na situação daquele sujeito a quem o diabo dera uma carteira, contendo certa avultada quantia que ele devia gastar totalmente até à meia-noite. Toda manhã, ela amanhecia cheia. O sujeito supôs a coisa fácil e, durante os primeiros meses, cumpriu o pacto.

Jogava, bebia, viajava, galanteava etc. etc.; mas vieram o enfado e o cansaço dessas coisas todas, e, numa bela noite, chega-lhe a hora fatal das doze e ele não tinha gasto todo o dinheiro da carteira.

O diabo surge-lhe e pergunta-lhe:

— Então? A tua alma é minha... Não soubeste gastar o dinheiro...

— É que... estou doente.

— Qual, doente! Qual nada! — objeta o demônio. — Se o soubesses gastar, terias escapado do inferno por toda a eternidade.

— Como?

— Fazendo o bem.

Naqueles começos do ano de 1919, Lourenço, o Magnífico, estava em situação semelhante. Ele não sabia como gastar a cobreira que ganhara... Deu em mudar o estilo do mobiliário da casa; e fazia as maiores extravagâncias.

"Madama" não tinha também grande força de fantasia. No fundo, ela era uma pequena-burguesa, de gostos simples, que fazia, com aqueles fingimentos de aventureira alto coturno, de Lady Hamilton de um "rasta" brasileiro, numa cidade mais ou menos cheia de selvagens, que fazia, explicava, o seu pecúlio com que, na sua segunda velhice, pois estava na primeira, ficasse a coberto de necessidades, auxiliasse os parentes e fizesse obras pias e de caridade que a levassem direitinho ao céu dos justos, apesar de tudo.

Ambos sem fantasia, não atinavam como gastar a melgueira, cujo ganho na algibeira de Caruru representava a morte, a dor, o penoso trabalho de centenas de miseráveis.

A história de mudança do mobiliário já estava cacete. Eram andorinhas pra cá; eram andorinhas pra lá. A vizinhança, no contar dos criados, já troçava. "Madama" gostava, porque sempre "refundia" o preço de venda da que se ia; mas, apesar de tal, teve medo do ridículo e parou com a coisa.

Lourenço, o Magnífico, muito menos fértil de imaginação fantasista, estava atarantado, mesmo porque, como o tal sujeito da lenda, não sabia fazer o bem.

Os seus princípios de economia e subordinação a um ganho restrito junto ao seu natural visceralmente seco tinham-no feito viver à parte da Caridade. Sempre embirrara com os mendigos:

— É uma vergonha — dizia ele — que, numa cidade como esta, um homem não possa andar, sem que não encontre dez pobres, para lhe estender a mão. Que faz a polícia? O governo não cria asilos?

Há pessoas que têm medo de defuntos; Lourenço, o Magnífico, sempre tivera ojeriza aos pobres e miseráveis. Eram-lhe como espectros...

Não sabia, portanto, como aplicar os seus desmedidos lucros; e tão enleado estava nessa atroz cogitação que até pensou em arranjar outra "madama". Era como ele sabia gastar... Mas... teve medo. "Madama" nº 1 era uma fera de ciúmes (ela é quem sabia de quem os tinha); e bem podia fazer uma das suas. Lourenço, o Magnífico, não quis levar o propósito avante; mas... precisava gastar dinheiro, fosse como fosse.

Uma tarde, em que ele chegara ao seu *appartement*, antes de "madama", esta veio encontrá-lo, ao chegar ela da rua, sentado a ler os jornais vespertinos. Falou-lhe "madama" com o seu português bordelengo em que ela queria, na ocasião, pôr muita meiguice:

— Sabes, Lourenço, de uma coisa?

— Que é?

— Acabo de vir de uma exposição de tapeçarias. Que coisas lindas! Dizem que foi de uma grande casa russa, cujos membros conseguiram salvar do saque dos sanguinários socialistas que tomaram conta da Rússia. Há até um autêntico gobelino; mas não foi deste que eu gostei. O que gostei mais, foi de um "Hércules e Onfale". Queres comprá-lo?

— Quanto custa?

— Vinte contos.

— Estás doida, filha! Ainda se fosse em outra coisa; mas dar tanto dinheiro, para se pôr os pés... Nessa não vou eu!...

"Madama" pôs-se de pé e disse com todo desprezo:

— Burro! Selvagem! *Sale singe!* Pois você pensa que é um tapete qualquer? Ora, bolas! É um verdadeiro quadro que se estende na parede. Aprenda, macaquito!

— Não sabia — acudiu o corretor humildemente — mas, se é assim, amanhã terá você o tapete.

Não só comprou esse, como mais outros; e a "madama" ganhou dezoito contos de comissão.

III[350]

Lourenço Caruru, o Magnífico, depois que a guerra e a Liga pelos Aliados[351] lhe fizeram ganhar centenas de contos por ano, teve desejos de mostrar-se um homem fino, artista e apreciador de belas coisas.

Já temos visto como ele se mostrou conspícuo em matéria de artes plásticas e aplicadas; mas o que não contei ainda foi como ele inaugurou, com grande orgulho monetário, a sua biblioteca.

Caruru tinha por camarada um adestrado leiloeiro com quem almoçava todo o dia, no *restaurant* mais caro do centro comercial e mais banal do universo, enquanto "madama" sarandava por aí, à cata de compras vultuosas em que ela ganhasse gordas comissões — meio magnífico que encontrara para passar grande parte da fortuna do "Magnífico" para as suas algibeiras.

Esse leiloeiro, o Cosme, viu bem que, até então, só havia ganho com os estupendos lucros do Caruru almoços e charutos. Era preciso ganhar mais alguma coisa.

Falou-lhe em móveis antigos, em curiosidades de mobiliário, de toda a ordem. Caruru, porém, seguindo o conselho da princesa, "madama", só gostava de coisas novas. Esses objetos antigos, dizia ele, consoante a sabedoria da Saúde Pública, têm gérmens de várias moléstias transmissíveis e ele não ia nisso de morrer agora, quando ganhava dinheiro a rodo e tinha ao lado aquela deliciosa "madama" que o fizera ressuscitar da sepultura do lar burguês e honesto.

Cosme, entretanto, não desanimou de ganhar algum dinheiro graúdo do seu "comensal riquíssimo" de opíparos almoços.

Havia morrido um manipanso célebre do foro, dos pareceres e dos apedidos do *Jornal do Commercio*, e Cosme tinha que lhe vender a biblioteca em leilão.

Era de fato preciosa, mas os livros preciosos e caros estavam virgens, até de traças.

Cosme, logo que pôs a livraria no armazém, tratou de seduzir o amigo para lhe comprar uns lotes.

— Não sabes Caruru que livros raros há na biblioteca do conselheiro Encerrabodes!

— Estrangeiros?

— Não; nacionais. Os livros nacionais, quando rareiam, são mais raros do que os estrangeiros.

— Por quê?

— Porque, aqui, não há amor aos livros, de forma que eles não são conservados de pais a netos. Ao contrário do que acontece na Europa, onde os herdeiros quase sempre guardam as relíquias, inclusive os livros, dos avós, sendo por isso fácil encontrar duplicatas, triplicatas e mais.

— Então tens verdadeiras preciosidades?

— Tenho.

— Quando é o leilão?

— Amanhã.

— Vou lá — disse Caruru com o ar de um valentão que diz para outro: "Comigo é nove e tu não tiras farinha".

Despediram-se, e Cosme logo tratou de achar um comparsa que "picasse" os lances de Caruru.

No dia seguinte, o corretor lá estava; Cosme distraiu-o até começar o leilão.

Puseram em lotação uma obra cujo título ele não ouviu bem. Um sujeito disse:

— Dois contos de réis.

Cosme, piscando o olho para Caruru, gritou:

— Quem dá mais?

O "Magnífico" berrou:

— Dois contos e quinhentos.

O comparsa do leiloeiro berrou:

— Três contos!

O duelo continuou assim e a obra coube a Lourenço pela ninharia de nove contos. Eram as leis e decisões do Brasil, desde a Independência até um ano próximo àquele de tão memorável compra. Dessa forma, comprou muitos outros.

Quando Caruru ia saindo orgulhoso da vitória, alguém perguntou:

— O senhor deve ganhar muito dinheiro na advocacia não é?

— Absolutamente não. Ganho muito dinheiro com a guerra que os outros fazem e na qual morrem aos milheiros.

Achou a resposta irônica e sentiu que tinha esmagado o idiota que pretendera debochá-lo.

Dias depois, possuía no famoso apartamento o núcleo de uma bela e luxuosa biblioteca, para a qual era perfeitamente analfabeto e que faria dormir o mais resistente a leituras soporíferas.

Fim de um sonho[352]

Foi mesmo um sonho, mergulhado no qual vivi cerca de três meses, meu caro. Durante eles, sonhei dia e noite. De dia, então eu nada percebia com nitidez. A luz do sol, dura e crua, me era estranha, feria-me, fazia-me mal. Discernia com dificuldade as fisionomias e as coisas. Eu me havia transformado em um animal noturno muito especial que só pode viver em luz elétrica. Só, sob incidência dessa luz artificial, é que o mundo das coisas e dos entes saía, para os meus olhos, da bruma, da caligem, da hesitação de formas; fora daí, houvesse o mais radiante sol que houvesse, tudo era pastoso, turvo e mal tomavam corpo e figura as vidas e os objetos.

Erguia-me sempre tarde, porque me deitava alta madrugada. Vinha para casa em automóvel que o clube punha à minha disposição. Metia-me no quarto da pensão chique, que era hermeticamente fechado como convém a essas pensões, e arejado astuciosamente pelo rodapé e pelo teto. Dormia até às três horas, tomava banho e almoçava quando os outros iam jantar. Saía à boca da noite, fazia horas pelos botequins até ir jantar num restaurante do centro e, depois, encaminhava-me para o clube, o lindo "Incroyable-Club", decorado luxuosamente, com um luxo e gosto nem sempre de grande apruro, mas que a profusão de luz elétrica, derramada aos jorros, fazia suntuoso e maravilhoso que nem um palácio de Mil e uma Noites.

Nunca vira aquilo tudo; e embora, por conhecer alguma coisa de arte, detestasse as duvidosas pinturas das paredes, gostava, entretanto, das mulheres que não me pareciam ser tão artificiais assim. Em começo, fazia o meu serviço, bebendo cerveja; por fim, champanha; e, afinal, travei conhecimentos com cavalheiros amáveis. Eram todos estrangeiros e chamavam-se: Wassíli Alexandróvich Sóbonoff, engenheiro russo, de grande capacidade em coisas elétricas, emigrado de sua pátria, por causa do "Soviet", e contratado para dirigir uma poderosa usina de produção elétrica em Mambocaba, a fim de extrair mecanicamente turfa, que abundava naquela localidade, e beneficiá-la também.

O outro era dinamarquês ou tcheco e só o conheci pelo nome de Peteo. Pretendia servir-se de um pouco da força da usina de Wassíli, para obter matérias corantes dos resíduos da turfa deste; e o terceiro era o barão de Hermeny, magiar com muitos quarteirões de nobreza, descendente de santo Estêvão e não sei quem mais. Corria mundo enquanto não se restabelecia o trono do seu augusto e santo avô, para então retomar os seus cargos e as suas fartas rendas.

Nunca conheci cavalheiros tão amáveis e educados. Sempre corretamente vestidos, injuriados discretamente, conversavam comigo sobre todos os assuntos com conhecimento profundo de causa. Sabiam todo o movimento político do mundo e as suas previsões eram sempre seguras. Desde que os conheci, nunca mais paguei champanha nem ceias. Para estas, eles traziam variadas damas que lhes falavam numa gerigonça arrevesada que mesmo não sei que língua era. Eu ficava babado diante daquelas carnaduras rijas, daqueles colos azuis que nos são pouco familiares e daqueles rostos polpudos, daquelas sobrancelhas negras a poder de ingredientes, daquelas orelhas cheias de bichas e daquelas ancas... Por momentos, vendo aquelas mulheres, aquelas luminárias, aqueles tapetes, aqueles jarrões com pequenas palmeiras, esquecendo as figuras das paredes, eu me julgava um sultão ou pelo menos, um aprendiz desse ofício, mas que já podia tirar o lenço...

Um dia saí com o barão húngaro e convidei-o para tomar o "meu" automóvel. Quando ele ia entrar, chegou-se um sujeito, apresentou-lhe uma carteira e disse-lhe:

— O senhor está convidado a ir à Polícia Central.

O barão não relutou e respondeu galantemente:

— Deve ser algum engano. Vamos.

Depois, dirigindo-se a mim:

— O doutor me desculpe... As autoridades brasileiras ainda não estão bem informadas de quem sou...

— Quer ir no "meu" automóvel?

— Não; seria incomodá-lo. Vou mesmo num táxi aqui com o senhor — disse, voltando-se para o agente.

No dia seguinte, soube que o tal barão era um terrível ladrão de bancos que a polícia do Chile perseguia, por ter roubado, com grande audácia, a um de Santiago, em cerca de cento e cinquenta contos. Não era húngaro, como se intitulava: era rumaico ou coisa que o valha.

Continuei, porém, no meu sonho de nada pensar de sério na vida. Quase não lia jornais; livros e revistas esperavam que lhes apontasse as páginas, em cima da mesa; não respondia às cartas ou mal as respondia, às pressas. Que mais queria? Tinha encontrado, ao mesmo tempo, os "Campos Elísios", o "Éden", o "Paraíso" cristão e o de Maomé. O clube de jogo juntava-me tudo isto no meu sentir e para o meu gozo. Vivia num arrebatamento deste mundo, fora dele e das suas coisas triviais, num encantamento divino... Que delícia!

— Como acabou, meu caro? — perguntou-lhe o amigo que o ouvira calado até aí.

— Uma noite destas, fui para o serviço do Club, como de costume, e o porteiro, logo à entrada, me avisou: "A 'casa' fechou doutor; a emenda do senador Sá foi avante: não há mais jogo".

Não quis subir, pus-me na rua e acendi o último dos "havanas" que o tal engenheiro russo me havia dado, na véspera. Fumei-o com volúpia e vagar, sacudindo as cinzas com pena — as cinzas do meu sonho! Certamente, esse seria o último que fumaria na minha vida... Foi um sonho!

Eficiência militar[353]
(*Historieta chinesa*)

Li-Huang-Pô, vice-rei de Cantão, Império da China, Celeste Império, Império do Meio, nome que lhe vai a calhar, notava que o seu exército provincial não apresentava nem garbo marcial, nem tampouco, nas últimas manobras, tinha demonstrado grandes aptidões guerreiras.

Como toda a gente sabe, o vice-rei da província de Cantão, na China, tem atribuições quase soberanas. Ele governa a província como reino seu que houvesse herdado de seus pais, tendo unicamente por lei a sua vontade.

Convém não esquecer que isto se passou durante o antigo regime chinês, na vigência do qual esse vice-rei tinha todos os poderes de monarca absoluto, obrigando-se unicamente a contribuir com um avultado tributo anual, para o erário do Filho do Céu, que vivia refestelado em Pequim, na misteriosa cidade imperial, invisível para o grosso do seu povo e cercado por dezenas de mulheres e centenas de concubinas. Bem.

Verificado esse estado miserável do seu exército, o vice-rei Li-Huang-Pô começou a meditar nos remédios que devia aplicar para levantar-lhe o moral e tirar de sua força armada maior rendimento militar. Mandou dobrar a ração de arroz e carne de cachorro, que os soldados venciam. Isto, entretanto, aumentou em muito a despesa feita com a força militar do vice-reinado; e, no intuito de fazer face a esse aumento, ele se lembrou, ou alguém lhe lembrou, o simples alvitre de duplicar os impostos que pagavam os pescadores, os fabricantes de porcelana e os carregadores de adubo humano — tipo dos mais característicos daquela babilônica cidade de Cantão.

Ao fim de alguns meses, ele tratou de verificar os resultados do remédio que havia aplicado nos seus fiéis soldados, a fim de dar-lhes garbo, entusiasmo e vigor marcial.

Determinou que se realizassem manobras gerais, na próxima primavera, por ocasião de florirem as cerejeiras, e elas tivessem lugar na planície de Chu--Wei-Hu — o que quer dizer na nossa língua: "planície dos dias felizes". As suas ordens foram obedecidas e cerca de cinquenta mil chineses, soldados das três armas, acamparam em Chu-Wei-Hu, debaixo de barracas de seda. Na China, seda é como metim aqui.

Comandava em chefe esse portentoso exército o general Fu-Shi-Tô que tinha começado a sua carreira militar como puxador de tílburi em Hong Kong. Fizera-se tão destro nesse mister que o governador inglês o tomara para o seu serviço exclusivo.

Este fato deu-lhe um excepcional prestígio entre os seus patrícios, porque, embora os chineses detestem os estrangeiros, em geral, sobretudo os ingleses, não deixam, entretanto, de ter um respeito temeroso por eles, de sentir o prestígio sobre-humano dos "diabos vermelhos", como os chinas chamam os europeus e os de raça europeia.

Deixando a famulagem do governador britânico de Hong Kong, Fu-Shi-Tô não podia ter outro cargo, na sua própria pátria, senão o de general no exército do vice-rei de Cantão. E assim foi ele feito, mostrando-se desde logo um inovador, introduzindo melhoramentos na tropa e no material bélico, merecendo por isso ser condecorado com o dragão imperial de ouro maciço. Foi ele quem substituiu, na força armada cantonesa, os canhões de papelão pelos do Krupp; e, com isto, ganhou de comissão alguns bilhões de *taels*, que repartiu com o vice--rei. Os franceses do Canet queriam lhe dar um pouco menos, por isso ele julgou mais perfeitos os canhões do Krupp, em comparação com os do Canet. Entendia, a fundo, de artilharia, o ex-fâmulo do governador de Hong Kong.

O exército de Li-Huang-Pô estava acampado havia um mês, nas "planícies dos dias felizes", quando ele se resolveu a ir assistir-lhe as manobras, antes de passar-lhe a revista final.

O vice-rei, acompanhado do seu séquito, do qual fazia parte o seu exímio cabeleireiro Pi-Nu, lá foi para a linda planície, esperando assistir a manobras de um verdadeiro exército germânico. Antegozava isso como uma vítima sua e, também, como constituindo o penhor de sua eternidade no lugar rendoso de quase rei da rica província de Cantão. Com um forte exército à mão, ninguém se atreveria a demiti-lo dele. Foi.

Assistiu as evoluções com curiosidade e atenção. A seu lado, Fu-Shi-Pô explicava os temas e os detalhes do respectivo desenvolvimento, com a abundância e o saber de quem havia estudado *Arte da guerra* entre os varais de um *cabriolet*.[354]

O vice-rei, porém, não parecia satisfeito. Notava hesitações, falta de *élan* na tropa, rapidez e exatidão nas evoluções e pouca obediência ao comando em chefe e aos comandados particulares; enfim, pouca eficiência militar naquele exército que devia ser uma ameaça à China inteira, caso quisessem retirá-lo do cômodo e rendoso lugar de vice-rei de Cantão. Comunicou isto ao general que lhe respondeu:

— É verdade o que Vossa Excelência Reverendíssima, Poderosíssima, Graciosíssima, Altíssima e Celestial diz; mas os defeitos são fáceis de remediar.

— Como? — perguntou o vice-rei.

— É simples. O uniforme atual muito se parece com o alemão; mudemo-lo para uma imitação do francês e tudo estará sanado.

Li-Huang-Pô pôs-se a pensar, recordando a sua estadia em Berlim, as festas que os grandes dignatários da corte de Potsdam lhe fizeram, o acolhimento do Kaiser e, sobretudo, os *taels* que recebeu de sociedade com o seu general Fu--Shi-Pô... Seria uma ingratidão; mas... Pensou ainda um pouco; e, por fim, num repente, disse peremptoriamente:

— Mudemos o uniforme; e já!

O jornalista[355]

A Ranulfo Prata[356]

A cidade de Sant'Ana dos Pescadores fora em tempos idos uma cidadezinha próspera. Situada entre o mar e a montanha que escondia vastas vargens férteis, e muito próximo do Rio, os fazendeiros das planuras transmontanas prefeririam enviar os produtos de suas lavouras, através de uma garganta, transformada em estrada, para, por mar, trazê-los ao grande empório da corte. O contrário faziam com as compras que aí faziam. Dessa forma, erguida à condição de uma espécie de entreposto de uma zona até bem pouco fértil e rica, ela cresceu e tomou ares galhardos de cidade de importância. As suas festas de igreja eram grandiosas e atraíam fazendeiros e suas famílias, alguns tendo mesmo casas de recreio apalaçadas nela. O seu comércio era por isso rico com o dinheiro que os tropeiros lhe deixavam. Veio, porém, a estrada de ferro e a sua decadência foi rápida. O transporte das mercadorias de "serra-acima" se desviou dela e os seus sobrados deram em descascar como velhas árvores que vão morrer. Os mercadores ricos a abandonaram e os galpões de tropa desabaram. Entretanto, o sítio era aprazível, com as suas curtas praias alvas que foram separadas por desabamentos de grandes moles de granito da montanha verdejante do fundo do vilarejo, formando aglomerações de grossos pedregulhos.

A gente pobre, após a sua morte, deu em viver de pescarias, pois o mar aí era rumoroso e abundante de pescado de bom quilate.

Tripulando grandes canoas de voga, os seus pescadores traziam o produto de sua humilde indústria, vencendo mil dificuldades, até Sepetiba[357] e, daí, a Santa Cruz, onde ele era embarcado em trem de ferro até o Rio de Janeiro.

Os ricos de lá, além dos fabricantes de cal de marisco, eram os taverneiros que, nessas vendas, como se sabe, vendem tudo, mesmo casemiras e arreios, e são os banqueiros. Lavradores não havia e até frutas iam do Rio de Janeiro.

As pessoas importantes eram o juiz de direito, o promotor, o escrivão, os professores públicos, o presidente da Câmara e o respectivo secretário. Este, porém, o Salomão Nabor de Azevedo, descendente dos antigos Nabores de Azevedo de "serra acima" e dos Breves, ricos fazendeiros, era o mais. Era o mais porque, além disto, se fizera o jornalista popular do lugar.

A ideia não fora dele, a de fundar *O Arauto*, órgão dos interesses da cidade de Sant'Ana dos Pescadores; fora do promotor. Este veio a perder o jornal, de um modo curioso. O dr. Fagundes, o tal de promotor, começou a fazer oposição ao dr. Castro, advogado no lugar e, no tempo, presidente da Câmara. Nabor não via com bons olhos aquele e, certo dia, foi ao jornal e retirou o artigo do promotor e escreveu um descabelado de elogios ao dr. Castro, porque ele tinha suas luzes, como veremos. Resultado: Nabor, o nobre Nabor, foi nomeado secretário da Câmara e o promotor perdeu a importância de melhor jornalista local, que coube, daí por diante e para sempre, a Nabor. Como já disse, este Nabor recebera luzes num colégio de padres de Vassouras ou Valença, quando os pais eram ricos. O seu saber não era lá grande; não passava de gramaticazinha portuguesa, das quatro operações e umas citações históricas que aprendera com Fagundes Varela, quando este foi hóspede de seus pais, em cuja fazenda chegara, certa vez, de tarde, numa formidável carraspana e em trajes de tropeiro, calçado de tamancos.

O poeta gostara dele e lhe dera algumas noções de letras. Lera o Macedo[358] e os poetas do tempo, daí o seu pendor para coisas de letras e de jornalismo.

Herdou alguma coisa do pai, vendera a fazenda e viera morar em Sant'Ana, onde tinha uma casa, também pela mesma herança. Casou aí com uma moça de alguma pecúnia e vivia a fazer política e a ler os jornais da corte, que assinava. Deixou os romances e apaixonou-se por José do Patrocínio, Ferreira de Menezes, Joaquim Serra e outros jornalistas dos tempos calorosos da Abolição. Era abolicionista, porque... os seus escravos, ele os tinha vendido com a fazenda que herdara; e os poucos que tinha em casa, dizia que não os libertava, por serem da mulher.

O seu abolicionismo, com a lei de 13 de Maio, veio dar, naturalmente, algum prejuízo à esposa...

Enfim, após a República e a Abolição, foi várias vezes subdelegado e vereador de Sant'Ana. Era isto, quando o promotor Fagundes lembrou-lhe a ideia de fundar um jornal na cidade. Conhecia aquele a mania do último, por jornais, e a resposta confirmou a sua esperança:

— Boa ideia, "seu" Fagundes! A "estrela do Abraão" (assim era chamada Sant'Ana) não ter um jornal! Uma cidade como esta, pátria de tantas glórias, de tão honrosas tradições, sem essa alavanca do progresso que é a imprensa, esse fanal que guia a humanidade — não é possível!

— O diabo, o diabo... — fez Fagundes.

— Por que o diabo, Fagundes?

— E o capital?

— Entro com ele.

O trato foi feito e Nabor, descendente dos Nabores de Azevedo e dos famigerados Breves, entrou com o cobre; e Fagundes ficou com a direção intelectual do jornal. Fagundes era mais burro e, talvez, mais ignorante do que Nabor; mas este deixava-lhe a direção ostensiva porque era bacharel. *O Arauto* era semanal e saía sempre com um artiguete laudatório do diretor, à guisa de artigo de fundo, umas composições líricas, em prosa, de Nabor, aniversários, uns mofinos anúncios e os editais da Câmara Municipal. Às vezes, publicava certas composições poéticas do professor público. Eram sonetos bem quebrados e bem estúpidos, mas que eram anunciados como "trabalhos de um puro parnasiano que é esse Sebastião Barbosa, exímio educador e glória da nossa terra e da nossa raça".

Às vezes, Nabor, o tal dos Nabores de Azevedo e dos Breves, honrados fabricantes de escravos, cortava alguma coisa de valia dos jornais do Rio e o jornaleco ficava literalmente esmagado ou inundado.

Dentro do jornal, reinava uma grande rivalidade latente entre o promotor e Nabor. Cada qual se julgava mais inteligente por decalcar ou pastichar melhor um autor em voga.

A mania de Nabor, na sua qualidade de profissional e jornalista moderno, era fazer do *O Arauto* um jornal de escândalo, de altas reportagens sensacionais, de "enquetes" com notáveis personagens da localidade, enfim, um jornal moderno; a de Fagundes era a de fazê-lo um quotidiano doutrinário, sem demasias, sem escândalos — um *Jornal do Commercio* de Sant'Ana dos Pescadores, a "Princesa" do "O Seio de Abraão", a mais formosa enseada do estado do Rio.

Certa vez, aquele ocupou três colunas do grande órgão (e achou pouco), com a narração do naufrágio da canoa de pescaria *Nossa Senhora do Ó*, na praia da Mabombeba. Não morrera um só tripulante.

Fagundes censurou-lhe:

— Você está gastando papel à toa!

Nabor retrucou-lhe:

— É assim que se procede no Rio com os naufrágios sensacionais. Demais: quantas colunas você gastou com o artigo sobre o direito de cavar "tariobas", nas praias?

— É uma questão de marinhas e acrescidos; é uma questão de direito.

Assim, viviam aparentemente em paz, mas, no fundo, em guerra surda.

Com o correr dos tempos, a rivalidade chegou ao auge e Nabor fez o que fez com Fagundes. Reclamou este e o descendente dos Breves respondeu-lhe:

— Os tipos são meus; a máquina é minha; portanto, o jornal é meu.

Fagundes consultou os seus manuais e concluiu que não tinha direito à sociedade do jornal, pois não havia instrumento de direito bastante hábil para prová-la em juízo; mas, de acordo com a lei e vários jurisconsultos notáveis, podia reclamar o seu direito aos honorários de redator-chefe, à razão de 1:8:00$000. Ele o havia sido quinze anos e quatro meses; tinha, portanto, direito a receber 324 contos, juros de mora e custas.

Quis propor a causa, mas viu que a taxa judicial ia muito além das suas posses. Abandonou o propósito; e Nabor, o tal dos Azevedos e dos Breves, um dos quais recebera a visita do imperador, numa das suas fazendas, na da Grama, ficou único dono do jornal.

Dono do grande órgão, tratou de modificar-lhe o feitio carranca que lhe imprimira o pastrana do Fagundes. Fez inquéritos com o sacristão da irmandade; atacou os abusos das autoridades da Capitania do Porto; propôs, a exemplo de Paris etc., o estabelecimento do exame das amas de leite etc. etc. Mas, nada disso deu retumbância a seu jornal. Certo dia, lendo a notícia de um grande incêndio no Rio, acudiu-lhe a ideia de que se houvesse um em Sant'Ana, podia publicar uma notícia de "escacha", no seu jornal, e esmagar o rival — *O Baluarte* — que era dirigido pelo promotor Fagundes, o antigo companheiro e inimigo. Como havia de ser? Ali, não havia incêndios, nem mesmo casuais. Esta palavra abriu-lhe um clarão na cabeça e completou-lhe a ideia.

Resolveu pagar a alguém que atacasse fogo no palacete do dr. Gaspar, seu protetor, o melhor prédio da cidade. Mas, quem seria, se tentasse pagar a alguém? Mas... esse alguém se fosse descoberto denunciá-lo-ia, por certo. Não valia a pena... Uma ideia! Ele mesmo poria fogo no sábado, na véspera de sair o seu hebdomadário — *O Arauto*. Antes escreveria a longa notícia com todos os "ff" e "rr". Dito e feito. O palácio pegou fogo inteirinho no sábado, alta noite; e de manhã, a notícia saía bem-feitinha. Fagundes, que era já juiz municipal, logo viu a criminalidade de Nabor. Arranjou-lhe uma denúncia processo e o grande jornalista Salomão Nabor de Azevedo, descendente dos Azevedos, do Rio Claro, e dos Breves, reis da escravatura, foi parar na cadeia, pela sua estupidez e vaidade.

O único assassinato de Cazuza[359]

Hildegardo Brandão, conhecido familiarmente por "Cazuza", tinha chegado aos seus cinquenta anos e poucos, desesperançado; mas não desesperado. Depois de violentas crises de desespero, rancor e despeito, diante das injustiças que tinha sofrido em todas as coisas nobres que tentara na vida, viera-lhe uma beatitude de santo e uma calma grave de quem se prepara para a morte.

Tudo tentara e em tudo mais ou menos falhara. Tentara formar-se, foi reprovado; tentara o funcionalismo, foi sempre preterido por colegas inferiores em tudo a ele, mesmo no burocracismo; fizera literatura e se, de todo, não falhou, foi devido à audácia de que se revestiu, audácia de quem "queimou os seus navios". Assim mesmo, todas as picuinhas lhe eram feitas. Às vezes, julgavam-no inferior a certo outro, porque não tinha pasta de marroquim; outras vezes tinham-no por inferior a determinado "antologista", porque semelhante autor havia, quando "encostado" ao consulado do Brasil, em Paris, recebido como presente do rei do Sião uma bengala de legítimo junco-da-índia. Por essas e outras, ele se aborreceu e resolveu retirar-se da liça. Com alguma renda, tendo uma pequena casa, num subúrbio afastado, afundou-se nela, aos quarenta e cinco anos, para nunca mais ver o mundo, como o herói de Júlio Verne, no seu "Náutilus". Comprou os seus últimos livros e nunca mais apareceu na rua do Ouvidor. Não se arrependeu nunca de sua independência e da sua honestidade intelectual.

Aos cinquenta e três anos, não tinha mais um parente próximo junto de si. Vivia, por assim dizer, só, tendo somente a seu lado um casal de pretos velhos, aos quais ele sustentava e dava, ainda por cima, algum dinheiro mensalmente.

A sua vida, nos dias de semana, decorria assim: pela manhã, tomava café e ia até a venda, que supria a sua casa, ler os jornais, sem deixar de servir-se, com moderação, de alguns cálices de parati, de que infelizmente abusara na mocidade. Voltava para a casa, almoçava e lia os seus livros, porque acumulara uma pequena biblioteca de mais de mil volumes. Quando se cansava, dormia. Jantava e, se fazia bom tempo, passeava a esmo pelos arredores, tão alheio e soturno que não perturbava nem um namoro que viesse a topar.

Aos domingos, porém, esse seu viver se quebrava. Ele fazia uma visita, uma única e sempre a mesma. Era também a um desalentado amigo seu. Médico, de real capacidade, nunca o quiseram reconhecer porque ele escrevia "propositalmente" e não — "propositadamente", "de súbito" e não — "às súbitas" etc. etc.

Tinham sido colegas de preparatórios e, muito íntimos, dispensavam-se de usar confidências mútuas. Um entendia o outro, somente pelo olhar.

Pelos domingos, como já foi dito, era costume de Hildegardo ir, logo pela manhã, após o café, à casa do amigo, que ficava próximo, ler lá os jornais e tomar parte no "ajantarado", da família.

Naquele domingo, o Cazuza, para os íntimos, foi fazer a visita habitual a seu amigo dr. Ponciano.

Este comprava certos jornais; e Hildegardo, outros. O médico sentava-se a uma cadeira de balanço; e o seu amigo numa dessas a que chamam de bordo ou de lona. De permeio, ficava-lhes a secretária. A sala era vasta e clara e toda ela adornada de quadros anatômicos. Liam e depois conversavam. Assim fizeram, naquele domingo.

Hildegardo disse, ao fim da leitura dos quotidianos:

— Não sei como se pode viver no interior do Brasil!

— Por quê?

— Mata-se à toa por dá cá aquela palha. As paixões, mesquinhas paixões políticas, exaltam os ânimos de tal modo, que uma facção não teme eliminar o adversário e por meio do assassinato, às vezes o revestindo da forma mais cruel. O predomínio, a chefia da política local é o único fim visado nesses homicídios, quando não são as questões de família, de herança, de terras e, às vezes, causas menores. Não leio os jornais que não me apavore com tais notícias [sic]. Não é aqui, nem ali; é em todo o Brasil, mesmo às portas do Rio de Janeiro. É um horror! Além desses assassinatos, praticados por capangas — que nome horrível! — há os praticados pelos policiais e semelhantes nas pessoas dos adversários dos governos locais, adversários ou tidos como adversários. Basta um boquejo, para chegar uma escolta, varejar fazendas, talar plantações, arrebanhar gado, encarcerar ou surrar gente que, pelo seu trabalho, devia merecer mais respeito. Penso, de mim para mim, ao ler tais notícias, que a fortuna dessa gente que está na Câmara, no Senado, nos Ministérios, até na presidência da República se alicerça no crime, no assassinato. Que acha você?

— Aqui, a diferença não é tão grande para o interior nesse ponto. Já houve quem dissesse que, quem não mandou um mortal deste para o outro mundo, não faz carreira na política do Rio de Janeiro.

— É verdade; mas, aqui, ao menos, as naturezas delicadas se podem abster de política; mas, no interior, não. Vêm as relações, os pedidos e você se alista. A estreiteza do meio impõe isso, esse obséquio a um camarada, favor que parece insignificante. As coisas vão bem; mas, num belo dia, esse camarada, por isso ou por aquilo, rompe com o seu antigo chefe. Você, por lealdade, o segue; e eis você arriscado a levar uma estocada em uma das virilhas ou a ser assassinado a pauladas como um cão danado. E eu quis ir viver no interior! De que me livrei, santo Deus!

— Eu já tinha dito a você que esse negócio de paz na vida da roça é história. Quando cliniquei, no interior, já havia observado esse prurido, essa ostentação de valentia de que os caipiras gostam de fazer e que, as mais das vezes, é causa de assassinatos estúpidos. Poderia contar a você muitos casos dessa ostentação de assassinato, que parte da gente da roça; mas não vale a pena. É coisa sem valia e só pode interessar a especialistas em estudos de criminologia.

— Penso — observou Hildegardo — que esse êxodo da população dos campos para as cidades pode ser em parte atribuído à falta de segurança que existe na roça. Um qualquer cabo de destacamento é um César naquelas paragens — que fará então um delegado ou subdelegado? É um horror!

Os dois calaram-se e, silenciosos, se puseram a fumar. Ambos pensavam numa mesma coisa: em encontrar remédio para um tão deplorável estado de coisas. Mal acabavam de fumar, Ponciano disse desalentado:

— E não há remédio.

Hildegardo secundou-o.

— Não acho nenhum.

Continuaram calados alguns instantes, Hildegardo leu ainda um jornal e, dirigindo-se ao amigo, disse:

— Deus não me castigue, mas eu temo mais matar do que morrer. Não posso compreender como esses políticos, que andam por aí, vivam satisfeitos, quando a estrada de sua ascensão é marcada por cruzes. Se porventura matasse creia que eu, a que não tem deixado passar pela cabeça sonhos de Raskólnikoff, sentiria como ele: as minhas relações com a humanidade seriam de todo outras, daí em diante. Não haveria castigo que me tirasse semelhante remorso da consciência, fosse de que modo fosse perpetrado o assassinato. Que acha você?

— Eu também; mas você sabe o que dizem esses políticos que sobem às alturas com dezenas de assassinatos nas costas?

— Não.

— Que todos nos matamos.

Hildegardo sorriu e fez para o amigo com toda a serenidade:

— Estou de acordo. Já matei também.

O médico espantou-se e exclamou:

— Você, Cazuza!

— Sim, eu! — confirmou Cazuza.

— Como? Se você ainda agora mesmo...

— Eu conto a coisa a você. Tinha eu sete anos e minha mãe ainda vivia. Você sabe que, a bem dizer, não conheci minha mãe!

— Sei.

— Só me lembro dela no caixão quando meu pai, chorando, me carregou para aspergir água benta sobre o seu cadáver. Durante toda a minha vida, fez muita falta. Talvez fosse menos rebelde, menos sombrio e desconfiado, mais contente com a vida, se ela vivesse. Deixando-me ainda na primeira infância, bem cedo firmou-se o meu caráter; mas, em contrapeso, bem cedo me vieram o desgosto de viver, o retraimento, por desconfiar de todos, a capacidade de ruminar mágoas sem comunicá-las a ninguém — o que é um alívio sempre; enfim, muito antes do que era natural, chegaram-me o tédio, o cansaço da vida e uma certa misantropia.

Notando o amigo que Cazuza dizia essas palavras com emoção muito forte e os olhos úmidos, cortou-lhe a confissão dolorosa com um apelo alegre:

— Vamos, Carleto; conta o assassinato que você perpetrou.

Hildegardo ou Cazuza conteve-se e começou a narrar:

— Eu tinha sete anos e minha mãe ainda vivia. Morávamos em Paula Matos... Nunca mais subi a esse morro, depois da morte de minha mãe...

— Conte a história, homem! — fez impaciente o dr. Ponciano.

— A casa, na frente, não se erguia, em nada, da rua; mas, para o fundo, devido à diferença de nível, elevava-se um pouco, de modo que, para se ir ao quintal, a gente tinha que descer uma escada de madeira de quase duas dezenas de degraus. Um dia, descendo a escada, distraído, no momento em que punha o pé no chão do quintal, o meu pé descalço apanhou um pinto e eu o esmaguei. Subi espavorido a escada, chorando, soluçando e gritando: "Mamãe, mamãe! Matei, matei...". Os soluços me tomavam a fala e eu não podia acabar a frase. Minha mãe acudiu, perguntando: "O que é, meu filho! Quem é que você matou?". Afinal, pude dizer: "Matei um pinto, com o pé".

E contei como o caso se havia passado. Minha mãe riu-se, deu-me um pouco de água de flor e mandou-me sentar a um canto: "Cazuza, senta-te ali, à espera da polícia". E eu fiquei muito sossegado a um canto, estremecendo ao menor ruído que vinha da rua, pois esperava de fato a polícia. Foi esse o único assassinato que cometi. Penso que não é da natureza daqueles que nos erguem às altas posições políticas, porque, até hoje, eu...

D. Margarida, mulher do dr. Ponciano, veio interromper-lhes a conversa, avisando-os que o "ajantarado" estava na mesa.

O número da sepultura[360]

Que podia ela dizer, após três meses de casada, sobre o casamento? Era bom? Era mau?

Não se animava a afirmar nem uma coisa, nem outra. Em essência, "aquilo" lhe parecia resumir-se em uma simples mudança de casa.

A que deixara não tinha mais nem menos cômodos do que a que viera habitar; não tinha mais "largueza"; mas a "nova" possuía um jardinzito minúsculo e uma pia na sala de jantar.

Era, no fim de contas, a diminuta diferença que existia entre ambas.

Passando da obediência dos pais para a do marido, o que ela sentia era o que se sente quando se muda de habitação.

No começo, há nos que se mudam, agitação, atividade; puxa-se pela ideia, a fim de adaptar os móveis à casa "nova" e, por conseguinte, eles, os seus recentes habitantes também; isso, porém, dura poucos dias.

No fim de um mês, os móveis já estão definitivamente "ancorados", nos seus lugares, e os moradores se esquecem de que residem ali desde poucos dias.

Demais, para que ela não sentisse profunda modificação no seu viver, advinda com o casamento, havia a quase igualdade de gênios e hábitos de seu pai e seu marido.

Tanto um como outro eram corteses com ela; brandos no tratar, serenos, sem impropérios, e ambos, também, meticulosos, exatos e metódicos. Não houve, assim, abalo algum na sua transplantação de um lar para outro.

Contudo, esperava no casamento alguma coisa de inédito até ali, na sua existência de mulher: uma exuberante e contínua satisfação de viver.

Não sentiu, porém, nada disso.

O que houve de particular na sua mudança de estado foi insuficiente para lhe dar uma sensação nunca sentida da vida e do mundo. Não percebeu nenhuma novidade essencial...

Os céus cambiantes, com o rosado e dourado de arrebóis, que o casamento promete a todos, moços e moças, não os vira ela. O sentimento de inteira liberdade, com passeios, festas, teatros, visitas — tudo que se contém para as mulheres, na ideia de casamento, durou somente a primeira semana de matrimônio.

Durante ela, ao lado do marido, passeara, visitara, fora a festas e a teatros; mas assistira todas essas coisas, sem muito se interessar por elas, sem receber grandes ou profundas emoções de surpresa, e ter sonhos fora do trivial da nossa mesquinha vida terrestre. Cansavam-na até!

No começo, sentia alguma alegria e certo contentamento; por fim, porém, veio o tédio por elas todas, a nostalgia da quietude de sua casa suburbana, onde vivia à *négligé* e podia sonhar, sem desconfiar que os outros lhe pudessem descobrir os devaneios crepusculares de sua pequenina alma de burguesinha, saudosa e enfumaçada.

Não era raro que também ocorresse saudade da casa paterna, provocadas por aquelas chinfrinadas de teatros ou cinematográficas. Acudia-lhe, com indefinível sentimento, a lembrança de velhos móveis e outros pertences familiares da sua casa paterna, que a tinham visto desde menina. Era uma velha cadeira de balanço de jacarandá; era uma leiteira de louça, pintada de azul, muito antiga; era o relógio sem pêndula, octogonal, velho também; e outras bugigangas domésticas que, muito mais fortemente do que os móveis e utensílios adquiridos recentemente, se haviam gravado na sua memória.

Seu marido era um rapaz de excelentes qualidades matrimoniais, e não havia, no nebuloso estado da alma de Zilda, nenhum desgosto dele ou decepção que ele lhe tivesse causado.

Morigerado, cumpridor exato dos seus deveres, na seção de que era chefe seu pai, tinha todas as qualidades médias para ser um bom chefe de família, cumprir o dever de continuar a espécie e ser um bom diretor de secretaria ou repartição outra, de banco ou de escritório comercial.

Em compensação, não possuía nenhuma proeminência de inteligência ou de ação. Era e seria sempre uma boa peça de máquina, bem ajustada, bem polida e que, lubrificada convenientemente, não diminuiria o rendimento daquela, mas que precisava sempre do motor da iniciativa estranha, para se pôr em movimento.

Os pais de Zilda tinham aproximado os dois; a avó, a quem a moça estimava deveras, fizera as insinuações de praxe; e, vendo ela que a coisa era do gosto de todos, por curiosidade mais do que por amor ou outra coisa parecida, resolveu-se a casar com o escriturário de seu pai. Casaram-se, viviam muito bem. Entre ambos, não havia a menor rusga, a menor desinteligência que lhes toldasse a vida matrimonial; mas não existia também, como era de esperar, uma profunda e constante penetração, de um para o outro e vice-versa, de desejos, de sentimentos, de dores e alegrias.

Viviam placidamente numa tranquilidade de lagoa, cercada de altas montanhas, por entre as quais os ventos fortes não conseguiam penetrar, para encrespar-lhe as águas imotas.

A beleza do viver daquele novel casal não era ter conseguido de duas fazer uma única vontade; estava em que os dois continuassem a ser cada um uma personalidade, sem que, entanto, encontrassem nunca motivo de conflito, o mais ligeiro que fosse. Uma vez, porém... Deixemos isso para mais tarde... O gênio e a educação de ambos muito contribuíam para tal.

O marido, exato burocrata, era cordato, de temperamento calmo, ponderado e seco que nem uma crise ministerial. A mulher era quase passiva e tendo sido educada na disciplina ultrarregrada e esmerilhadora de seu pai, velho funcionário, obediente aos chefes, aos ministros, aos secretários destes e mais bajuladores, às leis e regulamentos, não tinha assomos nem caprichos, nem fortes vontades. Refugiava-se no sonho e, desde que não fosse multado, estava por tudo.

Os hábitos do marido eram os mais regulares e executados, sem a mínima discrepância. Erguia-se do leito muito cedo, quase ao alvorecer, antes mesmo da criada, a Genoveva, levantar-se da cama. Pondo-se de pé, ele mesmo coava o café e, logo que estava pronto, tomava uma grande xícara.

Esperando o jornal (só comprava um), ia para o pequeno jardim, varria-o, amarrava as roseiras e craveiros nos espeques, em seguida, dava milho às galinhas e pintos e tratava dos passarinhos.

Chegando o jornal, lia-o meticulosamente, organizando, para uso do dia, as suas opiniões literárias, científicas, artísticas, sociais e, também, sobre a política internacional e as guerras que havia pelo mundo.

Quanto à política interna, construía algumas, mas não as manifestava a ninguém, porque quase sempre eram contra o governo e ele precisava ser promovido.

Às nove e meia, já almoçado e vestido, despedia-se da mulher, com o clássico beijo, e lá ia tomar o trem. Assinava o ponto, de acordo com o regulamento, isto é, nunca depois das dez e meia.

Na repartição, cumpria religiosamente os seus sacratíssimos deveres de funcionário.

Sempre foi assim; mas, após o casamento, aumentou de zelo, a fim de pôr a seção do sogro que nem um brinco, em questão de rapidez e presteza no andamento e informações de papéis.

Andava pelas bancas dos colegas, pelos protocolos, quando o serviço lhe faltava e se, nessa correição, topava com expediente em atraso, não hesitava: punha-se a "desunhar".

Acontecendo-lhe isto, ao sentar-se à mesa, para jantar, já em trajes caseiros, apressava-se em dizer à mulher:

— Arre! Trabalhei hoje, Zilda, que nem o diabo!

— Por quê?

— Ora, por quê? Aqueles meus colegas são uma pinoia...

— Que houve?

— Pois o Pantaleão não está com o protocolo dele, o da Marinha, atrasado de uma semana? Tive que o pôr em dia...

— Papai foi quem te mandou?

— Não; mas era meu dever, como genro dele, evitar que a seção que ele dirige fosse tachada de relaxada. Demais não posso ver expediente atrasado...

— Então, esse Pantaleão falta muito?

— Um horror! Desculpa-se com estar estudando direito. Eu também estudei, quase sem faltas.

Com semelhantes notícias e outras de mexericos sobre a vida íntima, defeitos morais e vícios dos colegas, que ele relatava à mulher, Zilda ficou enfronhada no viver da diretoria em que funcionava seu marido, tanto no aspecto puramente burocrático, como nos da vida particular e familiar dos respectivos empregados.

Ela sabia que o Calçoene bebia cachaça; que o Zé Fagundes vivia amancebado com uma crioula, tendo filhos com ela, um dos quais com concurso e ia ser em breve colega do marido; que o Feliciano Brites das Novas jogava nos dados todo o dinheiro que conseguia arranjar; que a mulher do Nepomuceno era amante do general T., com auxílio do qual ele preteria todos nas promoções etc. etc.

O marido não conversava com Zilda senão essas coisas da repartição; não tinha outro assunto para palestrar com a mulher. Com as visitas e raros colegas com quem discutia, a matéria da conversação eram coisas patrióticas: as forças de terra e mar, as nossas riquezas naturais etc.

Para tais argumentos tinha predileção especial e um especial orgulho em desenvolvê-los com entusiasmo. Tudo o que era brasileiro era primeiro do mundo ou, no mínimo, da América do Sul. E — ai! — de quem o contestasse; levava uma sarabanda que resumia nesta frase clássica:

— É por isso que o Brasil não vai para adiante. O brasileiro é o maior inimigo de sua pátria.

Zilda, pequena-burguesa, de reduzida instrução e, como todas as mulheres, de fraca curiosidade intelectual, quando o ouvia discutir assim com os amigos, enchia-se de enfado e sono; entretanto, gostava das suas alcovitices sobre os lares dos colegas...

Assim ela ia repassando a sua vida de casada, que já tinha mais de três meses feitos, na qual, para quebrar-lhe a monotonia e a igualdade, só houvera um acontecimento que a agitara, a torturara, mas, em compensação, espantara por algumas horas o tédio daquele morno e plácido viver. É preciso contá-lo.

Augusto — Augusto Serpa de Castro — tal era o nome de seu marido — tinha um ar mofino e enfezado; alguma coisa de índio nos cabelos muito negros, corredios e brilhantes, e na tez acobreada. Seus olhos eram negros e grandes, com muito pouca luz, mortiços e pobres de expressão, sobretudo de alegria.

A mulher, mais moça do que ele uns cinco ou seis anos, ainda não havia completado os vinte. Era de uma grande vivacidade de fisionomia, muito móbil e vazia, embora o seu olhar castanho-claro tivesse, em geral, uma forte expressão de melancolia e sonho interior. Miúda de feições, franzina, de boa estatura e formas harmoniosas, tudo nela era a graça do caniço, a sua esbeltez, que não teme os ventos, mas que se curva à força deles com mais elegância ainda, para ciciar os queixumes contra o triste fado de sua fragilidade, esquecendo-se, porém, que é esta que o faz vitorioso.

Após o casamento, vieram residir na travessa das Saudades, na estação de ***.

É uma pitoresca rua, afastada alguma coisa das linhas da Central,[361] cheia de altos e baixos, dotada de uma caprichosa desigualdade de nível, tanto no sentido longitudinal como no transversal.

Povoada de árvores e bambus, de um lado e outro, correndo quase exatamente de norte para sul, as habitações do lado do nascente, em grande número, somem-se na grota que ela forma, com o seu desnivelamento; e mais se ocultam debaixo dos arvoredos em que os cipós se tecem.

Do lado do poente, porém, as casas se alteiam e, por cima das de defronte, olham em primeira mão a aurora, com os seus inexprimíveis cambiantes de cores e matizes.

Como no fim do mês anterior, naquele outro, o segundo término de mês depois do seu casamento, o bacharel Augusto, logo que recebeu os vencimentos e conferiu as contas dos fornecedores, entregou o dinheiro necessário à mulher, para pagá-los, e também a importância do aluguel da casa.

Zilda apressou-se em fazê-lo ao carniceiro, ao padeiro e ao vendeiro; mas, o procurador do proprietário da casa em que moravam, demorou-se um pouco. Disso, avisou o marido, em certa manhã, quando ele lhe dava uma pequena quantia para as despesas com o quitandeiro e outras miudezas caseiras. Ele deixou o importe do aluguel com ela.

Havia já quatro dias que ele se havia vencido; entretanto, o preposto do proprietário não aparecia.

Na manhã desse quarto dia, ela amanheceu alegre e, ao mesmo tempo, apreensiva.

Tinha sonhado; e que sonho!

Sonhou com a avó, a quem amava profundamente e que desejara muito o seu casamento com Augusto. Morrera ela poucos meses antes de realizar-se o seu enlace com ele; mas ambos já eram noivos.

Sonhara a moça com o número da sepultura da avó — 1724; e ouvira a voz dela, da sua vovó, que lhe dizia: "Filha, joga neste número!".

O sonho impressionou-a muito; nada, porém, disse ao marido. Saído que ele foi para a repartição, determinou à criada o que tinha a fazer e procurou afastar da memória tão estranho sonho.

Não havia, entretanto, meios para conseguir isso. A recordação dele estava sempre presente ao seu pensamento, apesar de todos os seus esforços em contrário.

A pressão que lhe fazia no cérebro a lembrança do sonho pedia uma saída, uma válvula de descarga, pois já excedia a sua força de contenção. Tinha que falar, que contar, que comunicá-lo a alguém...

Fez confidência do sucedido à Genoveva. A cozinheira pensou um pouco e disse:

— Nhanhã: eu se fosse a senhora arriscava alguma coisa no "bicho".

— Que "bicho" é?

— 24 é cabra; mas não deve jogar só por um lado. Deve cercar por todos e fazer fé na dezena, na centena, até no milhar. Um sonho destes não é por aí coisa à toa.

— Você sabe fazer a lista?

— Não, senhora. Quando jogo é o seu Manuel do botequim quem faz "ela"; mas a vizinha, dona Iracema, sabe bem e pode ajudar a senhora.

— Chame "ela" e diga que quero lhe falar.

Em breve chegava a vizinha e Zilda contou-lhe o acontecido.

D. Iracema refletiu um pouco e aconselhou:

— Um sonho desses, menina, não se deve desprezar. Eu, se fosse a vizinha, jogava forte.

— Mas, dona Iracema, eu só tenho os oitenta mil-réis para pagar a casa. Como há de ser?

A vizinha cautelosamente respondeu:

— Não lhe dou a tal respeito nenhum conselho. Faça o que disser o seu coração; mas um sonho desses...

Zilda, que era muito mais moça que Iracema, teve respeito pela sua experiência e sagacidade. Percebeu logo que ela era favorável a que ela jogasse. Isto estava a quarentona da vizinha, a tal d. Iracema, a dizer-lhe pelos olhos.

Refletiu ainda alguns minutos e, por fim, disse de um só hausto:

— Jogo tudo.

E acrescentou:

— Vamos fazer a lista — não é dona Iracema?

— Como é que a senhora quer?

— Não sei bem. A Genoveva é quem sabe.

E gritou, para o interior da casa:

— Ó Genoveva! Genoveva! Venha cá, depressa!

Não tardou que a cozinheira viesse. Logo que a patroa lhe comunicou o embaraço, a humilde preta apressou-se em explicar:

— Eu disse a nhanhã que cercasse por todos os lados o grupo, jogasse na dezena, na centena e no milhar.

Zilda perguntou à d. Iracema:

— A senhora entende dessas coisas?

— Ora! Sei muito bem. Quanto quer jogar?

— Tudo! Oitenta mil-réis!

— É muito, minha filha. Por aqui não há quem aceite. Só se for no Engenho de Dentro,[362] na casa do Halavanca, que é forte. Mas quem há de levar o jogo? A senhora tem alguém?

— A Genoveva.

A cozinheira, que ainda estava na sala, de pé, assistindo aos preparativos de tão grande ousadia doméstica, acudiu com pressa:

— Não posso ir, nhanhã. Eles me embrulham e, se a senhora ganhar, a mim eles não pagam. É preciso pessoa de mais respeito.

D. Iracema, por aí, lembrou:

— É possível que o Carlito tenha vindo já de Cascadura, onde foi ver a avó... Vai ver, Genoveva!

A rapariga foi e voltou em companhia do Carlito, filho de d. Iracema. Era um rapagão dos seus dezoito anos, espadaúdo e saudável.

A lista foi feita convenientemente; e o rapaz levou-a ao "banqueiro".

Passava de uma hora da tarde, mas ainda faltava muito para as duas. Zilda lembrou-se então do cobrador da casa. Não havia perigo. Se não tinha vindo até ali, não viria mais.

D. Iracema foi para a sua casa; Genoveva foi para a cozinha e Zilda foi repousar daqueles embates morais e alternativas cruciantes, provocados pelo passo arriscado que dera. Deitou-se já arrependida do que fizera.

Se perdesse, como havia de ser? O marido... sua cólera... as represensões... Era uma tonta, uma doida... Quis cochilar um pouco; mas logo que cerrou os olhos, lá viu o número — 1724. Tomava-se então de esperança e sossegava um pouco da sua ânsia angustiosa.

Passando, assim, da esperança ao desânimo, prelibando a satisfação de ganhar e antevendo os desgostos que sofreria, caso perdesse, Zilda chegou até à hora do resultado, suportando os mais desencontrados estados de espírito e os mais hostis ao seu sossego. Chegando o tempo de saber "o que dera", foi até à janela. De onde em onde, naquela rua esquecida e morta, passava uma pessoa qualquer. Ela tinha desejo de perguntar ao transeunte o "resultado"; mas ficava possuída de vergonha e continha-se.

Nesse ínterim, surge o Carlito a gritar:

— Dona Zilda! Dona Zilda! A senhora ganhou, menos no milhar e na centena.

Não deu um "ai" e ficou desmaiada no sofá da sua modesta sala de visitas.

Voltou em breve a si, graças às esfregações de vinagre de d. Iracema e de Genoveva. Carlito foi buscar o dinheiro que subia a mais de dois contos de réis. Recebeu-o e gratificou generosamente o rapaz, a mãe dele e a sua cozinheira, a Genoveva. Quando Augusto chegou, já estava inteiramente calma. Esperou que ele mudasse de roupa e viesse à sala de jantar, a fim de dizer-lhe:

— Augusto: se eu tivesse jogado o aluguel da casa no "bicho", você ficava zangado?

— Por certo! Ficaria muito e havia de censurar você com muita veemência, pois que uma dona de casa não...

— Pois joguei.

— Você fez isto, Zilda?

— Fiz.

— Mas quem virou a cabeça de você para fazer semelhante tolice? Você não sabe que ainda estamos pagando despesas do nosso casamento?

— Acabaremos de pagar agora mesmo.

— Como? Você ganhou?

— Ganhei. Está aqui o dinheiro.

Tirou do seio o pacote de notas e deu-o ao marido, que se tornara mudo de surpresa. Contou as pelegas muito bem, levantou-se e disse com muita sinceridade, abraçando e beijando a mulher:

— Você tem muita sorte. É o meu anjo bom.

E todo o resto da tarde, naquela casa, tudo foi alegria.

Vieram d. Iracema, o marido, o Carlito, as filhas e outros vizinhos.

Houve doces e cervejas. Todos estavam sorridentes, palradores; e o contentamento geral só não desandou em baile, porque os recém-casados não tinham piano. Augusto deitou patriotismo com o marido de Iracema.

Entretanto, por causa das dúvidas, no mês seguinte, quem fez os pagamentos domésticos foi ele próprio, Augusto em pessoa.

O pecado[363]

Quando naquele dia são Pedro despertou, despertou risonho e de bom humor. E, terminados os cuidados higiênicos da manhã, ele se foi à competente repartição celestial buscar ordens do Supremo e saber que almas chegariam na próxima leva.

Em uma mesa longa, larga e baixa, um grande livro aberto se estendia e debruçado sobre ele, todo entregue ao serviço, um guarda-livros punha em dia a escrituração das almas, de acordo com as mortes que anjos mensageiros e noticiosos traziam de toda a extensão da terra. Da pena do empregado celeste escorriam grossas letras, e de quando em quando ele mudava a caneta para melhor talhar um outro caracter caligráfico.

Assim, páginas ia ele enchendo, enfeitadas, iluminadas nos mais preciosos tipos de letras. Havia, no emprego de cada um deles, uma certa razão de ser e entre si guardavam tão feliz disposição que encantava o ver uma página escrita do livro. O nome era escrito em bastardo, letra forte e larga; a filiação, em gótico, tinha um ar religioso, antigo, as faltas, em bastardo e as qualidades em ronde arabescado.

Ao entrar são Pedro, o escriturário do Eterno, voltou-se, saudou-o e, à reclamação da lista d'almas pelo santo, ele respondeu com algum enfado (enfado do ofício) que viesse à tarde buscá-la.

Aí pela tardinha, ao findar a escrita, o funcionário celeste (um velho jesuíta encanecido no tráfico de açúcar da América do Sul) tirava uma lista explicativa e entregava a são Pedro, a fim deste se preparar convenientemente para receber os ex-vivos no dia seguinte.

Dessa vez, ao contrário de todo o sempre, são Pedro, antes de sair, leu de antemão a lista; e essa sua leitura foi útil, pois que se a não fizesse talvez, dali em diante, para o resto das idades — quem sabe? —, o Céu ficasse de todo estragado. Leu são Pedro a relação: havia muitas almas, muitas mesmo, delas todas, à vista das explicações apensas, uma lhe assanhou o espanto e a estranheza. Leu novamente. Vinha assim: P. L. C., filho de..., neto de..., bisneto de... — Carregador, 48 anos. Casado. Casto. Honesto. Caridoso. Pobre de espírito. Ignaro. Bom como são Francisco de Assis. Virtuoso como são Bernardo e meigo como o próprio Cristo. É um justo.

Deveras, pensou o Santo Porteiro, é uma alma excepcional; com tão extraordinárias qualidades bem merecia assentar-se à direita do Eterno e lá ficar, *per saecula saeculorum*, gozando a glória perene de quem foi tantas vezes santo...

"E por que não ia"?, deu-lhe vontade de perguntar ao seráfico burocrata.

— Não sei — retrucou-lhe este. — Você sabe — acrescentou —, sou mandado...

— Veja bem nos assentamentos. Não vá ter você se enganado. Procure — retrucou por sua vez o velho pescador canonizado.

Acompanhado de dolorosos rangidos da mesa, o guarda-livros foi folheando o enorme *Registro* até encontrar a página própria, onde, com certo esforço, achou a linha adequada e com o dedo afinal apontou o assentamento e leu alto:

— P. L. C., filho de... neto de... bisneto de... — Carregador. 48 anos. Casado. Honesto. Caridoso. Leal. Pobre de espírito. Ignaro. Bom como são Francisco de Assis. Virtuoso como são Bernardo e meigo como o próprio Cristo. É um justo.

Depois com o dedo pela pauta horizontal e nas *Observações*, deparou qualquer coisa que o fez dizer de súbito:

— Esquecia-me... Houve engano. É! Foi bom você falar. Essa alma é a de um negro. Vai pro purgatório.

PARTE VI
OUTROS CONTOS (TEXTOS MANUSCRITOS
COMPLETOS E INCOMPLETOS
E CLASSIFICADOS COMO TAL)[364]

Esta minha letra...[365]

A minha letra é um bilhete de loteria. Às vezes ela me dá muito, outras vezes tira-me os últimos tostões da minha inteligência. Eu devia esta explicação aos meus leitores, porque, sob a minha responsabilidade, tem saído cada coisa de se tirar o chapéu. Não há folhetim em que não venham coisas extraordinárias. Se, às vezes, não me põe mal com a gramática, põe-me em hostilidade com o bom-senso e arrasta-me a dizer coisas descabidas. Ainda no último folhetim, além de um ou dois períodos completamente truncados e outras coisas, ela levou à compreensão dos meus raros leitores — grandeza — quando se tratava de pândega; num artigo que publiquei há dias na *Estação Teatral,* este então totalmente empastelado, havia coisas do arco-da-velha.

Aqui já saiu um folhetim meu, aquele que eu mais estimo, "Os galeões do México", tão truncado, tão doido, que mais parecia delírio que coisa de homem são de espírito. Tive medo de ser recolhido ao hospício...

Que ela me levasse a incorrer na crítica gramatical da terra, vá; mas que me leve a dizer coisas contra a clara inteligência das coisas, contra o bom-senso e o pensar honesto e com plena consciência do que estou fazendo! E não sei a razão por que a minha letra me trai de maneira tão insólita e inesperada. Não digo que sejam os tipógrafos ou os revisores; eu não digo que sejam eles que me fazem escrever "a exposição de palavras sinistras" quando se tratava de "exposição de projetos sinistros". Não, não são eles, absolutamente não são eles. Nem eu. É a minha letra.

Estou nesta posição absolutamente inqualificável, original e pouco classificável: um homem que pensa uma coisa, quer ser escritor, mas a letra escreve outra coisa e asnática. Que hei de fazer?

Eu quero ser escritor, porque quero e estou disposto a tomar na vida o lugar que colimei. Queimei os meus navios; deixei tudo, tudo, por essas coisas de letras.

Não quero aqui fazer a minha biografia; basta, penso eu, que lhes diga que abandonei todos os caminhos, por esse das letras; e o fiz conscientemente, superiormente, sem nada de mais forte que me desviasse de qualquer outra ambição; e agora vem essa coisa de letra, esse último obstáculo, esse premente pesadelo, e não sei que hei de fazer!

Abandonar o propósito; deixar a estrada desembaraçada a todos os gênios explosivos e econômicos de que esses Brasis e os políticos nos abarrotam?

É duro fazê-lo, depois de quase dez anos de trabalho, de esforço contínuo e — por que não dizer? — de estudo, sofrimento e humilhações. Mude de letra, disse-me alguém.

É curioso. Como se eu pudesse ficar bonito, só pelo fato de querer.

Ora, esse meu conselheiro é um dos homens mais simples que eu conheço. Mudar de letra! Onde é que ele viu isso? Com certeza ele não disse isso ao sr. Alcindo Guanabara, cuja letra é famosa nos jornais, que o fizesse [sic]; com certeza, ele não diria ao sr. Machado de Assis também. O motivo é simples: o sr. Alcindo é o chefe, é príncipe do jornalismo, é deputado; e Machado de Assis era grande chanceler das letras, homem aclamado e considerado; ambos, portanto, não podiam mudar de letra; mas eu, pobre autor de um livreco, eu que não sou nem doutor em qualquer história — eu, decerto, tenho o dever e posso mudar de letra.

Outro conselheiro (são sempre pessoas a quem faço reclamações sobre os erros) disse-me: escreva em máquina. Ponho de parte o custo de um desses desgraciosos aparelhos, e lembro aqui os senhores que aquilo é fatigante, cansa muito e obrigava-me ao trabalho nauseante de fazer um artigo duas vezes: escrever a pena e passar a limpo em máquina.

O mais interessante é que a minha letra, além de me ter emprestado uma razoável estupidez, fez-me arranjar inimigos. Não tenho a indiferença que toda a gente tem pelos inimigos; se não tenho medo, não sou neutro diante deles; mas isso de ter inimigos só por causa da letra, é de espantar, é de mortificar.

Já não posso entrar na revisão e nas oficinas aqui da casa. Logo na entrada percebo a hostilidade muda contra mim e me apavoro. Se fosse no cenáculo do Garnier ou em outro qualquer, seria bom; se fosse mesmo no salão literário do Coelho Neto, eu ficaria contente; entre aqueles homens simples, porém, com os quais eu não compito em nada, é para a gente julgar-se um monstro, um peste, um flagelo. E tudo isso por quê? Por causa da minha letra. Desespero decididamente.

De manhã, quando recebo a *Gazeta* ou outra publicação em que haja coisas minhas, eu me encho de medo, e é com medo que começo a ler o artigo que firmo com a responsabilidade do meu humilde nome. A continuação da leitura é então um suplício. Tenho vontade de chorar, de matar, de suicidar-me; todos os desejos me passam pela alma e todas as tragédias vejo diante dos olhos. Salto da cadeira, atiro o jornal ao chão, rasgo-o; é um inferno.

Eu não sei se todos nos jornais têm boa caligrafia. Certamente, hão de ter e os seus originais devem chegar à tipografia quase impressos. Nas letras, porém, não é assim.

Eu não cito autores, porque citar autores só se pode fazer aos ilustres, e seria demasia eu me pôr em paralelo com eles, mesmo sendo em negócio de caligrafia. Deixo-os de parte e só quero lembrar os que escreveram grandes obras, belas, corretas, até ao ponto em que as coisas humanas podem ser perfeitas. Como conseguiram isso?

Não sei; mas há de haver quem o saiba e espero encontrar esse alguém para explicar-me.

De tal modo essa questão de letra está implicando com o meu futuro que eu já penso em casar-me. Hão de surpreender-se em ver estas duas coisas misturadas: boa letra e casamento. O motivo é muito simples e vou explicar a gênese da associação com toda a clareza de detalhes.

Foi um dia destes. Eu vinha de trem muito aborrecido porque saíra o meu folhetim todo errado. O aspecto desordenado dos nossos subúrbios ia se desenrolando aos meus olhos; o trem se enchia da mais fina flor da aristocracia dos subúrbios. Os senhores com certeza não sabiam que os subúrbios têm uma aristocracia.

Pois têm. É uma aristocracia curiosa, em cuja composição entrou uma grande parte dos elementos médios da cidade inteira: funcionários de pequena categoria, chefes de oficinas, pequenos militares, médicos de fracos rendimentos, advogados sem causa etc.

Iam entrando com a *"morgue"* que caracteriza uma aristocracia de tal antiguidade e tão fortes rendimentos, quando uma moça, carregada de lápis, penas, réguas, cadernos, livros, entrou também e veio sentar-se a meu lado.

Não era feia, mas não era bela. Tinha umas feições miúdas, um triste olhar pardo de fraco brilho, uns cabelos pouco abundantes, um colo deprimido e pouco cheio. Tudo nela era pequenino, modesto; mas era, afinal, bonitinha, como lá dizem os namorados.

Olhei-a com o temor com que sempre olho as damas e continuei a mastigar as minhas mágoas.

Num dado momento, ela puxou um dos muitos cadernos que trazia, abriu-o, dobrou-o e pôs-se a ler. Que não me levem a mal o *Binóculo* e a *Nota Chic* e não deitem por isso excomunhão sobre mim! Sei bem que não é de boa educação ler o que os outros estão lendo ao nosso lado; mas não me contive e deitei uma olhadela, tanto mais (notem bem os senhores do *Binóculo* e da *Nota Chic*) que, me pareceu, a moça o fazia para ralar-me de inveja ou encher-me de admiração por ela.

Tratava-se de álgebra, e as mulheres têm pela matemática uma fascinação de ídolo inacessível. Foi, portanto, para mostrar-me que ela o ia atingindo que desdobrou o caderno; ou então para dizer-me sem palavras: Veja, você, seu homem! Você anda de calças, mas não sabe isso... Ela se enganava um pouco.

Mas... como dizia: olhei o caderno e o que vi, meu Deus! Uma letra, um cursivo irrepreensível, com todos os tracinhos, com todas as filigranas. Os "tt" muito bem traçados — uma maravilha!

Ah! pensei eu. Se essa moça se quisesse casar comigo, como eu não seria feliz? Como diminuiriam os meus inimigos e as tolices que são escritas por minha conta? Copiava-me os artigos e...

Quis namorá-la, mas não sei namorar, não só porque não sei, como também porque tenho consciência da minha fealdade. Fui, pois, tão canhestro, tão tolo, tão inábil, que ela nem percebeu. Um namoro de... caboclo.

Seria, casar-me com ela, uma solução para esse meu problema da letra, mas nem este mesmo eu posso encontrar e tenho que aguentar esse meu inimigo, essa traição que está nas minhas mãos, esse abutre que me devora diariamente a fraca reputação e apoucada inteligência.

Apologética do Feio[366]
(Bilhete à baronesa de Melrosado)

> *Mas... de que serve a beleza nos homens?*
>
> A. A.

Minha Senhora:

Só ontem soube pelo Soares da razão por que V. Ex.ª me recusava a honra de uma valsa no último baile dos Diários: por me achar excessivamente feio!

Os meus amigos vão rejubilar! É uma velha pendência esta, minha senhora, quase secular, a de saber qual dentre nós é o menos belo e V. Ex.ª com o motivo da recusa veio dar ganho de causa aos meus contendores.

Creia porém V. Ex.ª que eu não me magoei absolutamente com o epigrama. Este meu físico ingrato, esta plástica infeliz — um torso de salamandra ridiculamente encimado por uma cabeça de batráquio — são, de natureza, eu concordo, a afugentar os mais tímidos.

V. Ex.ª porém, se não foi injusta, foi pelo menos impensada... Porque eu também tenho os meus títulos nobiliárquicos:... sou o descendente de uma família muito antiga e muito nobre, de uma nobreza e antiguidade sob todos os pontos de vista veneráveis — a venerabilíssima família dos Feios.

Remontando pela minha genealogia acima, não se admira V. Ex.ª se eu só me deter em nosso antepassado Adão.*

---

* D'*O Paiz* de 9 de fevereiro.

Aquele indivíduo feito de argila, aos assopros e sopapos e de mais a mais com uma costela de menos, não podia deixar de ter uma cor acentuadamente terrosa e uma plástica deplorável.

Se V. Ex.ª quisesse ter a bondade de me acompanhar nesta pitoresca jornada ficaria, desde já, conhecendo, entre os meus antepassados, o aventuroso imperador Sesóstris, o insigne filósofo Zoroastro e o venerável profeta Habacuc,[367] da tribo dos Zabulous. Receio porém tornar-me fatigante; estaco em Sócrates.

Sócrates, minha senhora, o mais sábio e o mais virtuoso dos homens, era, se não mentem os velhos códices, profundamente feio; tinha o nariz esborrachado, a testa deprimida, as omoplatas côncavas — era disforme!*

No entanto, desde Platão até Xenofonte (com escala pelo oráculos de Delfos) todos lhe gabam "a beleza de sua moral, a largueza de seu espírito, a doçura e segurança de suas relações".

E nenhum povo, minha senhora, foi mais artista do que o povo grego, nenhum possuiu como ele e em tão elevado grau, no dizer de Taine, o sentimento estético, o sentimento inato da beleza.

Aristófanes, o desabusado autor das *Nuvens* e dos *Cavaleiros*, o fundador deste culto em que mais tarde pontificaram o inimitável Karv e o incomparável Eça[368] — era um aborto.

Teócrito tinha a espinhela caída e o corpo era corcunda, mas ninguém reparava nas desgraças físicas do bardo de Siracusa ou do fabulista frígio quando lhe ouviam os bucólicos idílios e os conceituosos apólogos.

Arnóbio, Jâmblico, Orígenes e Bede, o Venerável; Apuleio, o do *Burro de ouro*, e Apolônio de Tiane, o taumaturgo; Paracelso, o do *Homúnculo*, e Raymond Lulle, o da *Ars Magna*[369] — foram tipos clássicos de fealdade mas foram todos eles ou homens de espírito ou homens de entendimento.

Quer V. Ex.ª exemplos da fealdade heroica?

Bayard,[370] o cavaleiro *sans peur et sans reproche*; Du Guesclin, o cavaleiro bretão, e todos os cavaleiros da Ordem da Calatrava,[371] que não primavam por uma plástica impecável. O Condestável então tinha um rosto desconforme e ele próprio se gloriava de ser o mais feio homem de França. Mas que de cutiladas memoráveis! Se isto poderá V. Ex.ª perguntar aos ingleses e mouros daqueles tempos cavalheirescos.

---

* *Petit Journal* — "História genealógica dos feios". [N. A.]

O grande conde — o herói de Rocroy: tinha o crânio excessivamente estreito, chegava a ser ridículo.

E a fealdade clássica de Guy de Patin?

E a clássica fealdade de Cyrano?[372]

Aqueles dois narizes truculentos e rutilantes, desproporcionados, insólitos! Eram de uma fealdade agressiva mas eram dois homens de espírito.

Recorda-se V. Ex.ª da cena do balcão?

J'eus comme Buckingham des souffrances muettes
Ah! C'est vrai; je suis beau, j'oubliais

Exemplos da fealdade artística?

A de Miguel Ângelo Buonarroti — o arquiteto da cúpula de S. Pedro de Roma, o pintor do Juízo Final e o escultor de Moisés — a sua fealdade, já é de si olímpica.

A de Dante,[373] o transmigrado do Inferno de quem fugiam apavoradas as crianças de Ravena.*

E a de Beethoven, o compositor daquelas sonatas deliciosas que V. Ex.ª interpreta com tanto sentimento?

Científica? Filosófica?

A de Descartes. Tenho-lhe em casa um retrato (edição do Apostolado); um beque de águia colado ao meio do rosto entre dois olhinhos muito vivos e enérgicos. Ah! Minha senhora, como é feio o homem do *Discurso sobre o método* e da *Geometria geral*!

A de Kant — o da *Crítica do juízo* e da *Razão pura*. Devo-lhe porém uma dívida de gratidão; muito só e muito feio, conseguiu enfeixar o Belo em três leis sumárias; e o Feio... nunca!

V. Ex.ª conhece as leis do Belo de Kant...

I. O Belo é o que agrada universalmente e sem conceito.

II. O Belo é essencialmente desinteressado.

III. O Belo é uma finalidade sem fim.

E as leis do Feio, conhece-as V. Ex.ª por acaso?

V. Ex.ª é capaz de apontar uma definição, um traço; uma característica em

---

* Araripe Júnior — *Divina comédia*.

suma que possa servir de base a uma "Teoria positiva do Feio"? Não o é, eu aposto; e não o é por dois motivos:

1º Porque o Feio é indefinível.

2º Porque o Feio é pessoal; depende de uma série de circunstâncias a que não são estranhos o ponto de vista, o lugar geográfico, a influência do meio e até o momento histórico.

Outras fossem as circunstâncias mesológicas, étnicas, psicológicas e físicas, e V. Ex.ª não me teria recusado a honra daquela valsa.

Se até hoje nem sequer conseguiram os imbecis traçar uma linha neutra, uma linha divisória, um biombo sobre o qual se pudesse com segurança declarar que todos aqueles que se encontram além são Belos; todos aqueles que se encontram aquém são Feios! Daí a nossa superioridade: um campo de ação mais vasto; daí a minha audácia: pretender valsar com a baronesa de Melrosado!

Que V. Ex.ª me perdoe estas divagações filosóficas que não dizem com o meu temperamento nem estão nos meus hábitos. Reminiscências do tempo em que fui colaborador da *Revista de Arte e Filosofia*.

Mas... reatemos o fio da meada. Diderot? Balzac? Comte? Spencer? Claude Bernard? Max Müller? Saint-Beauve? Tolstói? Nietzsche? Ibsen? Todos eles Feios, minha senhora, e alguns horríveis.

Propositalmente guardei para rematar este rol de Feios — e que V. Ex.ª me agradeça a lembrança — a fealdade Irônica. Ah! Nos domínios da Ironia a regra é geral. Tomo para exemplos os três vultos mais simpáticos:

Heine — o ironista alemão;

Kavv — o sumo pontífice da verve gaulesa — e Eça, o incomparável. Trindade adorável e horripilante! O *Intermezzo*! *Les femmes*! *Os Maias*! E tem-se dito tudo.

Não lhe falo de Mark Twaim, Swinburne, Spencer porque não tenho de momento dados positivos que me assegurem de suas infelicidades físicas, mas estou eu que são da família.

Vê pois V. Ex.ª que se pode ser feio, sendo-se homem de espírito, de ação e entendimento.

Mas V. Ex.ª não foi simplesmente impensada.

V. Ex.ª foi cruel. V. Ex.ª procurando ferir-me lançou uma mão cheia de cinza e fel sobre veneráveis carcaças do vosso próprio sexo.[374]

A nova classe de cirurgiões[375]

Vou ao barbeiro duas vezes à semana.
    Ele é um tipo distinto, asseado. É italiano, calvo, magro, usa o bigode raspado à americana e não exala nunca o famoso hálito de alho que foi causa de grande aborrecimento para Thackeray,[376] o qual afirmou, mesmo, ser tal coisa um dos apanágios dessa honesta gente. Além disso o seu elegante casaco de alpaca está sempre delicadamente perfumado.
    É bem hábil no ofício, e, se me submeto com paciência às rápidas evoluções depilatórias de uma aguçada navalha — aço Sheffield puro —, faço-o, contudo, um pouco desconfiado.
    Respiro, tranquilo, ao findar-se cada operação...
    Mas o bom do homem possui um defeito, comum a muitos barbeiros: é loquaz. Fala muito, exageradamente, com todos os fregueses sobre todos os assuntos, enxertando, com frequência, termos exóticos, alemães, ingleses, franceses, e até de esperanto, nas suas prolixas orações que se tornam, afinal, verdadeiras saladas de palavras, intencionalmente confusas... capazes de fazer ao V. d'*O Paiz*[377] ralar-se de inveja se as ouvisse...
    A princípio eu respondia:
    — Foi mau!...

A operação era logo suspensa. O meu Fígaro interrompia-a para melhor ouvir e melhor poder objetar.

Ah! ele sempre objetava! Às vezes risonho, com ares superiores; quase sempre, porém, de sobrolho contraído ele aproximava do meu assustado nariz o afiado gume, ameaçador e firme.

Essas emoções me enervavam. Resolvi, então, calar-me.

Ainda algumas vezes esgotou ele a sua facindia [sic], mas percebendo que me desagradava, foi diminuindo, até cessar por completo, os seus discursos.

Pude, pois, durante certo tempo, gozar do seu mutismo ao me barbear... prazer, na realidade calmo e delicioso!

Em princípios do ano findo fui obrigado a retirar-me do Rio para terras longínquas e selvagens. Depois de muito viajar fiz alto em um arraial, o de Santo Antônio dos Silveira do Pomba, lugarejo perdido nos confins de Minas.

Só aí foi que senti a falta do meu italiano! O barbeiro do local era feroz, e mais feroz ainda a navalha dele!

Que navalha, santo Deus! Tirava-me cada laca de pele que me fazia estremecer. O homem era dos tais que tiram pele e deixam cabelo!... Mas ai! que podia eu fazer contra? Se eu o censurasse tenho certeza de que ele me mataria!...

Assim torturado passei lá ano e meio, quase. Até que, em meados de junho, em noite úmida e escura, desço na Central... cheio de saudades e cheio de vontade de liquidar a espessa barba que deixara crescer havia duas semanas...

Mudara-se o meu amigo. Abandonara o andar térreo à rua Ouvidor e fora instalar-se em soberbo prédio à avenida Central... Só ele ocupava dois pavimentos!

Confesso que hesitei... Assim, porém, que vislumbrei o meu falador amigo, desocupado, animei-me e atravessei o luxuoso salão iluminado à eletricidade com ventiladores a girar etc... e sob os olhares altamente analisadores de alguns elegantes encostados às ombreiras, em palestra...

Custou-lhe reconhecer-me!... O meu grande estado hirsuto fê-lo estranhar-me.

Depois indagou das minhas viagens, das causas delas, do seu resultado etc...

Que linguagem diferente, a dele!... A frase era polida, cuidada, bem construída, isenta dos antigos anglicismos, galicismos etc...

A atitude, os gestos dele eram bem outros! Muito parecidos com os de um 2º secretário!...

Por sobre isso a maravilhosa instalação a me intrigar! Que melhoramentos! Que rios de dinheiro teria custado!... Indaguei, medroso, do motivo de todo aquele aparato de luz e progresso...

— Eu lhe explico, senhor Anacleto. A causa disso é a reforma da instrução.

— Que reforma?

— Pois não sabe? Há outra reforma da instrução. Brevemente será publicada com todas as minúcias. Nem se compara às outras...Verá!

Olhe... sempre a nós, barbeiros, feriu-nos esse tratamento pejorativo...

Babá[378]

Por aqueles tempos, eu era interino no hospital da Misericórdia e, conquanto não fosse de natural mau e frio, entretanto era do meu grau céptico ser um pouco indiferente ao sofrer das muitas criaturas que se achavam na minha enfermaria.

Mas não sei por que, ao entrar aquela nova doente para ela, a minha habitual indiferença de profissional afeito à dor ficou esquecida e comecei a me inteirar pelo seu martírio e sofrer.

Era uma preta velha, velha de mais de cem anos, africana, que, ferida por um achaque próprio da sua alta velhice, vinha morrer ali aos meus olhos e aos meus cuidados. Era de ver a sua cabecinha pequena empastada de cabelos brancos, tecidos como uma rama de algodão, alvejando tristemente no fundo negro de seu rosto, encavado, chupado, esteriçado, onde dois olhinhos castanhos quase sem brilho passeavam languidamente, dolorosamente.

Ao começo fiz-lhe perguntas. Indaguei-lhe da sua idade, da sua origem, se não tinha prole.

E ela vagarosamente, aos pingos, deixava escorrer fracas respostas na sua meia língua, agora muito enfraquecida pela moléstia e pela idade.

Era da África, soube, de nação Moçambique, viera ainda rapariguinha para aqui, onde tivera para seu primeiro senhor os Carvalhos de S. Gonçalo; conhecera d. João VI, e, sobre ele, desconexamente, contava uma ou outra coisa avaramente guardada naquela estragada memória. Tivera filhos e me dizia ela, pitorescamente, de várias cores.

Uns morreram e outros, me informava a Quirina[379] (era seu nome), se foram por este mundo de Cristo, não havendo mais deles nem novas nem mandadas, pois que as vicissitudes do cativeiro os transportava aos quatro cantos do Brasil.

De há muitos anos, ela vivia encostada numa velha senhora, viúva de seu último senhor, a quem há poucos dias ela vira morrer trocando antes a última apólice que restava.

E quando, naquele dia, ao saber aquilo eu fui à noite repousar ao meu quarto não me saía da imaginação aquela figura doida, cheia de sofrimento e de resignação, que, durante um longo prazo de seu século fornecera aos que lhe cercavam ternura, amor e trabalho e que agora, como um esquife vivo, já sem memória e quase sem viver, vinha morrer sem uma lágrima, sem um ai de alguém, de alguma criatura deste enorme planeta sublunar.

Estranho destino o daquela mulher. A raça lhe dava a doentia resignação para morrer miserável, na mesma terra que o sangue dera o que havia de requerer para amar e de humildade para obedecer e trabalhar.

E estas considerações fizeram-me ficar, olhos ao teto, parados e presos, a fumar nervosamente, sonhando na ventura dos bons, dos mesquinhos e dos oprimidos.

Nada lhes dava a terra, o resto dos seus semelhantes, como naquela pobre negra, chupava-lhes, sugava-lhes avidamente, constantemente, reavivosamente durante uma longa existência a doçura afetuosa do coração e, arrancava-lhe, até o último dia da existência, a réstia fraquíssima de energia que restasse porventura aos músculos, para depois atirar-lhes o corpo a morrer num hospital, tal como um delicioso fruto gozado que se atira depois o bagaço ao lixo. E eu pensava assim, quando, tomado de um cuidado estranhável, levantei-me e fui, atravessando salas e leitos, salas de um ar soturno de catacumbas e leitos semelhantes a campas mortuárias, fui até a cama da mãe Quirina levado até ela irresistivelmente por uma rara força, que me impelia doidamente, furiosamente.

E como era tudo em volta seu catre e, delicadamente, nos bicos dos pés, eu, em poucos instantes, me acerquei dele. O seu corpo magro saía lividamente do aconchego dos lençóis, ali, a meus olhos, placidamente dormindo, ele tinha na quietude de morto, naquela sua velhice venerável, o aspecto de uma múmia. Aquele fardel de carnes magras, de peles enrugadas, coladas aos ossos, embrulhada no linho dos lençóis, me pareceu ser o cadáver embalsamado de uma antiga rainha da Núbia que a curiosidade moderna houvesse trazido, de aventura em aventura, de escambo em escambo, até a estas remotas plagas da Guanabara.

Logo que cheguei ao leito ela dormia, mas minutos depois despertou e eu, a quem nunca intimidara o olhar de morimbundos, temi ao ferir-me em cheio o dela, que vinha muito fora do esperado cheio de energia, de ódio, de angústia e de mistério.

Durou algum tempo isso, bem depressa, ela, se esteriçando toda, num esforço violento, se pôs em pé sobre o leito, permaneceu assim calada instantes e depois, uma voz dolorosa, cheia de modulações de mágoa e ódio, às vezes, outras de desconsolo e pranto, foi solenemente dizendo em frase que não lhe era isso que ouvi:

O peso da ciência[380]

De todos os meus professores — e eu os tive muitos — só dois deixaram sob minha alma uma impressão indelével. A minha professora primária. Uma moça clara, de olhos azuis, de quem emprestei alguma timidez e o meu professor de história universal. Os dois juntos, nas minhas impressões da meninice, se completam, entretanto as suas duas figuras vivas são disparatadas. Era meu professor de história um preto, um negro, diga-se, alto, magro, picado de bexigas. Tinha de tal forma a pele negra, que o apuro de sua roupa branca e o asseio de seu corpo, mais realçavam a cor lustrosa. De mais, uma dor contida dá-lhe ao semblante um não sei quê de doido que instintivamente me levou a simpatizar com ele. Às vezes com um grande sol alto, quente e olímpico, o meu professor chegava ao meio-dia embrulhado num capote. Quase sempre explicava a razão disso. Saía de manhã cedo, não se queria resfriar para dar aula longe, eu amava-as [sic], e não tendo tempo de voltar à casa, carregava aquele forte capote. Sempre, antes de começar a lição citava um caso, embrulhava com reminiscência sua, e acabava pessimisticamente como *remarques* à República, ao Brasil, às suas coisas e aos seus homens. Perdido um quarto de hora com isso, meu saudoso professor encetava a lição. Foi pela quarta ou quinta lição que eu me prendi a ele. Tratava-se da divisão de raça.[381]

Mambembes[382]

Com um vocábulo de origem duvidosa — mambembe —, é costume se depreciar as companhias dramáticas do interior.

Há nisso uma flagrante injustiça, pois vai em tal depreciação um lastimável esquecimento dos serviços que essas companhias têm prestado ao nosso teatro e à nossa cultura em geral.

Sem temor de errar, pode-se dizer que as maiores glórias do palco nacional começaram e se educaram nessas modestas *troupes*; e houve, mesmo há ainda, dirigindo empresas teatrais ambulantes, diretores competentes, cuja capacidade só não é verdadeiramente aquilatada e consagrada, devido à sua invencível timidez e modéstia.

Todos conhecem os nomes respeitados de Vicente Pontes, Capitão Cabral, Ribeiro Guimarães, Guilherme do Rego, Capitão Dias e outros muitos que seria ocioso relembrar; todos se recordam que João Caetano, Vasques, J. de Aguiar, Xisto Bahia, Amoedo, Eugênio de Magalhães, Ferreira de Sousa se afirmaram grandes nos desdenhados mambembes.

E não podia ser de outra forma.

Entre nós jamais existiu uma verdadeira escola dramática, um teatro normal, por isso as modestas companhias da roça espontaneamente e inconvenientemente se transformam em fecundas escolas e em viveiro de artistas do palco.

No nosso tempo, em que os sociólogos muito encarecem a iniciativa individual, a vitalidade do esforço desses obreiros humildes, desprotegidos dos poderes públicos e semidesdenhados, obriga o estudioso a lhes dispensar consideração.

Demais, quem leva às populações simples do nosso interior um pouco das puras emoções da arte e da beleza?...

Portanto, os serviços sociais dos mambembes são valiosos; e se não imaginemos que, numa localidade qualquer, naturalmente longínqua e pobre, um rapaz sente em si fogo sagrado da arte — para onde se desse encaminhar? Para o mambembe.

Atira-se, faz pontas, desagrega o seu talento, dá-lhe corpo e afinal procura um meio maior, onde se faz uma celebridade. Pergunta-se: Quem o excitou? Quem o animou? Quem educou e dirigiu a sua voação nascente?

O mambembe, não há como negar!

Objetarão que a escola é viciosa. Não há dúvida que o é; mas se não há outra?...

Só se destrói o que se substitui. Admitindo isso, se queremos ter atos corretos, impecáveis, devemos organizar quanto antes um teatro normal, um conservatório dramático; então sim, o Brasil poderá ter atores cômicos, dramáticos, trágicos perfeitamente superiores e as exéquias serão cabidas.

Atualmente, forçoso é emendar, o mambembe ainda é digno do respeito e da consideração do país inteiro.

O público e os ruralistas do interior devem ter sempre em vista estas despretensiosas considerações; devem ter em mira que, se nada há, a respeito de teatro, no próprio Rio de Janeiro, exigir demasiado dos modestos e humildes atores do interior é disparatado; e também não se deve esquecer que, entre os mambembeiros, pode estar um futuro João Caetano,[383] e que grande glória terá aquele que souber descobri-lo e animá-lo.

No Brasil, é dessa massa que eles se fizeram e se fazem.

Meditações na janela[384]

Na galé que remo das 10 às 3 (muito semelhante àquela em que meu pai remou durante 25 anos, pela mesmas horas), chego às vezes, à janela, e olho a praça em frente movimentada.

A princípio reinou o vazio. Nada vem dos objetos ou do meu íntimo perceptível. Meu pensamento está adormecido. Mas eis que chega próximo do lampião, cuja lanterna envidraçada brilha ao sol como uma pedra preciosa, um soldado. Ergue o □ ao alto da cabeça e discursa-se em tempo para campanha [sic], e se reparo-lhe bem à frente deprimido o olhar oblíquo, a cor de cobre... E não sei por que me sobe aos olhos a visão de um índio a flechar peixes nas margens dos grandes rios. Vejo-o depois apujado □, amarrado ao fundo de uma grande canoa, descer o rio que o vira livre. No fundo da montaria, é como uma peça de caça. Seus olhos redondos e vivos não compreendem aquilo, brilham estupidamente, e traduzem um esforço inútil de uma inteligência que não pode penetrar no fato que se lhe apresenta. O soldado ergueu-se.

História de um soldado velho[385]

Soldado velho deu baixa do Serviço do Exército por não servir mais para o trabalho. O soldo que recebia em recompensa de muitos anos de serviço foi um cruzado. Ora, o que faz ele? Comprou um pato e saiu a revendê-lo. Chegando perto de uma casa, sai-lhe uma criada a comprar o pato. Ele disse que o custo era de dois cruzados; ela vai falar à patroa, que manda vir o pato e também mandou pagá-lo. O soldado, porém, não saiu mais do portão. Dentro de certo espaço de tempo chega um frade para jantar na casa e pergunta o que estava aí fazendo. Soldado velho que fisgou [sic] alguma coisa, disse que estava à "espera" do pagamento de um pato que tinha vendido naquela casa. O frade perguntou quanto era; ele disse o custo de dois cruzados. O religioso puxa do bolso da batina o dinheiro e paga. Dispõe-se depois a entrar na casa; o soldado acompanha, juntos entram. Chegando na sala o frade, que parecia muito íntimo da casa, puxou, e sentou-se numa cadeira; o militar também faz o mesmo. A dona da casa vendo o frade entrar acompanhado com aquele homem desconhecido ficou furiosa, sem saber o que devia fazer e sem coragem de perguntar ao frade que homem era aquele. O eclesiástico não lhe dizia nada e assim vão, até chegar a hora do jantar a que não faltaria o pato de cabidela.

O frade tinha lugar na mesa; o soldado velho também faz o mesmo. A dona da casa estava furiosa, mas aceitava a situação fazendo das tripas coração.

Já estava a terminar o jantar, quando bateram à porta. Era o dono da casa. Estava tudo perdido. O que faz a mulher: tranca o frade e o soldado em uma alcova. O marido não saiu mais e a mulher cada vez mais ficava amedrontada. Chega a noite. O frade não tinha dado até ali uma palavra; o soldado velho também; mas quando foi ali pelas dez horas da noite, o soldado velho, vendo que todos estavam já agasalhados, principiou uma conversação com o frade.

Pediu-lhe este que não falasse ali, mas o militar continuou a falar.

O frade gratificou-lhe com um conto de réis para que ele não mais falasse. Recebeu o dinheiro o soldado velho, mas logo de novo começou a dizer que no dia que comia pato não podia ficar calado. Deu-lhe o frade um outro conto de réis ficando sem mais um vintém. O soldado velho, pois, continuou a falar. O companheiro, para ver se ele se calava, deu-lhe da batina de sede.

O soldado velho teimava em continuar a dizer que no dia que comia pato não podia estar calado. O frade já lhe pedia pelo amor de Deus que não falasse mais, pois se tal o não fizesse, ficariam desgraçados. O dono da casa certamente acordaria e era capaz de matá-los.

O soldado velho não queria saber de nada, o seu desejo era só de falar. O frade vendo que não tinha mais o que dar despiu-se de toda roupa e entregou-a ao soldado velho para que ele não falasse mais. Já sendo meia-noite na cadeia o sentinela solta o brado de alerta, o soldado velho ouviu e produziu um outro formidável brado. O frade, com medo, meteu as mãos na porta e saiu nu. Soldado velho que ainda não estava vestido com batina acompanhou o frade que pulou uma janela. O dono da casa pula atrás do frade e dá-lhe um tiro. O soldado velho pula atrás do dono da casa e o prende. O homem que era um homem de grande reputação não quis sujeitar-se à prisão, mas o soldado velho não queria saber de nada. Estava preso e bem preso, pois ele era o mandante e tinha que cumprir o serviço, tanto mais que o dono da casa tinha dado um tiro num homem. Não podia de maneira alguma soltá-lo. O dono da casa, vendo a revolução do soldado velho, e que tinha de ir mesmo à presença das autoridades, ele que era muito conhecido e respeitado por todos, propôs ao militar, se ele o soltasse, dar-lhe doze contos de réis. Soldado velho aceitou, mas com as condições do dono da casa mandar a sua mulher contar e trazer ali, onde estavam. O homem chamou a mulher e mandou que contasse doze contos de réis com toda pressa e trouxesse. Assim foi feito. Soldado velho, que só vencia um cruzado por mês, saiu da aventura com catorze contos e quatro cruzados e a batina do frade e todos os paramentos do frade.

O paladino[386]

— Entre.
O criado, ouvindo a ordem, penetrou no salão pisando quase em cima dos pés. Era uma sala larga, com altas estantes, pesadas de livros de encadernações reluzentes e caras. Quase ao centro da sala ao lado de uma larga mesa cheia de papéis e livros, um homem como que atarefado naquele mar revolto, sentado, aparecendo-lhe somente o crânio de calvo luzidio sem que o *pince-nez* de ouro refletisse [sic].
— Que é?
— Uma senhora que quer falar com V. Ex.ª
— Não disse o nome?
— Não, senhor. Disse-me só que queria falar com o senador doutor Bento Paleógrafo.
— Que aspecto tem?
— É uma mulher pobre, caboclada... Parece da roça.
— Bem. Diga que espere.
O criado saiu e passou a recebida ordem:
— Espera. Mande-me aprontar o chocolate, mas quero do bom, isto é, aquele do cacau da Bahia que o coronel Fulgêncio, mandou-me; o do Amazonas não presta.

O senador Bento Paleógrafo era uma glória do país. Não que ele tivesse feito altas obras. Fora ministro e nada fizera; senador, dava pareceres de sete em sete anos; não escrevera também tratados, obras de qualquer natureza; e toda base de sua glória estava nalguns artigos de jornais (e não era publicista) e uns três prefácios a traduções do inglês. Era uma glória animada, sátirica e política, artística e periódica, pedagógica e financeira, gramatical e filosófica. Quando se lhe falava no nome; dizia-se:

— O Bento, a maior glória da América do Sul.

Certo dia um escritor do Equador, que tivera notícias desse colosso, por via diplomática, pediu ao Ministério de Instrução as suas obras científicas, literárias ou filosóficas. O pedido depois de repassado por todas as seções do Ministério voltou ao plenipotenciário com alguns números do *Diário Oficial*, um livrinho para as escolas primárias e um espécimen da sua cédula do tempo do Encilhamento.[387]

O diplomata dos símios[398]

Aquem atentamente observa a vida humana e a compara com a dos outros animais que vivem nas proximidades, uma coisa surpreende. É a sociabilidade, essa espécie de convergência de cada indivíduo para a vida de um ente semelhante que não se vê. E por depois de vê-los assim, agitados e egoístas, mesmo sabidamente inimigos dos outros mas tendendo para o total deles, põe-se a inquirir — por que tal coisa não se dá também entre os elefantes, as galinhas, entre os cabritos, entre os macacos?

Se o animal homem tem qualidades superiores a esses, tem também excepcionais defeitos, superioridades que saltam aos olhos do menos sagaz. A inteligência, longe de um dado do indivíduo, é uma experiência da sociabilidade, é mesmo a aquisição posterior e que se aferiu lentamente com a vida social. Todas as razões dos seres humanos nasceram com um mesmo grau de inteligência, e em um útil encadeamento de vários indivíduos fizeram-nos grandiosos, e se a inteligência apareceu mais cedo nesse ou naquele foi porque os laços racionáveis não se frutificaram mais nesse que naquele. Condições muitas trabalharam para isso.

A inteligência não é nem foi, é um meio e um meio de fora. Os dados climáticos nos quais a espécie humana apareceu foram-se, e a célula humana teve artificialmente que obtê-los.

O traumatismo que operou a sociabilidade humana, num dado momento começou a influir sobre os macacos de uma ilha esquecida da Malásia.[389]

O general[390]

Na sua grande tenda, das linhas avançadas do seu numeroso exército, chegaram-lhe notícias que o exército inimigo movia-se em linha de batalha. O jovem oficial ficava esperando ordens, e ele, muito calmo, sem responder diretamente ao ajudante de ordens do general, seu subordinado, que comandava a vanguarda, pôs-se a fazer hábeis propostas de quem conhecia o ofício, sobre a maneira, os sentidos e os lugares, enfim, como o adversário se movia. Abriu a carta e, nela, em um olhar seguro e rápido, foi seguindo as elucidações do tenente. Tendo acabado de ouvi-lo, fez-lhe algumas recomendações, indicou a posição da artilharia e despediu-o.

Só, afivelou a espada, chamou a ordenança e ordenou que lhe trouxessem o cavalo. Veio à porta da tenda esperar. No céu, já havia o ☐. E quando montou, no Oriente um feixe de anis [sic] atravessava, furando, as nuvens escuras. Cavalgou. Lá vinha o sol, porém, o sol que tem visto mil batalhas, que viu Marathusa, que viu Camus, Munda, Roerni, Marengo, Austerlitz e Waterloo.

Era o sol que tinha visto Milcíades, Aníbal, César, Condé, Napoleão e Wellington, era o sol que gerava a vida na terra e dava a esses vitoriosos um pouco de seu brilho eterno. Subia... subia... Quem sabe o que via também agora, com os mesmos olhos que viu aqueles guizos todos?

Quem sabe que não lhe transmitia algum do seu poder sobre-humano? Subia... Subia... Via-se-lhe agora uma pequena calota... as nuvens fugiam.

Mesmo antes das campanhas, quantas vezes viu o sol àquela hora? Muitas, muitas. Uma vez, já na Escola de Aplicação, lembrava-se de tê-lo visto assim, depois de um acontecimento singular. Desde dez horas, da hora em que viera do *club*, estivera até às doze atracado em um tratado de artilharia.

Fatigava-se e, a esmo, agarra um livro à mão, uma obra literária, e abrira-a como uma página. As □, lera da Vitória. Tolhem mais, e também quase no mesmo lugar da outra página, lera — traz sujo. [sic]

Não lhe passou desapercebido aquela singular associação de palavras lidas a esmo, em páginas diferentes de um mesmo livro.[391]

A vingança[392]
(*História de Carnaval*)

Por ser sábado véspera de Carnaval, a roupa a lavar fora retirada mais cedo das cordas estendidas pelo pátio da estalagem em fora [sic].

D. Francelina, moradora à casinha 7, muito ocupada em arrumar as camisas e punhos dos seus fregueses, de costas para a porta da rua, não vira que seu filho Zeca entrara-lhe pela casa adentro sobraçando um embrulho guizalhante e um outro, com rasgões no papel, por onde saíam recurvados chifres e uma formidável língua vermelha, adivinhando-se por aí uma horrível máscara de diabo.

D. Francelina continuava a arrumar a roupa quarada na cesta e a cantarolar uma modinha nova. Zeca começou a desembrulhar os apetrechos carnavalescos. Sobre a humilde mesa de pinho, agora estende-se uma rubra vestimenta de ganga rala e uma máscara apavorante de olhos esbugalhados, língua retorcida e chifres amedrontadores, tão amedrontadora era ela assim que se o próprio diabo a visse correria.

D. Francelina, ao seu doguzio [sic], volta-se e dá com a travessura.

— Zeca que é isso?

Uma suspeita dolorosa lhe vem:

— Onde você arrumou isso? — pergunta severa.

— Não... Mamãe...

— Você roubou, Zeca... Oh! meu filho! Pobre, sim, mas ladrão não! Onde você arrumou isso, Zeca?

— Foi seu Chico, mamãe — respondeu a criança em voz de choro.

— Que Chico?

— Seu Chico... Aquele que gosta de dona Noêmia do nº 14, mamãe!

— Mas por que ele te deu isso?

— Eu quem pedi...

— Ele te deu todo o diabinho?

— Deu-me só a máscara, a roupa comprei-a eu.

— Com que dinheiro?

— Desde junho do ano passado que eu ajunto, mamãe.

Zeca está agora mais sossegado e a mãe passada a suspeita de furto aprecia a aventura com a máxima indiferença.

— Mas para quê? Para essas porcarias de Carnaval; antes você tivesse comprado umas camisas. Dinheiro só se deve gastar em coisas necessárias, não nessas bobagens. Você precisava?

— Sim... Eu não lhe contei. O ano passado eu passei na casa de um doutor lá das bandas do largo de segunda-feira. Eu ia só, sabe, mamãe. Levava a marmita a dona Filomena... A senhora não se lembra quando estive empregado na pensão?

— Lembro-me.

— Pois bem; foi nesse tempo. Eu levava a marmita, os meninos do doutor estavam na porta e quando passei se puseram a gritar: "Seu mouco, macaco". Eu tive uma raiva, mamãe, que a senhora não imagina.

— O que você fez?

— Nada... Que havia de fazer? Continuei meu caminho e jurei me vingar.

— !?!

— Por isso juntei dinheiro, arranjei a máscara...

— E o que você vai fazer agora?

— Passar por lá, pela casa do doutor.

— Para quê?

— Para meter medo nos meninos.

— Tolo — fez dona Francelina continuando muito resignadamente a arrumar a roupa de várias famílias conceituadas.

O profeta e o bloco[393]

Ao meu amigo Profeta, a quem não sei bem por que razão, teimei em tomar como meu espírito familiar, vim a encontrar outro dia depois de uma longa ausência de meses. Tenho pelas pessoas de sua condição um respeito religioso. Para mim, elas são como eleitas que a divindade visita para lhes fazer ver o mundo invisível por detrás das coisas. Por isso, falei-lhe humilde, com a humildade com que me dirijo aos humildes privilegiados como o meu amigo profeta:

— Que pensas do bloco?

— Do bloco? Pode ser mole ou duro...

— Falas como são João da Pathuras; quero-te mais preciso.

— Duro, se for de granito; mole, se for de açúcar.

— Grande novidade. Não esclareces o caso.

— Sim! Se for de açúcar, será doce...

— Entendo.

O vago frasear do camarada inoculou-se em mim. Pus-me a amar aquelas respostas sem nenhuma ligação ao meu propósito primeiro; assim foi que, ainda acrescentei ao que dissera.

— Entendo. Dever é também solene.

— Sinceridade também o é, sem ser doce, bem entendido.

— Salgado.
— Exato; e refratário ao calor.
— Belo bloco! Mas se for de pólvora...
— Inflamável! Um perigo.
— Pode ser também de cosmético.
— Apreciável para a *toilette* da gente avariada; e de nitrato de prata.
— Medicinal, assim, sendo de ferro, poder-se-á aproveitá-lo para esse fim útil.
— Sendo de ferro, falei-lhe, o melhor é fundi-lo.
— Sim, porque em pequenas folhas, facas, garfos, prestará imensos serviços.
— Ou batido?
— Batido, seria melhor; mais resistente.
— Mas menos maleável.
— E uma virtude; resistirá a trovão.
— E a tração, propriedade essencial, mas se o quer maleável e fusível, melhor é o chumbo.
— Em grãos de caça, ou em balas, é inestimável.
— Mesmo para arma de guerra, se levar uma camisa protetora.
— O bloco com camisa!
— Não é propriamente o bloco; são partes do bloco, fragmentos.
— Mas é não desse bloco.
— Sim, pode ser de terra, será bom para aterro, encher buracos, lastro de navios — fins insignificantes.
— E se for de bronze?
— É uma liga própria para as artes plásticas.
— Só?
— Achas pronto. Pelo visto tem uma extraordinária utilidade.
— Enfeita jardim.
— E lembra com ponteiros.
— As façanhas dos simples homens.
— Mas é desse bloco; e de uma agremiação política.
— É o mesmo: questões de física, química, sociais e artes correlatas.
— O pretendente — Mas...
— A influência — Não há vagas, meu caro senhor.
— P. — Se V. Ex.ª quisesse...

— J. — Onde, onde há de ser? Todas as repartições estão cheias.
— P. — O bloco ainda não.

Consta que o Congresso Panamericano resolverá a questão do café.[394]

Conversas[395]

Sábado, depois de um longo afastamento de três meses,[396] estive com o meu amigo Gonzaga de Sá.[397] Encontrei-o na rua do Sacramento canto da de Luiz de Camões,[398] a ver os que saíam da conferência do Instituto. Fumava displicentemente, tinha bengala atrás das costas e olhava a multidão despreocupada, nem reparou direito a importância dos homens e a beleza das mulheres.

— Que vês, Gonzaga?
— Os parnugianos □. Lembras-te do Pantagruel?
— Não é preciso. Os dicionários dispensam a sua leitura.
— Vejo os que seguem, vejo os que admiram. Amo-os.
— Se não leem, convém aos mestres das letras do Brasil. E não é a primeira vez que os vejo!
— Em geral, pelo que eu tenho reparado, tu nunca vês as coisas pela primeira vez.
— Não é a primeira vez. Há trinta anos os vi — saíam das conferências de Haia.

Seguiam, admiravam a catapúltica palavra dos conselheiros imperiais.
— O Machado de Assis fez conferências em Haia?
— Não.
— O Rui Barbosa.[399]

As fachadas[400]

Ontem, um domingo que oscilava entre o feio e bonito, fui até ao edifício da Escola de Belas-Artes ver a exposição que se fazia numa das salas desse estabelecimento.[401] Dos muitos prospectos que, ao concurso anunciado das fachadas das casas a se edificar na avenida em construção, se apresentaram a disputar o prêmio e as recompensas que o Estado oferecia. [sic]

Eram muitos os desenhos. Alguns bons. Gostei. Não perdi meus passos.

E como o diretor desta revista proporcionasse a publicação, resolvi transladar para o almaço as minhas fugazes impressões.

O que logo se nota ao lançar pelas paredes da sala um largo olhar é o predomínio do clássico, nas suas várias formas, inclusive o Renascimento. Houve, é bom notar, um esquecimento das ☐ estilos orientais. O bizantino, o persa, o ☐ não têm sequer um croquis para representar ☐.

O universo tem, convém dizer, um ingênuo representante, em que, o airoso do ☐ dos pavimentos superiores, mal se casa com o ☐ proporcionado que nota nas portas ogivais ☐ do *rez-de-chaussée*.

É este, creio, o projeto do senhor.

Esta ausência dos estilos orientais é bem de pasmar. Por fortes motivos, era de esperar que os nossos arquitetos quisessem imitar aquelas ☐ mesquitas e pagodes da Índia e da Pérsia. Levou o vivermos nós quase sob as mesmas linhas astronômicas e climatéricas, acrescia às tradições peninsulares de nossa raça [sic].

Eu esperava, ao entrar naquela sala, encontrar algum projeto, em que a influência de Alhambra, da mesquita de Omar ou do túmulo de Aurenz-Keb se fizesse poderosamente sentir, mas — como falham as nossas previsões — lá não vi algum que, embora de longe, traduzisse aquela influência. Compensando encontrei as puras linhas linhas do Partenon, as sóbrias ogivas de gótico flamejante e umas reminiscências do rumaco [sic].

E não era de esperar outra coisa ☐ Sobre sermos nós um povo sem uma modalidade de arte própria, argumentava para que lá ☐ se desse a predominância de artistas estrangeiros, especialmente italianos, como sendo autores da maioria dos projetos.

O jardim dos Caiporas[402]

Deveras, seria uma coisa extra que alguém quisesse encontrar na nossa Terra um jardim de felizes — as coisas andam tão ruins! Mas em todo o caso, um amplo jardim de desgraçados, nessa bem fadada Terra, onde não há misérias, nem se deve cogitar uma questão social, é estranho! Eu o achei a 13 de junho, às três e meia horas da tarde.

É uma efeméride, cuja importância não me cansarei de encomiar, e, depois da descoberta do Brasil creio que outra maior não há, digna de ficar na memória do nosso povo.

Jaz... (quase descendo no diminuir comum dos geógrafos e dos pilotos de navio).

Deixemos as coordenadas geográficas em paz.

Atravesso uma ponte. No primeiro banco, à direita, há um indivíduo.

— Boa tarde!

— Boa tarde!

Assim nos cumprimentamos. Como se me convidasse, aconchegou-se melhor no banco, deixando espaço para três da minha pessoa sentadas.

— Gosta das árvores, coronel? Acolhe-se aqui para apreciá-las.

— Qual!

— Por aqui a paisagem toma aspectos mais delicados, já houve um escritor que, por estas paragens, encontrou uma digna de álbum: uma torre esguia a surgir entre grimpas de árvores... E acolá olhamos.

— Poesias, poesias! Ou não cuidamos seriamente em coisas práticas, ou cuidamos em poesia, futilidades. Veja só como estamos: não há indústria, não há governo, não há exército. Veja só essa história de oficiais franceses. No meu tempo quem se lembrasse disso era arcabuzado. Fizemos a guerra da República Oriental, do Paraguai, e não precisamos desses instrutores.

— Mas o Bausso era português, e o velho Mallt.

— Ora, exceções, demais estudaram aqui. Eu que o senhor está vendo, e que me conhece, não me encontra em lugar nenhum, fujo das relações e quando o gosto do ar livre me apoquenta, recolho-me aqui e fico a olhar.

— Sinto é não ter dinheiro para fugir daqui, ir pra bem longe, e se já me reformei foi por isso, deixei o campo livre a esses idiotas que me guerreavam. Viu o senhor só, fulano como saiu e beltrano e sicrano e mais nomes ele citava criticando-os em azedume. É verdade que eles estão generais, marechais, senadores, e eu, eu! e empregando um estilo ameno, compósito, barroco, tentemos atrair a atenção dos leitores fatigados.

Por uma dessas tardes frias de inverno, em que o sol macio cora voluptuosamente meigos raios através da satisfeita folhagem das montanhas, cobre com um véu translúcido o casario dos vales, entrava eu no jardim, exuberante de sonhos, sonhados durante cinco horas e meia durante as quais estive mergulhado num mar de papelório de quando em quando agitado pela emoção das ordens breves e secas dos múltiplos e infinitésimos estadistas que um qualquer ministério tem.

Caminho vagaroso pela alameda clara. Não há grandes árvores em começo. Um vasto gramado afunda-se e ergue-se além no mesmo nível. É uma vasta bacia verde. Ando. Agora, renques de árvores plantadas ensombram o caminho. Os animais, familiarizados na sua carreira, se atrapalham por entre minhas pernas.

O meu capitão reformado e coronel comissário tinha aos poucos deixado cair um pouco de sua alma, mas percebendo que havia alguma malícia no meu olhar, replicou:

— Não é que eu os inveje, não, muito ao contrário, sei em que terra vivemos.

Acompanhando-o com o olhar, vi-o desaparecer no fundo da alameda. Zagiboso [sic], animado a bengala [sic], o passo traído deixava quieta a sobrecasaca anciã de abas curtas e debrum. Ao fundo do ambiente verde-escuro, o seu rosto bronzeado em cabelos amarelecidos, ao se voltar, olhava com uma expressão azeda, dorida, amarga o jardim de um todo: era como um fauno triste despeitado que enchia com seu gênio a quieta placidez do parque. E como a mitologia grega me falhasse, apelei pra o manitô dos selvagens, era o Caa — ...[403]

O domingo[404]

Viajam de bonde silenciosamente. Devia ser quase uma hora, pois o veículo já se enchia do público especial dos domingos.

Eram meninas do povo envolvidas nos seus vestidos empoados com suas fitinhas cor-de-rosa ao cabelo e o leque indispensável; eram as baratas casemiras claras dos ternos, ☐; eram as velhas mães, prematuramente envelhecidas com a maternidade frequente, a acompanhar a escadinha dos filhos, ao lado dos maiores, ainda moços, que fumavam os mais compactos charutos do mercado — era dessa gente que se enchia o bonde e se via pelas calçadas em direção aos jardins, aos teatros em *matiné*, aos arrabaldes e às praias.

Era enfim o povo, o povo variegado da minha terra. As napolitanas baixas com seus vestidos de roda e suas africanas, as portuguesas coradas e fortes, caboclas, mulatas e pretas — era tudo sim preto, às vezes todos exemplares em bando, às vezes separados, que a viagem de bonde me deu a ver.

E muito me fez meditar o seu semblante alegre, a sua força prolífica, atestada pela cauda de filhos que arrastavam, a sua despreocupação nas anemias que havia, em nada significando a preocupação de seu verdadeiro estado — e tudo isso muito me obrigou a pensar sobre o destino daquela gente.

O escravo[405]

Desde que o negreiro o deixara pelas praias próximas do Rio, nunca mais os seus olhos se viram frente a frente com a natureza. Desembarcado no barracão, espécie de mercado de escravos de primeira mão onde fora adquirido, muito molecote ainda, pela família onde se criara. E, aos poucos, ao crescer, sobre sua viagem se aumentavam perguntas.

Forçava a memória. Voltava-se todo aos seus primeiros anos; e o esforço era vão. As reminiscências que lhe ficaram chegavam à consciência nevoentas, nubladas, confusas. Não sabia donde provinha.

Um dia, não sabia por quê, amanheceu entre uma porção de gente, negros como ele muitos, outros mais claros, que pareciam mandar. Andavam de sol a sol, quase sem descanso. Às vezes davam-lhe um punhado de farinha. A que horas? Quem lhe dava, não sabia bem.

E a memória só lhe trazia isso. Da viagem por mar, nada, nada. Parecia-lhe agora que viera acorrentado dentro de barricas, não sabia bem como fora.

Procurava reforçar as suas recordações, indagando dos mais velhos coisas de sua terra.

— De que nação é?
— Cabinda d'água doce. Lá também há bois, gatos; é quase como aqui.

— Lá há casas de pedra?
— Não; são de palha. No porto, sim, há.
— E padre há?
— Não, não... há sim, mas não como os daqui.

E não se contentava com as informações do pai Matias, procurava indagar da sinhá-moça, que achava notícias de matéria. Guiava-o numa interrogação.[406]

Os pedaços[407]

Das vinte e cinco vidas que o dispensário Castrioto arrancou à morte certa, esta é a nova e a mais banal, talvez por isso seja a mais longamente sentida. Avisei logo em começo, quando me propus a narrar estas vidas prováveis, que elas todas seriam vulgares; contudo, a minha fantasia, nas oito que precederam à presente, carregam, em algumas, mais a tinta crua do real, e em outra pus-lhe um debrum de absurdo. Não voltarei mais a fazer semelhante consideração. Extraordinárias ou vulgares, são vidas prováveis de crianças que a existência nomeou à morte e eu aqui, adivinhando-as, figuro como astrônomo em seu gabinete calculando, com os elementos previamente dados, as órbitas de astros. Não se lhe dá que seu lápis revele a curva que revelar; notáveis ou não, são órbitas e mais nada. São vidas as que conto, prováveis, quando muito; mas são vidas e mais nada.[408]

Os subidas[409]

Li numa correspondência do *Correio da Manhã* que os parentes reinóis do nosso presidente eram conhecidos na sua cidade natal por subidas.

Imediatamente me vieram à lembrança aquelas grandes vontades descritas nos livros de Smiles, lidos na nossa meninice. A lembrança não era descabida, pois aqueles, que pelas dificuldades materiais do início de sua vida e pela grandeza de que se revestem o final delas, merecem ser chamados subidas.

Lembrei-me de George Stephenson,[410] que de operário de mina chegou a ter seu nome eternizado na locomotiva. Vi Watt, mísero fabricante de instrumentos de desenho, ligar seu nome à máquina a vapor.

Recordou-me Franklin,[411] tipógrafo, cujo nome ligado à eletricidade tem a dupla auréola de cientista e patriota.

No caleidoscópio da minha memória passou uma infinidade de nomes:

Johnson, alfaiate, presidente da República americana depois; Lincoln, lenhador, alcançou também esse alto cargo; Diderot, filho de um cuteleiro, foi o presidente do pensar francês durante a segunda metade do século XVIII; D'Alembert, enjeitado, amigo deste último, geômetra e filósofo de primeira grandeza; Evaristo da Veiga, entre nós, alfarrabista, faz o grande fato do 7 de Abril.

A estes juntavam-se os de Shakespeare, Cromwell, Locke e muitos outros;

enfim, um rol de nomes célebres na arte, na indústria, na ciência e em outros departamentos da atividade humana.

E, então, pensei comigo:

— Quem sabe se a tal família não tem essa denominação porque houvesse nela um grande número de filhos comparáveis a estes grandes tipos?

Mas eu não rebusco a memória, leio livros, consulto dicionários e nada!

Os subidas[412]
[2ª tira]

Li num correspondente do *Correio da Manhã* que os parentes reinóis do nosso presidente eram lá conhecidos por subidas.

Imediatamente me vieram à lembrança aquelas grandes vontades que o Smiles descreve nos seus livros conselhares.

Lembrei-me de George Stephenson, que de operário de mina chegou a ter seu nome ligado para todo o sempre à locomotiva. Vi Watt, mísero fabricante de instrumentos de desenho, ligar com seu esforço e trabalho o seu nome às máquinas a vapor. Recordou-me Franklin, tipógrafo, cujo nome está ligado tão estreitamente às teorias da física.

No caleidoscópio da minha memória passou uma infinidade de nomes:

Johnson, alfaiate, depois presidente da grande república americana; Lincoln, lenhador, que alcançou essa elevada distinção; D'Alembert, enjeitado, grande geômetra; vi Evaristo da Veiga, alfarrabista, figura mais tarde tão proeminente na época viril da nossa história — a Regência.

Enfim, o rol de nomes célebres me veio aos lábios e pensei comigo:

— Quem sabe se a tal família não é denominada os subidas por ter um grande número de filhos comparáveis a esses vultos?

Mas desse engano ledo e cego bem cedo tirou-me o tal correspondente, explicando que são assim chamados por morarem na calçada alta, isto é, de subidas.

Foram-se os deuses e com eles os heróis, já mais não via Stephenson, nem Watt; todos nascem morando numa calçada alta.

As subidas que porventura se têm na vida, mesmo aquela de cultivador de Taubaté ao governo de um grande país, não são mais obra do trabalho, nem do mérito, elas estão mesmo centradas nos nomes das famílias; ele subirá, diria uma cigana, porque sua família mora numa calçada alta e assim é a família dos subidas.

E hoje, quando me perguntam por que é sr. Rodrigues Alves presidente, eu direi desalentado: é porque ele mora no palácio do Catete.

Vejo a história de Portugal, remonta aos mouros, aos suevos; não há tal nome! Procuro nos cavalheiros que Afonso Henriques combateram em Ourique, não encontro esse nome — Rodrigues Alves. Desesperado da história de Portugal, venho à do Brasil. Leio os nomes dos governadores, dos vice-reis, dos ouvidores, dos capitães-mores, dos generais das guerras holandesas: nada!

Pesquiso o Brasil reino, o Brasil 1º Império, o Brasil Regência e ainda nada.

Tomo o jornal, leio de novo e então eu acho a explicação: eles são subidas, não porque subam nas dignidades sociais com mérito e com talento, mas porque moram numa calçada alta.

Que decepção!

Foram-se os deuses e com eles os heróis; hoje já não há subidas como as de Diderot ou Stephenson, mas sim as subidas das calçadas. Ninguém mais sobe pela eloquência, pela pena, pelo estudo; não: todos subimos pela estreita calçada das eleições e atas falsas, e aí, nesse atropelo, quem vence, é o mais dúctil e o mais pastoso, capaz portanto de se amoldar e de dobrar-se aos impulsos das multidões.

Razões bastantes deve ter o povo da tal cidade para chamar a família Rodrigues Alves os subidas, e hoje, aqui, se me perguntarem por que é o sr. Francisco presidente, a resposta será pronta e segura:

— Porque mora no palácio do Catete.[413]

No tronco[414]

Não era a primeira vez que ele sofria o suplício do tronco; mas dessa feita o castigo foi multiplicado.

Depois de lhe haverem assentado algumas dúzias de chibatadas, o Nicolas de mãos atadas às costas, e com as pernas, nos orifícios na altura dos tornozelos, cingidas pelos orifícios da pesada barra, a pão e água, testemunhara o decorrer de três dias. A sentença lhe criminara oito dias e ele a ouvira da boca do próprio patrão, que a pronunciara claramente, firmemente como se fizesse a coisa mais natural do mundo:

— Meta, seu Mello, este negro no tronco, mas antes assentem cinquenta chibatadas, das boas, ouviu, seu Mello. Depois, acrescentara o coronel dirigindo-se ao negro, quero ver se você foge.[415]

O velho códice[416]

O que os leitores vão ler é a história de um desses amores sombrios, trágicos, quase medievais, cheirando ainda a barbacã e a castelo ameiado; e de que, por uma singular recapitulação histórica, na idade moderna, a América do Sul foi teatro ou que deu fim. Não é desses nossos amores de hoje, convencionais e pautados; é o desprender de um forte impulso d'alma irresistível e imenso.

Um velho códice manuscrito em italiano dos meados do século XVIII conta-o; e, pelo apuro de sua forma e pela luz que traz a um enigma da história da nossa pátria, merecia que o transladássemos poupando-o o mais possível da irreverência de lhe dar uma forma moderna que o desvigore sobremodo.

Consoante conselhos de altas autoridades filológicas e literárias, ao português de Gusmão e Pitta, com certeza coevos do autor dele, devíamos ir buscar o equivalente de sua fogosa linguagem italiana; entretanto, não nos sobrando erudição para empresa de tal monta, abandonamos o propósito.

Guardando no tom geral da versão o falar moderno — embora imperfeito para exprimir paixões de dois séculos atrás —, aqui e ali, procuramos numa frase, num boleio, ou numa exclamação daquelas eras, tingir de leve a narração de um matiz arcaico.

O original é absolutamente anônimo.

Nenhum sinal, indício, escudo heráldico ou mote denuncia o autor.

Não obstante, uma emenda, traços imperceptíveis fazem-nos crer que a mão que o traçou é de jesuíta.

Um "nós" riscado e precedendo "os jesuítas" entre vírgulas, e a maneira familiar de que o códice fala das coisas da ordem, levaram-nos a uma tal suposição.

Os leitores julguem.

A vida fluminense[417]

Do meu amigo e antigo colega G. Silva, residente atualmente no Pará, recebi há dias uma carta, apresentando-me um seu amigo. Era um jovem e inteligente uapé, filho de cacique, neto de cacique, portanto príncipe do melhor sangue, que desejava conhecer as nossas lindas coisas, e Silva, que me sabia semijornalista e totalmente aliteratado, na carta, instava comigo que lhas mostrasse.

Não se espantem os leitores; Arucati (assim é o seu nome) é uapé, mas uapé que andou na portentosa montanha-russa de Belém, cidade onde aprendeu a trazer um traje sofrivelmente completo.

Logo ao recebê-lo, lembrei-me do jovem Huron, do *Ingênuo* de Voltaire e, se não fosse a perfeita autenticidade desta narração, com certeza não me atreveria a publicá-la, temendo que me acusassem de plagiário.

O jovem príncipe, S. I. R. Arucati, tinha uma imensa sofreguidão de ver; queria ir a todos os lugares, a toda a parte, apalpar, tudo tocar, inebriar-se; e eu, a quem o meu jeito e minha condição não permitem ir a toda a parte, tive de apresentá-lo a amigos que o satisfizessem.

Entretanto, fiz amizade com o príncipe uapé, e muitas vezes acompanhei-o em passeios, festas, conferências e teatros.[418]

O soneto[419]

Sala de família remediada. Retratos pelas paredes e uma vista do Rio, tirada de Santa Teresa. Há três janelas de sacada dando para um pequeno jardim, São Cristóvão, Anastácio Fragoso, noivo de d. Cecília, filha dos donos da casa, acaba de chegar. A sua futura sogra, d. Apa, está furiosa.

D. APA Mas, então, o senhor ainda tem a coragem de pôr os pés nesta casa?

ANASTÁCIO (*admirado*) Não atino com a razão de seu espanto. Julgo que...

D. APA (*furiosa*) Então não sabe que endoideceu minha filha, seu viltre [sic]?

ANASTÁCIO (*delicado*) Minha senhora, por quem é, não diga tal... Era lá possível que eu...

D. APA Sim, o senhor, com os seus sonetos...

ANASTÁCIO Como? Como sonetos podem lá enlouquecer alguém?

D. APA Os seus pelo menos tiveram esse efeito. Diga-me uma coisa: que quer dizer isto: "O teu pálido olhar, espraiado em dois rios verdes, da cor azul dos desesperos áureos"?

ANASTÁCIO (*calmo*) Não entende? É fácil...

D. APA (*furiosa*) Fácil! Como é que os rios são verdes da cor azul? São azuis ou verdes, afinal?

ANASTÁCIO (*esforçando-se por explicar*) São uma coisa e outra. No mesmo tempo que são verdes, são também azuis...

D. APA (*indignada*) Mas onde é que se via rio... O senhor é doido e a sua loucura pega... Veja o estado em que pôs minha filha!

Entra vagamente d. Cecília, e lendo um papel faz alteração ao meio. Olhe para tudo sem ver. Para na sala.

D. CECÍLIA (*declamando*) Não entendo... Eu queria dizer isto (*lê*):

"Deram-lhe prata branca as lágrimas em fios
de pérolas, e, vivendo em campos suaves
Lindas virgens cristãs cantam o Senhor, reclamais
A canção paternal das perdas e seu tempo."

D. CECÍLIA (*continuando*) "Prata branca as lágrimas em fios de pérolas"... Que será? Hum... Mas não é... Há de querer dizer alguma coisa...

D. APA (*intervindo*) Deixa disso, minha filha. Ninguém pode compreender isso...

D. CECÍLIA (*teimosa*) Não é possível... Isso significa alguma coisa... É preciso pensar... Já me tinha dito que inteligência das moças não era para a alta poesia — não é assim, Anastácio?

ANASTÁCIO (*gaguejando*) Às... ve... Às vezes.

D. APA (*saltando que nem uma víbora*) Cale-se, seu traste.

D. CECÍLIA (*lacrimejante*) Que é isso, mamãe. Não maltrate Anastácio. Ele é tão bom... Veja o que ele diz dos meus olhos:

"Os teus olhos, ó musa eucaristial, deploram
Soluços de tristeza ou dão alegres urros —
A desgraça teatral de quantos os namoram.
Resumindo pincel, batuta, lira e ☐
Melancolicamente entristecidos
A pulverização simbólica das ☐"

D. APA Mas, minha filha, como é possível você achar isto bom quando ele te chama de animal, dizendo que dás urros?

Opiniões do Gomensoro[420]

Os negros fizeram a unidade do Brasil.
O negro é recente na terra.

Os negros quando ninguém se preocupava com arte no Brasil eram os únicos (Gonzaga Duque, *Arte brasileira*).

Os produtos intelectuais negros e mulatos, e brancos não são extraordinários mas se equivalem, quer os brancos venham de portugueses, quer de outros países.

Os negros diferenciam o Brasil e mantêm a sua independência, porquanto estão certos que em outro lugar não têm pátria.

Se um viajante, saiu etc. etc., sem saber a história de seu passado, e fosse visitar os árabes atuais, negaria qualquer capacidade intelectual a eles.

A capacidade mental dos negros é discutida *a priori* e a dos brancos, *a posteriori*.[421]

A energia só tem revelado depois de lenta submissão (hunos, plebe romana, bárbaros em geral).

A coragem é da mesma maneira.

O português que humilde entre nós é um povo valente, o fim a que se propõe obriga-o a curvar-se ☐.

Discutindo a incapacidade mental desta naquela raça, temos o ar de dizer com o poeta grego — os bárbaros, gente vil que não ama a filosofia e a ciência; ele se dirigia ao avô de Kant e ao tio de Descartes.

Se a feição, o peso, a forma do crânio nada denotam quanto à inteligência e vigor mental entre indivíduos da raça branca, porque excomungar o negro?[422]

Os anjos, quando no platô da Bactriana,[423] nada valiam imigrando, após séculos de fermentação vibraram numa cultura superior, porque os negros transportados de África pelo tráfico não desenvolveram uma civilização, ou concorreram para ela? Esse fenômeno de mudança de hábitat é importante para o estudo.

A ciência é um preconceito grego, é ideologia, não passa de uma forma acumulada de instinto de uma raça, de um povo e mesmo de um homem.

Se há três geômetras etc. etc.[424]

A nota[425]

Por ocasião de passar pela Índia naquela minha vertiginosa volta ao redor do planeta, toda a gente está lembrada que perguntei ao caixeiro do hotel em que almoçava se a lebre que eu acabava de comer havia miado quando pegaram-na.

Lembram-se ainda de que eu a comi vagarosamente, voluptuosamente; e que, só pelo fim do almoço, fiz tão inocente pergunta ao *garçon*. É da minha filosofia culinária que garoupa é cação com um molho especial; e nisso não faço mais que generalizar a sentença dos sábios que a substância que forma as coisas, vivas e inanimadas, é uma única com aparências diversas e manifestações várias. Tudo vai do molho; tudo vai da aparência.

Se o ☐ está na carreira, é um mineral vulgar; se o trabalhou Rodin, é divino.

Fui seguindo tão insignificante ordem de ideias, em presença da denúncia de que, ontem, ao acabar meu jantar, num pequeno *restaurant* barato, perguntei ao copeiro:

— Filho, o leite com que se fez esta manteiga foi tirado pela teta?

— Não sei, não, senhor.

— É sábia a sua ignorância.

Demais, eu nada tinha que perguntar. Eu não comi sebo, comi manteiga, bem que a queria comer, e como tal tinha saboreado e □ o pus respectivo [sic].

Sebo pode ser manteiga, desde que o meu paladar queira assim; e o meu paladar é de pobre sobremaneira domesticado à intensa civilização do nosso tempo.[426]

A questão dos quiosques[427] tem sido para o Rio de Janeiro uma questão obsedante. Vem agitando a opinião há muitos anos e, há dias, vimos a que extremos pode chegar esse irritante problema.

Nessa coisa toda há um pequeno *mal-entendu*. Os quiosques não são assim tão indignos de uma cidade civilizada como se quer fazer supor. Paris os têm e muitos. Tudo se resume em fazê-los mais próprios, isto é, limpos, elegantes para que eles preencham um alto fim estético, qual o de enfeitar e quebrar a monotonia das grandes ruas e praças. No seu destino também não se devia permitir que os quiosques fizessem cozinha e vendessem bebidas alcoólicas ou fermentadas; tão somente deviam vender cigarros, fósforos, selos, estampilhas etc. etc.

Dessa maneira, ver que se transformassem em núcleo de cachaceiros, alguns quiosques graciosos, convenientemente espalhados por larga rua de 33 e comprida de dois quilômetros, enfeitavam-na positivamente, pois leva a fazer dessas ruas não ser uma escola de tédio, mas uma classe de enfado; o calçamento igual, polido e úmido; o alinhamento tiranicamente retilíneo, a altura igual das casas e a sua arquitetura pouco variada.

Por hora, nós recebemos essas coisas como novidade; mas em França, segundo li há tempos no *Mercure de France*, já há quem se queixe da uniformidade dos seus *boulervards*.

É justo que, atendendo-se ao capital empregado pela companhia de quiosques, se procure resolver a questão, consultando tanto os interesses dela como os da população. E o único seria o de modificar a feição dos atuais, fazendo-os limpos, elegantes e airosos, como os que a própria companhia mandou buscar, e que o prefeito Passos não consentiu que ela os armasse.

O fabricante de Rodin não é pouco criminoso do que a divindade oculta que faz com que um bastão mospulgarlhado [sic] me pareça quebrado, quando não está.

Ele me engana com seus rótulos sugestivos, com o colorido que dá ao seu artefato musical, abusa da minha faculdade de argumentação das coisas, mas também me engana quem me organizou de maneira a encontrarem-se trilhos que nunca se encontram.

É no fundo, o tal fabricante do Rodin, um metaplugas [sic]. Experimenta nossa grande população a força e o poder das imagens preconcebidas, e a credulidade dos nossos sentidos.

O governo, ao meu ver, deve lhe apreender a manteiga; mas, à ☐ de uma Academia própria, é conveniente que o mande para a de Letras ou para o Instituto, com uma pensão.

Phileas Fogg.[428]

A nota. A Caixa de Conversão[429]

Deve ser instalada por estes dias a famosa Caixa de Conversão. Destinaram-lhe um magnífico prédio na avenida Central e o próprio ministro da Fazenda vai presidir os seus nebulosos destinos.

A ânsia de ver um tal estabelecimento financeiro funcionar é qual. A toda gente se afigura que do seu financiamento surgirão fantásticos espetáculos nunca vistos até agora.

Eu não sei por que esta instituição não me parece absolutamente nova.

É possível que nas aparências haja algumas modificações; mas, um nome, uma instituição, qualquer coisa enfim que faça conversões em minutos, como a caixa vai fazer da ☐ para o uni-vos [sic], já tem havido entre nós.

A República, por exemplo, foi uma verdadeira Caixa de Conversão.

Os deputados portugueses republicanos nos fizeram uma polvorosa no respectivo parlamento.

Acusaram ao rei d. Carlos de fazer gastos avultados fora das dotações orçamentárias. A discussão se acalorou, e um dos republicanos foi expulso à mão armada. Ao sair, foi recebido festivamente e pelas ruas aclamaram-no.

Engraçado é que eles apelam para a República, que será o remédio; nós, brasileiros, atualmente, quando se dão casos parecidos, quase que apelamos para a monarquia.

Dá-se tal coisa porque a proverbial pobreza do engenho humano só pode até hoje inventar duas formas de governo — República e monarquia. Quando se inventarem outras teremos mais remédios para os mesmos déspotas humanos.

Na noite de 14 de novembro, dormimos monarquistas, defensores do Defensor Perpétuo, cheios de uma inabalável filosofia em favor do império no Brasil; corre a noite e uma parte do dia seguinte; convertemo-nos todos em republicanos, inimigos do imperador sonhando com a guilhotina terrorista. O próprio chefe da revolução, ao que dizem, sofreu conversão no Campo de Santana.

Eu não direi que a passagem dos ideais monárquicos para os republicanos seja assim como uma passagem da libra inglesa para o nosso mil-réis; mas o que posso afirmar é que nessa passagem temos conversão.

E não foi só a República, o 23 de novembro também funcionou em Caixa de Conversão.

A ideia da Caixa não é portanto nova; o próprio marechal Floriano teve intuição dela com uns famosos bilhetinhos que mandava ao Tesouro.

Querem os srs. Caixa de Conversão mais perfeita que a verba secreta da Polícia?

De quatro em quatro anos, assim pelo fim dos períodos presidenciais, nós assistimos a uma verdadeira corrida convertível.

Se eu soubesse história do Brasil poderia mostrar que Caixas de Conversão já funcionam há muito tempo entre nós, e que variam unicamente, de uma para outra, tendo sido tão somente a espécie de valores convertidos?

Andava esparsa tal ideia e agora, graças aos esforços do dr. Campista, temo-la perfeitamente sistematizada.

Naturalmente, creio eu, a Caixa não limitará a fazer a comum conversão monetária; surgida do seio de um povo que a sentia de tantas maneiras, é obrigação que se estenda, se desloque e alcance as antigas novidades em que foi pressentida e nas novas que possam surgir.

Se houver uma mudança de regime, a Caixa poderá funcionar maravilhosamente; uma deposição também; uma devolução da mesma maneira.

S. Ex.ª, o cardeal Arcoverde, se pressentir um desfalecimento da fé católica do país, nada mais tem a fazer que apelar para a Caixa do sr. Campista; e se não lembro ao respeitável W. T. Mendes o alvitre da Caixa para soerguer a fé na religião de Clotilde, é porque sei o quanto o irrepreensível apóstolo do Grão-Feitiço odeia os palatinos metafísicos.

De hoje em diante devemos ter esta alentadora convicção: sejam quais forem as modificações que se queiram levar nas nossas concepções políticas, religiosas, morais ou artísticas, totais ou parciais, não haverá derramamento de sangue, pois a Caixa de Conversão, de acordo com os seus antecedentes, aplainará as dificuldades, transformando umas nas outras as opiniões as mais tirânicas, tal como fez semanalmente com o mil-réis.

A Caixa de Conversão, ou antes, a Caixa das Conversões, vai funcionar no edifício construído adrede para a Caixa de Amortização, na avenida Central.

É antigo vício nosso, esse de construirmos edifícios para um certo fim e depois de prontos aplicá-los a outros.

A atual Secretaria do Interior foi construída para uma escola, e escola foi durante muito tempo a casa nº 7 do Conselho Municipal.

É possível que as duas Caixas, a de Amortização e de Conversão, funcionem conjuntamente no mesmo edifício; mesmo assim será ainda uma maior manifestação de um vício antigo, já de há muito observado.

Não se dá isso só nos edifícios públicos; os particulares sofrem de tais vicissitudes.

Sobrados há, meigamente burgueses e familiares, que de uma hora para outra são transformados em quartéis de... regimentos de cavalaria da Guarda Nacional. O teatro S. Pedro, destinado à representação de substanciosos dramas, já se prestou a engraçadas touradas. Pobre Arthur!...

Em compensação, o velho Lírico, em seu início barracão de cavalinhos, é hoje a feira das elegâncias, o alto museu de mundanidades!...

É caso de dizer — quem te viu, quem te vê?

Na avenida estão em construção mais três edifícios públicos: a Escola de Belas-Artes, o Teatro Municipal e a Biblioteca.[430]

Os jornais reclamam contra o estado de imundice em que os automóveis deixam certas sarjetas da avenida Central.

É bom lembrar que umas das grandes vantagens do automóvel é a sua limpeza.[431]

A conferência do dr. Assis Brasil[432]

A Liga da Defesa Nacional,[433] com as suas filiais pelo país, resolveu fazer propaganda dos seus intuitos, difundi-los, passá-los, por meio de conferências. A conferência entrou deveras nos nossos hábitos mentais... porquanto não haveria tanta gente a fazê-las, se não houvesse muita gente para ouvi-las.

Desde as suas antepassadas, as da guerra no Império, que elas pedem novos conspícuos, homens de respeitáveis posições e costumes puros, sem vícios ostensivos, mesmo o de firmar, ricos e por muitos modos felizes, para que não fujam delas ouvintes veneráveis, pela riqueza, posição, virtudes... e felicidades.

A Liga da Defesa Nacional ☐ estados não se quis afastar da tradição e chamou para as suas conferências pessoas notáveis merecedoras, por todos os modos e, por que não, do meu respeito.

Atrevo-me a observar que ela fez e faz mal, por um motivo muito simples: os graves senhores que lá vão fazer as suas prédicas patrióticas só podem ter o auditório dos seus homens como já disse; e toda essa gente deve ser por força patriota e estar disposta a defender bem a pátria pelo muito que ela já lhe fez.

Eu quisera que os seus oradores pudessem converter aquele famoso mendigo de Londres que mendigava num dos cantos da grande capital da Grã-Bretanha:

— Eu tenho o Egito, o Canadá, a Jamaica, a Austrália, a Índia, a Birmânia, o Tibete, entretanto não tenho nem uma roupa para vestir.

S. Paulo, para falar no maior dos apóstolos, certamente não iria pregar o Evangelho a s. Pedro; ele o pregou aos gálatas, aos romanos, aos efésios, a todos aqueles que necessitavam dessa pregação, e aos mais humildes deles.

Os apóstolos da Liga e filiais deviam seguir o exemplo dos grandes pregadores da fé cristã, antigos e modernos, e não ficarem fazendo aquilo que um dito popular chama chover no molhado.

Buda era príncipe e fez-se mendigo para pregar na religião, e dr. Calmon, que se quer nobre, e é rico, bem podia vir falar certamente... matutos miseráveis sobre as excelências da devoção da pátria antes que eles se convertam à temível e ignóbil heresia de que o mundo é largo e o mato é maior.

Mas o sr. Calmon de qualquer modo precisa falar e não se lhe está discursar para caipiras do interior desde que possa orar ali, na avenida, para uma centena de damas e diante de uma aristocracia transitória, mas aristocracia.

Talvez vá mais direto ao seu fito como está fazendo, ele não quer a espada de Amadis, a *"Ardiente"*, de que falava Dom Quixote a Sancho que a não queria de forma alguma, escudeiro que era.

A não ser com o sr. dr. Calmon, eu tenho com quase todos os outros conferencistas, ou conferentes, como quiserem, anunciados; e, conquanto tenha com alguns outros laços que parecem ser sólidos, não direi literários, mas de camaradagem, sou capaz de ir assistir, à de Afrânio Peixoto.[434]

Ele vai falar da "Educação" e ilustre romancista não pode sofrer aquela censura que Voltaire, ao aparecer o *Émile* arranjou ao infeliz Rousseau, a que notável fisiocrata quis saíssem da Áustria para pôr em cabanen [sic]. O sábio professor não é Rousseau; é um moço educado e pode falar de cadeira das duas educações, sobretudo da cívica, a que se propôs. Afrânio é de fato um cidadão respeitador das instituições e autoridade entre nós.

O mesmo não direi do sr. Homem Batista, S. Ex.ª é diretor do Banco do Brasil, mas creio que desse negócio de economia individual pouco entende. Quando se fala nisto, pensa-se logo no pé-de-meia e S. Ex.ª, em matéria de finanças, sempre alto nos relatórios da receita da República, onde só se lida com cem, duzentos, quinhentos, mil, dois mil, três mil, dez mil, cem mil, duzentos mil, trezentos mil contos.

Para falar em "economia individual", eu indicaria o senador Pires Ferreira ou o Zé Bezerra, o nosso bom Sully do Açúcar.

Porém, eu nada tenho a ver com a organização das conferências, onde vejo o meu amigo Félix Pacheco e o Gregório Fonseca[435] tratando de coisas militares, ainda por cima Bilac, a puxar a espada, para defender a língua nacional. Está aí uma coisa muito própria de cavalheiro e de grande poeta que Bilac é: vai defender um sonho, uma criação da sua imaginação.

Eu quisera saber, meu caríssimo Bilac, onde está esta língua nacional? É a minha ou a do precocemente respeitável Aloísio de Castro,[436] descendente em linha reta de João de Barros?

É a do sr. Alberto Rangel, quando trata do Amazonas, ou é a do Seixas Maia, quando trata do Rio Grande? É a do Coelho Neto ou a do velho Sousândrade? É a do insigne Ataulfo ou a desconhecida do sr. Lauro Müller, da Academia de Letras?[437]

Embora tenha dito que não tenho nada com isto, ia continuar a meter-me onde não sou chamado.

O meu fito era comentar aqui a conferência que o sr. Assis Brasil fez em S. Paulo. Eu a li na íntegra no *Estado de S. Paulo*[438] e o fiz porque tinha por tema a ideia de pátria, sob os auspícios da Liga de Defesa Nacional. De lá, o título me seduziu e espantou.

Como é que se vai discursar sobre uma coisa tão árida, tão maçante para um auditório tão pouco curioso do exame dessas coisas por assim dizer de nefelibatas (v. Rabelais).

Sabia que, em França, há bem caro e [sic], há bem pouco, Bergson falando de coisas mais áridas, tinha tido auditórios femininos quase mundanos, que é bem outra coisa. Faço justiça às mulheres. Lá em França, porém; mas S. Paulo...

Antes de ler quatro dias considerei como trataria do assunto; e concluí que o entenderia como uma análise e consequente exame dos fatos, dos elementos de toda a ordem e natureza, da pesquisa de todas as nações, cuja associação tivessm determinado o aparecimento no nosso entendimento de semelhante ideia.

Li e não vi nada disto.

É verdade que o sr. Pedro Lessa,[439] muito respeitado nessas coisas de filosofia, aqui no Rio, tinha feito uma parecida. Intitulou de sua também de Defesa Nacional — ideia de Justiça e não quis descer ao exame dessa ideia, nem à sua análise.

O ilustre ministro do Supremo Tribunal falou muito, mas nada disse como semelhante ideia se tinha criado, surgido, quais os fatos internos e externos e externou os dados de consciência que a tinham incorporado ao nosso pensamento.

Falou S. Ex.ª mais em aplicação da Justiça do que sua ideia dela, mais em tê-la na consciência do que como ela havia assim aparecido.

Antes de acabar de me referir a ela de passagem, como estou fazendo, eu tomei a liberdade de lembrar ao ilustre ministro do Supremo Tribunal que não há motivo para lamentar a queda do Império Romano como ele fez. Uns sociólogos, e tantos o têm feito, podem escrever grossos volumes para forrarem as suas camas. É ofício deles; mas falando da ideia de Justiça, como hoje ela se apresenta a todos nós, nada temos que lamentar a morte do Império Romano.

A sua queda alargou essa ideia, porque nos dá uma outra concepção do universo, da vida e dos destinos humanos.

Bendito sejam pois os juízes frouxos que aplicaram frouxamente o atualmente execrável direito romano, tão execrável que, até há bem poucos anos, nos seus textos, se iam buscar argumentos para justificar a escravidão moderna e as suas consequências.

Mas eu não queria falar da conferência do sr. Pedro Lessa; eu quero falar da do sr. Assis Brasil, com quem sempre simpatizei, por ser um Cincinato que não foi ditador, nem uma simpatia, entretanto sempre cismado por isto ou aquilo, pela lembrança de quando me acode o seu nome me surge a resposta daquele ateniense que votava pelo crescimento de Aristides por estar cansado de chamá-lo sempre de justo.

Chegarei até à ideia de pátria, do sr. Assis Brasil, cujo nome prometia um mais forte conhecimento da história, de nossa geografia — de tudo que a agudeza em explicar certos fatos dele ajuda o Brasil.

Na nossa civilização, o amor da pátria é um sentimento de origem religiosa, fazendo do antigo culto familiar aos nossos mortos, que eram supostos, mesmo depois da morte, passando no lugar do seu nascimento e precisando da assistência cultual, dos sacrifícios e oferendas de seus descendentes, para que as suas almas vivessem sossegadas no seu túmulo. Com o tempo, apagando essa origem da nossa memória, ficou, porém, no fundo de nós essa religiosidade ancestral de um modo vago, como se pode ver em frases nossas, tendo ela se mostrado com o sempre presente espetáculo das mentes, das águas, dos céus, das casas, das gentes, do pedaço da terra em que nascemos ou vivemos □. Como que tudo isso entrou em nós e nós entramos em tudo isso? A alma humana está pronta a extravasar-se sempre e animar, e harmonizar com todas as coisas, vivas ou mortas que a cercam, sobretudo nos primeiros anos da nossa existência, quando o sentimento e espontaneidade emocional dominam todo o nosso pensamento.

O patriotismo, porém, é outra coisa. Não tem raízes tão vivas e naturais na nossa natureza. É um sentimento político, artificial, que é instilado nos poros, mantido neles pela cultura, pelo ensino oral ou escrito feito pelo funcionário, pelos professores, pelo sacerdote e até pela presença de uma força armada.

Destinado à manutenção da pátria política, ele é tão artificial quanto ela, em geral formada por casamentos reais ou de príncipes, por tratados, por conquistas, ou compras, por trocas, por este ou aquele meio de aquisição de territórios.

Só a ambiência fragílima da cultura constante, da tradição e outros meios semelhantes, é que consegue dar, às vezes, a tais aglomerados uma aparência de corpo vivo e organizado.

Se isto que acaba de ser dito é visto, podem existir os dois sentimentos separados.

Um camponês rústico ama naturalmente a sua aldeia, onde vive a vida toda e mora, cujos arredores conhece e lhe têm dado as emoções que é capaz de sentir, mas não amará naturalmente a sua pátria política de que ele possui as mais nebulosas informações.

Um artista avançado teria grande emoção amorosa diante da cidade em que nasceu, mas será indiferente à pátria subjetiva, quase mística, que os políticos lhe querem dar.

Para as necessidades transitórias da humanidade atual é conveniente que um sentimento se una a outro, mas não integralmente para que a nossa humanidade não se uniformize tolamente e ela seja variada de aptidão, de aspectos e de formas de sentir.

Se o patriotismo matasse o amor da pátria, em breve cada um esqueceria a sua aldeia, o lugarejo do seu nascimento e não trataria de contribuir para o seu progresso, dar-lhe aperfeiçoamentos materiais e homenagear o que tiver conseguido na vida, despertando este, certamente, emulação entre os seus patrícios.

Cáius

Dr. Fonseca[440]

Ninguém lhe conhecia ao certo a história. Tinha já dez ou doze anos de reconhecimento, quando o conheci, mas daí para trás pouco se sabia. A papeleta dizia muito pouco; o nome — Eduardo Bandeira da Fonseca; a idade — 52 anos; e pouco mais, incluído a modéstia-paranoia.

Era o doente mais interessante da casa. Fora professor público no interior de Minas e como professor adquirira uma certa magnitude e um jeito de discorrer com solenidade. Vivia à parte, em quarto especial, e tinha mesmo uma biblioteca composta de gramáticas obsoletas e seletas de autores de duas outras línguas. Nunca lhe saiu dos lábios a menor injúria, nunca maltratou ou deixou de obedecer ao mais humilde empregado. Se o copeiro lhe dizia: "Doutor Fonseca, o senhor não pode sentar-se a esta mesa, seria como se o próprio diretor lhe gritasse: Fonseca, sai daí".

Não tinha relações com os seus companheiros de infortúnio. Tratava-os mesmo com um delicado desprezo; havia alguns, não dos mais humildes, que lhe retribuíam o mesmo tratamento com um respeito único pelos seus títulos e pelo seu saber. Porque o dr. Fonseca, além de títulos, tinha saber. Era doutor em medicina, em direito, em matemática, publicara substantivas obras: uma sobre a cura e extinção do cobreiro e outra sobre a origem dos seixos da praia.

A primeira mereceu aplausos da escola de Viena; e a segunda, lida pelo czar das Rússias, provocara um convite do autocrata para que ele fosse lecionar em Moscou.

Não aceitara, mas visitara a Rússia. Na passagem pela Europa, fora obsequiado por todos os institutos sábios e por todas as cortes. Em Portugal, em Coimbra, os alunos ofereceram-lhe aquela medalha a quem mostrava uma velha cápsula de chumbo de grampo de vinho do Porto esmagada convenientemente [sic]; em França, o Instituto veio recuperado recebê-lo na estação.

— Mas, doutor — perguntava —, por que não ficou lá?

— Fazia frio e eu não posso usar roupas pesadas. O senhor está me vendo com estas roupas (mostrava o uniforme do hospício), para quê? É porque não tenho outras, qual!

— Então por que é, doutor?

— Porque gosto de andar assim, à fresca.

— Mas, eu apontava maliciosamente, todos os outros usam também roupas semelhantes.

— Fui eu que aconselhei ao diretor que adotasse. Esta fazenda é muito boa para a saúde — mata todos os micróbios.

E o dr. Fonseca discorria sobre os micróbios. Ele tinha descoberto um milhão deles e os seus trabalhos lhe tinham valido uma fortuna imensa

Um dia veio o inspetor-geral da Assistência aos Alienados e perguntou-lhe à entrada:

— Oh! Fonseca! Já sei que é contínuo da Secretaria!

— Contínuo! Sou superintendente.

E acompanhou o inspetor, dando-lhe informações e conselhos sem sentir o que havia para ele de humilhante no engano.

Era o doente mais feliz da casa. Naquele depósito de loucos, era o único satisfeito. Não queria sair, não tinha desgostos, não se queixava da comida. Nada pedia. Tudo lhe bastava. Até escrevera com placidez e sabedoria, um tratado cabalístico sobre a significação das pedras preciosas, das flores e dos frutos.

Começava por uma teoria singular de que as pedras preciosas originam-se dos vidros e garrafas quebrados que são enterrados. Um dia para lhe experimentar o saber matemático, levei-lhe um problema de geometria descritiva. Ele não se deteve, puxou o lápis e desandou a escrever "aa,obexx" que foi me nunca acabar [sic]. (E note-se que não era incapaz de estudo. Pediu-me, creio que foi por fevereiro de 1898, uma gramática inglesa e uma seleta. Trouxe-lhe. Pois bem, em junho, já traduzia sofrivelmente.)

Havia na casa cerca de cem loucos. Havia-os de todas as raças e cores. Lembro-me ainda hoje do velho Rernanelli, um italiano, que viria espumar a longa varanda, fumando cachimbo constantemente; do espanhol Juliano que ia à nossa casa tocar uma interminável marimba; do preto Benedito, um... escultural de fortes músculos de bronze, monumental, que, pelas tardes, sob uma abóbada de ramos de pitangueira, ☐ aos deuses com grandes gritos que se ouviam ao longe.

Lembro-me ainda do Mata Neto taciturno, jagunço do alto S. Francisco, que só falava para pedir fumo; e de quantos mais?

Do dr. Fonseca, porém, a minha lembrança é especial e carinhosa.

Quando, pelas férias, eu me demorava mais junto ao meu pai, toda a tarde ia vê-lo. Encontrava-o no terraço elevado que fazia a ☐ da velha igreja. O mariano ficara numa ilha da Bahia e ocupara um antigo convento beneditino, à meia encosta de uma colina.

Daí, via-se toda a baía, grande parte da cidade, as fortalezas e os navios. À tarde era delicioso lá ir. A vista alegrava-se com o espetáculo e os pensamentos vinham com justeza. O dr. Fonseca parecia não sentir a grandeza da paisagem.

— Não és poeta, Fonseca?

— Como não! Eu, Gonçalves Dias...

— Gonçalves Dias! Mas ele morreu...

— Que tem isso?

E me explicou como, tendo morrido, o poeta podia ainda viver nele. Fonseca, segundo ele mesmo me explicou, era uma espécie de bomba das almas, quando uma separa-se do corpo e ele a queria para si, chupava-a e ela vinha residir na sua carne e no seu sangue.

Assim é que ele era Gonçalves Dias, Alexandre Herculano, Camões, Descartes e muitos outros.

O que eu amava em Fonseca era o seu poder de ilusão. Fechava-se naquele mundo, nada o desviava, nada lhe tirava a serenidade, o bom humor e a convicção. O uniforme, as chinelas grosseiras,... a severidade dos guardas, o orgulho dos empregados, a arrogância dos médicos, nada disso lhe tirava da certeza de que ele era doutor em muitas coisas, nobre, rico, e... feliz.

E com isso sua saúde de ferro, que soma ao mau clima do lugar, é à reclusão... [sic]

Veio a ficar doente afinal. Fui visitá-lo na triste e miserável enfermaria do manicômio.

— Que há, doutor Fonseca?

Estava magro e fraco; os olhos não tinham mais a serenidade dos outros tempos. Custou-me a responder, repeti a pergunta e ele disse:

— Serei doutor?

—

Foi a última vez que lhe falei. Daí a dias morria.

Rio, 2 de maio de 1909
Lima Barreto.[441]

Dr. Pio Macieira[442]

Eu era nesse tempo estudante da Faculdade de Medicina, e pelo ano de 1883 travara relações com outro colega da Politécnica, o José Francisco Cordeiro, que se havia entusiasmado pela ortofísica, religião nova pregada pelo Pio Macieira que, embora não o fosse, era tratado doutor, não só por estranhos como também pelos seus adeptos que frequentavam a casa em que ele apostolava à rua das Mercês em S. Cristóvão. No primeiro ano das nossas relações (travadas em Londres numa afervorada discussão sobre o futuro da humanidade), havia entre nós uma renhida e contumaz polémica sobre a tal ortofísica que não conhecia, e por fim, isto em 1884, a instâncias de José Francisco, resolvi-me assistir uma conferência do Pio Macieira; e assim foi que me achei em presença duma casa, num belo dia de sol, com um magnífico céu azul límpido em que boiavam aqui, ali alguns flocos de nuvens brancas, e assim foi que me achei, como dizia, em frente à uma casa inacabada, afetando a forma de um templo grego, de inscrições e mistérios: do portão em letras góticas lia-se Areópago e no pórtico central na altura da arquitrave tinha essa sentença consultada de uma outra muito sólida — conhecer, para prevenir, a fim de melhorar.

Entrei. Para templo, no seu interno só faltava o aroma do benjoim e da mirra, possuindo sobejo silêncio que me aterrorizara. Bustos de homens célebres, talvez divinizados como os antigos imperadores mouros, enfileiravam-se dos lados numa postura estudada de quem se impõe; as colorações das feições, com tintas carregadas, lhes davam o aspecto pedagógico de censores colegiais que vigiam classes; no fundo um painel erguido por colunas salomônicas fechava o aspecto soturno e risível daquele templo, duma religião sem mistério, sem sobrenatural, onde, aliás, os assistentes ortodoxos pareciam estar sob o peso de malignos espíritos que tivessem vindo do além para dar àqueles rostos o ar de entediados, de fatigados em vida, em que, às vezes, raramente, um relâmpago de satisfação brilhava rompendo o manto plúmbeo de compunção e fé duvidosas, com que se revestiam.

Às doze horas, em ponto, ao soar um tímpano de trás do painel do fundo, surge um homem magro e baixo, fronte estreita, pilado de rosto, com trajar especial: túnica de cetineta verde, sandálias com atilhos azuis, uma coroa de pâmpanos viventes, e sobre os ombros uma capa branca de seda rala.

Após um certo cerimonial, senta-se, encetando a leitura de um livro — *O catecismo esotérico* —, no qual, pedaço a pedaço, enxertava comentários redundantes de efeito.

E eu, sonhando, olhei por completo a dissertação do *sacerdos magnus* da ortofísica, ia, de rosto em rosto, buscando o sentir das almas respectivas como se quisesse nelas procurar, descobrir a verdade que fundo estava nas suas consciências: nessa revista, um rosto estranho se me deparou; era uma moça ou antes menina e moça, pois ainda dos dezessete não passara, cujos cabelos negros e sedosos penteados a *bandeaux* (bandós) ensombravam o seu rosto pálido de monja macerada, cujo perfil duma correção grega juntava-se com os lábios vermelhos e úmidos para lhe dar um aspecto de bondade inata e tolerância de deusa, seus olhos castanhos e bons eram de quem sofria eterno e um reluzir deles parecia, às vezes, exprimir uma dúvida, um desesperar, talvez, do que se pregava, do que apostolava o seu pai, Pio Macieira, que mais tarde soube sê-lo [sic].

Acabada a cerimônia fui-me, sem que daquela pregação nada guardasse a não ser algumas rebarbativas palavras: singênese, frateras, sínese, microfuração, macrofísica, que juntas bailavam no oco do meu cérebro como se fossem espectros terríveis dançando a mais macabra e demoníaca das danças que nos infernos existisse. No bonde, o José Francisco indagando-me a opinião, num monossílabo me exprimi:

— Bom! — E logo ajuntando perguntei: — Quem era aquela menina que sentava na segunda fila, à direita, logo junto ao hierofante? (era este o nome sacerdotal do Pio).

— Ora essa! É a filha dele — Aurélia.

— Ah!

— Que diabo! Vê lá se te apaixonas por ela! Só casar-te-ás se fores ortofísico! E assim mesmo....

— Ora! Qual! Achei-a interessante somente.

E ao responder assim secamente ia entrar no meu mutismo quando salta no bonde um senhor de seus cinquenta anos, que cumprimenta amável ao Cordeiro, que na mesma moeda lhe retribui, e ao invés de sentar-se no banco mais próximo a ele, com balaústres, ao nosso lado lá senta-se, o que me permitiu conhecer dr. Curvelo Siqueira, cooperador da Fraterna e do Liceu Ortologos (era o nome do templo de que vinha).

Assim com tão ilustrada e singular personagem foi que, conversando, soube da gênese das ideias e a reforma daquele sr. Pio que parecia falar português em grego — pois tanto eram as sínese, singênese, foremas etc. relíquia que dizia [sic]. A história era simples:

Fora[443] aqui mesmo neste Rio de Janeiro que nascera o Pio Macieira, à rua do Piolho, como era então chamada a rua Carioca, numa casa baixa na qual o seu pai tinha uma loja de barbearia frequentada por ministros e algibebes e onde, ao balbuciar as clássicas palavras que dizem ser as primeiras que a criança pronuncia — papá e mamã —, ele, o nosso Pio Macieira, ouvia os terríveis vocábulos: alvará, precatória, ordenações, penhora e outras de que são useiros e vezeiros não só advogados e juízes como também ministros e escrivães. É talvez daí que lhe viesse sempre esse horror a justiça e a leis. O seu pai, o Manoel Macieira, não o estimava muito e para tanto motivava não somente o enfezado e a feiura ao corpo e rosto do menino, como aquela doçura com que tratava os garotos e escravos quando por acaso os encontrava na rua ou em casa. O que muito contrastava o nojo e ódio que sentia pelos ministros e zangões. E como na leitura do abecedário em casa, à noite, à luz mortiça do candeeiro de azeite de peixe, mostrasse a queda do Pio para letras e garatujas, o velho barbeiro matriculou-o na aula do mestre Serapião, que tinha ordens menores e era afamada a Santa — Luzia [sic] com que adiantava os meninos recalcitrantes no abc para o bê-á-bá.

Aí, tanto mostrara e tanto se aplicara, que o capitão de Pedrestes, Fagundes

Calaça, pagara professores de mais avanço para a boa ilustração do afilhado e matriculara-o afinal na Academia Militar no largo de S. Francisco. As álgebras e as geometrias apaixonaram-no muito em princípio, mas um belo dia o seu colega Pedro Panacha dera-lhe um livro que tanto o impressionou, que tenção firme adquirira de endireitar o mundo, pois que andava torto e erradio e não se lhe dava viver de conjunto com a injustiça e com a maldade.

Fora assim que começara Pio Macieira a pensar uma reforma e aquela humilde brochura francesa, traduzida mal por algum jacobino português — "Das injustiças e dos males da sociedade" —, foi ponto de partida, pedra angular do edifício que ao depois construíra para endireitar o torto, corrigir as injustiças, dar remédio aos males, e que, em síntese, ele denominara ortofísica, do grego *ortho*, reta, direita, e física, natureza — natureza reta.

Assim, dizia o Mem de Castro, embora para nós essa palavra conserve o verdadeiro sentido que lhe devem Zenão e Aristóteles, no entanto ela tem sido, do seu verdadeiro sentido, desvirtuada pelos pedantescos gramáticos; e para sua construção filosófica, ele dizia, tal palavra tinha um sentido mais técnico e mais preciso, pois significava um verdadeiro método intelectual e universal derivado da lei suprema do cosmos ou propriedade fundamental da matéria: — singênese.

A isto, quando ele expunha o seu método ao seu amigo Camacho, este, esbugalhando os olhos, pedia que lhe explicasse tão estranhos neologismos e o Macieira justificava-se dizendo que a ortofísica era de fato neologística, acrescentava que os ortofísicos querem, se o for preciso, reformar a linguagem humana de *fond en comble*.

E assim cresceu-lhe a ortofísica, com a barba e com os cabelos brancos, e depois, maduro na idade e na convicção, casado e cheio de filhos, achou finalmente a sínese procurada (fórmula universal composta de três termos) que ele expunha desse modo:

Sínese concreta dos acontecimentos universais:
Corpo... Espaço... Movimento...
Que transformada em expressão abstrata desvenda a Lei Universal:
Existência... Crescimento... Transformação...

E, por fim, achou a expressão sintética que encima estes três termos sinésicos que resume o assunto a resolver e a desenvolver, em cada sínese. Eis, dizia ele ao Camacho, escrevendo na pedra, o aspecto da sínese com tecnologia especial:

Sinoma
Gênese... Megaforenia... Metaferência

Tendo pois chegado a esse sinoma final ei-lo a procurar o fruto prático de sua elaboração: uma religião, uma moral que desse aos homens um feliz de ☐. A princípio o que ganhava em escrever petições e cartas ia lhe dando pra viver, mas ao depois com os filhos e com o crescimento da sua doce e meiga filha Aurélia, escasseavam-lhe os recursos e vez foi muita em que a sua resignada família não se alimentou.

Devido à bondade e simpatia do seu antigo colega, que era hoje o conselheiro Rufino, ministro de Estado, ele foi como amanuense para a Secretaria de Polícia e, tendo recebido uma herança da irmã Fulgência que casou com José Castrioto, tabemeiro em Mataporcos, e enviuvara sem prole, empregou os poucos contos de réis daquela herança arrancados à justiça e ao direito em construir aquele núcleo duma Frateria, que, num megaforema e num metaforema finais, via crescendo, movimentando-se, enchendo o Brasil, a América e o mundo enfim de Fraterias e com elas a doutrina salvadora cuja moral não admitiria nenhuma regra ou prevenção para conduta pessoal, privada ou pública e cujo princípio primordial ensina que, no regímen dos ideais sistemáticos, cada um sabe o que lhe convém e o que deve fazer, fazendo a ventura de outrem. E às vezes nas preleções que fazia, sonhava, dormindo com os olhos abertos, que cada Frateria lembraria o Paraíso de Malernet e elevar-se-ia o nível da mulher na Frateria feminina — onde a mulher viveria na mais completa liberdade, mantida e sustentada pela sociedade, honrada e respeitada, amada sem jugo nem dependência, a ponto de caber-lhe ali o direito de escolher companheiro com quem procurasse amenizar a sua existência ou com quem desejasse procriar.

E foi, mais ou menos, isso que consegui apurar sobre Pio Macieira e a sua seita, e repetidas foram as vezes que lá voltei na contemplação religiosa daquele perfil de dolorosa da sua filha Aurélia.

O dr. Curvelo Siqueira, julgando-me já um ortofísico, interessou-se por mim e apresentou-me ao Mem de Castro que, retorquindo aos meus cumprimentos à sua erudição e à sua obra, respondia: — Que a isso o obrigava a consideração;

que preferia morrer de fome (pois que ele era um verdadeiro exu no meio de uma sociedade apática e feroz) a ver e ouvir a desordem que ia nos cérebros humanos e as injustiças e falhas do mundo.

E assim numa longa conversa ele me expôs a doutrina ortofísica, a sua representação geométrica por uma hélice, cuja projeção num plano perpendicular ao eixo dava um círculo que por certo diâmetro dividido em duas partes, uma anterior, a visível, e a outra posterior, a invisível, que representavam respectivamente o tangível e o intangível, que em tecnologia ortofísica chama-se: macufisação e microfisação. As extremidades do diâmetro são, à esquerda, o ponto da origem ou gênese, e à direita, o ponto de escoamento.

Que a grande dificuldade da ortologia, dizia-me ele, era pôr em sínese, que vem a ser a redução à unidade, e isto para ser feito era preciso tomar os documentos a respeito dum categórico qualquer aproxima-se novas qualidades dessa categoria [sic], conduzi-lo ao máximo, depois obtido o máximo de todas essas qualidades chega-se à Utopia Científica ou Belo-Ideal.

E assim, nessa linguagem, ele me expôs a ortofísica e resolveu em sínese a economia social:

Riqueza
Matérias... Instrumentos... Produção

Fatigado, cansado, aborrecido com aqueles sinomas e síneses etc., já me dispunha despedir quando, num passo de aparição sobrenatural, de duende, veio manso para sala a Aurélia, a dolorosa e sofredora Aurélia, a quem pela primeira vez apertei a mão, com um acanhamento de quem toca a um objeto estranho, fora de nós, do mundo e das coisas. Ela mal retribuiu o meu cumprimento e notei que lhe não eram estranhos, nem alheios a forma dos meus sapatos, o corte de meu terno, a cor da fazenda, pois adivinhava-se-lhe no olhar curioso em que me examinou dos pés a cabeça. Saindo e fazendo as minhas despedidas, de estilo, pois, creio, a ortofísica ainda não as havia abolido, recebi em face, em cheio, aquele olhar, que, sempre morto e incerto, se transformou naquele instante num forte olhar de ódio ou de amor.

Anos passaram-se, e eu já conseguira conversar com Aurélia, a qual, ao indagar do surto da religião paterna, respondia sempre perguntando pelas modas, pelos vestuários das moças da avenida, o feltro dos coletes e nessa palestra, às vezes, lobriguei nela um perfeito conhecimento das modas femininas, dos armazéns afamados dessa indústria no mundo inteiro, o que muito contrastava com aquele relaxamento do pai no vestir-se e no cuidar-se, e sempre às voltas daquela casa eu era possuído duma intuitiva tristeza em ver aquele par, pai e filha, ambos bons, doces, meigo um, a filha, tinha doçura lânguida, passiva, de quem tem no sangue a bondade; o outro, o pai, era bondade ativa bem querendo a todos, almejando consertar o torto e o errado a golpes de megaforemas inúteis e, desesperando-me aquele contraste de ação em dois temperamentos quase iguais, atrevi-me a perguntar-lhe diretamente sobre o que pensava da seita paterna; e desse modo encetamos uma palestra que muito durou nos nossos espíritos e nos nossos corações.

— Qual! — dizia-me ela. — A ortofísica será uma elegante concepção; terá qualidades, sua filosofia, síntese, mas falta-lhe qualquer coisa que vejo no mundo dos outros, que não lhe pertence — a alegria.

Veja só como somos tristes, frios, sorumbáticos; como os quinze inscritos, como verdadeiros ortofísicos, mal se alinhavam, não têm a graça dos outros, parece que seu vestir é de um selvagem há pouco saído da maloca para uma vida civilizada. Papai vive naquela obsessão que nada vê fora dele; atualmente pesa a carne, mede o arroz, que tem de alimentar-se, calcula em método infinitesimal o comprimento da fazenda com que há de vestir-se e aplica as frações ao preço do chapéu: assim, nada vê do mundo senão a sínese, como ele diz, que será a verdadeira, a única, a completa sínese da ortofísica.

— Mas vejo, Aurélia, você que tanto mal quer à tristeza é uma das pessoas mais repassadas dela que conheço, foi nisso o meu maior encanto quando vi você naquela sessão que assisti no areópago. Perdoa teu pai que muito merece sê-lo pois que muito ama a tudo e a todos.

— Sim! — diz-me ela com um suspiro. — Sou triste porque muito anseio a alegria. Menina, quando todos passeiam e □ a vida, eu fui por meu pai posta ao corrente dos megaforemas, da singênese, da microfisação; a princípio, com sofreguidão eu lia e estudava as doutrinas de meu pai porque cri na eficácia delas, para sanar o sofrer dos outros, para corrigir os males e os sacrifícios que muitos fazem para a felicidade de poucos, mas... anos vieram e se sucederam os meses e o areópago enchia constantemente de caras que reproduziam quase semanalmente: muitos renegavam, alguns para longe iam e lá se esqueciam das Fraterias, outros vinham como as abelhas pousam nas flores para sugar mel, eles vinham apanhar ideias e nunca o número dos areopagitas cresceu de quarenta e sete, e mudando de nomes, de posição, de instrução, os ortodoxos da ortofísica não excediam a quarenta e cinco: parecia que os numes eternos haviam estabelecido na sua sabedoria eterna que na terra haveria só quarenta e sete tolos que se inscrevessem no areópago...

— Então que queres?

— Eu quero viver, alegre, com males e misérias, mas alegre; fruindo da vida essa corrente de alegria saudável que é o seu encanto. Quero vestir-me bem, calçar-me, dançar, que todos me conheçam pela minha beleza e elegância, e assim eu daria em troca esses megaforemas e outros paquidermes que enchem a alma de tédio, que não me dão satisfação da vida e que na □, no vazio da sua retumbância substituem o mistério, o desconhecido que para nós, homens, é bálsamo e lenitivo.

— Mas, Aurélia, é de admirar que tu com a educação que tens, tenhas ânsia dessas coisas fúteis e que, renegando a verdade revelada pela ciência e estudo, queiras, num retrocesso tão forte, voltar ao mistério e ao desconhecido...

— Ora! Não sei o que seja a verdade; para mim, sem que queira filosofar, é uma ventura que serve para um espaço muito pequeno de tempo; é verdade dois dias: o que será mentira amanhã... e se assim é, se nos combale a "angústia do mistério", para que esse esforço inútil para evitá-lo, evitando a alegria, a doçura do viver sem preocupações? Para que essa ânsia inútil de corrigir o que o depurar lento dos séculos não tem feito senão aumentar?

— Mas filha! É doutrina sã evitar essa procura da verdade, do justo, do equitativo? Será razoável que nós homens presos à □ terrestre não queiramos corrigi-la, consertá-la? Para que não havemos de destruir equitativamente a felicidade?

— Que é a felicidade?

— Não sei, mas...

— É uma sínese — diz de repente o Pio Macieira —, cuja sínese há muito procuro e até hoje, por mais esforços que eu faça, ainda não consegui achá-la...

Compreendi então a tristeza de Aurélia.

Vivendo, criando-se numa redoma, fora, em menina, arrebatada pela miragem falaz da sua completa vitória, mas ao depois com o perpassar do tempo vira que um tão grande número frequentava as preleções do pai e um tão pequeno acreditava e se inscrevia, e assim mesmo esse pequeno nunca era informado do por que eram perenes as questões que mantinha cada um deles com a intransigência de seu pai. — Riu.

O que ela tinha não era a necessidade de vida bem distribuída; o que ela queria é o que eu quero, todos queremos — viver.

Da vida, não só o acordar-se de manhã, o deitar-se à noite, tendo e □ o preciso para não morrer.

Não! Ela queria a vida com os regalos, com satisfação do movimento; com satisfação de ver e de ouvir milhares de vozes num só dia e assim, naquele templo diminuto e mesquinho envolvido naquele sudário de religião à parte, dava-lhe aquele ar entediado e triste.

Eu compreendi a dor que a torturava: era a ânsia de viver.

Anos depois aquele romance terminava entre nós com a intervenção da lei sob a forma formalística de um casamento e o velho Pio, que pouca importância dera ao ato, continuou a propagar aquela doutrina que, como o tonel das Danaides, parecia não ter fundo e tanto assim que 47 ainda eram os ortodoxos havendo no espaço de dois anos reformado completamente os nomes dos autores.

Certo dia, porém, ele melancólico, triste [sic]

CAPÍTULO I[444]

Quando conheci o Pio Macieira era ele ainda um rapazola imberbe, de seus dezessete a dezoito anos, estudava o terceiro ano da Faculdade de Direito do Recife, se bem que desde o primeiro ano nos cortejássemos; no entanto, as nossas relações estreitaram-se nessa época por ocasião dum apoio que dei a uma discussão fecunda e sem nexo que ele travara com o Costa, moço bonito e rico, com várias distinções, em que apresentando uma salada infernal de opiniões positivíssimas, darwinistas, socialistas e anarquistas demonstrava perante aquele auditório indiferente de poetas e bons estudantes a preocupação que foi a de toda a custosa vida — o problema social.

A princípio a nossa intimidade limitava-se a confabulações e conversas, trocas de ideias, nos sombrios corredores da faculdade, mas no último ano, o do ansiado bacharelado, com o respectivo retrato, já gozava dele a alta honra de frequentar a casa da família, pois sendo eu do Sul não a possuía naquela cidade, e ele, se bem que do Maranhão, a tinha, pois seu pai era um abastado negociante de açúcar, vivia à larga numa linda casinha pelas bandas de Olinda.

Em começo de 1887 separamo-nos, e, vindo eu para Rio, não mais notícias dele tive senão aos meados de 1888 quando recebi letras suas, entusiásticas e plenas de sentimento fraternal, onde anunciava-me como um grande passo para a Reforma por ele sonhada há tanto, a lei 13 de Maio. Após essas passei dois longos anos sem que nem um formalístico boas-festas recebesse dele: e julgava-o na Europa gozando o dinheiro amontoado pelo pai no honesto labor da pesagem dos açúcares, quando, surpreendido, encontrei-me com ele na rua do Ouvidor em agosto de 91.

Foi num dia claro, muito claro e limpo, o sol claro dava um calor tépido e bom ao ambiente do escaldante Rio, às três horas da tarde; nesse dia, saindo do meu escritório à rua do Hospício, subia a rua do Ouvidor, ziguezagueando por entre os grupos que conversavam, quando um agradável safanão fez-me deparar com meu messias do Recife. Já não era o mesmo, os seus olhos de contas não mais brilhavam, plácidos e parados, davam à sua feição de Muminado [sic] a suposição de que já havia encontrado a Canaã ansiada; o seu bigode ralo e alomado [sic] esfarelava-se em fios nas direções caprichosas e várias de todas quantas as oitavas □ da rosa dos ventos; e os lábios úmidos e delgados contraíam-se num sorriso perene de certeza e esperança; o traje (uma sobrecasaca preta, calças de listras com gravata da mesma cor)[445] malcuidado dava a certeza de que ele pouco tempo tinha para cuidá-lo e muito o gastava com coisas do além e na felicidade humana. Muito mudara o Pio!

Abraçamo-nos e após cumprimentos e perguntas, fomos ao Pascoal beber o nosso encontro.

E vencendo as mil dificuldades para encontrar uma mesa vazia, enfim sentamo-nos por entre aquele florido mar de chapéus custosos. Ele nada quis beber e à insistência minha aceitou um sorvete. Falei-lhe perguntando o que vinha fazer no Rio, ao que, consertando o seu *pince-nez* de aço, disse-me:

— Venho completar, ou antes, sistematizar a minha educação científica, pois como sabes não tendo eu bem premido a natural hierarquia da ciência, se me torna indispensável percorrê-la e, para isso, começando ela pela matemática, vim-na estudar aqui na Politécnica...

— Pelo que vejo — disse eu interrompendo —, você está positivista?

— E você não será também? E contrariando. A proclamação da República sem nenhum porém veio mostrar ao mundo como as pátrias brasileiras estavam maduras para a grande regeneração, que, começada em Paris, pelo grande A. Comte, estender-se-á pelo mundo ocidental, que, finalmente, incorporando o proletariado à sociedade moderna, será o único completo e último estádio da humanidade que desde seu início, atravessando a civilização egípcia, grega e a católica feudal, anseia por isso, pelo órgão altruístico de seus representantes como Pitágoras, Aristóteles e são Paulo, e que só será possível neste século pelo estabelecimento da sociologia, pelo homem mais completo que a humanidade tem tido.

— Mas como que tal você julga que a República estava prevista pelos positivistas.[446]

Maniápolis[447]

Éramos três a conversar: eu, o Beltrando e o Antunes. Este último, um velho rapaz, grande de coração, mas medíocre, que nas nossas conversas figura como o elemento neutro indispensável à eletrição constante de uma conversa que se preza. O Beltrando.

Dizia o Beltrando:

— Sob e sobre um frágil mundo humano talvez existam outros muitos, e pode acontecer até que sociedades desconhecidas coexistam com a nossa, cruzando-se o caminho dela, baralhando-se com o seu destino...

— Como não as vemos, não as sentimos? — objetou ainda o Antunes.

— Não é razão — retruquei eu. — A evidência fornecida pelos sentidos muitas vezes é falível. Mergulhando uma vara no mar, os olhos afirmam-na quebrada, entretanto?... Há quem afirme que as formigas não se apercebem da nossa existência.

— Por falar nisso, vou contar uma história a Vs. — emendou o Beltrando.

Narrou então o seguinte:

Certa manhã, não sei como, despertei fora do meu quarto e em lugar desconhecido. Não estava sonhando; certifiquei-me bem disso; abri desmascaradamente os olhos, vi o sol, as árvores, as casas pela janela aberta do aposento estranho; palpei cuidadosamente os meus membros; dei murros na cara e largas passadas pelo tal quarto. Fiz tudo, enfim, que me pudesse dar a máxima certeza de que estava completamente acordado. Como me parecesse que a hora estava adiantada, vesti-me apressadamente e saí ainda abotoando alguns botões do colete. Logo ao dar-me fora de portas, o aspecto da rua intimidou-me. As casas eram baixas, excepcionalmente baixas; algumas mesmo tinham um metro de altura. Demais, não era calçada, em franco contraste com aquela em que morava, perfeitamente revestida de um lençol de asfalto liso e miúdo.

Não tinha passeios de espécie alguma e no centro duas ou três filas paralelas de pedregulhos ligeiramente espacejados, pontiagudos, erguiam-se um pouco acima do solo barrento, como se fossem renques de troncos apontados de anos, decepados.

Tinha dado algumas centenas de passos em tão extravagante rua, quando avistei distante um que pulava de um pedregulho para outro em grande desenvoltura. Avançava rapidamente; às vezes oscilava, pendulando para esquerda, para direita, justamente como os equilibristas do circo. Aproximou-se. Eu lhe dirigi a palavra:

— É favor dizer-me que horas são?

— É estrangeiro?

A pergunta atarantava-me, eu tinha dormido no meu país, na minha rua, no meu quarto... Olhei as casas baixinhas, as pedras ao jeito de monumentos bretões, e respondi:

— Creio... sim.

— Logo vi; o modo de perguntar não é o nosso; a sintaxe é errônea. Aqui diríamos — São horas que?

Depois eu tive ocasião de reparar que a língua daquela região era mais ou menos a nossa, diferente dela somente no modo de agrupar as palavras.

Lá não era admitido dizer — Adão foi feito do barro que Deus amassou; o correto seria Adão barro feito do Deus amassou que. Observara-se uma determinada hierarquia de palavras:

Os substantivos, em primeiro, adjetivos, particípios, estes em seguida, afinal as partículas de qualquer natureza. Ideal!

O desconhecido insistiu:[448]

O *restaurant* e os galeões do México[449]

Era uma sala feia. Retangular, com uma larga porta aberta em um dos ângulos, com uma abertura de claraboia no centro do teto, a sala do restaurante tinha de improvisada, de inadequada. Quando entrei, quase todas as mesas estavam ocupadas, contudo Alfredo e eu logramos encontrar uma a um canto, em que, embora espremidos, como a cana entre rodas de moinho, nos pusemos a comer. Apesar de cheio, homens e mulheres continuavam a entrar, e os que andavam por entre as cadeiras e as mesas, a cortejar com um e a pilheriar com outro, traziam ao restaurante o movimento de uma rua. Era de ver aquela agitação de chapéus cheios de plumas vivas, brancos uns, vermelhos outros, verdoengos outros, à baça luz do gás, a faiscar como as caprichosas penas de um pavão. Depois, os corpetes das mulheres revestidos de sedas roçagantes, vermelhos, negros, claros, escuros; e quem baixasse o olhar dos chapéus para o chão correndo através daquela orgia de cores, impressionava o comer à contemplação de uma ágata lascada. Pelo ambiente quente — embora a noite fosse fria —, hastilhas de todos os perfumes revoavam, fortes, inebriantes, capitosos, tal como se nós, num jardim e numa mata fantásticos, sorvêssemos todas as essências e todos os odores de todas as flores da terra. O cheiro forte de álcool e o aroma das iguarias punham nesta atmosfera uma nota sórdida. As fisionomias brilhavam de concupiscência e lascívia. Os homens a custo se continham em face do público. Abraçavam a meio as mulheres, roçavam pernas, cruzavam-nas com elas; mas o que mais se admirava era o olhar, o olhar vítreo, de um só brilho fixo sobre os que as acompanhavam, devoradores, sequiosos, parecendo armados de dedos sôfregos que apalpassem, que pegassem. As mulheres, mais indiferentes, acostumadas aos espetáculos, não se emocionavam aos gestos e às falas dos espectadores. O grave deputado da hora do expediente, transfigurado, não encontrava na companheira auditório vibrátil para a sua eloquência; e o severo oficial diluía-se aquele reagente irresistível. Tudo palavra. Palavras desencontradas, algumas dando a perceber finos e altos pensamentos, outras em vil calão de espelunca repugnante. Timbres guturais, nasais, sílabas espanholas, acento francês, sotaque germânico, música de todas as línguas soavam por aquela sala. Estávamos num compartimento da Torre de Babel; mas aquela atmosfera de essências e de perfumes mais parecia uma floresta povoada de aves canoras a balbuciar coisas ininteligíveis mas agradáveis, doces, acariciadoras. Durante uma hora, embalado naquele ambiente de ternura, de gozo, de luxo, fui me sentindo acariciado, animado, era como se friccionassem a pele com veludo. O meu companheiro, até então calado, arriscou:

— Reparas, hein? Estás vendo os exercícios práticos da legislatura e do comércio.

Quando saímos, eu fiquei no centro da praça, perto do candelabro de iluminação, à espera de bonde. Um a um, aos pares, eu os fui vendo sair. Se passavam por mim, eu os via a falar, elas a dizer: Oh! *Si me gusta! Mais soyons hereux, mon chéri! A la settimana...*

Eram vozes em todas as línguas, em todos os dialetos que eu ouvia; e o português entre eles tinha a pureza, a inocência de uma virgem, vivia sem interesse nem cálculo e só a perversão dos outros arrastava-o por aquela sombria noite de crápula.

E de longe quase, nas rutilantes joias dos seus dedos, eu vi se esvair na sombra da rua em frente aquelas mulheres grandes, bojudas, enfunadas, empavesadas, como aqueles galeões de antanho, que por épocas certas do ano levavam para Palos, Vigo e Lisboa as refulgentes riquezas de Potosí, do México e do Tijuco. Eu os vi todos eles, arrastados pela brisa, cortando em noite escura a fosforescência dos mares dos trópicos, a deixar atrás de si uma esteira argêntea, brilhante, faiscante, de duração momentânea. E, pela manhã, ao alto do mastro, o sol vermelho beijava a bandeira das quinas de Fernando e Isabel. Só para eles a aragem da tarde soprava, só para eles o cruzeiro brilhava. E eu vi esses galeões passados escorregarem no azul fosforescente dos mares dos trópicos, naquelas bojudas mulheres que desfilavam. Nitidamente, perfeitamente, eu vi-lhes as velas, os aparelhos da mastreação, a vogar na sombra daquela noite. Hoje, ao contrário de antes, o sol rubro que se ergue e o merencório beijam várias bandeiras e escudos, a liberdade do comércio a isso impõe, mas como dantes, os mesmos perigos as ameaçam, os piratas, os escroques, aqueles cruéis *souliers de la mer* espreitam-nos e os seguem, são a febre amarela, o cáften. E naquela noite sombria, talvez com saudade, as mesmas estrelas assistiram à partida da caravela que levou para os gastos de Odivelas os primeiros diamantes do Tijuco.

A ave estranha[450]

Um dia, um belo dia em que o azul do ar transluzia como cristal e vibrava como as cordas de um violino, ao reino dos Perus chegou uma ave estranha. Era alta e garbosa, leve e esguia. Perpassava por ela toda uma doida atmosfera de sonho, de miragem dourada. A curva doce de seu pescoço tomava os mais elegantes ímpetos para atingir o céu desta. Suas penas rebrilhavam em matizes os mais vários e imprevistos. Ora era a turquesa das alturas que lhe vivia na plumagem, ora a esmeralda do mar brilhava nas suas penas em ondas, por toda ela, aqui, ali, como olhos sem órbitas, as ágatas, as safiras, os topázios e os rubis cuiscavam. Os perus, em começo, fingiam amá-la, saíram todos de dentro do círculo depois (Oh! Admirável caso!) e puseram-se a interrogá-la:

— De onde vens?

— De longe. Atravessei mares, lagos, rios, florestas. Vi a fosforescência azulada do mar dos trópicos, as adustas planícies da África, a gama de fogo dos vulcões da terra. Vi os pagodes da Índia, as casas leves da China, os *boulevards* de Paris. Amei tudo. Vivi na manga, no pêssego, no morango e na laranja. Raças, povos, famílias, de gostos e feições diversas fizeram o encanto dos meus olhos. Tomei indigestões, bebedeiras, excedi-me nos prazeres, fiz-me asceta, sofri fomes, provações de toda a ordem, o frio e o calor, alternativamente, requeimavam-me a pele. Mas do mundo me ficou a ver e vir também a vocês.

Dizendo isso, um peru levantou-se, tinha um longo escovo [sic] — e quanto maior mais honra tem entre eles —, superando o peso dele ergueu-se dando os *estimus sacramentas* [sic] e gritara:

— Mas você não canta?
— Como não canto!

E a ave pôs-se a cantar.

A ave estranha[451]
(*Uma anedota do reino dos Perus*)

Um dia em que o azul do ar transluzia e os seus delgados filetes paralelos vibravam como cordas de violino, ao reino dos Perus, sem que se soubesse donde, chegou uma ave estranha.

Era alta e garbosa, leve e esguia. Vinha envolvida numa doida atmosfera de rubro, de miragem dourada. A doce curva de seu pescoço tomava os mais elegantes ímpetos para atingir o céu distante. Rebrilhavam as suas penas nos matizes mais variados e imprevistos; ora, a turquesa das alturas vivia-lhe na plumagem; ora, a esmeralda do mar serpenteava pelo seu dorso; por toda ela, aqui, ali, pintas, olhos, cruzes, estrelas de safiras, ágatas, de topázios e rubis cuiscavam.

Foi grande a surpresa no domínio do Perus. Cada qual, não saindo do círculo de giz em que desde tempos imemoriais se haviam metido, ergueu a cabeça hedionda.

Oh espanto! Oh terror! A ave não se parecia com eles.

Não tinha as penas negras de brilho esverdinhado; movia-se em todos os sentidos; os traços de giz não suspendiam seus passos. Mal pousou em terra, familiarmente, como se de há muito conhecesse o hábito, pôs-se a falar, a comentar, com liberdade, com segurança. Não tinha medo nem das palavras, nem das ideias, nem dos outros perus, os maiores, que eles diziam existir poderosos.

Era tolerante: sabia a grande variabilidade das coisas, a maneira diversa que cada qual pode compreendê-las.

Mas os perus não se podiam capacitar que o mesmo objeto visto por duas pessoas desperte dois modos de ver diferentes.

Para eles toda árvore era verde, todo verde era um só, isso nascia da reflexão da sua natureza íntima.

Todos eram iguais, do mesmo povo, com a mesma voz, com mesmos gostos; as diferenças que, porventura, se lhes pudesse dar o nascimento os anos lhes tiraram.

Sabiam escrever, mas só de um modo, sabiam pensar, mas só de um modo, não admitiam a dúvida.

Era certo o que diziam, era exato o que representavam. Paravam nas palavras, não iam ao pensamento.

E a letra? Ah! A letra!

Quem tinha letra bonita, escrevia as verdades; e na letra bonita estava o imperativo categórico.

O mundo era rígido, para eles, igual, medido, não tinha diferenças, não tinha nuances, era uma curva abominável. O mundo, já lá dizia o filósofo, é a ilusão do nosso entendimento.

O espanto foi contido e com falsas vozes de amigo, os perus indagaram:

— Donde vens?

— De longe. Atravessei mares, lagos, rios e minhas asas por vezes roçaram na cabeleira verdoenga das florestas. Vi o azul fosforescente do mar dos trópicos, as adustas areias da Ásia, a gama de fogo do Chibuazo, do Cotopaxi. Vi pagodes, cubatas, palácios. Os *boulevards* de Paris, os jardins de Sandes e as nascentes do Nilo encantaram alternativamente meus olhos. Raças, povos, famílias, de cores e de sangue mais vários amei.[452]

O traidor[453]

Não estava ali há muitas horas. Fora preso de manhã e, pelo cálculo aproximado do tempo, pois estava sem relógio e mesmo se o tivesse não poderia consultá-lo à fraca luz da masmorra, imaginava que podiam ser onze nas horas.

Por que o fora? Ao certo não sabia; o policial que o prendera nada lhe quisera dizer; e, desde que saíra lá da ilha das Enxadas para a das Cobras, não trocara palavra com ninguém; não vira nenhum conhecido no caminho. Nem o próprio Ricardo que lhe podia por um olhar levar sossego às suas dúvidas. Ele atribuía a prisão à carta que escrevera ao presidente, protestava contra a cena que presenciara na véspera. Levara ao conhecimento da alta autoridade a desconfiança que tinha que aquelas execuções não foram autorizadas por ele, as quais denunciava e contra as quais protestava. Nada omitiu do seu pensamento; falou claro, pouco e nitidamente. Devia ser por isso que ele estava ali naquela masmorra, como uma fera, como um criminoso, sepultado na treva, sofrendo a umidade, misturado com os seus dejetos, quase sem carne. Como acabaria?

Não havia base para qualquer hipótese. Era de conduta tão desigual e incerta o governo, que tudo ele poderia esperar: a liberdade ou a morte, mais esta talvez que aquela.

Ia morrer, quem sabe se aquela noite mesmo, e que tinha ele feito de sua vida?

Nada. Levara toda ela atrás da miragem, de estudar a pátria, por amá-la, por querê-la, de contribuir para a sua prosperidade. A sua mocidade gastara nisso, a sua visibilidade também, e agora que estava na velhice, como ela o recuperava? Matando-o. E o que não deixara de gozar e de ver na vida, tudo.

Não brincara, não pandegara, não amara, todo esse lado da existência que parece fugir um pouco à sua tristeza necessária, ele não via, ela não passara, ele não experimentara. Desde dezoito anos que o tal patriotismo lhe absorvera e por ele fizera tolice e estudara inutilidades. Lembrava-se das suas coisas, de tupi, dos □, das suas tentativas agrícolas... Restavam delas em sua alma uma satisfação? Nenhuma, nenhuma.

O tupi encontrava a incredulidade geral, o uso, a mofa, o escárnio, o folclore foi aquela decepção, e ambos o levaram à loucura. E a agricultura? Nada. As terras não eram ferozes e ela não era fácil como diziam os livros; as □, as inclemências e irregularidades do clima trouxeram-lhe decepções. E quando o seu patriotismo se fizera combatente, o que achara? Decepções. A sua vida era uma decepção, uma série, um encadeamento de decepções.

A pátria que quisera ter era um mistério; era um fantasma criado por ele no silêncio do seu gabinete. A que existia era do tenente Antônio, do dr. Campos, essa é que era exata e era real. Mas como é que ele tão sereno, tão lúcido, empregara sua vida, gastara o seu tempo, envelhecera atrás de tal quimera? Como é que não viu nitidamente a realidade, não a pressentiu logo e se deixou enganar por esse falaz ídolo, absorvendo-se nele, dar-lhe em holocausto toda a sua existência?

Ia para a cova, como a irmã, sem deixar traço seu, sem um filho, sem um amor, sem uma asneira, nada que afirmasse a sua passagem na terra, na sociedade. Entretanto, outros que lhe seguissem as pegadas, quem sabe se? Mas como, se não se fizera comunicar, se nada dissera e ficara como maníaco a tracejar para si mesmo e para o seu sonho?

E esse seguimento adiantaria alguma coisa? Essa continuidade traria enfim para a terra alguma felicidade? Há quantos anos vidas mais valiosas que a dele, se ofereciam, se sacrificavam e as coisas ficavam na mesma.

E ele se lembrava que há quase cem anos, ali, no mesmo lugar, talvez naquela mesma prisão, homens generosos e ilustres, estiveram presos por quererem melhorar o estado de coisas de seu tempo. Tinha havido vantagem, as condições gerais tinham melhorado? Aparentemente sim; mas bem examinado, não. Tudo continuava o mesmo e aquele imposto com o qual eles contavam para levantar a população, talvez fosse mínimo à vista dos que atualmente ela paga.

Aqueles homens, acusados de crime tão nefando em face da legislação do tempo, tinham levado dois anos a ser julgados; e ele, que não tinha crime algum, que não havia código da lei que o acusasse de crime, nem era julgado; seria simplesmente executado.

E ele que fora bom, que fora generoso, que fora honesto, que fora virtuoso, ia para casa, sem o acompanhamento de um parente, de um amigo, de um camarada.

Onde estariam eles? Sobre o Ricardo Coração dos Outros,[454] tão singular e tão dedicado, tão inocente na sua mania de violão, ele não poria mais os olhos?

Era tão bom que o pudesse, para poder mandar à sua irmã o último recado: do preto Anastácio um adeus, à sua afilhada um abraço.

Quaresma se enganava, entretanto, quando pensava assim. Ricardo soubera de sua prisão e procurava tomar providências. Teve notícias do motivo exato; era aquele mesmo que ele pensava. A indignação contra a sua carta fora geral no palácio. A vítima tinha feito os vitoriosos inclementes e aquele protesto não teve um defensor. O trovador não perderia tempo: procurou modos de soltá-lo; procurou influências, foi ao general Breves, a Bustamante; mas ninguém quis envolver-se.

Ele não desesperou; lembrou-se da afilhada e a foi procurar na Real Grandeza. A sua esperança não era grande, mas lá foi.

A moça estava só, pois o marido cada vez mais trabalhava para aproveitar os despojos da vitória. Ele lhe narrou o fato e ela não conteve uma exclamação dolorosa.

— Mas que fazer, meu caro senhor Ricardo. Eu não conheço ninguém, eu não tenho amizades poderosas... Minhas amigas... A Alice, a mulher do doutor Brandão, está fora... a Camila, a filha do senador Cariolano, não pode... Não sei...

E a continuar essas últimas palavras com um grande desespero, os dois ficaram calados e a moça enterrou as mãos nos cabelos muitos negros.

— Que hei de fazer, meu Deus? — dizia ela.

Pela primeira vez, ela sentiu que a vida tinha coisas miseráveis e desesperadoras.

Ela tinha todas as disposições, para salvá-lo; faria sacrifício de tudo, mas não lhe aparecia um caminho, um meio.

— Talvez, seu marido — disse Ricardo.

Ela pensou um pouco, demorou-se mais no exame do caráter do seu esposo; mas, em breve, viu bem que o seu egoísmo, a sua ambição não permitiriam passo tão arriscado, e disse:

— Qual, esse...

Ricardo não sabia o que aconselhá-la e olhava para os móveis e □ que se dá na sala de jantar. Ele imaginava um alvitre, um empenho; mas nada.

Por fim, pareceu atinar em si. Teve uma grande alegria no olhar e falou:

— Se a senhora fosse lá...

Um instante a fisionomia da moça pareceu espantada: os seus olhos se dilataram e o rosto ficou rígido. Esteve assim segundos e logo disse com firmeza:

— Vou.

Ricardo ficou só e Lúcia foi vestir-se.

Ele pensou com admiração naquela moça que por simples amizade se entregava a tal sacrifício; vai bem a seriedade de seu caráter, a profunda amizade que tinha por aquele bom Quaresma a quem, como ele, fosse a única a admirar, a prezar as suas qualidades, a elevação das suas ideias e a sua grande sinceridade.

Não tardou que ela ficasse pronta e ainda abotoava as luvas, na sala de jantar, quando o marido entrou. Ele nem fez menção de ter visto Ricardo e foi logo direto à mulher:

— Vais sair?

Ela, afogueada pela ânsia desesperada, disse com certa vivacidade:

— Vou.

Armando ficou admirado de vê-la falar com aquela vivacidade:

— Onde vais? — e logo, voltando-se para Ricardo,

— Que faz o senhor aqui?

Coração dos Outros não teve ânimo de responder; adiantava uma cena violenta que ele teria querido evitar; mas Lúcia disse com firmeza:

— Vai acompanhar-me ao Itamaraty.

O marido pareceu acalmar-se um pouco quando ela lhe disse a que ia, e foi com doçura que ele disse:

— Mas fazes mal.

— Por quê?

— Vais comprometer-me. Tu sabes...

Ela não lhe respondeu logo e mirou-o um instante com os seus grandes olhos cheios de escárnio. Riu-se um pouco e disse:

— É isto! Eu, por que eu, por que eu, e se eu, para aqui eu para ali... não pensas noutra coisa. A vida é feita para ti, todos só devem viver para ti... Muito engraçado! De forma que eu (agora digo eu também) não tenho direito de me sacrificar, de provar uma amizade, de ter na vida um traço vigoroso? É interessante! Não sou nada, nada, sou alguma coisa, um cafundó qualquer, mas levando para a cova inteiramente intacto o seu orgulho, a doçura, a sua bondade, sua generosidade, sem a mancha de um engenho que diminuísse a injustiça de sua morte.

Ela saiu. Olhou o céu, as aves e as casas de Santa Teresa e se lembrou que por estas paragens já moraram tribos selvagens, das quais um dos chefes se orgulhou de ter domado dez mil inimigos. Tinha quase quatrocentos anos. Tinha havido grandes modificações nesses quatro séculos... Esperemos ainda... E seguia serenamente a encontro de Ricardo Coração dos Outros.

[folha 11]
Como lhe parecia estranho aquele acontecimento de sua vida! Ele, o plácido Quaresma, o sossegado Quaresma, o respeitado Quaresma, metido naquele estreito calabouço. Para aquele triste fim, ele não sabia bem se o que mais tinha contribuído se ele mesmo.

[folha 12]
Como lhe parecia estranho estar ele metido naquele estreito calabouço. Não sabia bem se havia sido ele mesmo, a sua ação interna, o resultado de um ato, que se

[folha 13]
Como lhe parecia estranho, ilógico com ele mesmo, estar ali metido naquele estreito calabouço. Seria um puro e simples resultado dos seus atos em para ali [sic] teria sido arrastado pelas circunstâncias externas, fora do alcance de sua vontade? Uma hora, como lhe parecia que havia sido o desdobrar do seu próprio pensamento que o encami[455]

O 1º atestado[456]

O jovem médico subia as escadas do escritório de Nathaniel & Cia., à rua do Rosário, muito vexado; e foi com mão trêmula que cumprimentou em meio do caminho o senador Venâncio que descia. O senador correspondeu-lhe à saudação naturalmente, paternalmente, tão naturalmente que parou e lhe falou com a mesma gravidade e desdém com que lhe falaria à porta da Watson, em plena rua do Ouvidor, em face ao povo que o conhecia de vista.

— Como vai, menino?

— Bem; e V. Ex.ª?

— Bem, mas as crianças não andam com saúde... Tenho que ir à Caxambu, a mulher precisa tomar as águas... V. sabe: dificuldades!... Já tem condução?

— Ainda não, senhor. Estou vendo se consigo meios para ir a S. Paulo, onde talvez obtenha qualquer coisa... V. Ex.ª compreende, eu não posso mais continuar como amanuense, estou formado e...

— É, não há duvida — cortou-lhe prontamente a palavra o majestoso senador. — Faz muito bem... Apareça lá no escritório... pode ser, não garanto, mas...

O jovem doutor transpôs os últimos degraus seguro de si. O vexame diminuiu-lhe; estava firme, relanceando o olhar sobre a sala acanhada, vazia, à cuja meia-luz percebeu alguns semblantes conhecidos de pessoas famosas:

— O senhor Nathaniel...

— Sou eu. Faça o favor de esperar. Sente-se.

Falava a um homem pardo, orgulhosamente sentado a uma cadeira de rodízio e debruçado sobre uma secretária elegante. No rosto gorduroso, entranhados nas carnes brilhavam uns olhos luxuriosos; mas vivos e sagazes. Nos punhos alvos reluziam abotoaduras de ouro e sobre o peitilho da camisa um brilhante cintilava.

Estava em mangas de camisa e fumava um charuto.

Pelas costas do sr. Nathaniel havia uma curva semiaberta; e na sua frente conversavam animadamente o juiz Bracante e o diretor Montezuma.

Juiz Bracante:

— De fato, o *poker* tem dessas coisas...

— É um jogo traiçoeiro...V. Ex.ª por que não experimenta o êcarti [sic]?

— Não; de forma alguma. Amo mesmo esses imprevistos, essas cabriolagens do *poker*... Certa vez, jogávamos eu, doutor Segurado, o coronel Balduíno e não sei quem mais. Até ali, se não tinha andado de macaca, o jogo a catupiar [sic], não me dera ainda uma franca ocasião de tupar [sic]. Não vinha a coragem; ganhava uma mão, perdia outra... Nisto Segurado dá cartas e eu sem mão. Faço um *hand* de cinco. Recebo e choro as cartas e zás, um *four*, de ases em curinga, e de mão! Meu caro... de mão!

Ficou uma longa fumaça do charuto e depois continuou.

— Todos vão. Segurado põe-se a dar cartas. De malandro peço uma. Chega a vez do coronel; não quer cartas. Fiz um esforço sobre-humano para não me afobar. Estava feito, pensei comigo. O Balduíno manjara que fiz sequência, ele a tem também; e nós vamos nos pegar.

Sob um silêncio quase ☐ o sábio juiz sacudiu as cinzas do charuto e tirou outra longa fumaça. Há aqui os olhos ansiosos dos circunstantes. Nos seus lábios, uma partida de *poker* tinha intensidade de uma luta de gladiadores. O sr. Nathaniel, esquecido com um maço de cédulas amorosamente dividido pelos dedos, vincou o olhar no semblante do magistrado.

— Dito e feito. Astutamente apostei cinco, uma parada baixa. Para apanhar os micos. Balduíno dobra: cinco e mais cinco; os restantes fogem. Chega a minha vez; trepo: seus cinco e mais dez. Balduíno mantém-se inalterado.

Parece-me que ele esperava *huff*. Dobra; dez e mais vinte; e assim vamos. Os parceiros estavam atarantados; já era de beiço; não havia tempo para contar fichas. Passei, fatigado, fechei a história: seus oitenta pra ver. Sabem o que ele tinha?

— Nada!

— Qual! Um *royal street flush*! Que sorte!... e de mão!

— Dei o cavaco — continuou o juiz. — Perdi nessa noite 2725, mas diverti-me.

— Oh! Doutor! — exclamou o sr. Nathaniel continuando a contar as cédulas. — V. Ex.ª faz dessas coisas?!

— De que se admira! O dinheiro nada vale! Justo o jogo, tenho paixão por ele, em que pesará mais ou menos uns duzentos mil-réis na algibeira? O *poker* é empolgante; é um jogo jurídico, rígido; embora complexo. Dizem que todos os grandes generais são excelentes jogadores de xadrez; os juízes, no meu parecer, deviam todos jogar o *poker*, para se acostumar.

O diretor Montezuma dissera:

— Não há dúvida! É extraordinário, o *poker*. Exige decisão, ousadia e sangue-frio — é um jogo de raça inglesa, em suma.

— Eu jogo — observou o sr. Nathaniel —; mas não me dou bem com aqueles nomes. *Four, five*.

— Isso é o menos.

— Os juízes se quisessem acostumar-se-iam a respeitar a lei escrita. Um dia, durante a partida (eu jogava há pouco tempo) suscitou-se uma dúvida: se o *four* valia mais que o *royal*. Vale; não vale; fomos afinal ao código. O *royal*, marcava ele, valia mais que o *five*. Perdi, mas curvei-me à lei. Aí como sempre foi o meu traço predominante como juiz; o respeito à lei escrita.

— Penso como Beldimegas. O que faz a grandeza da Inglaterra é o seu respeito à lei escrita. Se nós, brasileiros...

— O doutor faça o favor de contar.

O juiz recebeu das mãos do agiota o maço de notas sem olhar. Recebeu-o desdenhosamente como no Tribunal receberia os autos de Apelação n.º... das mãos de um colega de pouco talento. Saiu.

Chegando a vez do homem falar, entreguei ao sr. Nathaniel a carta que o recomendava.

— Quer saber de uma coisa, meu querido senhor, não faço negócios com a sua repartição.

— Mas...

— Enfim, como o senhor foi-me recomendado por pessoa que merece toda a consideração, pode ser. Quanto quer?

— Oitocentos mil-réis, somente.
— Bem. Redija os documentos.

Chegou o moço a uma mesinha próxima e se dispôs a escrever. Não o pôde. O ruge-ruge da sua saleta faz-lhe soltar-se.

— Ó papai!
— Você por aqui, minha filha?
— Minha amiga, Hortência.

Cumprimentou.

— Meu pai, Hortência.

Cumprimentos.

A moça parecia não se aperceber de minha existência. Eu, jovem, apesar de mim, olhei-a. Não era feia. Olhos azuis e umas madeixas loiras que me tentaram.

— Que vieste fazer?
— Nada, papai. O senhor não me havia prometido...
— O quê?
— Aqueles brincos... Estão no Rezende... O senhor disse que quando viesse à cidade.
— Ali! É verdade! Quanto custam?
— Setecentos mil-réis.
— Espera aí.

O sr. Nathaniel fez a cadeira girar para cima e de lá sacou algumas notas, quando voltou à posição primitiva, deixou cair o maço de cédulas para mesas e tinham semelhantes a cabeça sobre o encosto da cadeira esticando as pernas por debaixo [sic]. Isso foi obra de segundos. Foram tão rápidos esses movimentos que pareceram um só. O primeiro instante foi de vertigem. O doutor ficou parado, esquecido que era médico. Mas logo em seguida a moça gritou:

— Meu pai! Meu pai! Um médico! — E olhou-me.
— Não é preciso! Eu sou!
— Acuda-o, por favor, doutor, por favor, doutor...

Examinei o homem, tomei o pulso. Parado e frio.

— Diga-me, doutor, está morto?
— Parece... Parece que não...
— Receita... Não está morto, doutor, diga, doutor, diga, sim, pelo amor de Deus. Está sim, está sim. Não deixe ele ir para o necrotério. Passe o atestado.

E a menina metera dó, chorava, implorava, quase se ajoelhava. O jovem médico não sabia o que fazer. Pensava-o morto; não temia. Podia ser... Tantos casos... Ele ainda moço... a reputação... os inimigos... Que faria? Descia de altas combinações científicas a baixos expedientes pueris. Entrava seu alfinete, esbofeteia quem sabe [sic]? Talvez desse certeza...

— Pelo amor de Deus, doutor, pelo amor de Deus, passe o atestado, pelo amor que tem à sua mãe, ao seu patrão, passe, ninguém o matou, não. Eu o estimava muito, passe, doutor.

O médico não sabia o que fazer.

Lulu, mas não da Pomerânia[457]

Talvez muita gente desconheça o valor do nosso Lulu e é muito natural, porque nós desprezamos os nossos tipos, que são sumamente originais e de graça e valor típico especial. Assim apreciando e ☐ descrevê-lo, creio que *não* farei o estudo analítico do tipo mas suponho aproximar-me na verdade naquilo que mais se aproxima do macaco.

Não é graça, mas se qualquer pessoa passar pela estação do Méier, onde notas a média das criaturas não só pelos seus gestos, como também pela sua estrutura, fealdade, desembaraço de animal irresponsável pelos atos, não obstante estar o mesmo convicto no que faz e no resultado do seu expediente.

Assim, vimos e tivemos ocasião de apreciar uma criatura verdadeiramente típica, digna de estudos cujas apreciações seriam dignas de novos estudos e, assim, descobertas.

Com exatas orientações talvez possamos [sic] se homem ou macaco.

Não pelo simples fato de o homem ser preto ou o macaco ser branco.

Mas o que mais me confunde é não saber como classificá-lo.

Bordejos[458]

— Muita honra em conhecer-vos.
— E outro tanto acontece comigo.

Palavras sacramentais com as quais acabo de ser apresentado ao nobre povo de Valença pelo nosso amigo dr. Fonseca.

Não tendo ferido o mais de leve preconceito, dez vezes secular, da educação, passo a exercer o meu humilde ofício de cronista.

Acontecimentos importantes se deram: vários *meetings*, política. Mas para que nós havemos de nos intrometer nesta briga de comadres?

Conheceis o Profeta? Não. É um tipo baixo, de roupa clara, chapéu redondo, *pince-nez*, ex-empregado público, que vive a espalhar a bombonice, fanfarrice de sua maluquice pela rua do Ouvidor de princípio ao fim. O meu amigo Pompeu Sylla, estudante do sexto ano de medicina, me garantiu que ele sofre de psicose sistematizada progressiva.

Pois bem, o Profeta me disse um dia:

— Sabes? Eu tenho trabalhos de alto valor científico, e entre eles está a minha reforma social.

— *Tu quoque!*...
— Para mim o mal da vida está na má e desigual distribuição da loucura...
— O quê, senhor?!
— É o que te digo. Se houvesse um meio de tornar santos os bandidos, alegres os melancólicos e sábio um político, estaria resolvido todo o problema.

Ora, o único meio de que os homens têm lançado mão é o temor no sobrenatural, por intermédio das religiões; ora, tu sabes, que todas elas fracassaram ou tendem a isto (não te importes com o positivismo, está *hors-concours*); ora, tu sabes também, que os mais altos espíritos têm se esforçado por negar o sobrenatural e o além-túmulo.

O que fica então para a correção social? A força, insuficiente e antiestética. A educação. Mais ☐, têm-se notado assassinos e ladrões com sofrível cultivo e de famílias abastadas. O que fica pois?

— *That is the question.*
— A loucura. Por meio da química...

Profeta, disse um garoto. E ele, sem despedir-se, foi espalhando os seus trabalhos de alto valor científico.

Esta conversa, que tive com o Profeta há anos, me veio, num turbilhão de ideias, ao assunto o campeonato de regatas no domingo.

Oh! As regatas são a loucura que está corrigindo a nossa proverbial fraqueza muscular! Não o pôde fazer a força da lei, com o ensino obrigatório da ginástica nos colégios e escolas. Não o pôde [sic] fazer as declamações transcendentais dos pedagogos.

Mas está fazendo a loucura, neste delírio de cortejos e campeonatos.

Tudo delira. Os bairros, desde Botafogo ao Caju,[459] inclusive o largo do Alferes, têm seus *clubs*. Os estudantes e caixeiros, pretos e amanuenses, todos se nivelam sob o bárbaro nome de *rovers*.

Contar-vos-ei um cortejo interessante que assisti, que por sinal estava concorrido, na raia do Club de Regatas das Colunas de Hércules. A vencedora foi a baleeira Signo, de cedro e a quatro remos, cuja guarnição era um microcosmo. O voga era um religioso e pontual confrade dos *vient-de-paraître* das livrarias da rua do Ouvidor e de Paris. O sota-voga, um rapaz franzino e moreno, calejava as mãos, que, no dia seguinte, haviam de quebrar os Sèvres[460] finíssimos da loja do patrão. O proa, um mancebo de barba hesitante, exótico e apaixonado por E. Poe, arfava sob o peso de sua giba, fazendo cera (frase de *rover*) numa repulsa instrutiva de sua natureza débil.

O sota-proa, um baixote reforçado, cheio de plenamentes e medalhas, ria-se satisfeito com as aclamações do mulherio, e a sua vitória de força e futilidade. O patrão era um rapaz rechonchudo e vermelho, de *pince-nez*, sem ideias nem afeições, que sob o compasso das remadas, balançava indiferentemente o corpo, para trás e para adiante, com o fim de dar impulso. Pobre mecânica! Os nomes dos barcos demonstram à sociedade que tudo e todos tomam parte da loucura dos remos. Vagando valeria a quatro, atesta um padrinho espontâneo preto dos particípios presentes. Na Iracema o corriqueiro admirados [sic] dos caboclos e de José de Alencar. Em Lygia temos o estreante nas leituras literárias, pois que atualmente se começa no *Quo Vadis*. No de Syrtes patenteia um estudante estreito e metódico da geografia antiga e moderna. No belo nome de Salamina tereis o elegante e fino culto da Grécia nua e pagã.

Não falta mesmo a este enorme delírio a graça chula das alcunhas; para um *club* é Cabeça de Porco, para outro é Umbú etc.

Tem razão o Profeta!

Mas, se a loucura nos irá transformando e corrigindo os defeitos, irão entretanto com eles de roldão as nossas qualidades originais, o que fará de nós uma outra "barbearia iluminada a gás".

Cumprimento-vos nobre povo de Valença, pois estais livre de tal delírio. O vosso rio das Flores, com certeza, não impediria, como o Atlântico, que Genserico conquistasse mais terras?

Histrião

O povoamento do solo e a simplificação da linguagem[461]

Tenho lido com atenção tudo o que se publica sobre a reforma da ortografia — desde as notícias das sessões da Academia até o artigo do sr. Afonso Costa, que ocupou quatro colunas do jornal.

E estou de pleno acordo com o sr. Medeiros e Albuquerque: precisamos acabar com isto.

Há até um interesse nacional em fazê-lo o quanto antes, como já se disse, a fim de facilitar a aprendizagem da nossa língua e a adoção dos imigrantes estrangeiros...

Essa decantada dificuldade da língua portuguesa é, aliás, há muito tempo, um dos florões do nosso patriotismo.

A todo o momento, ouve-se um sujeito qualquer, que mal sabe falá-la, e que nunca soube nenhuma outra, dizer, com o mais evidente orgulho e o mais radiante patriotismo: — Meu caro, falamos a língua mais difícil do mundo...

E isso o consola de não saber nenhuma outra — nem mesmo o esperanto, que é a mais fácil...

Mas, porque estou de acordo com o argumento acima referido — entendo que se deve ampliar a reforma a outras partes da gramática. A morfologia, por exemplo.

Os afixos — os senhores me desculpem estar a exibir erudição — facilitam a formação de outras palavras, que ficam, desse modo, claramente compreensíveis em se lhe conhecendo o radical. Assim, o prefixo "in" exprime negação — lá diz o sr. João Ribeiro, da Academia; ex. — verídico, inverídico. No entanto, ainda se diz: — o estimável moço, sr. Múcio Teixeira e — o inestimável livro do sr. Múcio Teixeira.[462]

O sufixo "oso" significa "cheio de" — diz aquele mesmo imortal — glória, glorioso. No entanto, dizem autorizados escritores: o livro do sr. M. não tem pecha; o autor é muito *pechoso*... Eu é que não entendo!

Portanto, regularizemos tudo isto — se queremos que os estrangeiros nos entendam facilmente.

Mas eu vou ainda mais longe.

Os senhores não se espantem; é preciso simplificar — eu acabo com os sinônimos! Hein? Que achado!

Pois não são eles a maior complicação de nossa língua?

— Belo, lindo, formoso, bonito — tudo é quase a mesma coisa. Reduza-se, pois, tudo a — belo — que é mais curto. Isto é, — lindo — tem agora o mesmo número de letras; mas, com a reforma da ortografia, passa-se a escrever — belo.

Não é maravilhosamente fácil e útil?

Mas, vão ver os senhores que não adotam o alvitre!

Pudera! Toda a Academia, a começar pelo sr. Medeiros (exceção do sr. José Veríssimo — honra lhe seja feita...), faz versos... e precisa de rimas!...

Um fato gravíssimo[463]

Depois de longas pesquisas, conseguimos chegar ao conhecimento de um tenebroso crime que se está praticando nesta cidade, sem que a polícia (a nossa polícia de sempre!) tenha mandado abrir inquérito sobre ele.

Trata-se, em uma palavra, do subdito grego Prometheu, encadeado pelo barão de Paranapiacaba, que não satisfeito de tê-lo preso em sua casa, tem-no ainda por cima — posto a ferros!

Quem é este Prometheu? Que tremendo crime praticou para que uma pessoa altamente colocada, de sólidos dotes morais e intelectuais, assim o tenha lugubremente enclausurado — há tantos e longos anos?

Vê-se desde logo, que este nome é fictício: Prometheu não é nome de gente.

Não será um símbolo? Trata-se talvez de um sujeito que prometeu pagar uma dívida, ou restituir um depósito em dado prazo, e que não o fez, o que motivou esta vingança do barão.

Que pus sobre a "Arazedia quotidiana" não lança este simples fato de um devedor resistente, que, para expiação de um momento de loucura, marca-se com este apelido lúgubre: Prometteu, transformado não sabemos por que em Prometheu!

Assim, sepultado vivo há longos, longos anos, este mártir — talvez com a cumplicidade tocante de algum parente de seu algoz — tem lançado gritos de dor, que soam como dobres fúnebres — nas colunas do *Jornal do Commercio*, da *Renascença*, e recentissimamente nas da *Revista do Instituto Histórico*, sem, no entanto (inexplicável mistério), conseguir abalar a opinião. São tão maciços os seus protestos!

Alude repetidamente a um abutre (quererá talvez referir-se ao barão) e fala a miúdo do seu fígado. Trata-se evidentemente de um pobre homem enfermo, e que definha aos poucos, na tortura refinada desta clausura sem termo.

E é estrangeiro! E é grego, e o cônsul da Grécia não se mexe! E há séculos que estende os braços súplices, sem que ninguém o socorra! E o chefe de polícia passa-lhe os olhos em cima, e não o vê! E as suas queixas continuam, intermináveis, horrorosas, atrozes, pavorosas, como um capítulo do *Jardim dos suplícios*!!!

Giz.[464]

Uma loteria com que sonho[465]

Tirar a sorte grande é o meu sonho, dizia-me alguém.
— Por quê? Não sabes, porventura, trabalhar?
— Há trabalhar e trabalhar. Meus pais eram muito pobres; mas, apesar de sua pobreza, educaram-me como um príncipe. Nunca fiz o menor esforço muscular, nunca soube o preço do feijão e da carne-seca. Hoje ainda não o sei; mas vou vivendo, em todo o caso. Contudo, esta vida não me serve.

Conforme fui educado, necessito de certo ambiente e de certa liberdade de viver. Não pude, por isso, formar-me. Olha: basta esse verbo, para dizer o que é meter-se numa "Academia", como se diz entre nós, decorar uma porção de porcarias e perder a personalidade. Não me quis meter em fôrma.

Disparei. Levei uma vida de misérias, embriagado no sonho. Não desanimei porém. A vida deve ser vivida, de acordo com nosso temperamento e os nossos ideais. Assim eu fiz a minha e não me arrependo. Vou vivendo e nisso consiste a máxima sabedoria, embora tenha mulher, quatro filhos e várias cunhadas casadeiras e uns tantos cunhados vagabundos que falam mal de mim.

— Mas, Edmundo, o que tu esperas?
— Sabes bem da resposta de Alexandre quando distribuiu o Império que ele tinha conquistado?

Não.

Pois é simples. Ele, Alexandre, o distribuiu entre os seus generais.

Um deles perguntou-lhe o que lhe ficava. Alexandre, o Macedônio, respondeu: A Esperança.

Então, e daí?

O que me resta? É a "Esperança" na loteria da Cruz Vermelha Brasileira, da qual já adquiri um bilhete inteiro.

Dr. Laranjinha[456]

Dr. Laranjinha. Médico bebedor de parati. Bondoso e machão. Vivia só num casebre. Um dia indo a pé a Meriti e encontrando um roceiro a quem salvara a vida. Este lhe oferece um cavalo chucro. Montado neste ele percorre as estradas, dá às crioulas e mulatas moradoras das choupanas um dona palaciano.

— Bom dia, dona Margarida.
— Bom dia, doutor.
— Como vai seu marido? Melhor?
— Sim, senhor, alguma coisa.
— Repita.
Adiante [...]
— Indaga o pequeno. Melhorou?
— Não senhor. Tem tido febre.
— Bem. Vou-lhe mandar um remédio e ela passará.

Pouco a pouco, como a moléstia reinante fosse febre intermitente, ele, empregando somente o sulfato de sódio e o quinino, foi se acostumando a só usar receita e unicamente empregá-la.

Era como se tivesse descoberto a panaceia universal.

As suas opiniões devem ser curiosas. Serão opiniões de um *blasé* inteligente e camponês.

Ele não faltava a fado nem a baile que houvesse na redondeza, às vezes, esquentado pelo álcool que ia bebendo e pela atmosfera provocante de sua fecha, emprazava uma qualquer cabrocha redonda e numa noite sacrificava a Vênus, enquanto retiniam longinquamente os languosos [sic] sons da viola e os atabaques dos pandeiros.

Erguia-me⁴⁶⁷ da cama bem cedo, cedinho mesmo, com o rosicler da aurora, friorento e nostálgico do aconchego quente do linho, procurando, arquitetando a crônica que o Alpha Linha pedira-me e, passando dias sem nada resolver, tive a suprema ventura de receber a missiva que transcrevo, com tanto prazer e contentamento quanto ela retirou de mim um pesadelo atroz que me esmagava.

Meu caro Alpha Linha. Saúde. Como eu tenha sido, por várias e muitas vezes, citado nominalmente nas vossas cintilantes crônicas, venho por intermédio desta, a fim de que eu só não seja o armazém de pancada, chamar a vossa atenção para o caso notável que está passando na escola disfarçado sob as capas rotas de estudo em comum no Expoente e de "Sociedade de Auxílios Mútuos Para Tomar Notas do Otto". E, para que não julgueis demasia pretender eu escrever num jornal, torna-se preciso que vos diga que sou colaborador da *Pacotilha* e do *Correio de Valença* e que, também, revelando-me polemista vibrante, tercei armas com um sr. literato (e d'"Academia"!) pelas colunas dum diário carioca.

Demais, companheiro de escola como sois meu, deveis estar lembrado do meu velho e afortunado exame do ano passado, onde o mestre Cardoso, filósofo e militar como Descartes, examinador e médico como ninguém, elogiou, admirado, o meu estilo com esta frase notável:

"Sr. Nina, além da certeza roxa que vossa prova revela, tem ainda a qualidade singular de possuir o estilo castiço dos meus cadernos."

Palavras sonoras e boas que ecoando de fraga em fraga e de São Paulo ao Maranhão, vêm cotidianamente ressoar aos meus ouvidos como um aviso feliz duma glória futura e eterna. Tal foi a impressão que essa frase deixou-me, meu caro Linha, que pretendi inscrevê-la no meu brasão, mas o Barreto que disseram entender disso (Sim! Porque o Barreto ☐) dissuadiu-me, pois era longa e não se quadrava com um molde heráldico.

Voltando ao assunto que é aquele sistema ou coisa parecida formado pelo Alvinho, Hosouza, Fakir e o Marvão, deixo de lado a longa série de certificados que comprovam a beleza de meu estilo e a correção da minha linguagem.

É complexo o que aí dá-se e a minha erudição científica fica atarantada para estudá-lo. Se pelo fato da ciência e amor ao estudo do sorvedouro do Otto, o Hosouza, passarem com intermitências e principalmente nas vésperas de votar-se a Parede, para os outros; assim como a eloquência à Ésquines do Marvão (também muito empregada na reunião da Parede e sucedâneos pelos corredores) transitar vagarosamente para Hosouza e Fakir que só fez vinte discursos nos dois bailes últimos foi [sic]; e da mesma forma o amor às coisas do Taunay e a arte do Fakir atravessarem o Marvão que, ansiando ultimamente pela Beleza Perfeita, sôfrego espera a Rejane e o Lyrico de Carvalhada: fazem-me crer que o caráter principal do sistema está nessa recíproca troca das qualidades especiais e características de cada um. Por outro, quando mais atentamente pouso sobre ele o meu olhar de sábio, fico abismado com as várias modalidades que apresenta e não encontro uma síntese. Mas, caro Alpha, com que não atino é com a função do Alvinho; e por mais que rebusque a mecânica só o assimilo ao *centro de massa*. [sic]

E, assim, de comparação em comparação, passei por toda escala científica que segundo seu Mendes tem sete graus, como a música tem sete notas e a semana sete dias. Ora se me afigura o cortejo algébrico (ou da álgebra), denominação feliz mas que não traduz o fenômeno; ora é, para minha audaciosa abstração, como que um imenso romboedro de arestas vivas e cortantes cujo núcleo de clivagem fosse o Alvinho: e sem nada concluir resolvi apelar para o Direito e vi que era ele o que von Bart denomina: *tutoria complexa e recíproca*.

Cônscio que vos prestei um bom serviço, subscrevo-me vosso.

Nina

B — Em não vos tratando por colega no correr desta, fiz de caso pensado, pois não sei se sois do primeiro ano de engenharia civil.

Nada deixando a desejar em estilo epistolar e possuindo o de Swift e Sterne, creio que fiz bem em abrir a esta carta aberta a coluna *aberta* da *Lanterna*.

Alpha Z.[468]

Manoel de Oliveira[469]

A história da mágoa que o levou a uma semiloucura, ele me contou muitas vezes de um modo inalterável. Cabinda de nação, ele viera muito menino da Costa d'África e um português hortelão o comprara e lhe ensinara o ofício de plantar couves.

O seu senhor tinha uma grande horta pelas bandas da rua do Pinheiro, no Catete,[470] e logo que o pobre Manoel — era esse o nome do meu cabinda — cresceu um pouco, pela manhã, com verduras cuidadosamente contadas pelo senhor, ele saía para o Catete e Botafogo a vender couves, repolhos, cenouras etc. Levavam as verduras e legumes preços marcados, mas ele as podia vender mais caro, ficando para si o excedente. Durante anos, Manoel de Oliveira, pois, como era costume, veio a usar sobrenome do senhor, fez ele isso, ao sol e à chuva, juntando nas mãos do senhor os seus lucros diários. Quando chegou a certa quantia estipulada, o Oliveira, dono da horta, deu-lhe a sua carta de alforria.

Não sabia da companhia do seu antigo senhor e com ele continuava a trabalhar, mediante salário.

Habituado a economizar, continuava a fazê-lo, mas não sem que, de quando em quando, comprasse o seu "gasparinho". Um belo dia, a sorte bafejou-o e a loteria deu-lhe um conto de réis, que ele guardou nas mãos do patrão.

Por esse tempo, veio Manoel de Oliveira a conhecer uma pretinha escrava que acudia pelo nome de Maria Paulina. A comborça[471] interessou-o e ele, à vista das condições de fortuna em que estava, resolveu agir os preliminares indispensáveis, tomar estado. Libertou a rapariga, comprou uns móveis toscos, alugou um tugúrio e foi morar com a Maria Paulina. As coisas correram bem até certo tempo. De manhã, lá ia Manoel de Oliveira para a horta, apanhava o tabuleiro e corria à freguesia.

Aí, pelas onze horas, meio-dia, passava pela sua casa, almoçava com a Maria Paulina, voltava para a horta, após o almoço, a fim de molhar os canteiros do patrão.

Assim, ia correndo a sua vida, quando ele teve a honra, na sua humildade, de ser objeto de drama. Maria Paulina fugiu...

O fato abalou o pobre preto em todo o seu ser. Ficou meio pateta, deu em falar sozinho, abandonou a horta e deixou-se errar a esmo pela cidade, dormindo aqui e ali.

A polícia apanhou-o e meteu-o no asilo de mendigos. Daí foi enviado para a ilha do Governador e internado numa espécie de colônia de pedintes que o governo imperial fundou nos seus últimos anos de existência.

Vindo a República foram essas colônias, pois eram duas, transformadas nas atuais de alienados.

Meu pai foi, em 1890, nomeado para um pequeno emprego delas. Fomos todos morar lá e foi então que eu conheci Manoel de Oliveira.

Sóbrio, trabalhador e disciplinado, o velho preto cabinda não sofria nenhum constrangimento. Era até encarregado de uma seção importante que superintendia com o mais acrisolado devotamento. Manoel dirigia a ceva dos porcos e, para eles, cozinhava.

Vivia independente de toda e qualquer vigilância, debaixo do terreiro anexo ao chiqueiro, vigiando a caldeirada dos suínos, resmungando e balbuciando a sua dor eterna.

Muito menino — eu tinha nove anos —, apesar de não ser muito regular, corria toda a colônia e dependências.

O edifício principal era um antigo convento de beneditinos. A igreja dividia duas alas desiguais; e tudo olhava o sol levante. A ala direita era quase toda ela guarnecida de largas janelas em arco pleno; mas a esquerda era mesquinha e sem interesse.

Tendo passado a minha primeira meninice na cidade, aqueles aspectos eram para mim inteiramente raros. As árvores, os pássaros, cavalos, porcos, bois, enfim, todo aquele aspecto rústico, realçado pelo mar próximo, enchia minha meninice de sonho e curiosidade.

O velho Oliveira dava-me sempre mimos. Era uma fruta, era um bodoque, era uma batata-doce assada no braseiro do seu fogão, ele sempre tinha um presente para mim. Eu o amei desde aí e, quando, há anos, o levei para o cemitério de Inhaúma,[472] foi como se enterrassem muitas esperanças da minha meninice e a adolescência, na sua cova...

Apesar dos rigores regulamentares, ele ia até nossa casa levar isso ou aquilo; e às vezes, lá se demorava, fazendo este ou aquele serviço.

Por fim, o médico deu-lhe alta e ele veio morar definitivamente conosco.

Pude então conhecê-lo melhor e apreciar a grandeza de sua alma e a singularidade de suas opiniões.

Coisa curiosa! Oliveira tinha em grande conta a sua dolorosa Costa d'África.

Se eu motejava dela, o meu humilde amigo dizia-me:

— Seu "Lifonso", o senhor diz que lá não há quem saiba ler. Pois olhe: os doutores daqui, quando querem saber melhor, vão estudar lá.

Além de ter este singular e geral orgulho pela África, ele tinha um particular pela "nação". Para ele, cabinda era a nacionalidade mais perfeita e superior da Terra. Nem todo negro podia ser cabinda.

— Manoel, Nicolau é cabinda?

— Qual o quê! Aquele negro feiticeiro por ser cabinda; aquilo é congo ou boca de benguela.[473]

As suas opiniões políticas eram curiosas. Tinha, como todo o nosso homem do povo, uma grande veneração pelo imperador, até exagerada.

Ele me dizia:

— Seu Lifonso: não houve no mundo imperador como o daqui; todas as nações tinham inveja do Brasil por causa dele.

Entretanto, e apesar de não gostar da República, ele informava que o governo de sua terra era melhor que o daqui, porque lá havia, ao mesmo tempo, imperador e presidente da República.[474]

O seu grande amor era a horta. O seu antigo senhor tinha-lhe inventado esse gesto que não o largou até a hora da morte.

Havia muita coisa de singular e curioso nessa pobre alma de negro que me acompanhou durante quase trinta anos, através de todas as vicissitudes.

Devo-lhe muito de amor e devotamento.

Conto um pequeno fato. Quando minha família atravessou uma crise aguda; quando veio a nossa tragédia doméstica, Manoel de Oliveira chegou-se a mim e emprestou-me cem mil-réis que economizara.

Muitos outros fatos se passaram entre nós dessa natureza, e, agora, que o desalento me invade, não posso relembrar essa figura original de negro, sem considerar que o que faz o encanto da vida, mais do que qualquer outra coisa, é a candura dos simples e a resignação dos humildes...

Obras de Lima Barreto[475]

ROMANCES

Recordações do escrivão Isaías Caminha, 1ª ed. Lisboa: Livraria Clássica Editora. De A. M. Teixeira, 1909.
Triste fim de Policarpo Quaresma, 1ª ed. Rio de Janeiro: Revista dos Tribunais, 1915.
Vida e morte de M. J. Gonzaga de Sá, 1ª ed. São Paulo: Revista do Brasil, 1919.
Numa e a Nynfa, 1ª ed. Rio de Janeiro: Oficinas de A Noite, 1915.
Clara dos Anjos, 1ª ed. Rio de Janeiro: Mérito, 1948.

ROMANCES HUMORÍSTICOS

Aventuras do dr. Bogoloff. Episódios da vida de um pseudo-revolucionário russo, 1ª ed. Rio de Janeiro: Edição de A. Reis, 1912.

CONTOS

Histórias e sonhos, 1ª ed. Rio de Janeiro: Gianlorenzo Schettino, 1920.
Histórias e sonhos. Rio de Janeiro: Gráfica Editora, 1952 (contém também *Contos argelinos*).

SÁTIRA

Os bruzundangas, 1ª ed. Rio Janeiro: Jacinto Ribeiro dos Santos, 1922.

CRÔNICAS

Bagatelas, 1ª ed. Rio de Janeiro: Empresas de Romances Populares, 1923.
Toda crônica. Rezende, Beatriz e Valença, Rachel (orgs.). Rio de Janeiro: Agir, 2004.

Cronologia[476]

LIMA BARRETO, o apreciado romancista do "Triste fim de Polycarpo Quaresma", e do "Vida e morte de Gonzaga de Sá", este ultimamente editado pela "Revista do Brasil".

1881 Afonso Henriques de Lima Barreto nasce no Rio de janeiro, a 13 de maio.
1887 Em dezembro, morre sua mãe.
1888 Abolição da escravatura.
1889 Proclamação da República.
1890 João Henriques, pai do escritor, é demitido da Imprensa Nacional em fevereiro. Em março é nomeado escriturário das Colônias de Alienados da ilha do Governador.
1891 Deodoro da Fonseca fecha o Congresso Nacional; contragolpe de Floriano Peixoto leva-o ao poder para restaurar a ordem constitucional.
Lima Barreto matricula-se como aluno interno, no Liceu Popular Niteroiense.
João Henriques é promovido a almoxarife das Colônias de Alienados.
1893 A Armada revolta-se no Rio; Revolução Federalista no Sul.
João Henriques é nomeado administrador das Colônias de Alienados.
1894 Prudente de Morais assume a presidência da República.
1895 Morre Floriano Peixoto.
Concluída a instrução primária, Lima Barreto entra para o Ginásio Nacional (novo nome dado para o antigo colégio Pedro II).
1896 Lima Barreto conclui os primeiros preparatórios no colégio Paula Freitas.
1897 Ingressa na Escola Politécnica do Rio de Janeiro.
1898 Campos Sales inicia seu governo como presidente da República.
1902 Rodrigues Alves assume o poder e começa a reconstruir e sanear o Rio de Janeiro.
Lima Barreto colabora em jornais acadêmicos, escrevendo para *A Lanterna*, a convite de Bastos Tigre.
Seu pai enlouquece.

1903   Com a loucura do pai, Lima Barreto é obrigado a deixar a faculdade para sustentar a família.
Ingressa como amanuense na Secretaria da Guerra.
Colabora no semanário *O Diabo*, de Bastos Tigre, e é nomeado amanuense na diretoria de expediente da Secretaria da Guerra.

1904   Começa a escrever *Clara dos Anjos*.

1905   Passa a trabalhar como jornalista profissional, escrevendo uma série de reportagens para o jornal *Correio da Manhã* sob o título "Os subterrâneos do morro do Castelo".
Escreve prefácio para *Recordações do escrivão Isaías Caminha*.

1906   Data do prefácio para *Vida e morte de M. J. Gonzaga de Sá*.
Primeira licença para tratamento da saúde.

1907   Funda no Rio a revista *Floreal*.

1909   Morte de Afonso Pena; Nilo Peçanha o substitui.
Publicado em Lisboa o romance *Recordações do escrivão Isaías Caminha*, publicado pelo editor M. Teixeira.

1910   Hermes da Fonseca inicia o governo.
Nova licença para tratamento de saúde.

1911   *O Jornal do Commercio* começa a publicar em folhetins o romance *Triste fim de Policarpo Quaresma*.
Lima Barreto colabora no jornal *A Gazeta da Tarde*, onde publica, além de relatos folhetinescos, o conto "Numa e a Ninfa".
Nova licença para tratamento de saúde.
Publica dois fascículos das "Aventuras de dr. Bogoloff".

1913   Muda-se para a rua Major Mascarenhas, nº 42, em Todos-os-Santos.

1914   Venceslau Brás chega ao poder em meio a grave crise econômica.
Lima Barreto começa a escrever uma crônica diária para o *Correio da Noite*.
Em agosto, Lima Barreto é recolhido pela primeira vez ao hospício. Nova licença para tratamento de saúde.

1915   O romance *Numa e a Ninfa*, baseado no conto homônimo, começa a ser publicado em folhetins no jornal *A Noite*.
Primeira fase de sua longa colaboração na revista *Careta*.

1916   Publica *Triste fim de Policarpo Quaresma*.
Por conta de um alcoolismo renitente, é internado para tratamento de saúde, interrompendo sua atividade profissional e literária.

1917   Crises e greves operárias alastram-se pelo país. Lima Barreto atua na imprensa anarquista, apoiando a plataforma libertária dos trabalhadores.
Entrega originais de *Os bruzundangas*.
Declara-se candidato à ABL, mas a inscrição não é aceita.

1918   Colabora com *A Lanterna* sob pseudônimo de Dr. Bogoloff. Sai na revista *ABC*, publica seu manifesto maximalista.
Por ter sido considerado "inválido para o serviço público", é aposentado de seu cargo na Secretaria da Guerra.

1919   Epitácio Pessoa assume a presidência da República. Lima Barreto é novamente recolhido ao hospício.
Primeira edição de *Vida e morte de M. J. Gonzaga de Sá* é colocada à venda. Lima Barreto vê sua candidatura à ABL novamente fracassar.

1920 Aparece nas livrarias *Histórias e sonhos*.
Entrega ao editor os originais de *Marginálias*.
1921 Publica um trecho do romance *Cemitério dos vivos*.
Novamente apresenta-se candidato à ABL, mas meses depois retira seu nome.
Entrega ao editor os originais de *Bagatelas*.
1922 Entrega os originais de *Feiras e mafuás* e publica o primeiro capítulo de *Clara dos Anjos* na revista *Mundo Literário*.
Semana de Arte Moderna em São Paulo.
Lima Barreto morre, no dia 1º de novembro, em sua casa, no Rio de Janeiro, de colapso cardíaco.
Em 3 de novembro, falece o pai do escritor.

Notas

1. Agradeço aos integrantes do projeto temático Formação do campo intelectual e da indústria cultural no Brasil contemporâneo, apoiado pela Fapesp, pela leitura atenciosa e sugestões que fizeram para esta introdução. Agradeço também ao André Conti pelo apoio, durante todo o tempo.

2. Não é o caso de tomar toda a crítica sobre a obra do escritor, que é, por sinal, imensa e da maior importância. Para os objetivos desta introdução, basta destacar que parte sensível dos trabalhos acerca da produção de Lima Barreto caracterizou durante muito tempo a obra a partir dessa noção; e não como adjetivação. Por outro lado, o perfil autobiográfico de sua produção e o caráter testemunhal de seus escritos foram ressaltados, muitas vezes com certa reserva ou de modo a diminuir o valor de sua literatura. Ver nesse sentido as condenações de críticos contemporâneos como José Veríssimo ("Lima Barreto", em Lima Barreto, *Prosa seleta*, Rio de Janeiro: Nova Aguilar, 2001), que explicitamente pede ao autor que não deixe que sua vida entre de tal maneira na literatura: "o quadro saiu-lhe acanhado e defeituosamente composto, e a representação sem serenidade, personalíssima. Disto resultou [...] graves máculas na transposição [...]" (pp. 30-1). Guardando todas as distâncias não só temporais, como metodológicas, vale a pena lembrar como também Antonio Candido, muito tempo depois, viria a acentuar tal particularidade da literatura de Lima Barreto: "Lima Barreto é um autor vivo e penetrante, uma inteligência voltada para o desmascaramento da sociedade e a análise das próprias emoções [...] Mas é um narrador menos realizado, sacudido entre altos e baixos, frequentemente incapaz de transformar o sentimento e a ideia de algo propriamente criativo. A análise dos escritos pessoais contribui para esclarecer isso, mostrando inclusive de que maneira o interesse de seus romances pode estar em material às vezes pouco elaborado ficcionalmente, mas cabível enquanto testemunho, reflexão, impressão de cunho individual ou intuito social [...]" (Antonio Candido, "Os olhos, a barca e o espelho", em Antonio Houaiss e Carmem

Lúcia Negreiros de Figueiredo (coords.), *Lima Barreto — Triste fim de Policarpo Quaresma (edição crítica)*, Madri: Coleção Archivos/Scipione Cultural, 1997, pp. 549-50). Tal aspecto da literatura de Lima Barreto geraria muito debate. Houaiss, na mesma coletânea, afirmaria que a literatura de Lima era sobretudo "comunicação militante" e que o autor não escrevia para divertir seus leitores, mas para incomodá-los (p. 473). Também Jackson Figueiredo, em artigo publicado em 1916 em *A Lusitania*, saía em defesa do escritor, chamando Lima Barreto de um "analista de combate". É conhecida, ainda, a posição de Lucia Miguel Pereira, que mostra como Lima Barreto "estatelou a revolta" (*Prosa de ficção (de 1870 a 1920) — História da literatura brasileira*, Belo Horizonte/São Paulo: Itatiaia/Edusp, 1988, p. 278). Por fim, em trabalho recente, Roberto Schwarz alinha Lima Barreto com Joaquim Nabuco e Machado de Assis, como autores de obras que "não criaram bolor, e não sofreram a desqualificação da História. São escritores que buscam educar o seu viés na figuração e análise das relações sociais, de que formavam parte e a cuja filtragem sujeitaram o vagalhão naturalista" (*Duas meninas*, São Paulo: Companhia das Letras, 1997, p. 115). Mas, como mencionamos no início desta nota, não pretendemos dar conta de toda a crítica. Nosso objetivo é apenas acentuar de que maneira essa noção, de uma literatura impregnada de seu autor, sempre fez parte da definição da obra de Lima Barreto, para o bem ou para o mal, ainda mais quando contraposta à de Machado de Assis.

3. Arnoni Prado, grande e antigo especialista na obra de Lima Barreto, define tais romances e em especial seus personagens como "símbolos híbridos, originalmente ligados ao universo reminiscente da nebulosa autobiográfica do *Diário íntimo*; meio espectros, meio autorretratos, que de repente invadem o círculo de existência alegórica para de algum modo escapar à identidade congelada e origem". Ver Antonio Arnoni Prado, *Lima Barreto: o crítico e a crise*, São Paulo: Martins Fontes, 1989, p. 6.

4. Todo esse material está presente na coleção de manuscritos de Lima Barreto, constantes do acervo da Biblioteca Nacional.

5. Há vasta bibliografia sobre cor e raça no Brasil. No artigo "Pretos contra brancos ou dando e mudando nomes", em João de Pina Cabral e Susana de Matos Viegas (orgs.), *Nomes: gênero, etnicidade e família*, Lisboa: Almedina, 2007, pp. 219-44, faço um longo balanço do tema e das obras de apoio.

6. Conforme Roberto Schwarz, op. cit., p. 123: "O processo decantava na ordem antiga aqueles elementos de coesão social que não se esgotavam na força bruta, ou em que a necessidade encontrava mínimos de consentimentos, senão identificação, corporificando relações atípicas e não burguesas de reprodução social [...]". Destaco que todo o parágrafo está muito amparado nas reflexões desse autor, sobretudo nas páginas 71, 72 e 73 dessa mesma obra.

7. Escrevi artigo para *Historia de los intelectuales en América Latina* (Carlos Altamirano (org.), Buenos Aires, 2008), no qual desenvolvo tal argumento. Para um aprofundamento dessa noção sugiro a leitura das obras de José Murilo de Carvalho, em especial *Teatro de sombras*, Rio de Janeiro: Relume Dumará, 1998.

8. Paul Gilroy mostra como, após a abolição formal da escravidão racial nas Américas e no Novo Mundo, produziram-se relatos de "mediação do sofrimento". Ou seja, diante do espetáculo aterrorizante da escravidão, a saída foi uma literatura que trazia a utopia do "sublime escravo". Se a escravidão era indescritível, coube à ficção encontrar um espaço sensível, resultado de uma experiência de dor, de alguma maneira partilhada. (Ver *O Atlântico negro*, São Paulo: Editora 34 Letras, 2004).

9. Ver, nesse sentido, Maria Alice Rezende de Carvalho, "Intelectuales negros en el Brasil del siglo XIX", em Carlos Altamirano (org.), *Historia de los intelectuales en América Latina*, Buenos Aires: Katz Editores, 2008, p. 312-33.

10. Sérgio Buarque de Holanda, *Raízes do Brasil*, São Paulo: Companhia das Letras, 1998.

11. Uso esse conceito a partir da acepção retirada de Max Weber *Economía y sociedad*, México: Fondo de Cultura Económica, 1974, p. 346. Antonio Arnoni Prado (op. cit.) utiliza o mesmo termo para definir a figura de Lima Barreto.

12. Lima Barreto, *Diário do hospício*, São Paulo: Planeta, 1993, p. 24.

13. O famoso pensador negro norte-americano W. E. B. du Bois chamou atenção, em começos do século XX, para o fato de que a cultura política do Atlântico negro passou por uma fase inicial, marcada pela necessidade de fugir à escravidão, e por uma fase posterior, definida pelas tentativas de conquistar uma cidadania significativa nas sociedades pós-emancipação. O caso brasileiro não significa, pois, um exemplo isolado.

14. Elaboramos notas apenas para personagens e eventos hoje relativamente desconhecidos. Achamos por bem, e para não interromper demais a leitura, não introduzir informações acerca de autores ou situações ainda hoje muito referenciados. Por outro lado, alguns nomes, sobretudo constantes de dedicatórias, não foram definitivamente identificados.

15. Ver prefácio de Gustavo Bernardo para livro de Luciana Hidalgo, *Literatura da urgência. Lima Barreto no domínio da loucura*, São Paulo: Annablume, 2008, pp. 14-5.

16. Roberto Schwarz, op. cit., p. 104.

17. Nina Rodrigues, *Correio da Bahia*, Salvador, 16 de maio de 1888.

18. Lima Barreto possuía em sua biblioteca — a Limana — várias obras acerca do darwinismo racial e uma série de escritos de João Batista Lacerda.

19. No livro *Espetáculo das raças* (São Paulo: Companhia das Letras, 1988) tive oportunidade de desenvolver esse tema com mais vagar. Ver, também, o excelente livro de Mariza Corrêa, *As ilusões da liberdade*, Bragança Paulista: Edusf, 1998.

20. Ver, entre outros, Michel Foucault, *Arqueologia do saber*, São Paulo: Martins Fontes, 1985.

21. Cesare Lombroso, *L'uomo delinquente*, Turim: s. e., 1873.

22. Lima Barreto, escritor e jornalista. "O traidor". [S.l.], [19__]. Orig. Ms. 10 f. FBN/MSS I-06, 35,0964. Coleção Lima Barreto.

23. Ver instigante análise que faz Paul Gilroy sobre a obra de Du Bois, *The souls of black folk*, op. cit., p. 242.

24. Inspiro-me na discussão que faz Max Weber para o universo religioso. O autor mostra como o moralismo fez parte da "teodiceia dos negativamente privilegiados, como forma de legitimar, consciente ou inconscientemente, a noção de vingança e de ressentimento social". O sociólogo trata exatamente da correlação que se estabelece entre a noção moral de "desprestígio social" e os conceitos de "ressentimento e de pária social". Max Weber, (op. cit., p. 395-9).

25. Conforme explico no livro, esse não é exatamente um conto. É antes uma crônica; no entanto, como aparece na pasta como crônica, resolvemos seguir a classificação do autor.

26. Louis Dumont (em *Homo hierarchicus: o sistema de castas e suas implicações*, São Paulo: Edusp, 1992) mostra como o racismo científico é fenômeno contemporâneo ao liberalismo econômico e à democracia política. Segundo ele, a igualdade foi uma imposição política a sociedades nada igualitárias e levou ao surgimento do racismo e de teorias da diferença.

27. Essa mesma frase pode ser encontrada também no *Diário íntimo* de Lima Barreto.

28. Utilizo-me aqui, mesmo que alusivamente, de uma bibliografia que tem tratado da questão racial como fronteira relacional. O texto fundamental é o de Fredrik Barth (*Fronteras de la etnicidad*), mas me pauto muito pelas conclusões de Manuela Carneiro da Cunha em *Negros estrangeiros* (São Paulo: Brasiliense, 1986).

29. Não há aqui a pretensão de esgotar a vida, trajetória e obra de Lima Barreto. Para uma visão mais aprofundada do autor e de seu contexto sugerimos a leitura das seguintes obras, entre outras: Francisco de Assis Barbosa, *A vida de Lima Barreto*, Rio de Janeiro: José Olympio, 2002; Nicolau Sevcenko, *Literatura como missão*, São Paulo: Companhia das Letras, 2006; Maria Cristina Teixeira Machado, *Lima Barreto: um pensador social na Primeira República*, São Paulo: Edusp, 2002; Zelia Nolasco Ferreira, *Lima Barreto: imagem e linguagem*, São Paulo: Annablume, 2005; Antonio Arnoni Prado, *Lima Barreto: o crítico e a crise*, Rio de Janeiro: Cátedra, 1976; Maria Alice Rezende de Carvalho, "Intelectuales negros en el Brasil del siglo XIX", em Carlos Altamirano (org.), *Historia de los intelectuales en América Latina*, Buenos Aires: Katz Editores, 2008, pp. 312-33; Edgard Cavalheiro, *A correspondência entre Monteiro Lobato e Lima Barreto*, Rio de Janeiro: Ministério da Educação e Cultura, 1956; Eliane Vasconcellos, *Entre a agulha e a caneta. A mulher na obra de Lima Barreto*, Rio de Janeiro: Lacerda Editores, 1999; H. Pereira da Silva, *Lima Barreto — escritor maldito*, Brasília: Civilização Brasileira, 1981; Paula Beiguelman, *Por que Lima Barreto*, São Paulo: Brasiliense, 1981; Carlos Erivany Fantinati, *O profeta e o escrivão. Estudo sobre Lima Barreto*, São Paulo: Hucitec, 1978; Luciana Hidalgo, *Literatura da urgência. Lima Barreto no domínio da loucura*, São Paulo: Annablume, 2008; Magali Gouveia Engel, "Gênero e política em Lima Barreto", *Cadernos Pagu*, nº 32, Campinas, 2009; Carmem Lúcia Negreiros de Figueiredo, *Lima Barreto e o fim do sonho republicano*, Rio de Janeiro: Tempo Brasileiro, 1995, e *Trincheiras do sonho: ficção e cultura em Lima Barreto*, Rio de Janeiro: Tempo Brasileiro, 1997; Beatriz Resende, *Lima Barreto e o Rio de Janeiro em fragmentos*, Rio de Janeiro/Campinas: UFRJ/Unicamp, 1993; e "Lima Barreto. A opção pela marginália", em Roberto Schwarz, *Os pobres na literatura brasileira*, São Paulo: Brasiliense, 1983, pp. 73-8.

30. Ver Francisco de Assis Barbosa, "O carioca Lima Barreto", em *O Rio de Janeiro de Lima Barreto*, Rio de Janeiro: Edições Rio Arte, 1983.

31. Lima Barreto, op. cit., pp. 88-9. No conto "O moleque", põe na pele de um personagem, menino como ele, uma situação parecida, de falsa acusação de roubo.

32. Francisco de Assis Barbosa, op. cit., p. 18.

33. Ver Luciana Hidalgo, op. cit., p. 77.

34. Ver, entre outros, Nicolau Sevcenko, *A revolta da vacina*, São Paulo: Brasiliense, 1981.

35. Paul Gilroy, inspirado pelos escritos de W. E. B. du Bois, chama essa característica, comum a uma série de intelectuais negros da América, de "uma dupla consciência": a de serem ao mesmo tempo ocidentais e negros. Segundo o sociólogo, talvez por isso tenham projetado, e com tanta veemência, em sua escrita a busca de uma certa liberdade, cidadania e autonomia social e política. Paul Gilroy, op. cit., p. 35.

36. Interessante destacar que em outros países, como Estados Unidos, Reino Unido, Colômbia, México, encontram-se mais exemplos de negros, por vezes ex-escravos, que usaram da literatura como forma de expressão. No Brasil, no entanto, as altas taxas de analfabetismo ou mesmo um uso negociado da raça, e da cor, fizeram que essa autodefinição não aparecesse, ao menos enquanto categoria classificatória aberta e pública. Para uma visão de outros literatos negros sugiro a leitura de Paul Gilroy, op. cit.

37. O diário percorre os anos de 1900 a 1921, mas só seria editado em 1953.

38. Apud Francisco de Assis Barbosa, op. cit., pp. 279-80.

39. Conforme atestaram por vezes os exames médicos, as licenças foram causadas por quadros de "neurastenia e de epilepsia tóxica". Nesse contexto, a prática da internação recomendava licenças breves para casos de alienação por bebida. O prontuário de Lima Barreto encontra-se no Instituto Nise da Silveira (IMAS-NS), e foi para lá transferido em 27 de agosto de 1914. Seu acesso é, porém, dos mais difíceis. Há, ainda, a referência à ficha dele no Livro de Observações do Pavilhão de Observação. O documento pode ser encontrado na Biblioteca do IPUB (UFRJ), no livro 161, folha 315 (a entrada deu-se em 18 de agosto de 1914). Existe também referência a uma segunda entrada no Livro de Matrículas: livro nº 214, folha 389. Ela ocorreu em 25 de dezembro de 1919.

40. A obra só seria publicada postumamente, junto com *Diário do hospício*, em 1953.

41. Essa expressão é de Antonio Arnoni Prado, op. cit., p. 10.

42. Expressão de Arnoni Prado, op. cit., p. 25. Para uma excelente visão sobre os vínculos entre literatura e vida de Lima Barreto sugiro a leitura da obra desse mesmo autor.

43. O volume acabaria por se perder, sendo o livro editado apenas em 1953, *post mortem*.

44. Ver excelente introdução de Beatriz Resende, especialista no autor, "Sonhos e mágoas de um povo", em Beatriz Resende e Rachel Valença (orgs.), *Toda crônica*, Rio de Janeiro: Agir, 2004.

45. *Bagatelas*, entretanto, só viria a público em 1923, depois da morte de seu autor.

46. O livro só chegaria ao público nos anos 1940.

47. Somente em 1953 seriam publicados.

48. Ver, nesse sentido, obra já citada de Francisco de Assis Barbosa.

49. "Literatura de urgência" é a bela expressão utilizada por Luciana Hidalgo em seu livro já citado.

50. Na sua biblioteca privada, a Limana, Lima Barreto possuía vários exemplares da revista.

51. Segundo Maria Alice Rezende de Carvalho, foi própria desses intelectuais negros e mulatos a utilização dessa bibliografia moderna e europeia, até para pensar seus projetos de Brasil e a noção de mobilidade. Op. cit., p. 316.

52. O manuscrito se encontra sob a guarda da Biblioteca Nacional, e foi reproduzido na biografia de autoria de Francisco de Assis Barbosa.

53. Na Limana aparecem os seguintes livros de Machado de Assis: *Memórias póstumas de Brás Cubas, Quincas Borba, Esaú e Jacó*. Lima possuía também o *Ateneu* de Raul Pompeia, obras de Castro Alves, Sílvio Romero, Couto Magalhães, Clóvis Bevilacqua...

54. Inspiramo-nos nas ideias de Roberto Schwarz, op. cit., p. 144. Nesse caso, o crítico está tratando da obra de Machado de Assis, e não da de Lima Barreto.

55. Ver, nesse sentido e entre outros, Nicolau Sevcenko, *Literatura como missão*, op. cit., e José Murilo Carvalho, *A formação das almas*, São Paulo: Companhia das Letras, 1991.

56. Vale a pena destacar que na relação de livros organizada por Lima Barreto, os quais correspondem à sua biblioteca particular, constam algumas obras de autoria de Monteiro Lobato, como *Urupês* e *Negrinha*.

57. "Noticiário", *O Estado de S.Paulo*, São Paulo, 11 de novembro de 1948.

58. *Floreal — Revista Bimensal de Crítica e Literatura*. Rio de Janeiro, I (1): 4-5, outubro de 1907. Antonio Arnoni Prado (op. cit.) também chama a atenção para o caráter militante dessa literatura e inclui ainda outro texto que teria o mesmo caráter. Trata-se de "Os samoiedas", em *Os bruzundangas* (p. 130), quando Lima Barreto decreta guerra à apatia intelectual dos literatos da Garnier e a um projeto que não passa de "mero apêndice de vaidades". Mostra Arnoni que, contra o ideário

da geração que o precedeu, Lima organiza as seguintes regras de funcionamento: culto das aparências, falsa vocação literária, ausência de originalidade, aulicismo e sede de glória, mediocridade de concepção, linguagem empolada e delambida, apego excessivo às regras e preceitos. Ver Arnoni Prado, op. cit., p. 39.

59. No livro *Espetáculo das raças*, já citado, reproduzo o texto de Sílvio Romero na íntegra, assim como desenvolvo o contexto intelectual em que aparece.

60. Lima Barreto também seria igualmente impiedoso com Olavo Bilac e Coelho Neto.

61. Sobre o tema, ver Antonio Arnoni Prado, op. cit.

62. Lima Barreto criou a Liga contra o Futebol em 1919, contando com grande repercussão na imprensa.

63. *Histórias e sonhos*, São Paulo: Brasiliense, 1956, pp. 29-35.

64. Conforme explicamos com mais vagar na abertura da parte VI deste livro, apenas o primeiro e o último texto dessa seção não são inéditos. Lembramos, mais uma vez, que esses são antes crônicas, mas que ajudam a compor o conjunto da obra. Os demais, ao menos na totalidade das edições pesquisadas e disponíveis no mercado, não foram jamais editados sob a forma de livro.

65. A compra da coleção de manuscritos de Lima Barreto pela Biblioteca Nacional ocorreu entre 1944 e 1947, durante a gestão de Rubens Borba de Morais. Para que pudéssemos estimar o valor pelo qual a coleção foi comprada, consultamos o *Jornal do Commercio*, que, no dia 8 de julho de 1945 (Rio de Janeiro, *Jornal do Commercio*, nº 235, ano 118), anunciava um terreno no bairro de Irajá, subúrbio do Rio de Janeiro, por Cr$ 40 000,00. Em Ipanema, por sua vez, um apartamento de dois quartos chegava a custar Cr$ 220 000,00. Outros anúncios publicados ofereciam, por exemplo, um piano europeu por Cr$ 6 500,00 ou um faqueiro Christofle por Cr$ 18 000,00. O valor pago foi, portanto, significativo para os moldes da época.

66. Cf. *Catálogo da exposição comemorativa do centenário de nascimento de Lima Barreto organizado pela Seção de Promoções Culturais*, prefácio de Francisco de Assis Barbosa, Rio de Janeiro, 1981, p. 11. Sobre o conjunto de documentos que compõem a coleção Lima Barreto da Seção de Manuscritos da Biblioteca Nacional, consultar Darcy Damasceno, "Arquivo Lima Barreto", em *Anais da Biblioteca Nacional*, vol. 105, 1985, pp. 3-87.

67. As páginas 34 e 35 do manuscrito "D. Garça ou o que se passou em 1710 nos subterrâneos dos padres de Jesus, ao tempo da invasão dos franceses do Sieur Du Clerc, pirata da França a esta cidade de S. Sebastião que mais tarde foi muito heroica" (FBN/MSS 34A,01,917) comprovam tal afirmação.

68. Ver tese de André Luiz Dias Lima, "Lima Barreto e Dostoiévski: vozes dissonantes", Niterói: UFF, Departamento de Literatura, 2009.

69. O presente texto foi publicado na 1ª edição de *Histórias e sonhos* (Rio de Janeiro: Gianlorenzo Schettino, 1920, pp. 7-12). Cotejado a partir de Lima Barreto. *Histórias e sonhos. Contos*, 2ª edição. Rio de Janeiro/São Paulo/Porto Alegre: Gráfica Editora Brasileira, 1951. Esse pequeno ensaio corresponde, pois, ao trecho de abertura, originalmente apresentado junto com a coletânea de contos selecionada por Lima Barreto, e foi escrito em 31 de agosto de 1916. Nele, aparecem sintetizados muitos dos modelos do autor, que se vangloriava de escrever uma literatura "inteligível", acima da erudição fácil e dos "cloróticos gregos da Barra da Corda e pançudos helenos da praia do Flamengo (vide banhos e mar)". O texto foi publicado também na 3ª edição de *Histórias e sonhos* (São Paulo: Brasiliense, 1956, pp. 29-35).

70. Jornal editado no Rio de Janeiro na segunda década do século XX.

71. Thomas Carlyle (4 de dezembro de 1795 — 5 de fevereiro de 1881) foi historiador, ensaísta e escritor escocês. Na Limana, 1ª prateleira, 2ª estante, Lima Barreto possuía a obra *On heroes* desse autor. (Cf. Francisco de Assis Barbosa. *A vida de Lima Barreto*. Rio de Janeiro: José Olympio, 1952, p. 356.)

72. Bispo e teólogo francês (1627-1704).

73. Charles Augustin Sainte-Beuve (1804-1869) foi escritor e crítico literário francês. Apoiava o pensamento clássico e sua influência nos tempos modernos.

74. Referência à escritora francesa nascida em 1626 e falecida em 1696.

75. Drama lírico composto em 1898 pelo francês Saint-Säens (1835-1921), que esteve em 1899 no Brasil para dar dois concertos no Teatro Lírico do Rio de Janeiro, fixando em Petrópolis residência temporária.

76. Maxime Collignon (1849-1917) é autor, entre outros trabalhos importantes, de *Histoire de la sculpture grecque*. Paris: Librairie de Firmin-Didot et cie., 1892-7.

77. *Dáfnis e Cloé*, também chamado de *As pastorais*, é um romance bucólico escrito por Longo, no século II ou III d.C. *Satiricon* é uma obra da literatura latina, do prosador romano Petrônio. *Princesse de Clèves* é um romance de Madame de La Fayette escrito originalmente em 1678 e *Lazarillo de Tormes* é uma obra espanhola anônima datada de 1554. No caso, Lima está contrapondo obras mais românticas e bucólicas a outras que considera mais "modernas" e identificadas com o romance de cunho social praticado na França e na Rússia, do qual o escritor se reconhecia como seguidor.

78. Crítico e professor francês (1849-1906).

79. Escrito no Rio de Janeiro em 10 de novembro de 1910. Foi publicado originalmente na 1ª edição de *Triste fim de Policarpo Quaresma* (Rio de Janeiro: Typ. Revista dos Tribunais, 1915, pp. 273--84), edição essa usada para cotejo do texto. Publicado ainda em *Três contos* — Lima Barreto. *Águas Fortes de Cláudio*. Cem Bibliófilos do Brasil, 1954-5. Os textos dos contos "Cló", "O homem que sabia javanês" e "A nova Califórnia" foram revistos por Francisco de Assis Barbosa, compostos à mão e impressos em prelos manuais, em tiragem única de 119 exemplares. As placas que serviram para a ilustração foram inutilizadas. Foi encontrada uma outra versão deste mesmo conto com pouquíssimas diferenças significativas. Uma delas é que a cidade se chamaria Pinagés e não Tubiacanga, e o nome do conto, em vez de "A nova Califórnia", em sua primeira versão chamava-se "A última de Satanaz". Ver *A última de Satanaz*. [S.l.], [19__]. Orig. Ms., 11 f. FBN/Mss I-06,33,0894 Coleção Lima Barreto.

80. Publicado originalmente em *Gazeta da Tarde*, Rio de Janeiro, 20 de abril de 1911 e, em seguida, na 1ª edição de *Triste fim de Policarpo Quaresma*, op. cit., pp. 287-97, edição usada para cotejo do texto. Publicado ainda em *Três contos...*, op. cit.

81. Referência a Gil Blas de Santillana, personagem do livro homônimo da autoria de Alain--René Lesage (1668-1747), romancista e dramaturgo francês. Por sinal, o livro figurava na 3ª prateleira da Limana, biblioteca particular de Lima Barreto. (Cf. F. de A. Barbosa. *A vida de Lima Barreto*, op. cit., p. 350.)

82. Jornal de circulação diária no Rio de Janeiro, fundado em 1827 por Pierre Plancher.

83. A Biblioteca Nacional, muito frequentada por Lima Barreto, estava localizada na avenida Central. Inaugurado em 29 de outubro de 1910, o edifício era parte do esforço de consolidação de uma capital moderna, alinhada ao projeto político republicano. A Biblioteca Nacional estaria próxima à Academia Escola Nacional de Belas Artes e ao Teatro Municipal, na recém-inaugurada

avenida Central, símbolo da grande reforma urbana empreendida pelo prefeito Francisco Pereira Passos entre 1903 e 1906.

84. Referência à *Encyclopédie, ou Dictionnaire raisonné des sciences, des arts et des métiers*, publicada na França no século XVIII. A grande obra, composta de 28 volumes, foi editada por Jean le Rond d'Alembert e Denis Diderot e é símbolo do pensamento e das ideias iluministas da França no Antigo Regime e, nesse caso, aparece ironicamente como uma referência à acumulação de conhecimentos pela sociedade Ocidental.

85. Uma das principais ruas da Tijuca, bairro da zona norte da cidade do Rio de Janeiro.

86. Formato em que a folha sofre duas dobras, dando um caderno de oito páginas. (Cf. Frederico Porta. *Dicionário de artes gráficas*. Rio de Janeiro: Globo, 1958, p. 213.)

87. Nome dado às volumosas crônicas medievais.

88. Referência àquele que nasce em determinada região nas Filipinas.

89. Na Limana, 1ª prateleira, 2ª estante, Lima Barreto possuía a obra *La linguistique* desse autor. (Cf. F. de A. Barbosa. *A vida de Lima Barreto*, op. cit., p. 356.)

90. Referência a Friedrich Max Müller (1823-1900), linguista alemão.

91. Edifício na cidade do Rio de Janeiro de onde atualmente (Praça XV) saem as barcas com destino a Niterói e Paquetá.

92. Texto conferido a partir de *A Águia. Órgão da Renascença Portuguesa*, v. IV, 2ª série (julho a dezembro de 1913. Porto: Typografia Costa Carregal, 1913, pp. 111-8). Publicado também na 1ª edição de *Triste fim de Policarpo Quaresma* (op. cit., pp. 301-12). Na Divisão de Manuscritos da Biblioteca Nacional (FBN/Mss I-6,35,2,no.2) o original encontra-se ilegível e com uma das páginas danificada. O conto foi escrito na casa da família de Lima Barreto, em Todos os Santos (RJ), março de 1913.

93. Os automóveis eram relativamente raros nesse contexto, e contavam, inclusive, com dificuldades adicionais, pois as ruas esburacadas não haviam sido idealizadas para veículos desse porte e velocidade. Por isso, converteram-se logo em símbolo de luxo e ostentação.

94. Referência ao largo da Glória, situado entre o fim da rua da Glória, a rua do Catete e a ladeira da Glória, no centro do Rio de Janeiro.

95. Construído sobre o aterro da lagoa do Desterro e do Boqueirão da Ajuda, próximos aos Arcos da Carioca, o Passeio Público do Rio de Janeiro teve suas obras iniciadas em 1779, por iniciativa do vice-rei Luís de Vasconcelos e Sousa, a partir de projeto do Mestre Valentim da Fonseca e Silva. As obras foram concluídas em 1783 e o jardim público ocupava dois hectares, seguindo o traçado paisagístico francês. Era símbolo dileto da "nova" civilização e do bom gosto da antiga corte, atual capital da República.

96. O Teatro Municipal é a melhor síntese do ecletismo artístico vigente no Brasil daquela época. Compondo a praça Marechal Floriano e em meio aos edifícios da Biblioteca Nacional, do Museu Nacional de Belas Artes e da Câmara de Vereadores, ele representa os ideais arquitetônicos do início da República e da *belle époque* carioca. Dois arquitetos foram apontados vencedores do concurso de projetos: Francisco de Oliveira Passos e Albert Guilbert, que desenvolveram juntos o projeto definitivo. A construção foi iniciada na administração de Pereira Passos em 1906. Em 1909 foi inaugurado pelo presidente Nilo Peçanha e pelo prefeito Souza Aguiar. Nas escadarias, saletas e varandas, *foyers*, sala de espetáculos, frisas e camarotes, boca e caixa de cena, uma profusão de materiais luxuosos e coloridos foi trabalhada por habilidosos artistas e artesãos. Há ricos mármores, ônix de várias cores, bronze dourado, madeiras nobres, mosaicos, estuques e mobiliário requin-

tado. Destacam-se no acervo artístico do interior os tetos e painéis pintados por Eliseu Visconti e Henrique Bernardelli, grandes artistas a consagrar os novos "valores republicanos". (Cf. *Guia do patrimônio cultural carioca. Bens tombados. 2008*. Rio de Janeiro: Prefeitura da Cidade do Rio de Janeiro, 2008.) Como se vê, Lima Barreto vai listando, tal qual guia inusitado, as grandes referências da arquitetura e do urbanismo da cidade.

97. Antiga rua Direita, rua à beira-mar que no século XIX ligava o morro do Castelo ao de São Bento e por isso contava com o trânsito elevado.

98. Conforme Adolfo Morales de Los Rios Filho (em *O Rio de Janeiro imperial*, 2ª ed. Rio de Janeiro: Topbooks, [s.d.], p. 237), trata-se de rua assim denominada "pelo povo desde 1780 [...] por ter ali residido, em casa do domínio da Fazenda Real, o ouvidor Francisco Berquó da Silveira". A rua se transformaria em símbolo das elites da corte, e depois da República. Era lá que se praticava a arte do "ver e ser visto". Era também por lá que se podia comprar de tudo: sorvetes, roupas, chapéus, mas também fazer o cabelo ou almoçar entre elegantes.

99. Referência à rua da Candelária, localizada no centro da cidade do Rio de Janeiro. Segundo A. M. de Los Rios Filho (op. cit., p. 241), "seu início tinha lugar na rua do Hospício e seu termo na rua de Bragança, ou dos Quartéis. Seu nome provinha de passar pela frente principal da Igreja da Candelária". Como se pode notar, seguimos junto com o errante Lima, que tão bem conhecia as ruas da cidade, até o encontro dos amantes.

100. Escrito em setembro de 1904, em local não identificado. Foi publicado originalmente na 1ª edição de *Triste fim de Policarpo Quaresma* (op. cit., pp. 243-53), edição essa usada para cotejo do texto.

101. Manuel Bastos Tigre (Recife, 1882 - Rio de Janeiro, 1957) foi jornalista, poeta, bibliotecário e compositor.

102. Conforme A. M. de Los Rios Filho (op. cit., p. 225), "Literalmente: largo da casa do branco. Um dos mais antigos e importantes da cidade. Chamou-se, de começo, campo de Santo Antonio; o que constituía uma referência ao convento de mesmo nome, situado no monte próximo. Depois, foi denominado Largo da Carioca, que ainda conserva. A ele confluíam as ruas da Guarda Velha, de Santo Antonio, de São José, dos Latoeiros, da Cadeia e da Vala".

103. Atual rua Visconde de Inhaúma, no centro da cidade do Rio de Janeiro, recebeu essa denominação porque ali existiam cabanas de pescadores, tendo início no cais dos Mineiros, terminando no largo de Santa Rita (A. M. de Los Rios Filho, op. cit., p. 238).

104. Um ano após fontes de água serem encontradas em 1852 por uma das vinhas em Neuenahr Ahrweiler no Ahrtal, foi criada a empresa Água Mineral Spring, a companhia começou a promover e vender a água sob a marca do nome do bispo italiano Apollinaris (de Ravenna, na Itália). Quando a empresa abriu filial na Inglaterra em 1892, as operações comerciais ampliaram-se e a marca virou símbolo de prestígio.

105. Rio de Janeiro, 1906. Foi publicado originalmente na 1ª edição de *Triste fim de Policarpo Quaresma* (op. cit., pp. 257-70), edição essa usada para cotejo do texto.

106. Antonio Noronha Santos (1876-1954) foi historiador e amigo leal de Lima Barreto, com quem manteve farta correspondência. Em 1907 os dois estiveram no mesmo grupo encarregado da publicação da revista *Floreal*. Em 1909 Lima e Noronha editaram juntos *O Papão — Semanário dos bastidores da política, das artes e... das candidaturas*, panfleto contra a candidatura de Hermes da Fonseca à Presidência da República que teve circulação de apenas um número. Lima Barreto também confiou a Noronha Santos a entrega dos originais de *Recordações do escrivão Isaías Caminha*, em

1909, na ocasião em que este último viajava à Europa, fazendo chegar o texto às mãos do editor A. M. Teixeira que o editou em Lisboa.

107. Jean-Marie Guyau (1854-1888) foi poeta e filósofo francês.

108. Situado entre a lagoa Rodrigo de Freitas e o morro do Corcovado, teve origem no pequeno jardim criado junto à Fábrica de Pólvora pelo diretor da mesma, João Gomes da Silveira, mais tarde agraciado com o título de Marquês de Sabará. Conforme A. M. de Los Rios Filho (op. cit., p. 114), "Desenvolvido pelo tenente-general Carlos Antonio Napion com as espécies e sementes exóticas trazidas do exterior pelo chefe de divisão Luís de Abreu Vieira e Silva, a sua existência fica virtualmente amparada, moral e cientificamente, pela resolução governamental de 27 de junho de 1809, que autorizava a Junta de Comércio a conceder prêmios e isenção do recrutamento militar e do serviço de milícias às pessoas que se dedicassem a aqui aclimatar árvores de especiaria da Índia e a introduzir a cultura de outros vegetais úteis à agricultura, ao comércio e à indústria. Assim, aquele jardinzinho se converte no Viveiro da lagoa Rodrigo de Freitas. [...] Em 1819, d. João VI amplia oficialmente, por decreto de 11 de maio, o 'jardim para plantas exóticas', isto é, o citado viveiro, criando 'um novo estabelecimento anexo ao museu real'. Desde então passou a ser conhecido como Horto Real e, também, Real Jardim". Ficou conhecido, a partir deste contexto, como um dos locais prediletos para o passeio público.

109. Todos os Santos (RJ), março de 1914. Foi publicado originalmente na 1ª edição de *Triste fim de Policarpo Quaresma* (op. cit., pp. 315-29), edição essa usada para cotejo e estabelecimento do texto.

110. Lima Barreto remete-se à questão da vacinação obrigatória, imposta por Oswaldo Cruz e seus colegas da Faculdade de Medicina do Rio de Janeiro, e tornada obrigatória a partir de 1904. Tal investida do governo resultaria na famosa "Revolta da Vacina" de novembro 1904, quando a população se insurgiu contra a medida obrigatória. Lima Barreto escreveria contra a campanha em vários artigos, constantes em periódicos, jornais e até mesmo em seu diário.

111. Não poucas vezes Lima Barreto se manifestou, por meio de seus personagens ou diretamente, contra o florianismo ou o que chamava de jacobinismo: a política ditatorial de Floriano Peixoto.

112. Nesse contexto, uma certa leitura vulgar não do darwinismo biológico, mas do darwinismo social, se transformava em grande voga no Brasil. Lima Barreto foi particularmente crítico à vertente do determinismo racial, que condenava a miscigenação e dividia a humanidade em raças superiores e inferiores.

113. Novamente, Lima Barreto refere-se com ironia aos modelos darwinistas sociais que imperavam nesse contexto. Por isso, Ciência em maiúscula.

114. Horatio Nelson, o Lorde Nelson (1758-1805) foi um almirante inglês nascido em Burnham Thorpe, Norfolk, sempre destacado na história do Reino Unido por sua originalidade no campo da tática naval, e por suas vitórias nas batalhas de Trafalgar e do Nilo, que evitaram a expansão do poder napoleônico. Por sua vez, Arthur Colley Wellesley, 1º duque de Wellington (1769-1852), nascido na Irlanda, foi marechal, político britânico e primeiro-ministro do Reino Unido. Lima Barreto remete-se, pois, à altivez dos ingleses, expressa nessas duas figuras históricas e emblemáticas.

115. Escrito no Rio de Janeiro, datado de 18 de outubro 1914. Foi publicado originalmente na 1ª edição de *Triste fim de Policarpo Quaresma* (op. cit., pp. 333-52), edição essa usada para estabelecimento do texto. Na Divisão de Manuscritos da Biblioteca Nacional (FBN/Mss I-6,35,912) há

o original manuscrito intitulado "Como o 'Homem' chegou de Manaus". O original manuscrito possui 21 folhas, é datado de 18 de outubro de 1914, tem caligrafia difícil e apresenta muitas diferenças (e semelhanças) com o texto final publicado em antologias. Cabe destacar, por exemplo, que o manuscrito traz a lápis o conto dedicado "Ao Fr. Leôncio Brazil Salvador", dedicatória que não apareceu mais no texto final.

116. A obra *El anticristo*, de Nietzsche figurava na biblioteca particular de Lima Barreto, a Limana, 2ª prateleira, 4ª estante. (Cf. F. de A. Barbosa. *A vida de Lima Barreto*, op. cit., p. 362.) Vale destacar que Max Weber, citado em nossa introdução por causa da noção de "ressentimento social", utilizou justamente da obra de Nietzsche para a elaboração do conceito.

117. Lima Barreto refere-se ironicamente ao estado de policiamento vigente no governo do marechal Hermes da Fonseca.

118. Lima Barreto refere-se ao drama em cinco atos *A morgadinha de Val-Flor*, de Manuel Pinheiro Chagas (Rio de Janeiro: Livraria de A. A. da Cruz Coutinho, 1870) e à obra de Alexandre Dumas, *A dama de Monsoreau* (Lisboa: Typ. Lisbonense, 1850).

119. Mais uma vez Lima Barreto dirige-se, com sarcasmo, aos métodos empregados pela antropologia criminal, que mensurava crânios de homens, para determinar a possível criminalidade.

120. Lima remete-se aos canhões Krupp, os mesmos que foram utilizados na tentativa de acabar com Canudos em 1897.

121. Gobineau esteve no Brasil, como diplomata na corte de d. Pedro II. Sempre detestou os brasileiros e em seu *Ensaio sobre a desigualdade entre os homens* condenou o cruzamento racial, o qual, segundo ele, levaria ao fracasso de qualquer nacionalidade, e também do Brasil.

122. A qualquer momento, e em muitas vezes, Lima Barreto estabelecia paralelos sarcásticos com o modelo da Academia Brasileira de Letras.

123. Nota de Lima Barreto à 1ª edição de *Histórias e sonhos*:
"Quando a impressão deste livro ia já pela metade, ocorreu o falecimento de Prudêncio Cotejipe Milanês, a quem é ele dedicado. Milanês foi meu chefe de seção na Secretaria da Guerra; mais do que isso, porém, foi um meu amigo bondoso e paternal.

"Não fora ele e alguns outros companheiros, não me lembraria mais de que havia passado pelas catacumbas do Quartel-General, onde se guardam, com o máximo cuidado, nos seus ataúdes, adornados de belos dourados e pinturas, tantas múmias que nem hieróglifos enigmáticos possuem nos seus caixões mortuários, a fim de permitir ao curioso, com esforço e sagacidade, decifrar-lhes os nomes, o que foram e o que fizeram de útil e grande na vida.

"Milanês morreu, como já foi dito; e a dedicatória devia ser em outros termos: à memória etc. etc. etc. Tem de ficar como está, fazendo crer ao desprevenido que ele ainda é deste mundo. Não havia inconveniente algum nisso, pois, para mim, talvez seja essa a forma exata e justa de homenagear o meu generoso amigo, tanto ele é vivo na minha saudade e na minha gratidão. Era preciso, entretanto, explicar isto ao leitor; e é o que estas breves linhas pretendem.

"Rio, 8 de dezembro de 1920 — L.B."

124. Publicado originalmente na 1ª edição de *Histórias e sonhos* (cit., 1920), pp. 13-26. Também publicado em *Revista do Brasil*, ano 1, n. 3, pp. 64-71. Texto conferido a partir de *Histórias e sonhos. Contos*, op. cit.

125. Escritor brasileiro. Nascido em Porto Alegre no ano de 1879, faleceu no Rio de Janeiro em 1951. Fazia parte do círculo de conhecidos de Lima Barreto.

126. Uma vez mais, Lima Barreto refere-se a Inhaúma, bairro suburbano da cidade que corresponde a uma das primeiras freguesias do Rio de Janeiro, datada de 1749 e de natureza rural.

127. Publicado originalmente na 1ª edição de *Histórias e sonhos* (1920), pp. 30-41. Texto conferido a partir de *Histórias e sonhos. Contos*.

128. Em sânscrito, constitui-se na legislação do mundo indiano e integra uma coleção de livros bramânicos, são eles: o Mahabharata, o Ramayana, os Puranas e as Leis Escritas de Manu. Temos aqui uma variante de uma série de contos satíricos e alusivos que o autor faria, tomando como base e pretexto essa região.

129. Alusão a Garcia de Orta, médico judeu (1500-1568) que escreveu a obra famosa *Colóquio dos simples e drogas e coisas medicinais da Índia*, editada em Goa em 1563.

130. Editado originalmente na 1ª edição de *Histórias e sonhos* (1920), pp. 42-46. Texto conferido a partir de *Histórias e sonhos. Contos*.

131. Editado originalmente na 1ª edição de *Histórias e sonhos* (1920), pp. 47-49. Texto conferido a partir de *Histórias e sonhos. Contos*. Publicado ainda em *Três contos...*, op. cit.

132. Hetaira, na Grécia Antiga, era considerada a cortesã de boa educação.

133. O Clube dos Democráticos foi fundado em 1867 e foi a mais antiga sociedade carnavalesca do Brasil.

134. O músico pianista Louis Moreau Gottschalk (Nova Orleans, 1829 — Rio de Janeiro, 1869) compôs a peça *Bamboula*. É autor da *Grande fantasia triunfal sobre o hino nacional brasileiro*. Teve passagem festejada pelo Rio de Janeiro e foi um dos principais pianistas compositores do século XIX.

135. Editado originalmente na 1ª edição de *Histórias e sonhos* (1920), pp. 60-72. Texto conferido a partir de *Histórias e sonhos. Contos*. Depois, o autor faria uma série de contos que denominaria de argelinos (todos eles constantes dessa edição).

136. Cincinato César da Silva Braga (1864-1953) seguiu carreira política, elegendo-se deputado estadual e depois federal em sucessivos mandatos pelo Partido Republicano paulista. Apoiou a campanha civilista de Rui Barbosa e é autor de obras sobre economia, entre elas, *Magnos problemas de São Paulo*.

137. Espécie de boné masculino usado por inúmeros povos islâmicos.

138. Cada *goum* é uma mistura de diferentes tribos berberes, sobretudo dos montes Atlas e do Marrocos.

139. Publicado originalmente na 1ª edição de *Histórias e sonhos* (1920), pp. 73-84. Texto conferido a partir de *Histórias e sonhos. Contos*.

140. A Academia Brasílica dos Esquecidos foi criada em 1824, na Bahia, por iniciativa do vice-rei do Brasil Vasco Fernandes Cesar de Meneses, futuro conde de Sabugosa. Seu objetivo era estudar a história do Brasil, abrangendo a militar, eclesiástica, natural e política. Apesar de sua curta duração (sua primeira reunião ocorreu em 7 de março de 1724 e a última em 4 de fevereiro de 1725), sua existência marca o início do movimento academicista brasileiro. A denominação "Esquecidos" é, na verdade, uma reação contra as academias portuguesas (especialmente a Academia Portuguesa de História criada em 1720), em relação às quais os brasileiros se sentiam preteridos, esquecidos.

141. Haeckel foi um grande divulgador das ideias do darwinismo e muito popular no Brasil desse contexto. Lima Barreto possuía obras do autor, em sua biblioteca particular, assim como de outros mestres do darwinismo racial, ou do pensamento determinista e evolucionista, como Gobineau, Topinard, Taine, Buckle, Quatrefages, Renan, H. Spencer.

142. Referência a Augusto Comte e o positivismo, cuja filosofia andava em voga no Brasil.

143. Naturalista de origem suíça, mas radicado nos EUA e atuante na Universidade de Harvard. Agassiz esteve no Brasil e tornou-se conhecido e admirador do imperador d. Pedro II. O naturalista também condenou a miscigenação existente no país.

144. Publicado originalmente na 1ª edição de *Histórias e sonhos*, pp. 85-88, op. cit. Cotejado de *Histórias e sonhos. Contos*.

145. Instituição de recolhimento de crianças abandonadas localizada no Rio de Janeiro, fundada em meados do século XVIII: a Roda dos Expostos, ou Casa dos Expostos, pertencente à irmandade da Santa Casa de Misericórdia. Há clara ironia presente na referência à instituição.

146. Como vimos, uma das principais agremiações carnavalescas do Rio antigo, juntamente com outras como os Democráticos e os Tenentes do Diabo. Todas elas permaneciam ativas entre as últimas décadas do século XIX e as primeiras do XX.

147. Publicado originalmente na 1ª edição de *Histórias e sonhos* (1920), pp. 89-93. Texto conferido a partir de *Histórias e sonhos. Contos*.

148. Manco Capac foi o primeiro rei da cidade de Cuzco, nascido no século XI.

149. Publicado originalmente na 1ª edição de *Histórias e sonhos* (1920), pp. 94-9. Texto conferido a partir de *Histórias e sonhos. Contos*.

150. Referência ao antigo Teatro D. Pedro II, inaugurado em 1871. Posteriormente chamado Teatro Lírico, foi demolido em 1933-4.

151. Publicado originalmente na 1ª edição de *Histórias e sonhos* (1920), pp. 100-6. Texto conferido a partir de *Histórias e sonhos. Contos*.

152. Trata-se de Joaquim Alfredo Gallis (1859-1910), romancista e jornalista português.

153. Livro de Júlio Verne.

154. Esses nomes são todos retirados da obra de Júlio Verne. Phileas Fogg, por exemplo, é personagem de *Volta ao mundo em 80 dias*.

155. Bairro do subúrbio no Rio de Janeiro.

156. Rua do centro da cidade do Rio de Janeiro. Atente-se, mais uma vez, para o itinerário imaginário e real que Lima Barreto percorria em seus contos.

157. Referência à famosa obra do artista neoclássico francês David, *O juramento dos Horácios*, que à época representava a bravura dos heróis gregos, sobretudo quando contrapostos aos feitos da monarquia francesa de Luís XVI. Com a voga das pinturas neoclássicas, a tela, ou sua reprodução, figuraria nos locais mais inesperados e por isso a referência.

158. Publicado originalmente na 1ª edição de *Histórias e sonhos* (1920), pp. 107-16. Texto conferido a partir de *Histórias e sonhos. Contos*.

159. Oscar Pereira da Silva, artista, pintor, decorador e professor, nascido em São Fidélis, RJ, em 1867, falecido em São Paulo em 1939.

160. D. Rodrigo de Souza Coutinho (1755-1812).

161. Referência às obras impressas no século XV.

162. Antoine-Laurent de Lavoisier (1743-1794), químico francês.

163. Referência a Nicolas Flamel (1330-1418), alquimista francês.

164. É interessante notar como, muitas vezes, Lima Barreto cita obras constantes em sua biblioteca privada. Esse é o caso dos livros de Rousseau, de Camões e de Gonçalves Dias.

165. Lima Barreto, conforme comentamos na introdução, sempre desprezou essa prática

desportiva por considerá-la importada. Nesse caso, é a personagem que aglutina e expressa tal avaliação do escritor.

166. Publicado originalmente na 1ª edição de *Histórias e sonhos* (1920), pp. 117-21. Texto conferido a partir de *Histórias e sonhos. Contos*.

167. Publicado na 1ª edição de *Histórias e sonhos* (1920), pp. 122-41 e em dois números sucessivos da *Revista do Brasil*, quais sejam, ano IV, v. XIII, n. 48, pp. 310-7, dezembro de 1919, e n. 49, pp. 13-20, janeiro de 1920 (conclusão). A revista *Souza Cruz* de fevereiro de 1921 (Rio de Janeiro, ano VI, n. 50) publicou um texto inédito sobre a obra *Histórias e sonhos* de Lima Barreto, referindo-se especialmente ao conto "Mágoa que rala". Segue a íntegra do texto:

"Espírito sereno na melancolia de sua revolta contra as injustiças do mundo, Lima Barreto é o piedoso amigo dos humildes, o intérprete compassivo das desventurosas almas nascidas para as delicadezas do sonho e condenadas pelo egoísmo social, às durezas da vida, entre a ignorância e o trabalho.

"Poucos escritores terão, como Lima Barreto, tão exata visão das condições do meio brasileiro, aprendido pela sua argúcia mental, na complexidade de confusos antecedentes históricos em conexão com os fatores contemporâneos, sob a pouca estudada influência de uma natureza que parece deprimir e deveria exaltar o indivíduo. Em suas *Histórias e sonhos* agora editadas, o sentimento da terra, ajustando-se à compreensão do povo, produz uma harmonia severa, laivando de ironia e adornando de piedade os quadros descritos com segurança correspondente à nitidez da concepção. Abrindo essa obra, Lima Barreto, conversando com um missivista anônimo, explica o seu estilo e trata dos seus processos e métodos de romancista. O seu estilo, de tão grata clareza nessa mesma página, e expresso esplendidamente na 'admirável *Mágoa que rala*', como em todos os trabalhos enfeixados neste precioso volume, não me parece inferior aos mais gabados do nosso tempo, ao passo que me surpreende a discussão sobre se uma individualidade literária de parte dos escritos das *Memórias do escrivão Isaías Caminha* tem estilo semelhante ao deste ou daquele escritor.

"Quanto aos seus métodos de romancista, poderia demorar-me a examiná-los, estudando-os, por gosto profissional, mas creio absurdo condená-los por serem dissemelhantes dos processos adotados por outrem, pois as personalidades fortes não se amoldam às estreitas modas convencionais e, de qualquer forma por que se exprimam, jungindo-se à normas ou quebrando regras, hão de sempre exercer, segundo a cultura de cada povo, a infância de sua superioridade. Entre os cultos que suponho serem os de Lima Barreto coloco o da justiça e o da verdade, pois estas eternas deusas sem altares nos tempos contemporâneos marcam o ritmo do sarcasmo e presidem o desdobramento da obra merencória e vigorosa deste prosador dotado de fina sensibilidade atribuída aos poetas e às mulheres. A ironia, nesta obra, não rebrilha acesa em inflamados períodos anavalhantes e traduz em quadros amplos, mas nem sempre extensos, deixando na retina desprevenida do observador, percebi — através da máscara grotesca imaginada pelo romancista, a realidade cruel com seu rosto de monstro. As tintas que se diluem em sarcasmo na pintura das grandezas fictícias e das virtudes aparentes, adoçam-se, comovendo e escorrem cheias de meiguice fraternal, cadenciadas com suavidade, no retratar das humildades infelizes e, compreendendo a fatalidade de certas tendências, Lima Barreto, se não tem desculpas francas para o erro inevitável, afoga em piedade essas desgraças fatais.

"Erudito, com a sua profunda argúcia de psicólogo, sabe divisar, nas galerias e museus da História, as peculiaridades das velhas almas dos outros tempos, e neste seu livro, as rápidas referências endereçadas a d. João VI, constituem só por si, como retrato moral do grande rei, uma página que vale muitos livros. Leal de Souza."

168. Madame de Warens foi preceptora de Jean-Jacques Rousseau.

169. Amandine Lucie Aurore Dupin (1804-1876), dita George Sand, foi uma romancista francesa de bastante renome e também conhecida por suas ligações amorosas com Frédéric Chopin e com o poeta Alfred de Musset. Lima Barreto possuía em sua biblioteca alguns livros e romances da autora.

170. Referência a Louise d'Épinay (1726-1783), escritora francesa famosa por suas ligações afetivas com Jean-Jacques Rousseau e por seu intercâmbio intelectual com Jean le Rond d'Alembert e Denis Diderot. Publicou, entre outros títulos, *Mémoires et correspondance de Mme d'Épinay, renfermant un grand nombre de lettres inédites de Grimm, de Diderot, et de J.-J. Rousseau, ainsi que des détails, etc.* (1818), uma autobiografia romanceada, que trouxe à luz muitas cartas e documentos.

171. Marquês de Girardin (1735-1808) foi um nobre francês simpatizante das teorias fisiocratas e das ideias filosóficas de Jean-Jacques Rousseau.

172. Referência a Frederico II (1712-1786), terceiro rei da Prússia.

173. Referência a d. Maria I, a qual já apresentava, a essas alturas, problemas de sanidade mental.

174. Cabe destacar que Lima Barreto possuía o clássico *D. João VI no Brasil*, do embaixador e historiador Oliveira Lima, em sua Limana.

175. Referência ao Padre José Maurício, nomeado músico da corte, durante a época em que d. João esteve no Brasil.

176. Sabe-se que Carlota Joaquina não morou, no Brasil, junto com d. João. Mudou-se para um palacete no bairro de Botafogo, mencionado por Lima.

177. Frédéric Cuvier (1733-1838) foi zoólogo e paleontólogo francês.

178. Lima Barreto, com esse comentário ambivalente, desfaz das teorias da antropologia criminal, cujo grande expoente era Cesare Lombroso, autor de *L'uomo delinquente*. Em seus diários, Lima opõe-se a essa teoria, que pretendia, com suas técnicas, prender o criminoso, antes que ele realizasse o crime, e que, com frequência, via nos negros e mestiços delinquentes natos e portadores de estigmas hereditários.

179. Téodor de Wyzewa (1862-1917), crítico e musicólogo, foi redator da *Revue des Deux Mondes*. Periódico lido com assiduidade por Lima Barreto. Como vimos, na ocasião da morte do escritor, ele trazia nas mãos um exemplar da revista.

180. O texto foi publicado pela primeira vez na 1ª edição de *Histórias e sonhos* (1920) pp. 142-53, e o original manuscrito pode ser encontrado na Divisão de Manuscritos da Biblioteca Nacional (FBN/Mss -6,34,906). O conto apareceu como história completa no livro homônimo, no ano de 1948.

181. Crítico de música e de literatura, José Cândido de Andrade Muricy nasceu em Curitiba no ano de 1895.

182. Em meados do século XIX o Rio de Janeiro era dividido em diversas freguesias urbanas e rurais; estas últimas, local de origem dos futuros bairros suburbanos da cidade, um dia ocupados por jesuítas, os maiores proprietários dessas terras. O primeiro desses engenhos jesuítas foi fundado no Rio de Janeiro entre 1582 e 1586, sendo denominado Engenho Pequeno ou Engenho Velho, local onde mais tarde apareceriam os bairros do Méier e Engenho de Dentro. O Engenho de Dentro é um dos mais antigos arrabaldes da cidade e seu desenvolvimento deveu-se em muito à

chegada da Estrada de Ferro D. Pedro II, em 1858. O crescimento das atividades ferroviárias incentivava a criação de oficinas para manutenção de locomotivas, carros e vagões. Em um terreno no Engenho de Dentro, adquirido em 1869 pelo presidente da Estrada de Ferro, Mariano Procópio, foi criada uma dessas oficinas e, dada a movimentação de operários na região, em 1871, por iniciativa de d. Pedro II, foi inaugurada a estação de Engenho de Dentro.

183. Publicado originalmente na 1ª edição de *Histórias e sonhos* (1920), pp. 154-58. Texto conferido a partir de *Histórias e sonhos. Contos.*

184. Publicado originalmente na 1ª edição de *Histórias e sonhos* (1920), pp. 159-66. Texto conferido a partir de *Histórias e sonhos. Contos.*

185. Interjeição que exprime repulsa ou censura.

186. Conto publicado originalmente na 1ª edição de *Histórias e sonhos* (1920), pp.175-80. Texto conferido a partir de L. Barreto. *Histórias e sonhos. Contos.*

187. Saiu na 1ª edição de *Histórias e sonhos* (1920), pp. 27-9, e na *Revista do Brasil*, ano IV, 3ª fase, n. 36, junho de 1941, pp. 58 e 59. Apareceu também em *Os bruzundangas*. Rio de Janeiro/São Paulo: Mérito, 1952, pp. 15-8, no interior do texto "Os samoiedas", pp. 14-27. Esse texto foi digitado a partir da 1ª edição de *Histórias e sonhos*, exemplar pertencente à Academia Brasileira de Letras, autografado por Lima Barreto e oferecido ao conde de Afonso Celso, padrinho de Lima Barreto e com quem desenvolveria uma relação tão delicada, como ambivalente.

188. Publicado na revista *Souza Cruz*, Rio de Janeiro, 7 de dezembro de 1918, na 1ª edição de *Histórias e sonhos* (1920), pp. 167-74 e na 1ª edição do livro póstumo *Bagatelas* (1923). Não se trata exatamente de uma narrativa em forma de conto. Temos aqui, antes, um relato biográfico. No entanto, como Lima Barreto optou por introduzir o texto dentre seus contos, e, inclusive, o publicou dessa maneira, achamos por bem seguir a classificação sugerida pelo autor.

189. Referência a Assurbanipal (c. 690 a.C.-627 a.C.), que foi o último grande rei dos assírios, e denominado Sardanapalos pelos gregos.

190. Lima se refere à guerra contra o Paraguai, que terminara em 1870 e fora responsável, de alguma maneira, pela formação do exército enquanto instituição nacional.

191. O largo do Moura e o beco da Batalha localizavam-se entre a Praça XV e o morro do Castelo, no antigo bairro da Misericórdia, centro do Rio de Janeiro.

192. Príncipe Obá era uma figura popular durante o Segundo Reinado. Conhecido na região que rodeava o Paço, denominada de Pequena África, Obá, que havia lutado no Paraguai, gabava-se de sua origem nobre e era assiduamente recebido por d. Pedro II.

193. Publicado em *Outras histórias*, que integra a edição de 1951 de *Histórias e sonhos*. Texto conferido a partir de *Histórias e sonhos. Contos.*

194. Centro do Rio de Janeiro.

195. B. Lopes, Gonzaga Duque, Lima Campos, Malagutti e Mário Pederneiras pertenciam à intelectualidade da época e colaboraram junto às principais revistas do período, a exemplo de *Fon-Fon*.

196. Casa onde se reúnem associações literárias ou científicas.

197. Publicado originalmente em *Outras histórias*, que integra a edição de 1951 de *Histórias e sonhos*. Texto conferido a partir de *Histórias e sonhos. Contos.*

198. Revista brasileira ricamente ilustrada, repleta de caricaturas da época, idealizada pelo escritor e crítico de arte Gonzaga Duque, cujo início da circulação no Rio de Janeiro data de 1907. Lima Barreto foi assíduo colaborador da revista.

199. Publicado originalmente e conferido a partir do periódico *Gazeta da Tarde*, ano III, n. 658, p. 2, 3 de junho de 1911. O conto foi publicado em L. Barreto. *Histórias e sonhos. Contos*.

200. Atual praça Tiradentes, centro histórico do Rio de Janeiro.

201. Conto publicado em *Outras histórias*, que integra a edição de 1951 de *Histórias e sonhos*. Texto conferido a partir de *Histórias e sonhos. Contos*, op. cit.

202. Conforme a nota 177, da 3ª edição de *Histórias e sonhos* (1956), "esse conto foi cotejado de recorte da publicação em que saiu originalmente, provavelmente a *Revista da Época*, colado a folhas de um dos cadernos de anotações e recortes do escritor. Não traz a data, mas sim o nome do autor".

203. Publicado em *Outras histórias*, que integra a edição de 1951 de *Histórias e sonhos*, a partir da qual realizamos o cotejo do texto. A Divisão de Manuscritos da Biblioteca Nacional possui o original (FBN/Mss I-6,35,944), cujo conteúdo difere do texto final normalmente publicado nas antologias. (Lima Barreto. "O cemitério". [S.l.], [s.d.]. Original. Manuscrito, 4 tiras).

204. Conforme a nota 178 da 3ª edição de *Histórias e sonhos* (1956): "esse conto foi cotejado de recorte da revista *Argos*, de junho de 1919, do acervo do autor, não está datado, mas traz o nome do autor".

205. Conforme a nota 179 da 3ª edição de *Histórias e sonhos* (1956), "esse conto saiu na revista *Careta*, Rio de Janeiro, 7 de maio de 1921. Não está datado mas traz as iniciais 'L.B.'".

206. Originalmente publicado na revista *Careta*, Rio Janeiro, 23 de abril de 1921, e não traz a informação da data, somente as iniciais "L.B.", conforme a nota 181 da 3ª edição de *Histórias e sonhos*. Texto conferido a partir de *Histórias e sonhos. Contos*.

207. Cidade da região serrana do Estado do Rio de Janeiro. A arquitetura colonial fora resultado do surto cafeeiro e dos barões do café que moraram no local. Por isso a referência à cidade, em específico, e ao fato de a família ter se arruinado com a abolição.

208. Alusão aos cães históricos — molossos — conhecidos como robustos e violentos. O nome vem, por sua vez, da região de Epiro, no norte da Grécia.

209. Conforme nota da 3ª edição de *Histórias e sonhos* (1956), "esse conto saiu na revista *Careta*, Rio de Janeiro, em 18 de dezembro de 1920. Não está datado, mas traz o nome do autor". O conto integrou a 2ª edição do livro *Histórias e sonhos*, 1951.

210. As reticências estão presentes no texto original.

211. Ramon de Campoamor. Poeta espanhol que viveu de 1817 a 1901.

212. Enrique Pérez Escrich foi um popular romancista e dramaturgo espanhol. Viveu de 1829 a 1897.

213. Referência jocosa a Aluísio de Azevedo, e a Rui Barbosa e sua oratória.

214. Publicado em *Histórias e sonhos. Contos*, a partir do qual procedemos ao cotejo do texto.

215. Publicado em *Histórias e sonhos. Contos*, a partir do qual procedemos ao cotejo do texto. Publicado também na *Revista da Época*, 31 de agosto de 1918.

216. Variação de versos de "Elévation", de Charles Baudelaire.

217. Versos finais de "Elévation", de Baudelaire.

218. Publicado em *Histórias e sonhos. Contos*, a partir do qual procedemos ao cotejo do texto.

219. João de Barros (1496-1570) foi pedagogo, publicista e poeta português.

220. Publicado em *Histórias e sonhos. Contos*, a partir do qual procedemos ao cotejo do texto. Publicado também na revista *Careta*, Rio de Janeiro, 15 de abril de 1922.

221. Personagem do romance realista homônimo, escrito por Edmond de Goncourt (1822--1896) e Jules de Goncourt (1830-1870).

222. Publicado em *Histórias e sonhos. Contos*, a partir do qual procedemos ao cotejo do texto.

223. Referência a Olavo Bilac (1865-1918), jornalista e poeta brasileiro.

224. Conto em forma de peça teatral publicado em *Histórias e sonhos. Contos*, a partir do qual procedemos ao cotejo do texto. Datado de 21 de setembro de 1905.

225. Maurice-Polydore-Marie-Bernard Maeterlinck (1862-1949) foi um dramaturgo e ensaísta belga de língua francesa, representante do movimento simbolista dos mais importantes.

226. Os contos argelinos — 47 contos publicados na 2ª edição de *Histórias e sonhos* (1951), sendo 14 contos publicados na Revista *Careta*, entre maio de 1915 e agosto de 1922 — possuem características bastante específicas: são mais curtos, irônicos e constituem-se evidentemente em sátiras políticas à República e em especial a Hermes da Fonseca, a despeito dos contos surgirem também nos governos de Venceslau Brás e Epitácio Pessoa. São por isso mais herméticos, em suas referências, mas a ironia não se perde, mesmo se desconhecendo os nomes. Lima critica o descaso dos políticos para com a população pobre, as falcatruas, a falta de idoneidade eleitoral, a mistura entre espaços públicos e privados de poder, o estado policialesco e toda a sorte de arbitrariedades políticas. Não por coincidência, Hermes da Fonseca deixaria seu governo totalmente desacreditado. Não se sabe ao certo, pois Lima Barreto jamais explicou, o porquê do nome desses contos: argelinos. Mas podem-se arriscar algumas hipóteses. Em primeiro lugar, e o que é mais óbvio, todos se referem a estados distantes nas arábias. Notem-se nomes, locais e referências. Em segundo, o escritor deve estar se remetendo à expressão muito utilizada na época, que fazia referências pouco abonadoras "aos sheiks das arábias". O suposto é que por lá faltavam política, moralidade e sobravam dinheiro e uso impróprio do mesmo.

227. Publicado em *Histórias e sonhos. Contos*, a partir do qual procedemos ao cotejo do texto. Publicado ainda na revista *Careta*, Rio de Janeiro, ano VIII, n. 361, 22 de maio de 1915. Datado de 22 de maio de 1915.

228. Publicado em *Histórias e sonhos. Contos*, a partir do qual procedemos ao cotejo do texto. Publicado ainda na revista *Careta*, Rio de Janeiro, ano VIII, n. 362, 29 de maio de 1915. Datado de 25 de maio de 1915.

229. Publicado em *Histórias e sonhos. Contos*, a partir do qual procedemos ao cotejo do texto. Publicado ainda na revista *Careta*, Rio de Janeiro, ano VIII, n. 363, de 5 de junho de 1915. Datado de 5 de junho de 1915.

230. Publicado em *Histórias e sonhos. Contos*, a partir do qual procedemos ao cotejo do texto. Publicado ainda na revista *Careta*, Rio de Janeiro, ano VIII, n. 370, 24 de julho de 1915. Datado de 24 de julho de 1915.

231. Publicado em *Histórias e sonhos. Contos*, a partir do qual procedemos ao cotejo do texto. Publicado ainda na revista *Careta*, Rio de Janeiro, ano VIII, n. 371, 31 de julho de 1915. Datado de 31 de julho de 1915.

232. Publicado em *Histórias e sonhos. Contos*, a partir do qual procedemos ao cotejo do texto. Publicado ainda na revista *Careta*, Rio de Janeiro, ano VIII, n. 372, 7 de agosto de 1915. Datado de 7 de agosto de 1915.

233. Publicado em *Histórias e sonhos. Contos*, a partir do qual procedemos ao cotejo do texto. Publicado ainda na revista *Careta*, Rio de Janeiro, ano VIII, n. 373, 14 de agosto de 1915. Datado de 14 de agosto de 1915.

234. Publicado em *Histórias e sonhos. Contos*, a partir do qual procedemos ao cotejo do texto. Datado de 17 de dezembro de 1914.

235. Publicado em *Histórias e sonhos. Contos*, a partir do qual procedemos ao cotejo do texto. Datado de 27 de março de 1915.

236. Publicado em *Histórias e sonhos. Contos*, a partir do qual procedemos ao cotejo do texto. Datado de 3 de abril de 1915.

237. Publicado em *Histórias e sonhos. Contos*, a partir do qual procedemos ao cotejo do texto. Datado de 3 de abril de 1915.

238. Publicado em *Histórias e sonhos. Contos*, a partir do qual procedemos ao cotejo do texto. Datado de 17 de abril de 1915.

239. Aqui Lima faz ironia com o caráter bravio e destemido dos guerreiros à época de Carlos Magno. Tudo seria muito diferente do que a modernidade. Em outras obras o escritor faria tal tipo de paralelo irônico.

240. Publicado em *Histórias e sonhos. Contos*, a partir do qual procedemos ao cotejo do texto. Datado de 17 de abril de 1915.

241. Bairro do subúrbio do Rio de Janeiro.

242. Publicado em *Histórias e sonhos. Contos*, a partir do qual procedemos ao cotejo do texto. Datado de 24 de abril de 1915.

243. Ironia de Lima Barreto com relação à ignorância do prefeito de polícia que desconhecia a rua mais movimentada do centro da cidade. Em vez disso, nessa época tomada por greves e rebeliões de todo tipo, o escritor brinca com o desavisado policial, que não sabe distinguir uma rebelião popular de um passeio da elite, que inundava literalmente a rua do Ouvidor.

244. Publicado em *Histórias e sonhos. Contos*, a partir do qual procedemos ao cotejo do texto. Datado de 8 de maio de 1915.

245. Publicado em *Histórias e sonhos. Contos*, a partir do qual procedemos ao cotejo do texto. Datado de 8 de maio de 1915.

246. Apelido que se dava a criados do rei.

247. Coche de quatro rodas para duas pessoas.

248. Lima Barreto sempre que pode destaca a "dignidade" dos subúrbios e o desconhecimento dos políticos acerca dessas regiões mais afastadas do centro.

249. Antigo oficial municipal encarregado da fiscalização das medidas e dos pesos e da taxação dos preços dos alimentos e de distribuir ou regular sua distribuição.

250. Publicado em *Histórias e sonhos. Contos*, a partir do qual procedemos ao cotejo do texto. Datado de 29 de maio de 1915.

251. Como vimos, Lima Barreto comenta alusivamente, nos contos argelinos, a situação vivenciada no governo de Hermes da Fonseca. Nesse caso se refere ao estado de sítio e policialesco que então imperava.

252. Publicado em *Histórias e sonhos. Contos*, a partir do qual procedemos ao cotejo do texto. Datado de 26 de junho de 1915.

253. Nome conferido às províncias nos antigos Impérios Persas.

254. Publicado em *Histórias e sonhos. Contos*, a partir do qual procedemos ao cotejo do texto. Datado de 3 de julho de 1915.

255. Ateniense, foi o escultor mais reconhecido no século IV a.C., esculpia peças que podiam

ser admiradas de todos os ângulos e cujo polimento do mármore conferia a elas uma textura semelhante à pele.

256. Famosa estátua de mármore de 2,24 m de altura esculpida na Antiguidade clássica, uma das maiores obras-primas da escultura antiga.

257. Referência à Grécia.

258. Barragem para evitar a fuga de peixes. Na linguagem figurada de Lima, representa o indivíduo que constrói uma barreira em torno de si.

259. Publicado em *Histórias e sonhos. Contos*, a partir do qual procedemos ao cotejo do texto. Datado de 3 de julho de 1915.

260. Louis Gustave Vapereau (1819-1906) foi escritor e lexicógrafo francês.

261. Nascido Faustin-Élie Soulouque (1782-1867), foi presidente da República do Haiti e em 1849 proclamou-se imperador com o nome de Faustino I.

262. Publicado em *Histórias e sonhos. Contos*, a partir do qual procedemos ao cotejo do texto. Datado de 24 de julho de 1915.

263. Referência a uma marca de relógio — Patek Phillipe — que representava já na época um símbolo de valor e distinção.

264. Publicado em *Histórias e sonhos. Contos*, a partir do qual procedemos ao cotejo do texto. Datado de 4 de setembro de 1915.

265. Referência à carestia e recessão imperantes durante o governo do marechal Hermes da Fonseca.

266. Publicado em *Histórias e sonhos. Contos*, a partir do qual procedemos ao cotejo do texto. Datado de 11 de setembro de 1915.

267. Publicado em *Histórias e sonhos. Contos*, a partir do qual procedemos ao cotejo do texto. Datado de 18 de setembro de 1915.

268. Tipo de arado, puxado por bois ou cavalos para revolver a terra.

269. Cadeira de marfim reservada a certos magistrados romanos.

270. Poeta romano do fim do primeiro século e início do segundo.

271. Gratificação em dinheiro, gorjeta.

272. Publicado em *Histórias e sonhos. Contos*, a partir do qual procedemos ao cotejo do texto. Datado de 2 de outubro de 1915.

273. Publicado em *Histórias e sonhos. Contos*, a partir do qual procedemos ao cotejo do texto. Datado de 30 de outubro de 1915.

274. Publicado em *Histórias e sonhos. Contos*, a partir do qual procedemos ao cotejo do texto. Datado de 30 de outubro de 1915.

275. Referência aos modelos de darwinismo social, praticados no Brasil e amplamente criticados por Lima Barreto.

276. Lima Barreto acerta vários alvos de sua crítica, a partir de um personagem só, que além de professor da faculdade de medicina, atuava na polícia e no serviço de higiene e inspeção.

277. Suposto lombrosiano segundo o qual características físicas seriam estigmas demarcados de degenerescência física e moral.

278. Prêmio concedido a artistas da Academia que lhes permitia viajar à França ou à Itália para aprimorar a formação. O prêmio foi instituído durante o Segundo Reinado.

279. Prática de rebeldia de escravos, que comiam terra até morrerem, mais conhecida como "doença da tristeza".

280. Joahann Kaspas Lavater (1741-1801) foi um teólogo e filósofo suíço e Franz Joseph Gall (1758-1828), um médico e anatomista alemão.

281. Rui de Pina (1440-1522) foi cronista oficial de d. João II.

282. Clara ironia do autor, contra as teorias de estigmas de Cesare Lombroso, antropólogo criminal que, a partir de sinais externos, pretendia determinar a "degeneração racial" e a criminalidade.

283. Publicado em *Histórias e sonhos. Contos*, a partir do qual procedemos ao cotejo do texto. Publicado ainda em *Careta*, Rio de Janeiro, ano VIII, n. 388, 27 de novembro de 1915. Datado de 27 de novembro de 1915.

284. Publicado em *Histórias e sonhos. Contos*, a partir do qual procedemos ao cotejo do texto. Datado de 18 de dezembro de 1915.

285. José Gomes Pinheiro Machado (1851-1915) foi um influente político gaúcho na República Velha.

286. Publicado em *Histórias e sonhos. Contos*, a partir do qual procedemos ao cotejo do texto. Datado de 13 de setembro de 1919.

287. Publicado em *Histórias e sonhos. Contos*, a partir do qual procedemos ao cotejo do texto. Datado de 25 de outubro de 1919.

288. Memorial fúnebre erguido para homenagear alguma pessoa ou grupo de pessoas cujos restos mortais estão em outro local ou em local desconhecido.

289. Tribo indígena na Colômbia.

290. Bloco de granito encontrado por soldados do exército de Napoleão em 1799, na ocasião em que conduziam um grupo de engenheiros para o forte Julien, próximo a Roseta no Egito. A pedra oferecia um mesmo texto escrito em grego, egípcio demótico e em hieróglifos egípcios. Os hieróglifos foram decifrados em 1822 por Jean-François Champollion e em 1823 por Thomas Young.

291. Artaxerxes foi rei da Pérsia e Anaxágoras, um filósofo grego do período pré-socrático.

292. Publicado em *Histórias e sonhos. Contos*, a partir do qual procedemos ao cotejo do texto. Datado de 25 de outubro de 1919.

293. Publicado em *Histórias e sonhos. Contos*, a partir do qual procedemos ao cotejo do texto. Publicado ainda em *Careta*, Rio de Janeiro, ano XIII, n. 614, 27 de março de 1920. Datado de 27 de março de 1920.

294. Publicado em *Histórias e sonhos. Contos*, a partir do qual procedemos ao cotejo do texto. Publicado ainda em *Careta*, Rio de Janeiro, ano XIII, n. 628, 3 de julho de 1920. Datado de 3 de julho de 1920.

295. Publicado em *Histórias e sonhos. Contos*, a partir do qual procedemos ao cotejo do texto. Publicado ainda em *Careta*, Rio de Janeiro, ano XIII, n. 643, 16 de outubro de 1920. Datado de 16 de outubro de 1920.

296. Festim.

297. Ilhas que pertencem administrativamente ao Alasca.

298. Publicado em *Histórias e sonhos. Contos*, a partir do qual procedemos ao cotejo do texto. Datado de 15 de dezembro de 1920.

299. Publicado em *Histórias e sonhos. Contos*, a partir do qual procedemos ao cotejo do texto. Datado de 22 de janeiro de 1921.

300. Publicado em *Histórias e sonhos. Contos*, a partir do qual procedemos ao cotejo do texto. Datado de 5 de fevereiro de 1921.

301. Publicado em *Histórias e sonhos. Contos*, a partir do qual procedemos ao cotejo do texto. Datado de 10 de setembro de 1921.

302. Publicado em *Histórias e sonhos. Contos*, a partir do qual procedemos ao cotejo do texto. Publicado ainda em *Careta*, Rio de Janeiro, ano XIV, n. 691, 17 de setembro de 1921. Datado de 17 de setembro de 1921.

303. Lima Barreto deve ter retirado a frase dos ensaios de Montaigne, até porque possuía um exemplar da obra em sua biblioteca: a Limana.

304. Publicado em *Histórias e sonhos. Contos*, a partir do qual procedemos ao cotejo do texto. Publicado ainda em *Careta*, Rio de Janeiro, ano XIII, n. 614, 1º de outubro de 1921. Datado de 1º de outubro de 1921.

305. Publicado em *Histórias e sonhos. Contos*, a partir do qual procedemos ao cotejo do texto. Datado de 29 de outubro de 1921.

306. Nesse comentário, temos uma prova de como, apesar das diferenças na política literária, Lima Barreto era leitor e admirador de Machado de Assis, que eternizou a expressão citada por Rubião, personagem do romance *Quincas Borba*, publicado em 1891. Uma clara ambivalência pairava em relação a esse autor. Se discordava da política literária empreendida por Machado e também do que julgava ser um projeto por demais formalista, Lima possuía vários títulos do literato em sua biblioteca.

307. Publicado em *Histórias e sonhos. Contos*, a partir do qual procedemos ao cotejo do texto. Datado de 15 de abril de 1922.

308. Novamente a referência irônica ao futebol.

309. Do latim: "Que vergonha!".

310. Publicado em *Histórias e sonhos. Contos*, a partir do qual procedemos ao cotejo do texto. Datado de 19 de agosto de 1922.

311. Publicado em *Histórias e sonhos. Contos*, a partir do qual procedemos ao cotejo do texto. Datado de 19 de agosto de 1922.

312. Publicado em *Histórias e sonhos. Contos*, a partir do qual procedemos ao cotejo do texto. Publicado ainda em *Careta*, Rio de Janeiro, 26 de agosto de 1922. Datado de 26 de agosto de 1922.

313. Vendedor ambulante, mascate.

314. Publicado em *Histórias e sonhos. Contos*, a partir do qual procedemos ao cotejo do texto. Datado de 9 de fevereiro de 1924.

315. Publicado na revista *Careta*, Rio de Janeiro, 5 de março de 1921, de onde fizemos o cotejo do texto. Editado ainda em L. Barreto. *Vida e morte de M. J. Gonzaga de Sá*, 4ª ed., cit. A 1ª edição em livro de *Os bruzundangas* foi publicada em 1922, no Rio de Janeiro, por J. Ribeiro dos Santos.

316. Publicado originalmente em *Brás Cubas*, Rio de Janeiro, 10 de abril de 1919. Texto conferido a partir de *Vida e morte de M. J. Gonzaga de Sá*. Vale destacar que privilegiamos o cotejo com a 4ª edição da obra, pois somente nessa edição há uma coletânea de contos que, segundo nota do editor, foram "extraídos de jornais e revistas de época que ainda não tinham sido publicados em livro". São eles: "Três gênios de secretaria", "O único assassinato de Cazuza", "O número da sepultura", "Manel Capineiro", "Milagre do Natal", "A sombra do Romariz", "Quase ela deu o 'sim', mas...", "Foi buscar lá...", "O jornalista", "O tal negócio de 'prestações'", "O meu carnaval",

"Fim de um sonho", "Lourenço, o Magnífico", "O falso dom Henrique v", "Eficiência militar", "O pecado", "Um que vendeu a alma", "Carta de um defunto rico".

317. Lima Barreto faz aqui uma ironia com seu personagem publicado no livro *Vida e morte...* na nota referida, e atribui a autoria a Augusto Machado. No livro e no conto, Lima destila sarcasmo contra o funcionalismo público; atividade que conhecia de perto por ser ele mesmo um empregado do Estado.

318. Como vimos, Rui Barbosa e Machado de Assis são alvos constantes da verve de Lima Barreto. O primeiro representaria o político falastrão, mais ligado, na visão de Lima Barreto, à oratória do que à promoção do bem-estar comum. Já com Machado a relação de Lima seria mais ambivalente. Como vimos, de um lado, Lima Barreto reconhecia no autor o exemplo maior do academicismo e do formalismo literário, que tanto criticava. De outro, ele próprio tentou entrar na Academia, sem sucesso, e possuía exemplares da obra do literato em sua biblioteca: a Limana.

319. Texto conferido a partir da revista *Era Nova*, ano I, n. v, 21 de agosto de 1915. Publicado também em *Vida e morte...*

320. Referência ao longo do caminho percorrido pela família imperial, da residência em São Cristóvão até a Fazenda Real de Santa Cruz. (Cf. *Guia do patrimônio cultural carioca*, cit.)

321. Referência à avenida Central, símbolo da reforma urbana empreendida por Pereira Passos. Atual avenida Rio Branco, Rio de Janeiro.

322. Bairro situado em área do subúrbio do Rio de Janeiro.

323. Referência à Fazenda do Capão do Bispo, no subúrbio do Rio de Janeiro (atual bairro de Del Castilho), cujas origens remontam à fazenda N. S. da Conceição habitada pelo bispo do Rio de Janeiro d. Joaquim Justiniano que a adquiriu por volta de 1755. (Cf. *Guia do patrimônio cultural carioca*, cit.)

324. Bairro do subúrbio do Rio de Janeiro.

325. Texto conferido a partir da revista *Careta*, Rio de Janeiro, ano XIV, n. 705, 24 de dezembro de 1921. Publicado também em *Vida e morte...*

326. Bairro da zona norte do Rio de Janeiro, próximo à Tijuca.

327. Botafogo e Copacabana aparecem aqui na qualidade de exemplos de bairros situados na zona sul da cidade, que se contrapõem à região do subúrbio. Por isso a referência às "vilas" e entre aspas.

328. Rio de Janeiro, maio de 1922. Conferido a partir de *Vida e morte...* Publicado ainda em *América Brasileira*, Rio de Janeiro, maio de 1922.

329. O autor sempre se refere à rua do Ouvidor e à avenida Central como os lugares de convivência dessa nova burguesia de hábitos mundanos e que ele tanto criticava. Os locais se transformavam, assim, em marcadores identitários e sociais.

330. Publicado originalmente no Rio de Janeiro, julho de 1913. Conferido a partir de *Vida e morte...* Publicado ainda em *A Primavera*, Rio de Janeiro, julho de 1913.

331. Referência a Eugène Delacroix (1798-1863) pintor expoente do Romantismo francês.

332. Lima se remete ao autor francês Ernest Renan e sua obra menos conhecida, chamada *Vida de Jesus*. Seu livro de maior impacto versaria sobre o fenômeno das nacionalidades e teria grande impressão e influência na intelectualidade da época.

333. Jacques-Bénigne Bossuet (1627-1704) foi um dos mais importantes teóricos do Absolutismo francês. É autor de *A política tirada da Sagrada Escritura*, publicada em 1701, na qual defende a origem divina do poder real.

334. Louise Françoise de La Baume Le Blanc, duquesa de La Vallière (1644-1710), foi amante de Luís xiv de França.

335. Rodion Românovitch Raskólnikov é o personagem principal de perfil atormentado do livro *Crime e castigo* de Dostoiévski, publicado em 1866. Lima Barreto apreciava muito a literatura russa e em especial as obras desse autor. Possuía, inclusive, vários livros de Dostoiévski em sua biblioteca.

336. Escrito no Rio de Janeiro e publicado originalmente na revista *ABC*, 22 de janeiro de 1921. Cotejado de *Vida e morte...*

337. Cemitério localizado no bairro de Botafogo, onde foram sepultados Lima Barreto e seu pai. Curiosamente, é neste cemitério que se localiza, também, o mausoléu da Academia Brasileira de Letras.

338. Referência à rua Haddock Lobo, na Tijuca, bairro da zona norte da cidade do Rio de Janeiro.

339. Conferido a partir de revista *Careta*, Rio de Janeiro, ano xv, n. 708, 14 de janeiro de 1922. Publicado também em *Vida e morte...*

340. A *Tribuna Liberal* do Rio de Janeiro era um jornal dirigido por Carlos de Laet. Em dezembro de 1889, portanto, mesmo após a proclamação da República, *A Tribuna Liberal* manteve-se como periódico defensor da monarquia e tornou-se o primeiro jornal cuja circulação foi suspensa pelo governo republicano. Voltou a circular em julho do ano seguinte com o título reduzido para *A Tribuna*, dirigido por Antônio de Medeiros. A referência ao sebastianismo segue a mesma lógica: a de encontrar, no Brasil, simpatizantes que pretendiam a volta do imperador, como antes se esperava pela volta do "Incoberto", o príncipe d. Sebastião que havia desaparecido nas cruzadas.

341. Bairro da zona norte do Rio de Janeiro. No século xx, o bairro ganhou ares boêmios, sendo escolhido como local de residência dos compositores Orestes Barbosa, Noel Rosa, Almirante e João de Barros (Braguinha).

342. Conferido a partir da revista *Careta*, Rio de Janeiro, ano xiv, n. 658, 29 de janeiro de 1921. Publicado também em *Vida e morte...*

343. Compravam-se rifas nos mafuás: parques de diversão com barracas, jogos, músicas.

344. Publicado em *O Malho*, Rio de Janeiro, 10 de janeiro de 1920. Conferido a partir de *Vida e morte...*

345. Conferido a partir de revista *Careta*, Rio de Janeiro, ano xiv, n. 655, 8 de janeiro de 1921. Publicado também em *Vida e morte...*

346. Victor-Marie Hugo (1802-85) foi poeta e escritor francês, autor da obra célebre *Os miseráveis*. O literato representava, à época, uma espécie de ícone da cultura e da ética política francesas, país que nesse contexto simbolizava uma espécie de "epicentro da civilização". Assim se entende a crítica pedante, e fora do lugar, do oficial.

347. O Rio Comprido é hoje um bairro da zona norte do Rio que, no século xix, era ocupado por chácaras de propriedade de membros da elite. P. G. Bertichem é autor de uma litografia que retrata uma chácara na região de propriedade do visconde d'Estrela, no século xix.

348. Publicado originalmente e conferido a partir da revista *Careta*, Rio de Janeiro, ano xiv, n. 663, 5 de março de 1921. Publicado também em *Vida e morte...*

349. O texto desta ii parte foi publicado e conferido a partir da revista *Careta*, Rio de Janeiro, ano xiv, n. 664, 12 de março de 1921.

350. O texto da III parte foi publicado originalmente e conferido a partir da revista *Careta*, Rio de Janeiro, ano XIV, n. 666, 26 de março de 1921.

351. Menção à Primeira Guerra Mundial (1914-8) e à Liga dos Aliados (França, Inglaterra e posteriormente EUA e URSS).

352. Publicado originalmente e conferido a partir da revista *Careta*, Rio de Janeiro, ano XV, n. 709, 21 de janeiro de 1922. Editado também em *Vida e morte...*

353. Publicado originalmente e conferido a partir de revista *Careta*, Rio de Janeiro, ano XV, n. 742, 9 de setembro de 1922. Publicado também em *Vida e morte de...*

354. Tipo de carruagem muito utilizada à época.

355. Conferido a partir da revista *Souza Cruz*, Rio de Janeiro, ano VI, n. 55, julho de 1921. Publicado também em *Vida e morte de...*

356. Ranulfo Prata nasceu no Sergipe, em 1896. Teve passagens por Simão Dias, Estância e Bahia, quando procurou consolidar a sua formação educacional. No Rio de Janeiro, doutorou-se em 1920 pela Faculdade Rio de Janeiro. Viveu a maior parte de sua vida em São Paulo, mais precisamente nas cidades de Mirassol e Santos, onde clinicou a medicina. Merece destaque a intensa amizade com Lima Barreto. Foi ele quem convidou Lima Barreto a Mirassol, na tentativa de curá-lo da bebedeira e dos estados de alienação em que o escritor entrava. Tudo sem sucesso.

357. Referência à baía de Sepetiba, estado do Rio de Janeiro.

358. Referência a Joaquim Manuel de Macedo, autor de *A moreninha*, entre outros livros, e considerado grande autor romântico brasileiro.

359. Texto conferido a partir da revista *Souza Cruz*, Rio de Janeiro, ano VII, n. 62, fevereiro de 1922. Publicado ainda em *Vida e morte...*

360. Texto conferido a partir da revista *Souza Cruz*, Rio de Janeiro, ano VI, n. 51, março de 1921. Em algumas edições verificamos a indicação do mês de maio. A informação é incorreta. No mês de maio, na revista *Souza Cruz*, foi editado o texto "Manoel de Oliveira", publicado neste volume.

361. Referência à estação ferroviária Central do Brasil, Rio de Janeiro.

362. Referência a um bairro do subúrbio do Rio de Janeiro.

363. Texto conferido a partir da revista *Souza Cruz*, ano VIII, n. 92, agosto de 1924. Publicado também em *Vida e morte...*

Nessa publicação, ao final do conto, há a seguinte nota: "(Inédito). N. da R. Neste trabalho do primoroso autor da 'Clara dos Anjos', trabalho datado de junho de 1904, e naturalmente o reflexo irônico do destino de uma própria raça, que aprouve àquela pena simbolizar nessa fantasia jocosa. No seu grande descontentamento Lima Barreto, com intuitos de arte notavelmente, e despreocupado das verdades da religião quis dar a sentir no seu ímpio trabalho que para os de sua razão não eram abertas as portas do paraíso".

Na Divisão de Manuscritos da Biblioteca Nacional (FBN/Mss I-6,35,956) é possível consultar o original em duas versões. Uma traz como local e data "Rio, 14/7/04" e a outra, em caligrafia distinta da anterior e acompanhada da assinatura "Lima Barreto", traz como local e data "Rio, 6/4/1914".

364. Aqui reproduzimos pequenos contos, ou, por vezes, fragmentos de contos, encontrados na Biblioteca Nacional. Como vimos, Lima Barreto escrevia esses textos em tiras (às vezes uma, por vezes mais) feitas a partir de ofícios do Ministério da Guerra. Atualizamos a grafia, anotamos em notas as alterações significativas entre o rascunho e o texto que resta quase finalizado, assim

como optamos por conservar a grafia do autor, em certos casos. Conforme alertamos na introdução, alguns desses textos não podem ser considerados contos, mas optamos por publicá-los neste livro, guardando a classificação do escritor. Por fim, apenas o primeiro e o último texto dessa VI parte não são inéditos.

365. Texto publicado em *Gazeta da Tarde*, 28 de junho de 1911. Esse primeiro texto não é inédito, uma vez que foi publicado no volume de crônicas organizado por Beatriz Resende e já citado anteriormente. No entanto, por conta de seu perfil testemunhal, e dado o conteúdo dessa coletânea, optamos por publicá-lo na abertura desta parte.

366. "Apologética do Feio – bilhete à baronesa de Melrosado". [S.l.], [<19__>]. Orig. Ms., 6 tiras. FBN/Mss I-06,36,1021, Coleção Lima Barreto. Interessante notar a caligrafia desse conto. Delicada, ela se diferencia daquela mais apressada que encontramos comumente nos manuscritos de Lima Barreto. Quem sabe tenha sido escrita pela irmã de Lima Barreto.

367. Zoroastro, também conhecido como Zaratustra, foi um profeta persa nascido provavelmente em meados do século VII a.C. e Habacuc foi um profeta bíblico do Antigo Testamento.

368. Eça de Queirós (1845-1900) é um dos mais importantes romancistas portugueses.

369. Escrito em latim, foi o primeiro grande tratado dedicado à álgebra, publicado em 1545 por Girolamo Cardano.

370. Pierre Terrail (1476-1524), conhecido como senhor de Bayard, foi um cavaleiro medieval francês.

371. A mais antiga ordem religiosa militar da Espanha, fundada em 1158.

372. Referência ao escritor francês Cyrano de Bergerac (1619-55), que ficou conhecido na história, também por seu imenso nariz que chegava a lhe deformar a face. O trecho em francês na sequência é do autor.

373. Lima Barreto possuía em sua biblioteca um exemplar da *Divina comédia* de Dante, assim como vários outros clássicos da literatura: obras de Miguel de Cervantes, *Os Lusíadas* de Camões, vários livros de Kipling, de Honoré de Balzac, de George Sand, de Guy de Maupassant.

374. No verso das tiras, como rascunho, em caligrafia mais apressada como verificamos comumente nos manuscritos de próprio punho de Lima, constam as seguintes anotações:

"Este Andrade Figueira, candidato da facção monarquista, certamente que é sagaz, bom político, eloquente, tem modos do fidalgo e fino trato.

Fez a Conspiração de que foi pato e bode expiatório justamente do grêmio — Flor de Liz, e presidente sábio, profundo, intrépido, cordato.

Bananeira não é que já deu cacho.

Mas é figueira que não dá mais figo."

Na outra extremidade do verso da tira, em separado, seguem arrolados os seguintes nomes:
"Pelino Guedes
Bilac
Guimarães Passos
Capistrano — o horrível fóssil
Alcindo Guanabara
Barbosa Lima
Batista Coneu
Aluísio de Abreu

Barb. Jack o estripador
Fantasiado eu mesmo de Sisostre [sic]"

"Este Andrade Figueira, candidato da facção monarquista, certamente que é sagaz, bom político, eloquente, com pretensões a Cícero barato.

Fez a Conspiração de que foi pato e bode expiatório justamente do Grêmio Flor de Liz e presidente.

É sábio, calmo, intrépido, cordato.
Traçou de lá muito o seu programa austero.
Vendo morrer da liberdade o facho.
A escravatura triunfante quero!
De há muito seu desejo realizar procura
da liberdade.
Que volte a escravatura! É o seu programa
De seu sopro vamos apagar o facho
Da liberdade que nos perde e inferem.
Meus amigos! Não temas tais pessoas.
O Andrade é bananeira que deu cacho."

(Lima refere-se a Domingos Andrade Figueira [1834-1919], político monarquista nascido no Rio de Janeiro.)

375. "A nova classe de cirurgiões". [S.l.], [<19__>]. Orig. Ms., 3 f. FBN/Mss I-06,36,1020. Coleção Lima Barreto. (Conto incompleto.)

376. Referência ao novelista inglês William Makepeace Thackeray (1811-63).

377. Periódico em circulação no Rio de Janeiro no último quartel do século XIX.

378. "Babá". [S.l.], [<19__>]. Orig. Ms., 5 f. FBN/Mss I-06,34,0902, Coleção Lima Barreto. No manuscrito o título original é "Mãe Quirina" que aparece riscado e modificado para "Babá". O texto foi escrito no verso de papéis timbrados do Ministério da Guerra. O conto parece estar incompleto.

Consta no verso da 1ª folha ofício do Ministério da Guerra, de dezembro de 1903, informando que será adquirida a quantidade que falta de lenha para preparo das refeições do 3º Batalhão de Infantaria e do 3º Regimento de Artilharia de Jaguarão que fizeram reclamação da mesma. No verso da 2ª folha consta rascunho de ofício ao ministro da Fazenda, de janeiro de 1904, solicitando que se providencie o pagamento no Tesouro Federal da quantia referente aos fornecimentos feitos à Intendência Geral da Guerra no ano de 1903, realizados pelos fornecedores Azevedo Alves e Irmãos e Borlindo Muniz. No verso da 3ª folha consta rascunho de ofício ao presidente do Tribunal de Contas, de janeiro de 1904, remetendo as cópias dos decretos que autorizam a abertura de crédito extraordinário ao Ministério da Guerra para pagamento dos ordenados que competem ao mestre de oficina de obras brancas do extinto arsenal de guerra da Bahia, Antonio Bento Guimarães. Nos versos da 4ª e 5ª folhas constam início de ofício dirigido ao ministro da Fazenda e início de comunicado de alguma decisão do presidente da República, ambos com data de março de 1904.

379. F. de A. Barbosa (op. cit.), p. 22, traz informação interessante sobre o que teria inspirado Lima ao criar a personagem Quirina. Lima Barreto era neto de escravos. Sua bisavó materna, Ma-

ria da Conceição, nascera na África e veio para o Brasil em um navio negreiro. A bisavó africana, segundo Assis Barbosa, teria inspirado Lima a escrever na "bela página que deixou inacabada: uma preta velha de mais de cem anos [...]". E Lima ainda revela o parentesco quando diz "Era da África, de nação Moçambique".

380. "O peso da ciência". [S.l.], [19__]. Orig. Ms., 2 p. FBN/Mss I-6,35,957 Fundo/Coleção Lima Barreto. Escrito em folha de rascunho do Ministério dos Negócios da Guerra.

381. O conto encontra-se evidentemente incompleto. No entanto, mesmo que aos pedaços, Lima volta aqui a um de seus temas mais recorrentes e dolorosos: o problema da raça e da cor no Brasil.

382. "Mambembes". [S.l.], [<19__>]. Orig. Ms., 5 tiras. FBN/Mss I-06,35,0935, Coleção Lima Barreto.

383. Ator carioca que viveu de 1808 a 1863.

384. "Meditações na janela". [S.l.], [<19__>]. Orig. Ms., 1 tira. FBN/Mss I-06,35,0939, Coleção Lima Barreto.

385. "História de um soldado velho". [S.l.], [<19__>]. Orig. Ms., 4 p. FBN/Mss I-06, 35, 0928, Coleção Lima Barreto.

386. "O paladino". [S.l.], [<19__>]. Orig. Ms., 3 tiras. FBN/Mss I-6,35,955, Coleção Lima Barreto.

387. Encilhamento foi o nome pelo qual ficou conhecida a política econômica adotada durante o governo provisório do marechal Deodoro da Fonseca — o primeiro presidente da República. Associada ao ministro da Fazenda, Rui Barbosa, pretendia estimular a industrialização no país. O advento republicano provocou um desajuste econômico que levou à falta de dinheiro circulante. Para contornar o problema, o governo pôs em prática uma política de incentivo de emissão de papel-moeda, incluindo a oferta de créditos livres aos investimentos industriais garantidos pelas emissões monetárias.

388. "O diplomata dos símios". [S.l.], [<19__>]. Orig. Ms., 1 tira. FBN/Mss I-6,35,946, Coleção Lima Barreto.

389. Texto incompleto, mas revelador da crítica ferina que Lima fazia às injustiças sociais próprias da humanidade.

390. "O general". [S.l.], [<19__>]. Orig. Ms., 2 tiras. FBN/Mss I-6,35,950, Fundo/Coleção Lima Barreto.

391. Conto inacabado.

392. "A vingança – história de Carnaval". [S.l.], [<19__>]. Orig. Aut. Ms., 3 tiras. FBN/Mss I-06,33,0896, Coleção Lima Barreto. No manuscrito, a lápis, consta que o texto foi publicado nos periódicos *ABC*. Com efeito, esse trecho, com algumas alterações, foi publicado sob o título de "O moleque" e na 1ª edição de *Histórias e sonhos* (1920), pp. 13-26. Também publicado em *Revista do Brasil*, ano 1, n. 3, pp. 64-71. Texto conferido a partir de *Histórias e sonhos. Contos*. Percebe-se como Lima amainou o título final. No original — chamado "Vingança" — nota-se com maior clareza a mágoa que o escritor sentia diante das manifestações cotidianas do preconceito, ademais, contra crianças. Ele mesmo, em seu *Diário íntimo*, relata que quando criança, entre onze ou doze anos, fora vítima de uma acusação falsa de latrocínio e que quase se suicidara por conta disso.

393. "O profeta e o bloco". [S.l.], [<19__>]. Orig. Ms., 3 tiras. FBN/Mss I-6,35,960.

394. Essa frase, isolada, consta ao final do documento original.

395. "Conversas". [S.l.], [<19___>]. Orig. Ms., 2 tiras. FBN/Mss I-06,34,0914, Coleção Lima Barreto. No verso da última tira manuscrita consta uma pequena gravura colada que traz um retrato do sr. Walter Scott.

396. Conforme pudemos conferir consultando a documentação manuscrita pessoal de Lima Barreto, sob a guarda da Divisão de Manuscritos da Biblioteca Nacional, diversas licenças médicas concedidas a Lima Barreto para tratamento de saúde eram prescritas para noventa dias. Tal informação nos leva a crer que esse afastamento de três meses, ao qual se refere Lima no conto, tenha sido por ocasião de um desses licenciamentos.

397. Referência a personagem do livro cujo título remete-se exatamente a Gonzaga de Sá.

398. Ruas do centro do Rio de Janeiro.

399. O conto encontra-se, evidentemente, incompleto. Mesmo assim, vale a pena como forma de mais uma vez destacar a ironia constante de Lima para com a Academia e nossos intelectuais mais bem estabelecidos.

400. "As fachadas". [S.l.], [<19___>]. Orig. Ms., 2 f. FBN/Mss I-06,33,0898, Coleção Lima Barreto.

401. A Escola de Belas-Artes fora fundada durante o Império, com o objetivo de representar o novo Estado independente. A instituição manteria essa sua função, bem como a de prover a nação de artistas, durante a República. Além das bolsas, o estabelecimento fazia uma série de exposições com trabalhos de seus alunos.

402. "O jardim dos Caiporas". [S.l.], [<19___>]. Orig. Ms., 3 tiras. FBN/Mss I-06,35,0953, Coleção Lima Barreto.

No verso da última tira encontra-se:
"O Peso da ciência.

Dos professores que tive, e que foram muitos, só depois lograram impressionar-me de um modo indelével.

para"

403. Conto evidentemente incompleto, mas que ilustra a ironia e a descrença de Lima Barreto, expressa na descrição de antigos oficiais.

404. "O domingo". [S.l.], [<19___>]. Orig. Ms., 2 tiras. FBN/Mss I-06,35,0947, Coleção Lima Barreto.

405. "O escravo". [S.l.], [19___]. Orig. Aut. Ms., 3 tiras. FBN/Mss I-06,35,0949, Coleção Lima Barreto.

406. Conto provavelmente incompleto, faz parte das anotações de Lima Barreto sobre o tráfico negreiro, abolido no Brasil, em 1850.

407. "Os pedaços". [S.l.], [19___]. Orig. Ms., 1 f. FBN/Mss 34A,1,973, Coleção Lima Barreto. Note-se que o título original do conto aparece riscado — "Em pedaços". O autor substituiu por "Os pedaços".

408. O conto está evidentemente incompleto. Faz parte de uma sequência de histórias sobre crianças que não chegou a ganhar publicação. Consta ao final do manuscrito o desenho de um retângulo com a inscrição "Espaço".

409. "Os subidas". [S.l.], [<19___>]. Orig. Ms., 3 tiras. FBN/Mss I-06,33,0899, Coleção Lima Barreto. Essa é uma primeira versão do texto que se apresenta como um rascunho do texto definitivo, aqui indicado como segunda tira.

410. Engenheiro britânico que desenhou a locomotiva a vapor.

411. Referência a Benjamin Franklin, tipógrafo norte-americano.

412. O texto faz parte de uma segunda tira, que representa uma variação interessante, sobretudo ao final da primeira.

413. Não poucas vezes, e em outros artigos contra a campanha da vacina, Lima se referiu a esse governo como "o terror do Rodrigues Alves".

414. "No tronco". [S.l.], 18 de julho de <1905>. Orig. Ms., 1 tira. FBN/Mss I-06,35,0941, Coleção Lima Barreto. Escrito em pedaço de papel timbrado de algum ministério com data 10 de julho de 1905.

415. O conto está por certo incompleto. Faz parte de uma série de artigos sobre a escravidão; textos esses que, quem sabe, comporiam "A história da escravidão" que Lima pretendia escrever.

416. "O velho códice". [S.l.], [19___]. Orig. Ms., 2 tiras. FBN/Mss 34A,1,966, Coleção Lima Barreto. O manuscrito traz uma primeira tira que suprimimos, pois trata-se de rascunho da parte inicial do conto "O velho códice".

Há na Biblioteca Nacional um manuscrito intitulado "D. Garça ou o que se passou em 1710 nos subterrâneos dos padres de Jesus, ao tempo da invasão dos franceses do Sieur Du Clerc, pirata da França a esta cidade de S. Sebastião que mais tarde foi muito heroica" (FBN/Mss 34A,01,917), composto por 85 tiras (sendo alguns fragmentos), que traz na primeira tira a seguinte anotação de Lima Barreto: "O original desta história está em velho códice escrito em italiano do meado do século XVIII". Assim, o texto "O velho códice", aqui transcrito na íntegra — embora em localização distinta no acervo da Divisão de Manuscritos (FBN/Mss 34A,01,966) —, é, em verdade, a parte introdutória ao texto "D. Garça...", manuscrito de Lima Barreto que se pretendia um romance, escrito pelo autor durante o exercício de seu cargo da Ministério da Guerra, nos papéis e em sua "mesa de escriba governamental".

Na segunda tira do manuscrito "A Garça...", que traz na margem superior a indicação do ano de 1909, diz Lima: "Retardei a publicação destas linhas, em virtude de uma imposição deste meu temperamento obediente, que me leva a respeitar toda e qualquer autoridade, sobretudo quando são ditatoriais. Há dois anos quando me veio em mente escrever este opúsculo, a par dessa ideia, surgiu-me também toda aquela complicada legislação gramatical do conselheiro Ruy Barbosa. Preceitos e regras em tão meríficos lábios, fossem sobre a sintaxe, fossem sobre a maneira de pegar no garfo, eram para a minha doce compreensão respeitosa artigos de fé, dogmas revelados, a que eu só devia respeito e completa submissão". E Lima continua à tira 22 (note-se que as tiras estão fora de ordem): "Infelizmente eram muitas e emaranhadas. Não se revestiam daquela simplicidade, daquela exiguidade de linhas e palavras que parece ser o caráter dominante e específico das grandes e soberanas leis universais. São recomendações milagrosas que tapam a breca de qualquer. Não desprezando algumas reprovações, os meus títulos são de um homem que está aproveitando os vícios de um pequeno emprego para revisar as noções científicas que recebeu. Com isso, sigo o exemplo daquele perturbador André Maltère de M. Barrès, que aproveitava o lugar de professor oficial para revisar os seus princípios de ética. Lutando em debate sem fortes falanges de termos e experiências, mais não faço do que me apurar de uma maneira de ver que a própria aceita e respeita em úteis atenções [sic] da atividade. Eu me explico. Aqui mesmo, à minha mesa de escriba governamental, cheguei-me sem papel. Os 'Registros' estão do lado e parecem espiar pelas lombadas os 'Protocolos' abertos. Entre os dois, estou eu, pensando [sic] no escrever estas linhas um pouco das minhas obrigações para com o Estado".

417. "A vida fluminense". [S.l.], [<19__>]. Orig. Ms. Dat., 1 p. FBN/Mss I-06,33,0895, Coleção Lima Barreto.

418. Uapé é, em geral empregado, na mitologia, como o correspondente da vitória-régia. Nesse conto incompleto, Lima Barreto se expõe em vários momentos: na sua condição de jornalista, na sua falta de recursos financeiros e em seu convívio ambivalente com os mais privilegiados.

419. "O soneto". [S.l.], [<19__>]. Orig. Ms., 3 f. FBN/Mss I-6,35,962, Coleção Lima Barreto.

420. "Opiniões do Gomensoro". [S.l.], [19__]. Orig. Ms., 1 f. FBN/Mss 34A,01,0969, Coleção Lima Barreto. Tomas Gomensoro Albin foi presidente interino do Uruguai de 1872 a 1873. No entanto, não foram encontradas mais evidências que justificassem o título do conto.

421. Essa mesma frase pode ser encontrada no *Diário íntimo* de Lima Barreto.

422. Crítica aos supostos frenológicos que incidiam sobre os negros nos estudos de craniometria.

423. Referência a uma região histórica, cuja área pertence hoje ao Afeganistão.

424. Conto incompleto e que traz pensamentos soltos de Lima Barreto a favor dos negros e contra a ciência determinista da época.

425. "A nota". [S.l.], [19__]. Orig. Cópia. Ms., 3 tiras. FBN/Mss I-06,33,0893, Fundo/Coleção Lima Barreto.

426. Na sequência desse parágrafo há outro que aparece riscado no original manuscrito, um trecho eliminado por Lima que aqui apresentamos para curiosidade do leitor: "Se eu soubesse química orgânica, poderia talvez mostrar como uma abundância esmagadora de argumentos imperdíveis essa minha curiosa opinião. Mostraria talvez que era preciso realizar certas modificações químicas e o resto era questão de paladar, de gosto, coisas que a opinião vulgar não permite se discutirem".

427. O fotógrafo Augusto Malta fotografou uma série de quiosques existentes na cidade do Rio de Janeiro.

428. Referência ao personagem fictício de Júlio Verne no romance *A volta ao mundo em 80 dias*.

429. "A nota. A Caixa de Conversão". [S.l.], [19__]. Orig. Ms., 8 tiras. FBN/Mss I-06,33,0888, Fundo/Coleção Lima Barreto.

430. Esses três edifícios foram construídos no âmbito das reformas empreendidas pelo prefeito Francisco Pereira Passos na avenida Central.

431. Por mais que apareça sob a forma de contos, essa é antes uma crônica de Lima, que vincula as modernidades do Rio republicano com os descaminhos da cidade.

432. "A conferência do dr. Assis Brasil". [S.l.], [19__]. Orig. Aut. Ms., 8 tiras. FBN/Mss I-06, 33,0890, Fundo/Coleção Lima Barreto. Referência a Joaquim Francisco de Assis Brasil (1857-1938), advogado, poeta, político e propagandista da República.

433. A Liga da Defesa Nacional foi fundada em 1916 no Rio de Janeiro por Olavo Bilac, Pedro Lessa e Miguel Calmon, sob a presidência de Rui Barbosa, que era favorável ao apoio brasileiro aos aliados na Primeira Guerra Mundial.

434. Júlio Afrânio Peixoto (1876-1947) foi romancista e historiador, além de médico, político, crítico literário e membro da Academia Brasileira de Letras.

435. Referência a José Félix Alves Pacheco (1879-1935), poeta, jornalista e político brasileiro, e Gregório Porto da Fonseca (1875-1934), escritor, militar e engenheiro.

436. Referência a Aloísio de Castro (1881-1959), poeta e médico brasileiro.

437. Referência, entre outros, aos escritores Alberto do Rego Rangel (1871-1945), Henrique Maximiano Coelho Neto (1864-1934), Joaquim de Sousa Andrade (1833-1902) e ao político e diplomata Lauro Severiano Müller (1863-1926).

438. Referência ao jornal republicano *O Estado de S. Paulo*.

439. Referência a Pedro Augusto Carneiro Lessa (1859-1921), político, professor, jurista e magistrado.

440. "Dr. Fonseca". Rio de Janeiro, 2 de maio de 1909. Orig. Aut. Ms., 7 tiras. FBN/Mss I-06, 35,0918, Fundo/Coleção Lima Barreto. No verso da última página: "Publiquei na revista *Lisboa*, de Portugal".

441. Consta no verso da quarta tira:
"Dr. Fonseca
Guardo da loucura uma impressão singular. Muito menino ainda, aí pelos sete anos, um golpe de sorte levou-me a ser empregado de um hospital de loucos. Daí até os 22 anos, cresci ao lado deles, conversando familiarmente com uns e com outros, recebendo parentes deles, dádivas humildes de gaiolas e badoques, de forma que durante muito tempo, vendo que só a palavra humana causava horror a todos os espíritos, eu sumia ao medo daquele [ilegível] que me acariciava diariamente e enchia de posse [ilegível]."

O texto parece ser retirado, em algumas partes, do *Diário do hospício*, obra que, como vimos na introdução, trata da passagem de Lima Barreto pelo hospital de alienados.

442. "Dr. Pio Macieira" [S.l.], [19___]. Orig. Ms., 11 tiras + 3 f. FBN/Mss I-06,35,919, Fundo/Coleção Lima Barreto. No original há um título riscado pelo autor "A filha do Messias", substituído pelo título definitivo "Dr. Pio Macieira".

443. Continuação a partir da p. 4 do original.

444. A partir daqui o texto não mais figura em tiras. Foi escrito em folhas pautadas de papel almaço.

445. Na sequência desse trecho, no original manuscrito, a seguinte observação do autor: "precisa melhorar".

446. O conto, claramente incompleto, salpica críticas ao positivismo, ao cientificismo e à República.

447. "Maniápolis". [S.l.], [19___]. Orig. Ms., 3 tiras + 4 f. FBN/Mss I-06,35,0936, Fundo/Coleção Lima Barreto.

448. O conto incompleto apresenta uma divertida crítica aos formalismos vazios da literatura.

449. "O *restaurant* e os galeões do México". [S.l.], [19___]. Orig. Aut. Ms., 7 f. FBN/Mss I-06, 35,0961, Fundo/Coleção Lima Barreto.

450. "A ave estranha: uma anedota do reino dos Perus". [S.l.], [19___]. Orig. Ms., 8 f. FBN/Mss I-06,33,0887, Coleção Lima Barreto. Essa versão foi escrita em duas páginas pautadas de grande formato.

451. Essa versão foi escrita em tiras. Trata-se de uma variação da anterior, porém, com um final diverso, sendo esse o motivo de termos deixado as duas versões.

452. Junto desse manuscrito há uma pequena tira que traz um texto esparso cujo conteúdo é: "Florência costurando e a preta velha contava histórias da sua vida sofredora à mulatinha que a ouvia. Variava de assunto. Ora uma lenda de [Tarzan] enterrado, ora um abastado conto europeu, e em geral episódios da escravidão, do tráfico etc. etc. Que história".

453. "O traidor". [S.l.], [19__]. Orig. Ms., 10 f. FBN/Mss I-06,35,0964, Coleção Lima Barreto. Trata-se de um documento interessante. A parte da frente traz um momento final do romance *Triste fim de Policarpo Quaresma*. No entanto, no verso temos depoimentos de Lima sobre sua situação pessoal e da cidade do Rio de Janeiro, e que nessa edição entra, a seguir, como nota de pé de página, acompanhando a anotação do autor. Vale destacar, também, que o título é diferente, o que indica que, talvez, o autor tivesse intenção de publicar o trecho em separado, como já havia feito em outras ocasiões, quando publicou a mesma história, ou trechos dela, duas vezes: sob a forma de conto e de romance.

454. Referência ao cantor de modinhas do romance *Triste fim de Policarpo Quaresma*.

455. No verso das páginas desse texto, constam os seguintes textos abaixo transcritos:
[verso da folha 5]
Maio
Estamos em maio, o mês das flores, o mês sagrado pela poesia e pela arte. Não é sem emoção que o vejo entrar. Há em minha alma um renovamento; as aulições [sic] desabrocham de novo e de novo me chegam renovadas de sonhos. Eu nasci sob o seu signo, a 13, e creio que em sexta-feira; e, por isso, também à emoção que o mês sagrado me traz, se misturam recordações da meninice.

Eu me lembro que, em 1888, dias antes da data áurea, meu pai chegou em casa e disse: a lei da abolição vai passar nos dias dos teus anos. E de fato passou; e nós fomos esperar a assinatura no largo do Paço. Na minha lembrança desses fatos, o edifício do antigo Paço, hoje repartição dos Telégrafos, fica muito alto, muito alto; e lá de uma das janelas eu vejo um homem que acena para o povo. Não me recordo se ele falou e não sou capaz de afirmar se era mesmo o grande Patrocínio. Havia uma imensa multidão, ansiosa, a olhar as janelas do velho casarão. Afinal a coisa foi assinada e num segundo todas aquelas milhares de pessoas o vibram. Fazia sol e o dia estava claro.

[verso da folha 2]
jamais, na minha vida, eu vi tanta alegria. Era geral, era total; e os dias que se seguiam, dias de folganças e satisfações, deram-me por irritante a visão da vida inteiramente festa.

Houve procissões alusivas ao fato e o barulho indispensável aos meus regozijos despedaçando o grilhões, alegrias toscas, eu vi passar pelas ruas; construíram-se estradas para bailes populares; houve desfile de batalhões escolares, e eu me lembro que vi pela primeira vez a princesa Imperial, cercada dos filhos, na porta do edifício da Intendência Municipal, assistindo aquela fileira de soldados desfilar devagar.

Ela me pareceu loura, muito loura, com um olhar doce e apiedado. Nunca mais a vi; e o imperador nunca vi; mas me lembro dos seus carros, aqueles escuros carros dourados, puxados por quatro cavalos, ou cocheiros montados e um criado à traseira.

Eu tinha então sete anos e o cativeiro não me impressionava. Não lhe imaginava o horror; não conhecia a sua injustiça. Que me recorde, nunca conheci uma pessoa escrava. Criado no Rio de Janeiro, na cidade, onde já os escravos rareavam, faltava-me o conhecimento direto da coisa, para lhe sentir bem os aspectos [verso da folha 1] hediondos.

Era bom saber se a alegria que trouxe à cidade a lei da abolição foi geral pelo país. Havia de ser, porque já tinha entrado na convivência de todos a sua injustiça originária.

Quando eu fui para o colégio, um colégio público, à rua do Rezende, a alegria entre a criançada era grande. Nós não sabíamos o alcance da lei, mas a alegria ambiente nos tinha tomado.

A professora, d. Tereza Pimentel do Amaral, uma senhora muito inteligente, a quem muito deve o seu espírito, creio que nos explicou a significação da coisa; mas com aquele feitio mental de crianças, só uma coisa me ficou: livre! livre!

Julgava que podíamos fazer tudo que quiséssemos; que dali em diante não havia mais limitação aos progressistas da nossa fantasia.

Mas como estamos ainda longe disso! Como ainda nos enleamos nas teias dos preceitos, das regras e das leis!

Dos jornais e folhetos distribuídos por aquela ocasião, eu me lembro de um pequeno jornal, publicado pelo tipógrafo da casa Lombarto. Estava bem impresso, tinha vinhetas, pequenos artigos e [verso da folha 3] muitos. Desses, dois eram dedicados a José do Patrocínio e um à princesa. Que me lembre, foi a minha primeira emoção poética a leitura desse último. Intitulava "Princesa e mãe" e ainda tenho de memória um dos versos: "Houve um tempo, senhora, há muito já passado...".

São boas essas recordações; elas têm um perfume de saudade e fazem com que sintamos a eternidade do tempo.

O tempo inflexível, o tempo que, como o moço é irmão da Morte, vai matando aspirações, tirando perempções, trazendo desalento, e só nos deixa na alma essa saudade do passado, às vezes composto de fúteis acontecimentos, mas que é bom sempre relembrar.

Quanta ambição ele não mata. Primeiro são os sonhos de posição, os meus saudosos; ele corre e, aos poucos, a gente vai descendo de ministro a amanuense; depois são os de Amor – oh! como se desce nestes! Os de saber, de erudição vão caindo, caindo, até ficarem reduzidos ao bondoso Larousse. Viagens, obras, satisfações, glórias, tudo se esvai, e esbate com ele.

A gente julga que vai sair Shakespeare e sai Mal das Vinhas; mas tenazmente ficamos [verso da folha 4] a viver, esperando, esperando... O quê?

O imprevisto, o que pode acontecer amanhã ou depois; quem sabe se a sorte grande, ou um tesouro descoberto no quintal?

E maio volta; o mês sagrado pela glória e pela arte, pungido à mancha da Terra, volta e os garbos da nossa alma que tinham sido amputados, os sonhos enchem-se de brotos muito verdes, de um macio verde-claro, e em breve se cobrem de folhas, reverdecem mais uma vez, para de novo perderem as folhas, secarem, antes mesmo de chegar o temido dezembro.

E assim se faz a vida, de desalentos e esperanças, de recordações e saudades, de tolices e coisas sensatas, à espera da Morte, augusta e solene.

[verso da folha 8]

O Teatro Municipal é inviável. A razão é simples. É muito grande e luxuoso. Segundo que uma peça do mais cotado dos nossos autores provoque uma enchente, mesmo sobre a opinião, haverá no Rio de Janeiro e arredores, inclusive Petrópolis e Méier, gente suficientemente encasacada para enchê-lo dez, vinte, trinta vezes? Decerto, não. Se ele não se encher pelo menos dez vezes, a receita dará para custear a montagem das peças e pagar pessoal etc.? Também não.

De antemão, portanto, pode-se, deixando de apelar para números mais positivos, afirmar que aquilo não pode ser prático. Bem: há a subvenção, que cobre déficit.

Mas que adianta para educação da população representações em cenas várias? Que estímulo tem um autor que não recebeu nem prateada, nem aplausos das plateias? até os próprios atores perderam o passo, o gosto, o entusiasmo [verso da folha 7] quando tiverem que declamar lindas tiradas, diálogos ricos, para duas dúzias de cadeiras ocupadas e quatro camarotes abarrotados.

Armaram no teatro, cheio de mármores, de complicações francesas, um teatro que exige casaca, altas *toilettes*, e quem com ele levantar a arte dramática, apelando para o povo do Rio de Janeiro. Não se tratava bem de povo que sempre entra nessas coisas como Pilatos no Credo. Eternamente ele viveu longe desses; não tem mesmo notícia deles, e, se o tem, despreza-os totalmente. O rico "Sprineelle" basta-lhe, e para que querer metê-lo nas complicações sentimentais e mundanas do movimento escuso da avenida?

Para que o Teatro Municipal se pudesse manter, seria preciso que houvesse pelo menos, no nosso Rio de Janeiro e arredores, inclusive Petrópolis e Méier, cerca de vinte mil pessoas, interessadas por coisas de teatro em português, com hábitos de luxo, gostando de gastar, renovando-se em representações sucessivas de cinco ou mais peças por ano?

[verso da 6 folha]

Ora, isso não há. Não nego que haja vinte mil pessoas ricas para formar uma população teatral; mas, parte delas faz parte da nossa aristocracia inócua que não se interessa por essas coisas e chega a ponto de não falar e entender o português ou outra língua qualquer; a outra parte ainda é de estrangeiros, pouco dispostos a perderem noites com as nossas baboseiras; a outra cria pintos e vive atrapalhada com casamentos...

Que resta? Umas três mil poucas, e não das mais ricas, que não podem estar a fazer vezes seguidas os gastos que a exibição de uma noite no Municipal exige.

Como querem, então, com um teatrão daqueles, cheio de mármores, sanefas, veludos, o diabo, criar o teatro municipal, interessar a população pela literatura dramática, atraí-la às representações, quando, em geral, nos falta totalmente a inclinação para o luxo e fugimos até dele?

Admitido que a ação do governo fosse possível nessa matéria, o caminho devia ser outro. Era vez de querer segurar os estrangeiros com uma riqueza [verso da folha 10] vária e não me consta que nas mesmas festas aldeãs se organizem ou se tivessem organizado quaisquer gêneros de representações que, de longe, lembravam o que se fazia nas aldeias dos países da Europa, onde o teatro renasceu nos tempos modernos.

Todas as tentativas para implantá-lo, com o gosto mais popular possível, têm sido infrutíferas e não deitam raízes na troca. Esforços de homens abnegados que não acham repercussão no nosso feitio mental e nas necessidades da nossa alma.

456. "O 1º atestado". [S.l.], [19__]. Orig. Ms., 6 f. FBN/Mss I-06,35,0959, Coleção Lima Barreto.

457. "Lulu, mas não da Pomerânia". [S.d.]. Orig. Ms., 2 tiras. FBN/Mss I-6,35,932, Coleção Lima Barreto.

458. "Bordejos". Conto assinado por Histrião. Pela letra de Lima Barreto. [S.l.], [s.d.]. 4 p. manuscritas. FBN/Mss I-6,31,33,n.22. Digitado a partir do original manuscrito autógrafo encontrado na Biblioteca Nacional, em cujo inventário tal peça do acervo encontra-se classificada como "conto" "pela letra de Lima".

Há uma página manuscrita, também na letra de Lima que corresponde à última página do conto, com o texto ligeiramente modificado. Essa página encontra-se riscada do início ao fim, como se estivesse descartada. Nessa página, porém, um detalhe importante. A data "25/8/1901". Trata-se do mais antigo texto produzido por Lima entre os contos aqui publicados. Destaca-se que em 1901 Lima Barreto tinha apenas vinte anos e que, no ano seguinte, seu pai enlouqueceria.

Histrião: *s.m.* Ator que representava nas farsas da Antiguidade. Bobo, bufão, saltimbanco, palhaço.

459. Bairro da zona portuária do Rio de Janeiro.

460. Fábrica de porcelanaria francesa que constava sempre na mesa da realeza local, e fazia a alegria dos nobres e até mesmo da elite da República.

461. "O povoamento do solo e a simplificação da linguagem". [S.l.], [s.d.]. Texto assinado Max. Orig. Ms., 3 tiras. FBN/Mss I-6,35,958, Coleção Lima Barreto.

462. Múcio Teixeira (1857-1926) foi escritor, jornalista, diplomata e poeta. Era considerado, na sua geração, escritor dos mais prolixos, tendo deixado mais de setenta obras. Talvez, por isso, receba a ironia de Lima Barreto.

463. "Um fato gravíssimo". [S.l.], [s.d.]. Orig. Ms., 2 tiras. FBN/Mss I-6,36,985, Coleção Lima Barreto.

464. No verso da última tira, a seguinte anotação a lápis: "Sr. Arcanjo, arranje a minha cama para o Barreto dormir. Recado do Carlos [sic] Vianna. 4 de maio de 1907".

465. "Uma loteria com que sonho". [S.d.] Texto datilografado, 1 p. FBN/Mss I-6,36,987.

466. "Dr. Laranjinha". Orig. Ms., 2 tiras. FBN/Mss I-6,36,995, Coleção Lima Barreto.

467. Texto não titulado. Orig. Ms., 5 tiras. FBN/Mss I-6,36,998, Coleção Lima Barreto.

468. Conforme nos informa Assis Barbosa (op. cit., p. 89), Alpha Linha era o codinome usado por Bastos Tigre, quando colaborava para o periódico *A Lanterna*, na seção da Escola Politécnica. Em dado momento Lima começou também a colaborar como redator dessa mesma seção assinando Alpha Z. Na ocasião em que usavam os pseudônimos, Lima e Tigre estudavam na Escola Politécnica.

469. Texto conferido a partir de revista *Souza Cruz*, Rio de Janeiro, ano VI, n. 53, maio de 1921. O ensaio aparece sob o título de "conto" na Biblioteca Nacional, respeitando o critério do autor, e por isso o introduzimos nesta coletânea. Evidentemente autobiográfico, o texto narra a experiência de Lima Barreto, quando seu pai perdeu o emprego, logo no início da República, e acabou por trabalhar num asilo para alienados na ilha do Governador. Expressa também sua contrariedade diante do tratamento arbitrário dado aos alienados ou "patetas", para ficarmos com os termos do autor. Manoel de Oliveira tornou-se um amigo familiar e agregado dos Lima Barreto. O texto foi publicado na obra organizada por Beatriz Resende, já citada neste livro, e que traz todas as crônicas publicadas pelo autor.

470. Bairro da zona sul da cidade do Rio de Janeiro.

471. Amante.

472. Referência ao cemitério localizado no bairro de Inhaúma, subúrbio da cidade do Rio de Janeiro.

473. Cabinda e Benguela são províncias de Angola, na África, onde também se localiza a República Democrática do Congo, um dos maiores países africanos.

474. Interessante notar que, com o tempo, também Lima se converteria em monarquista, a despeito de a princípio ter apoiado a República.

475. É importante destacar que não colocamos todas as edições que a obra de Lima Barreto mereceu, pois essa tarefa seria imensa e fadada à incompletude, dado o grande número de versões em que os livros do autor aparecem. Optamos, pois, por apresentar apenas as primeiras edições, e, no último caso, uma coletânea de crônicas que condensa todos os textos do gênero produzidos pelo autor.

476. É preciso destacar que essa cronologia não se pretende exaustiva. Para uma visão mais ampla, sugiro a leitura da obra de Francisco de Assis Barbosa, já citada nesta edição.

Bibliografia

Arnoni Prado, Antonio. *Lima Barreto o crítico e a crise*. São Paulo: Martins Fontes, 1989.
Barbosa, Francisco de Assis. *A vida de Lima Barreto*. Rio de Janeiro: José Olympio, 2002.
_____ . *O Rio de Janeiro de Lima Barreto*. Rio de Janeiro: Edições Rio Arte, 1983.
Bath, Frederik. "Les groupes ethniques et Leurs Frontières". Em Poutignat Philippe (org.) *Theories de L'ethnicité*, Paris, PUF, 1995.
Beiguelman, Paula. *Por que Lima Barreto*. São Paulo: Brasiliense, 1981.
Bernardo, Gustavo. Prefácio em Hidalgo, Luciana. *Literatura da urgência. Lima Barreto no domínio da loucura*. São Paulo: Annablume, 2008.
Candido, Antonio. "Os olhos, a barca e o espelho". Em Houaiss, Antonio e Figueiredo, Carmem Lúcia Negreiros de (coord). *Lima Barreto — Triste fim de Policarpo Quaresma (edição crítica)*. Madri: Coleção Archivos/Scipione Cultural, 1997, pp. 549-50.
Carvalho, José Murilo. *A formação das almas*. São Paulo: Companhia das Letras, 1991.
_____ . *Teatro de sombras*. Rio de Janeiro: Relume Dumará, 1998.
Catálogo da exposição comemorativa do centenário de nascimento de Lima Barreto organizado pela Seção de Promoções Culturais. Prefácio de Francisco de Assis Barbosa. Rio de Janeiro, 1981.
Cavalheiro, Edgard. *A correspondência entre Monteiro Lobato e Lima Barreto*. Rio de Janeiro: Ministério da Educação e Cultura, 1956.
Corrêa, Mariza. *As ilusões da liberdade*. Bragança Paulista: Edusf, 1998.
Cunha, Manuela Carneiro da. *Negros estrangeiros*. São Paulo: Brasiliense, 1986.
Damasceno, Darcy. "Arquivo Lima Barreto". Em *Anais da Biblioteca Nacional*, v. 105, 1985, pp. 3-87.
Dumont, Louis. *Homo hierarchicus: o sistema de castas e suas implicações*. São Paulo: Edusp, 1992.
Engel, Magali Gouveia. "Gênero e política em Lima Barreto", *Cadernos Pagú*, n. 32, Campinas, 2009.
Épinay, Louise d'. *Mémoires et correspondance de Mme d'Épinay, renfermant un grand nombre de lettres inédites de Grimm, de Diderot, et de J.-J. Rousseau, ainsi que des details, etc.*, 1818.

Fantinati, Carlos Erivany. *O profeta e o escrivão. Estudo sobre Lima Barreto*. São Paulo: Hucitec, 1978.
Figueiredo, Carmem Lúcia Negreiros de. *Lima Barreto e o fim do sonho republicano*. Rio de Janeiro: Tempo Brasileiro, 1995.
_____. *Trincheiras do sonho: ficção e cultura em Lima Barreto*. Rio de Janeiro: Tempo Brasileiro, 1997.
Foucault, Michel. *Arqueologia do saber*. São Paulo: Martins Fontes, 1985.
Gilroy, Paul. *O Atlântico negro*. São Paulo: Editora 34 Letras, 2004.
Guia do patrimônio cultural carioca. Bens tombados. 2008. Rio de Janeiro: Prefeitura da Cidade do Rio de Janeiro, 2008.
Hidalgo, Luciana. *Literatura da urgência. Lima Barreto no domínio da loucura*. São Paulo: Annablume, 2008.
Holanda, Sergio Buarque de. *Raízes do Brasil*. São Paulo: Companhia das Letras, 1998.
Lima, André Luiz Dias. "Lima Barreto e Dostoiévski: vozes dissonantes". Tese. Niterói: UFF, Departamento de Literatura, 2009.
Lombroso, Cesare. *L'uomo delinquente*. Turim: s.e., 1873.
Machado, Maria Cristina Teixeira. *Lima Barreto: um pensador social na primeira República*. São Paulo: Edusp. 2002.
Miguel-Pereira, Lúcia. *Prosa de ficção (de 1870 a 1920) — História da literatura brasileira*. Belo Horizonte / São Paulo: Itatiaia / Edusp, 1988.
Milliet, Sergio. "Noticiário", *O Estado de S. Paulo*, São Paulo, 11 de novembro de 1948.
Nolasco Ferreira, Zelia. *Lima Barreto: imagem e linguagem*. São Paulo: Annablume, 2005.
Pereira da Silva, H. *Lima Barreto escritor maldito*. Brasília: Civilização Brasileira, 1981.
"Pretos contra brancos ou dando e mudando nomes". Em Cabral, João de Pina e Viegas, Susana de Matos (orgs.). *Nomes: gênero, etnicidade e família*. Lisboa: Almedina, 2007, pp. 219-44.
Resende, Beatriz. *Lima Barreto e o Rio de Janeiro em fragmentos*. Rio de Janeiro: UFRJ / Unicamp, 1993.
_____. "Lima Barreto. A opção pela marginália". Em Schwarz, Roberto. *Os pobres na literatura brasileira*. São Paulo: Brasiliense, 1983, pp. 73-8.
_____. "Sonhos e mágoas de um povo". Introdução em Resende, Beatriz e Valença, Rachel (orgs.). *Toda crônica*. Rio de Janeiro: Agir, 2004.
Rezende de Carvalho, Maria Alice. "Intelectuales negros en el Brasil del siglo XIX. Em Altamirano, Carlos (org.). *Historia de los intelectuales en América Latina*. Buenos Aires: Katz, 2008, pp. 312-33.
Rodrigues, Nina. *Correio da Bahia*, Salvador, 16 de maio de 1888.
Schwarcz, Lilia. "Tres generacion y um largo imperio: José Bonifácio y Joaquim Nabuco, Porto Alegre". Em Altamirano, Carlos (org.). *Historia de los intelectuales en América Latina*. Buenos Aires: Katz, 2008, pp. 363-86.
_____. *Espetáculo das raças*. São Paulo: Companhia das Letras, 1988.
Schwarz, Roberto. *Duas meninas*. São Paulo: Companhia das Letras, 1997.
Sevcenko, Nicolau. *A revolta da vacina*. São Paulo: Brasiliense, 1981.
_____. *Literatura como missão*. São Paulo: Companhia das Letras, 2006.
Vasconcellos, Eliane. *Entre a agulha e a caneta. A mulher na obra de Lima Barreto*. Rio de Janeiro: Lacerda Editores, 1999.
Veríssimo, José. "Lima Barreto". Em Barreto, Lima. *Prosa seleta*. Rio de Janeiro: Nova Aguilar, 2001.
Weber, Max. *Economía y sociedad*. México: Fondo de Cultura Económica, 1974, pp. 395-9.

Sobre o autor

AFONSO HENRIQUES DE LIMA BARRETO nasceu no Rio de Janeiro em 1881.

Em 1900, o escritor deu início aos registros do *Diário íntimo*, com impressões sobre a cidade e a vida urbana do Rio de Janeiro. Em 1905, começa a colaborar mais regularmente para a imprensa e, na mesma época, escreve a primeira versão de *Clara dos Anjos*.

É autor, entre outros, de *Recordações do escrivão Isaías Caminha* (1909), *Triste fim de Policarpo Quaresma* (1911), *Numa e ninfa* (1915), *Vida e morte de M. J. Gonzaga de Sá* (1919), *Histórias e sonhos* (1920). Morreu no Rio de Janeiro em 1922.

Sobre a organizadora

LILIA MORITZ SCHWARCZ é professora titular no Departamento de Antropologia da USP e autora de, entre outros livros, *Retrato em branco e negro* (Companhia das Letras, 1987), *O espetáculo das raças* (Companhia das Letras, 1993, e Farrar Strauss & Giroux, 1999), *As barbas do imperador* (Companhia das Letras, 1998, Prêmio Jabuti/Livro do Ano, e Farrar Strauss & Giroux, 2004), *A longa viagem da biblioteca dos reis* (com Paulo Azevedo, Companhia das Letras, 2002) e *O sol do Brasil* (Companhia das Letras, 2008, Prêmio Jabuti).

1ª EDIÇÃO [2010] 9 reimpressões

ESTA OBRA FOI COMPOSTA POR 2 ESTÚDIO GRÁFICO EM DANTE E
IMPRESSA PELA GEOGRÁFICA EM OFSETE SOBRE PAPEL PÓLEN DA
SUZANO S.A. PARA A EDITORA SCHWARCZ EM MAIO DE 2024

A marca FSC® é a garantia de que a madeira utilizada na fabricação do papel deste livro provém de florestas que foram gerenciadas de maneira ambientalmente correta, socialmente justa e economicamente viável, além de outras fontes de origem controlada.